清江高坝洲水电站
工程建设技术文集

湖北省清江水电开发有限责任公司　编

黄河水利出版社

图书在版编目(CIP)数据

清江高坝洲水电站工程建设技术文集/湖北省清江水电开发有限责任公司编. —郑州：黄河水利出版社，2004.12
ISBN 7-80621-860-2

Ⅰ.清…　Ⅱ.湖…　Ⅲ. 水力发电站-建筑工程-施工管理-湖北省-文集　Ⅳ. TV752.63-53

中国版本图书馆 CIP 数据核字(2004)第 117088 号

出 版 社:黄河水利出版社

地址:河南省郑州市金水路 11 号　　邮政编码:450003

发行单位:黄河水利出版社

发行部电话及传真：0371-6022620

E-mail：yrcp@public.zz.ha.cn

承印单位:河南省瑞光印务股份有限公司

开本:787 mm×1 092 mm　1/16

印张:23.75

字数:580 千字　　印数:1—1 500

版次:2004 年 12 月第 1 版　　印次:2004 年 12 月第 1 次印刷

书号：ISBN 7-80621-860-2/TV·381　　定价：48.00

《清江高坝洲水电站工程建设技术文集》
编辑委员会

序

高坝洲在湖北。湖北西南部有一条叫清江的河流，清江干流自上而下布置有水布垭、隔河岩、高坝洲3个梯级电站。装机184万kW的水布垭在建，坝高233 m，它是目前世界上最高的面板堆石坝；装机121.2万kW的隔河岩电站建成投用已逾10年，因在1998年长江抗洪的危急时刻发挥了关键作用而声名显赫；高坝洲水电站装机25.2万kW，是清江干流最下游的一个梯级，年发电量8.98亿kW·h，枢纽由混凝土重力坝、河床式电站厂房和通航建筑物组成，大坝全长439.5 m，坝高57 m，总库容4.863亿m^3。

很显然，高坝洲工程规模并不算大，但它却创造了国内同类型同规模水电工程工期最短的新记录。1996年10月一期工程截流，1999年7月首台机组具备发电条件，2000年4月主体工程(除升船机外)完工，正式下闸蓄水。设计发电工期为4年，完工工期为6年，实际上分别只用了3年和3年半时间，甩掉了水电工程建设周期长的帽子。

从地质条件、坝型、坝高等技术参数看，这个工程都比较常规，建设过程中却大量开展科研与新技术应用，并取得良好效果。如对水轮机蜗壳结构型式研究中，首次采用预应力钢筋混凝土蜗壳，较好地适应了径流式电站上下游运行水头差40 m的结构要求。与传统钢衬钢筋混凝土蜗壳相比，既节省了投资，又缩短了直线工期，大大加快了进度。这项新技术填补了中水头钢筋混凝土蜗壳设计和施工的一项空白。又如二期坝体采用全断面RCC筑坝形式，既有利于坝体快速上升，又可省去原上游RCC过水围堰，并可提前一年实现正常蓄水发电，取得了显著的经济效益。

高坝洲工程建设期虽然不长，却凝聚着老中青几代人的心血。单从设计单位讲，长江水利委员会从1958年起就开始介入。建设过程中，业主、设计、施工、监理等有关方面精诚合作，同心协力。水利水电学界、业界也给予了足够的关切，先后有数十位院士亲临工地指导。我自己曾两次陪同张光斗教授深入施工现场。专家、学者们的心愿只有一个：把高坝洲水电站建成一流工程。

高坝洲水电站已建成4年，并已顺利通过了枢纽工程竣工验收，获得了国家颁发的优秀设计金奖，至今，工程运行情况优良。现在，建设者又从总量过百万字的发表在各类刊物的论文中，选编了这本《清江高坝洲水电站工程建设技术文集》。应该说，这是一本具有一定学术价值的书籍，可我更看重的是它的实用性，它的启发、借鉴作用。我相信，对建设一个单项水电工程来说，它的实用价值当事者将会有比我更深的体会。

中国水坝数量已达8.5万多座，居世界第一，2001年中国已超过美国，成为世界水电装机容量第一大国。但是，要成为名副其实的水电大国，不仅仅是水坝数量、装机数量，还有水电设计、施工等方面的技术和能力。这就需要众多建设者、实践者不断地研究、分析、总结，这也是人类社会进步与发展的一种必然要求。

作为一名水利水电技术工作者，希望更多地看到水利水电建设的座座丰碑，并愿意这方面的专家学者能用审视的目光来惠顾这一个曾经有许多人为之奋斗的工程，以励其志，再走向新的江河！

刘宁

2004年9月于北京

目 录

第一部分 工程技术论文

Ⅰ 建设管理

Ⅱ 勘测设计

Ⅲ 科研与新技术应用

Ⅳ 工程施工

第二部分 工程建设概述

第一部分　工程技术论文

Ⅰ　建设管理

高坝洲水电站工程建设管理

汪金元　吴启煌

1　工程概况

湖北清江高坝洲水电站位于隔河岩枢纽下游 50 km 处，是清江干流最下游的一个梯级电站，距宜都市(长江口)12.0 km。

高坝洲水电站的主要任务是发电和航运。高坝洲水库作为隔河岩水利枢纽的反调节水库，能使隔河岩电站的调峰效益得以充分发挥，也有利于改善电网运行条件；同时，与隔河岩枢纽配套，改善了清江的水上交通条件。此外，高坝洲工程还兼有养殖、旅游等综合效益。

高坝洲水电站坝址控制流域面积 15 650 km^2，占清江全流域面积的 92%，多年平均流量为 436 m^3/s，多年平均径流量 138 亿 m^3，枢纽设计蓄水位 80 m，防洪校核水位 82.90 m，总库容 4.863 亿 m^3。坝高 57 m，坝顶高程 83 m，坝轴线全长 439.5 m。电站装机 3 台，总装机容量 252 MW，多年平均发电量 8.98 亿 kW·h，年利用小时数为 3 560 h。右岸垂直升船机工程，可通航 300 t 级船只，设计年单向通过能力为 173.3 万 t。

2　前期工作

高坝洲水电站前期工作做得比较充分。从 1958 年起，原长江流域规划办公室就开始高坝洲水电站的规划选址工作；1991 年 7 月，湖北省人民政府和原能源部联合批复了高坝洲水电站可行性研究报告；1992 年 10 月，国家计委批复了高坝洲水电站可行性研究报告；1996 年底，高坝洲水电站工区的场内外公路、高坝洲大桥、供水、供电、供气、通讯、建设各方办公生活住房等“五通一平”及施工附属项目完工，前期准备工作全面就绪。1997 年 5 月，国家计委批准开工，并列入当年的基本建设计划。

3　建设管理

(1)管理体制。湖北清江水电开发有限责任公司(以下简称“清江公司”)全面负责清江流域梯级、滚动、综合开发流域性管理，湖北清江高坝洲工程建设公司(以下简称“高坝洲建设公司”)是清江公司领导下的项目建设单位(分公司)，受清江公司的委托，全面负责高坝洲水电站的建设管理。

(2)管理职责。根据清江公司的授权和清江公司制定的“条块结合、以块为主、分级管理、责权统一”的管理办法，高坝洲建设公司的主要职责是：①在国家批准的规划和投资计划内，自主组织安排工程建设；②承担进度监理和投资监理任务，并委托清江监理有限公司承担质量监理；③负责签订和执行设计、土建、设备、安装、调试及生产准备合同，重大项目招标发包(主机、主体建筑安装、主要金属结构设备、升船机工程主设备)须经清江公司批准；④负责各设计阶段图纸的会审，并按合同要求催交设计图纸、设计说明和其他有关工程资料；⑤具体组织工程阶段性验收，并具体负责工程竣工验收的准备工作；⑥按合同规定按时结算和支付工程进度款和预付款，具体办理水库淹没处理费及工程保险费，并按工程进度代扣代付各项税金及相关的费用；⑦负责施工安全和施工质量的管理工作；⑧全面负责建设、设计、施工、监理单位之间的协调工作。

(3)投资构成。高坝洲水电站由湖北省清江水电投资公司和国家电力公司华中分公司合资建设。工程动态总投资30.76亿元(不含电力外送工程投资)。其中资本金6.16亿元，占动态总投资的20%，两家各占50%。国家开发银行贷款12.30亿元，其债务由国电华中公司承担；其他资金由湖北省清江水电投资公司负责筹措。

4 工程进度

在全体建设者的共同努力和各有关方面的大力支持下，高坝洲水电站主体工程各阶段性目标相继按期或提前实现。1996年10月26日，一期工程截流，同年底开始基坑开挖；1997年4月1日，主体工程浇筑第一仓混凝土；1998年6月15日，一期大坝全线达到设计高程83 m；1998年10月26日，二期工程截流；1999年6月，实现初期蓄水，7月底1#机具备发电条件；1999年12月20日、2000年2月18日和2000年7月3日，分别完成了1#机、2#机和3#机的72 h试运行。

2000年4月30日，正式下闸蓄水。至此，除升船机外，高坝洲水电站主体工程已全部完建。

5 经验与教训

清江水电梯级开发经过多年努力，建成了隔河岩水电站，创立了业主负责、建管结合、产权明晰、主体明确、流域开发、滚动发展的“清江体制”，在全国水电建设行业中产生了广泛的影响。高坝洲水电站的建设，标志着清江水电“流域、梯级、滚动、综合”开发进入实质性阶段，不仅能为全国水电流域梯级开发提供新的经验，同时对推动鄂西南经济快速发展将发挥重要作用。

在清江公司的正确领导下，高坝洲建设公司充分发挥“清江模式”的优势，吸取隔河岩水电站建设管理的经验，大胆探索、开拓进取，在建设实践中又积累了一些新的经验，走出了一条“速度快、质量好、投资省、环境美、管理水平高”的水电建设新路子。认真总结这些经验与教训是十分必要的。

5.1 高质量重视前期工作，重视设计审查工作

高坝洲水电站之所以能在三年半的时间内，完成除升船机工程外的主体工程建设，创造了国内同类型、同规模水电工程工期最短的新记录，与前期工作做得充分是密不可分的。

1992年，高坝洲建设公司组建之后，就一心一意地抓前期工作。1994年至1995年先后完成了主机制造招标设计、施工组织设计、主体建安招标设计、金属结构制造招标文件编制。到一期工程截流之前，所有的前期准备工作都已完成。

高坝洲水电站的设计单位是长江水利委员会设计院，该院人才济济，技术密集，经验丰富。几年来，建设单位一方面充分尊重设计单位的意见，遇事多与设计单位商量。另一方面，充分发挥自身技术干部的作用，认真开展设计审查、组织技术交底并及时反馈意见。对于设计审查中提出的问题以及建设单位、施工单位要求修改设计的意见，设计单位也十分重视，组织专家及时研究，对其可行的部分主动予以采纳。高坝洲水电站工程设计从总

体上讲是成功的，主要表现在以下五个方面：一是枢纽总体布置合理；二是主设备选型正确；三是施工组织设计切合实际；四是招标文件编制缜密；五是总概算比较准确。

5.2　加强投资控制，实行招标发包

高坝洲工程建设，大到主体建安工程和主机设备、金属结构制造，小到临时房建工程，除某些零星小项目外，都实行了招标发包。在招标前，认真编制招标文件(包括标书、标的、评标办法等)，并对投标单位的资质、业绩和经营状况进行了考察或调查。评标定标时，一是坚持按《中华人民共和国招标投标法》规范运作；二是坚持“公开、公平、公正”的原则，对所有的投标单位一视同仁；三是充分发挥专家的作用，严格按所有投标单位都认可的评标办法操作；四是用评标纪律来约束评标人员的言行；五是公证单位实行全过程的监督。这些做法，既维护了业主的经济利益，又使所有的投标单位心悦诚服。通过招标投标，择优选用施工单位和制造厂商，既保证了工程质量、加快了工程进度，也降低了工程造价。

5.3　加强进度控制，实行网络计划动态管理

高坝洲工程工期比较紧，一环紧扣一环。为此，我们采用了网络计划动态管理办法，即在科学编制工程建设网络计划的基础上，实行跟踪管理，根据现场情况的变化，及时分析调整施工重点、施工手段，始终保证计划目标的有效性。同时根据总进度计划编制年、季、月度建设计划，并督促承包单位层层分解、落实到基层单位。为搞好动态管理，采取了三条措施：一是成立项目责任组，加强现场技术服务和施工组织协调的力度；二是坚持每周开生产例会，每月开建设四方负责人联席会，不定期开四方总工联席会，及时分析检查工程进展情况，协调处理施工中的重大技术问题，布置下一阶段的工作；三是抓住季节，集中资源，组织阶段性施工大会战。

实行动态管理的成功实例很多，现只讲其中最突出的一个。1996 年 10 月 26 日，一期工程截流，11 月初，上、下游土石围堰防渗墙施工平台达到设计高程，冲击钻开钻。恰在此时，清江流域发生了百年一遇的特大秋汛，11 月 4 日，隔河岩水库入库流量达到 4 300 m^3/s，库水位迅速攀升，越过正常水位(200 m)，隔河岩水库逐渐加大出库流量，11 月 7 日 4 时，高坝洲坝址流量达到 4 600 m^3/s，远远超出导截流设计中与该时段对应的导流明渠的行洪能力(1 000 m^3/s)，高坝洲上游土石围堰的堰前水位高出防渗墙施工平台高程(48 m)。经过两天两夜的奋力抢救，保住了主要的施工机械，但围堰过洪，基坑泡水，工期损失一个月。面对如此严峻的局面，广大建设者没有灰心丧气，而是重整旗鼓，继续拼搏。高坝洲建设公司在洪水过后立即组织技术人员，在较短的时间内编制出新的施工网络计划。以后的实践表明，这个网络计划提出的“采取应急措施、修改施工方案、调整资源配置”等意见，是切合实际的。执行这个计划，不仅弥补了一个月的工期损失，也为 1997 年高坝洲工程的安全度汛打下了基础。

5.4　依靠科技进步，推动工程建设

科学技术是第一生产力，这在高坝洲工程建设中得到了充分的体现。高坝洲水电站虽属常规电站，但依然有许多复杂的技术问题需要解决，同样要依靠科技。为此，我们抓了以下四方面的工作：

(1) 大力进行设计优化。几年来，我们立足工程实际，在优化设计方面做了大量工作。其中，最主要的项目有：取消二期上游 RCC 过水围堰，采用 RCC 筑坝技术修建高坝洲二期坝体；在国内首次采用预应力钢筋混凝土蜗壳结构，改善了蜗壳的受力条件；右岸防渗

帷幕轴线上移 85 m，端点内移 198 m，等等。此外，还进行了场内外公路优化设计，水轮机转轮型式优化分析研究，厂房宽槽提前回填，厂房下游墙尽早与主机段分离单独上升，电站厂房坝段施工期横缝临时止水等项设计修改和优化工作，均不同程度地起到了改善施工条件和工程运行条件，或缩短工期、节约工程量的作用。

(2)重视科研和试验工作。在高坝洲工程建设中，我们充分利用设计、科研、高校等社会科技力量进行科研和试验工作。几年来，先后进行了 30 余项专题研究，做了大量的生产性试验。其中包括：三次 RCC 现场试验，WHDF 外加剂试验，岩溶角砾岩爆破试验，帷幕灌浆试验，锚桩试验，预应力钢筋混凝土蜗壳仿真模型试验，压缩式内锚头仿真模型试验，RCC 混凝土上游面防渗聚合物试验，闸门的动水试验和振动原型观测试验，水轮发电机组型式试验，门机与桥机负荷试验，升船机流激振动研究，升船机挡水墙脉动压力观测，升船机随机裂缝光纤传感监测，RCC 围堰爆破拆除及振动监测，等等。

(3)大力推广使用新技术、新材料、新工艺、新设备。在高坝洲工程建设中，我们采用了 WHDF 新型混凝土外加剂；建立了大坝变形 GPS 监测系统；采用了保护层一次爆除的快速开挖方法；推广使用多卡模板、大型拼装模板；广泛采用了电渣压力焊接、窄间隙溶槽焊接和冷挤压连接技术；在防渗墙施工中应用了钻抓结合的施工工艺。

(4)认真处理地质缺陷和质量缺陷。几年来，我们先后采取不同的方法，对 3#坝段坝基大型溶槽、深孔消力池基础集中渗流涌水、16#与 17#坝段坝基楔形体、20#及 21#坝段 RCC 的不良层面、12#坝段右侧纵向裂缝、深孔横缝漏水等进行了妥善处理，确保了大坝的安全。

5.5 创建优质工程，实现水电机组“达标投产”

质量是工程的生命。高坝洲主体工程质量监理虽已委托清江监理公司负责，然而高坝洲建设公司并没有因此而减轻自己在质量管理上的责任。几年来，公司做了以下几项工作：一是督促施工单位建立健全质量保证体系；二是强化全员质量教育；三是建立和完善管理制度、奖惩办法；四是支持监理单位的工作，充分尊重他们的意见；五是深入开展“质量月”活动。主体工程开工后，我们会同监理单位组织了 8 次质量月活动，每次活动目标明确、计划周密、重点突出、效果显著。

由于重视设计和施工质量，为水电机组“达标投产”奠定了良好的基础。在机组试生产期内(一年)，高坝洲建设公司支持、配合运行单位，认真地进行了设备消缺和环境整治工作。经过整改，电厂面貌焕然一新，管理工作井然有序。2001 年 3 月 18 日，高坝洲电厂 1#、2#机组顺利通过了国家电力公司和国电华中公司组织的“达标投产”复检验收。

5.6 重视环境保护，建设花园式水电站

保护环境是我国的一项基本国策。开工伊始，按照可持续发展的战略，我们坚持环境绿化与主体工程同时规划、同步建设。几年来共植树 8 万株，种草皮 6 万 m^2，培育花卉盆景 5 000 余盆，建成了绣政园、专科园、奇树园、龙墙园、水上乐园等绿化、美化工程。目前，一个空气清新、环境优美的花园式水电站已初显端倪。此外，工区实行封闭式管理，既维护了工地的治安，也有利于环境保护。

5.7 重视电力外送工作

华中网局、湖北省电力局对高坝洲水电站接入系统的工作十分重视，1993 年，对电力外送问题与清江公司达成了一致意见。湖北省电力局对高郭线、高楼线和楼子河变电站的建设一直抓得很紧，这几项工程与高坝洲水电站首台机组基本上同时具备投产条件。由于

在调度权的归属上有一个协调和磋商的过程，直到 2001 年 2 月 1 日，高坝洲电厂 1#机才正式投入商业运行。

5.8 移民工作至关重要

高坝洲水库面积 30.147 km^2，水库淹没涉及长阳县和宜都市的 6 个乡镇、50 个村、194 个组，移民 15 736 人，淹没土地 1 546 hm^2。水电建设项目往往被移民问题所困扰，这是其特点，也是其难点。随着社会主义市场经济体制的确立，以及新《中华人民共和国土地法》的颁布和农村联产承包责任制的进一步实施，各方利益关系更难调处，政策性也更强。应该说，高坝洲库区的移民安置由地方政府包干负责，坚持以大农业为主，辅以发展二、三产业，搞开发性移民的路子是正确的。地方各级政府对移民工作非常重视，确保了水库按期下闸蓄水。在工程建设中期，地方移民部门迫切要求调整移民概算，有其客观原因和主观原因。由于地方移民部门、业主、设计单位三者之间在政策法规的理解和具体问题的处理上，意见分歧较大，因此协商和调处的时间较长、难度也较大。这也体现出移民工作是水电项目建设的一个重要环节。

（原载《水力发电》2002 年第 3 期）

抓住机遇　精心组织
把高坝洲水电站建成一流工程

李焰云

高坝洲水电站是清江干流最下游的一个梯级电站，位于湖北省宜都市境内，上距隔河岩水电站 50 km，下距清江与长江汇合口 12 km，距长江葛洲坝水电站约 45 km。枢纽由混凝土重力坝、河床式电站厂房和通航建筑物组成。大坝全长 439.5 m，坝高 57 m，承雨面积 15 650 km^2，总库容 4.863 亿 m^3。电站安装三台单机容量 8.4 万 kW 水轮发电机组，多年平均发电量 8.98 亿 kW·h（上游水布垭水电站建成后将提高到 9.91 亿 kW·h）。通航设施与隔河岩配套，同为 300 t 级平衡重式垂直升船机，设计单向年最大通过能力 173.3 万 t。

高坝洲水电站建设是个“短、平、快”项目，设计第一台机组发电工期 4 年，总工期 6 年。我们计划主体工程开工三年发电、五年建成。整个工程分两期施工：一期围左河床，利用右岸明渠导流、泄洪，先建左岸大坝、发电厂房、泄流深孔；二期围右河床，枯水期利用深孔导流、泄洪，汛期右岸坝体过水，建右岸大坝和升船机，并利用坝体挡水发电。主要工程量为：土石方开挖 378 万 m^3、填筑 195 万 m^3，混凝土浇筑 102.3 万 m^3。库区淹没各类土地 1 545.87 hm^2（其中耕、园地 1 089.75 hm^2），移民 15 736 人。

从 1958 年起，原长江流域规划办公室就开始高坝洲水电站的规划选址工作，1992 年 10 月国家计委批复项目建议书，1996 年 8 月批准可行性研究报告，1997 年 5 月批准开工。高坝洲水电站按 1994 年价格水平，动态总投资为 30.76 亿元，由湖北省清江水电投资公司与中国华中电力集团公司各出资 50%合资建设。

1　高坝洲水电站的经济效益和社会效益

(1)反调节作用。高坝洲是隔河岩水电站的反调节电站，对隔河岩水电站具有重要的反调节作用。装机 120 万 kW 的隔河岩水电站是华中电网的骨干调峰调频电站，但在高坝洲水电站建成之前，为了满足下游航运及工农业生产、群众生活用水需要，必须承担一定的发电基荷，致使部分装机容量空闲，不能发挥作用，从而削弱了调峰能力。只有高坝洲水电站建成后，库水连接隔河岩尾水，保证了隔河岩下游河段需要的水位，才能使该河段全年通航，才能使隔河岩的通航建筑物发挥作用，才能使隔河岩水电站的空闲容量得到有效利用，让部分低谷电量变为高峰电量，从而使隔河岩水电站的调峰调频作用和航运效益得以充分发挥。

(2)发电效益。湖北省电力工业增长滞后于国民经济发展速度，缺电矛盾突出。由于湖北缺乏煤炭资源，发展火电受到煤炭供应和铁路运输能力的制约，因此大力开发丰富的水电资源具有现实的可行性和紧迫性。高坝洲水电站设计供电的宜昌及荆沙地区是湖北重要的工农业基地，用电量增长很快，高坝洲建成后，年发电量达 8.98 亿 kW·h，上游水布垭水电站建成后将提高到 9.91 亿 kW·h，可有效地缓解区域电力紧张状况，促进供电区域内的经济发展。同时，高坝洲水电站本身 80%的容量可与隔河岩水电站同步运行，为电网调峰。联网运行还可提高葛洲坝水电站的保证出力，增加发电量。

(3)航运效益。高坝洲水电站位于清江河口的咽喉地段，其建成后，从长江进入清江，连同隔河岩库区可以形成 150 多 km 的深水航道，水布垭建成后，将形成 270 km 黄金水道，300 t 级船队可从长江直达鄂西南重镇——恩施，使流域内长期落后的交通状况从根本上得到改善。清江流域是“老少边山穷”地区，经济发展滞后。清江中上游有着丰富的农林矿产资源，仅铁矿储量就达 16.8 亿 t，走马坪磷矿为我国四大磷矿之一，恩施富硒矿为世界之最，但都由于交通困难，长期以来，这些矿产资源未能被大规模组织开采。高坝洲水电站建成后，清江航道与长江航道连成一体，不仅有利于开发清江丰富的农林矿产资源、发展少数民族经济，而且有利于沿江开放向清江流域腹地延伸，推动鄂西南经济走向全国、走向世界。

(4)养殖效益。高坝洲水电站建成后，其水库水位变化小，库汊多，水面宽，日照足，天然饵料丰富，交通方便，距宜昌市近，可进行人工养殖的水面达 3 万多亩，是清江干流淡水养殖条件最好的水库。大力发展水产养殖，有利于安置库区移民和调整库区农业生产结构。

(5)旅游效益。清江已列为国家森林公园，是湖北省四大甲级旅游区之一。高坝洲水电站地处巴楚文化、三国古战场、清江旅游区的结合部，南邻张家界，北望神农架，与宜昌市和长江三峡毗邻，水陆空交通方便，发展旅游的条件得天独厚，可将其规划建成综合性多功能的旅游区。兴办旅游业，可直接带动地方经济的发展。

(6)为我国流域水电梯级滚动综合开发提供试点经验。水电项目投资大、周期长、影响面广，但综合开发利用效益好，国家很重视水电流域综合开发事业。怎样由一个公司负责组织把一条河上的水电资源开发出来，怎样以水电开发带动其他资源的开发，目前正在寻找探索这方面的典型和经验。清江水电站建设一开始，就按照湖北省委、省政府的要求，组建建管结合的流域性开发公司，并赋予流域梯级滚动综合开发的使命和倾斜政策。经过十个春秋的奋战，启动工程隔河岩水电站已经提前建成发电，流域梯级滚动综合开发的资金积累和滚动机制已经建立，为清江全流域梯级滚动综合开发奠定了基础。1996 年 1 月 24 日，国务院副总理邹家华主持会议，专题研究了湖北清江水电流域梯级滚动综合开发问题，决定把清江流域作为全国水电流域梯级滚动开发的试点，要求“电力部与湖北省政府密切配合，进一步总结清江流域梯级滚动开发的经验，抓出成效，以推动其他流域的水电滚动开发”。高坝洲水电站是清江水电梯级开发的第二个工程，它的开工建设，标志着清江流域水电梯级滚动开发正式起步。

2　工程建设的有利条件

建设高坝洲水电站具有很多有利条件。

首先，国家“九五”计划仍然把能源建设放在优先发展的地位，要求每年新增装机达到 1 600 万 kW 左右，而且在电力建设的结构上，水电比重要加大，李鹏总理提出力争在 21 世纪前 10 年全国水电的比重由 24%提高到 30%。因此，现在动工兴建高坝洲水电站符合国家的产业政策，是一个良好的机遇。

其次，湖北省委、省政府很重视清江流域开发，多次召开办公会议专题研究，成立了湖北省清江水电投资公司，赋予了投资主体地位和国有资产经营管理权，落实了资本金，从投资体制、信贷政策等方面为清江开发创造了有利条件，并要求“各级政府和省直有关部门都要从战略的高度统一认识，坚定信心，紧抓机遇，一鼓作气，切实把加快清江流域开发的大事抓紧抓好”。省直有关部门和地方政府也都十分关心清江流域的开发，并给予了大力支持。

第三，国家有关部门对清江水电开发事业十分关心，国家计委、电力工业部、国家开发银行等都大力支持高坝洲水电站建设。国家开发银行提出了高坝洲水电站的资金配置意见，同意提供建设贷款；电力部及时批复了工程初步设计报告；国家计委批复了可行性研究报告及开工报告，并将其列入了 1997 年的基本建设计划；华中电力集团公司对高坝洲工程也给予了大力支持。所有这些，都为工程正式开工建设创造了条件。

第四，高坝洲位于清江与长江交汇地带，地理位置好，施工条件优越。对外交通有 318 国道公路、焦柳铁路、长江水运，电站大件设备和主要建筑材料运输方便；施工电源可就近解决，且方便可靠；坝址周围具有施工所需的各类天然材料，其储量和质量均能满足设计要求；工程上游有隔河岩水库起调蓄作用，有利于工程防汛和施工。

第五，高坝洲主体建筑安装工程施工，经过招标发包，原承建隔河岩工程的中国葛洲坝水利水电工程集团公司中标，工程设计也是由承担隔河岩工程设计的长江水利委员会负责。过去，在隔河岩工程建设中，建设、设计和施工单位三方相互了解，能够相互支持、团结协作，有很好的合作基础和经验。而且，经过隔河岩工程建设的考验和锻炼，对在石灰岩地区建设水电站都积累了许多有益的设计和施工经验。因此，可以说高坝洲工程的设计和施工队伍，在技术装备水平和建设实践经验上都是一流的，完全有能力完成好高坝洲工程的设计和施工任务。

第六，经过几年的艰苦努力，高坝洲水电站的前期准备工作取得了较好的进展：一是项目已列入国家基本建设计划，建设资金已经落实；二是工程可行性研究设计、初步设计、施工组织设计、招标设计已相继完成，主体工程施工详图已按施工进度要求陆续到位，工程设计已满足全面大施工的要求；三是工区对外交通专用公路、场内公路、高坝洲大桥、110 kV 施工输变电工程、自来水厂、施工供风站、施工通讯、建设各方的办公生活用房及配套设施等“五通一平”项目均已完成；四是主体建安施工、主机制造和金属结构设备制作已经招标发包，正在抓紧组织施工和生产；五是砂石料加工和混凝土拌和系统已全面建成投产；六是完成了导流明渠开挖，1996 年 10 月 26 日实现了一期工程截流；七是完成了一期低围堰基础防渗和堰体填筑，一期高围堰浇、填筑已全线达到设计标准；八是完成了一期基坑开挖，主体工程施工已进入混凝土大浇筑阶段；九是完成了工区征地移民搬迁，完成了《库区移民安置实施规划》的编制和库区防护工程、部分专业复建项目设计，并开发农田近 200 hm^2，为以后按期组织移民搬迁和专业项目复建打好了基础；十是工区实行了封闭式施工管理，形成了良好的社会治安环境。充分的施工准备，为工程开工后集中全力抓好主体工程施工创造了良好的条件。

3 工程建设的指导思想、目标及管理形式

随着我国基本建设管理体制改革的不断深化，以及社会主义市场经济体制的建立和完善，探索新的项目建设管理方式早已成为水电建设领域的重要课题。经过十年的努力，隔河岩工程创立的业主负责、建管结合、流域开发、滚动发展的“清江模式”，在全国水电建设领域产生了广泛的影响，得到了李鹏总理、邹家华副总理等领导的肯定和赞扬。高坝洲水电站是清江水电梯级滚动综合开发的第二个项目，它的建设实践，将直接为全国水电流域梯级滚动综合开发提供试点经验。因此，它应该在继承隔河岩工程建设成功经验的基础上，坚持改革创新，积极探索工程建设管理的新路子。工程建设总的指导思想和目标是：以邓小平同志建设有中国特色社会主义理论和党的基本路线为指导，遵循社会主义市场经济规律，按照改革的要求，实行项目法人负责制、招标承包制、建设监理制、移民地方政府包干责任制，精心组织，精心管理，努力把高坝洲水电站建成质量好、工期短、投资省、环境美的一流工程，创同类大型水电工程施工工期最短的新记录，创大型水电工程建设管理的新经验。

控制性进度目标是：1996 年 10 月一期工程截流，1998 年 10 月二期工程截流，1999 年 10 月首台机组发电，2000 年三台机组全部投产，2001 年竣工。

这个目标既是先进的，也是可行的。但是，实现这个目标并不是轻而易举、一蹴而就的事，难度是很大的。最突出的问题：一是高坝洲工程地处清江河口，汛期受长江洪水的顶托，枯水期受上游隔河岩较大发电来水的影响，工程施工全年都要防汛；二是工程建设工期短，主体建筑安装施工强度高，机电、金属结构设备制造工期紧。因此，必须充分认识实现这个目标的艰巨性，统一思想，振奋精神，下定决心，坚持改革，探索、完善先进的管理方式，确保既定目标的实现。

(1) 实行项目法人负责制。高坝洲水电站由湖北省和国家共同投资兴建。湖北省出资代表——湖北省清江水电投资公司与国家出资代表——中国华中电力集团公司共同组建湖北清江水电开发有限责任公司，作为项目法人负责清江水电项目的开发建设和投产后的生产经营管理。高坝洲工程建设公司是有限责任公司领导下的副厅级建设单位，是甲方，受有限责任公司委托，全面负责高坝洲水电站的建设管理。因此，在工程建设过程中，必须充分行使甲方组织指挥、监督管理、协调服务的职能，把设计、施工、监理、地方移民部

门等建设各方组织起来，形成建设合力，为实现工程总体目标而奋斗；必须充分运用自身的技术和管理力量，搞好工程设计、施工、移民管理，搞好工程质量、进度、投资控制，实现工程整体效益最优。

(2)实行招标承包制。隔河岩及其他大型水电工程建设实践证明，实行招标发包，择优选定施工单位和设备制造厂家，有利于降低工程造价，提高工程质量，加快工程进度。高坝洲水电站的设计和部分科学试验工作实行委托形式，由长江水利委员会承担；主体建安施工和机电、金属结构设备制造则采取邀请招标、分别开标、综合评标、议标定标的方式择优选定承包单位，不搞保护政策；场外交通等属于工区以外的工程，牵涉地方群众利益多，则与地方施工单位议标；附企、临时工程则充分利用专业队伍的优势进行招标议标发包。这样，可以发挥不同队伍的优势为工程建设所用，为降低工程成本、保证工期和质量奠定基础。

(3)实行建设监理制。湖北清江水电开发有限责任公司是建管结合的流域性机构，有一支技术力量强、管理经验丰富的过硬队伍，完全有能力承担大型水电工程建设监理。据此，我们在有限责任公司内部进行合理分工，自己组织力量，对高坝洲水电站建设进行全方位全过程的监理。高坝洲工程建设公司是建设管理单位，负责工程的进度、投资监理和机电、金属结构制造监理及临建工程质量监理。清江工程监理公司受高坝洲工程建设公司委托，负责主体工程施工质量监理，行使工程结算质量签证权、停工返工指令签发权、质量事故处理监督检查权、质量等级评定权、质量否决权和终检验收权。在主体工程施工质量控制上，高坝洲工程建设公司主要是搞好工程质量的宏观管理，组织开展质量宣传教育、质量月活动，督促检查监理公司履行质量监理委托协议，组织制定质量监理、验收、检测等规章制度和质量奖罚政策，组织主要项目的质量整改，做好质量管理的其他协调服务工作。

(4)工程移民由地方政府包干负责，走开发性移民的路子。高坝洲水电站一库淹两县(市)，而且工程建设工期短，淹没区人口密度大，搬迁安置工作量集中，难度大。移民是政府行为。因此，库区移民必须继续坚持由地方政府包干负责，包组织指挥、包移民安置、包移民概算、包遗留问题处理。1993 年 10 月，湖北省政府致函电力工业部，同意按国家审定的移民安置规划和概算，包干负责做好高坝洲库区移民安置工作，库区所在的枝城市、长阳县也都逐级成立了移民组织机构，配备了移民工作专班，展开了移民工作。库区移民安置的指导方针是充分利用当地资源，以大农业为主，辅以发展二、三产业，搞开发性移民；坝区则改变过去全部农转非、进城进厂的做法，而采取以农业为主，就地就近后靠安置，首先调整责任田，并适当开发农田，解决移民吃饭的问题，再合理安排部分素质较高的移民按国家政策“农转非”，发展二、三产业，避免发生盲目进城进厂、安置就业不落实的状况；在移民安置的政策上，实行国家扶持，政策优惠，自力更生，多方支援；在标准上，总的原则是不低于移民原有的生产生活和发展水平；在进度安排上，移民开发、重点专业项目复建比工程适当提前，确保移民与工程同步。

(5)坚持“大工程，小公司，大社会”，实现工程服务社会化。凡能由地方、社会办的，尽量依靠地方、社会去办，不搞“小而全”。一是不建立庞大的物质采购管理和运输队伍，不建大型货场，委托专业物资公司组织供应主要工程物资，利用地方和社会的仓储运输力量搞好工程物资的中转储运；二是依靠和利用社会科技力量搞好工程科研试验、安全监测、技术咨询和重点项目的科研攻关，聘请社会上有经验的中高级专业技术人员参加工程技术管理，提供技术服务；三是利用地方已有的商业、文教、卫生、邮政等设施，为工程服务；四是依靠地方政府，发挥地方公安的优势，委托地方公安局负责工区的治安管理和消防安全；五是利用电站距离宜昌市近的有利条件，将电厂生活基地建在宜昌市城区内，充分利用市区内的综合服务设施，方便职工生活，解决职工就医、子女上学就业等问题。这样，既使我们能够集中力量抓好工程建设管理，同时也可以大大减少建设单位的机构和人员。建设公司定编 80 人，现到位 70 人(其中大专以上文化程度占 70%，党、团员占 80%)，公司内部设综合部、经营部、工程部、机电部和实业公司，与隔河岩相比，机构和人员都减少了三分之二，符合“精干、高效”的原则，体现了“大工程，小公司”的特点。

(6)实行封闭式施工管理。大型水电工程建设管理中的一个突出问题是维护施工秩序和治安秩序困难，对工区实行封闭式管理是解决这一问题最有效的办法之一。高坝洲工区是一个南北两边靠山、东西两端临水的长形地带，只要充分利用这一有利的天然地形，适当采取人工建筑措施，就可以进行封闭式管理。1993 年 6 月底，工区征地搬迁结束后，我们即在工区入口处设置检查站，实行通行证制度，对进入工区的车辆统一核发通行证，对运出工区的设备和物资进行检查，对进入工区承包施工的人员核发暂住证，工区建筑房屋统一按规划有计划地实施，个体商业网点都被控制在工区征地线以外。三年多的实践证明，工区实行封闭式管理，既防止了无关车辆和人员涌入工区妨碍施工，又防止了施工器材被盗运，同时也避免了侵占工区土地和工完不退场等现象。

(7)把环境保护与工程建设摆在同等重要的位置，建设花园式水电站。保护环境是我国的一项基本国策，建设花园式水电站是环境保护的重要内容。根据高坝洲工程特殊的地理位置，着眼于未来，我们始终把环境保护与工程建设摆在同等重要的位置，坚持环境保护设施与主体工程同时设计、同时施工、同时投产，坚持永久与临时设施相结合，统一规划、分期实施、逐步完善，坚持少花钱、多办事、办好事的原则，把高坝洲水电站建成以水利枢纽为中心，以自然风景为主，植物园与游乐园有机结合，缩影清江名胜古迹和民俗风情，集旅游、疗养、娱乐为一体的多功能花园式水电站，使之成为清江流域的窗口，为发展清江旅游业奠定基础。目前，花园式水电站的部分小区已基本建成。

4 发挥建设单位的主导作用，努力搞好“三大控制”

4.1 注重工期效益，认真搞好工期控制

水电建设的工期效益是最大的效益。高坝洲水电站计划主体工程开工三年首台机组发电，这样短的工期在国内外都是少有的，难度很大。因此，我们必须充分发挥建设单位的主导作用，组织协调和督促设计、施工、监理以及设备制造厂家等各个方面搞好进度控制，确保实现工期目标。

一是加强计划管理，严格实行网络计划控制。要以施工总进度网络计划为龙头，督促施工单位、设备制造厂家及地方移民部门编制二、三级网络计划，对一些重要项目和施工阶段还要编制专项网络计划。同时，根据总进度计划编制好年、季、月度建设计划，下达执行，并督促承包单位把建设计划层层分解到各个基层单位、各个部位，落实到每旬、每周，形成以月保季、以季保年、以下保上、以局部保整体的计划保证机制；每季度分析检

查一次网络计划执行情况，每月检查一次季、月建设计划执行情况；对进度滞后项目，及时研究对策，采取有效措施，确保计划工期。

二是推行项目责任组的管理办法，定人定项目，加强现场技术服务和施工组织协调工作，保证施工顺利进行。作为建设单位还要及时组织召开生产例会、四方(建设、设计、施工、监理)负责人联席会、四方总工联席会，布置、检查阶段性任务，协调解决施工中的各种矛盾和问题。对重点卡关项目，由建设单位牵头组成协调小组，进行重点攻关，确保按期完成施工任务。

三是积极推行工期奖励办法。主体建安工程按施工承包合同设立提前发电奖，对控制直线工期的重点项目或工程的重要阶段设立工期目标奖，以充分调动承包单位保证工期的积极性。同时，对建设单位的项目管理责任人员也要落实进度奖惩政策，对促进计划工期提前的突出贡献者要实行重奖。

四是搞好优化设计，大力推广应用新技术、新设备、新材料、新工艺，提高施工效率，加快施工进度。

4.2　树立“质量第一”的观点，搞好工程质量控制

高坝洲工程是个“短、平、快”的项目，工期紧，必须强化质量第一的意识，以质量保进度。

一是要把创建优质工程作为工程建设的重要目标，充分发挥建设单位的主导作用，组织协调参建各方，共同抓好质量控制，利用多种形式开展质量宣传教育和质量月活动，经常检查、评比各单位的质量管理工作，对照优质工程标准找差距，不断增强全员质量创优意识。

二是要督促监理单位配好配足监理人员，落实必要的监测手段，建立健全各项施工质量监理规章制度，从严把关，搞好主体工程质量监理。

三是要督促施工单位建立健全三级质量保证体系，配齐配足专业质量检查人员，完善自检制度，健全检测手段，落实奖罚措施。

四是要抓好机电及金属结构设备制造质量监理，派人驻厂跟班监造，确保设备质量满足设计要求。

五是要充分运用经济杠杆，控制工程质量。要严格按国家规定实行质量保证金制度，不得少留或提前结算保证金；对主体建安工程施工，设立分部、单元(扩大)优质工程奖、质量控制奖、质量管理奖，并及时评审兑现；对质量不合格的工程和设备，坚决不予验收结算，其返工费用由承包单位自己承担。

4.3　以实现工程整体效益最优为目标，合理控制工程造价

一是引进竞争机制，实行招投标制，搞好工程发包和设备订货，降低工程造价。

二是加强合同管理和结算管理。所有的施工管理和验收结算，都必须严格按合同办事，尽量减少合同变更，从严控制索赔补偿；所有的工程结算都必须经过质量签证、已完工程量签证和价款审核签证，严防超前结算和超量结算。

三是努力挖掘设计节约潜力。首先推行限额设计，明确设计单位控制投资的责任，实行设计节约与经济奖励挂钩，促进设计优化。同时，积极组织开展合理化建议活动，调动建设、设计、施工、监理各方的积极性，优化设计，优化施工，节约挖潜，减少投资。

四是重视资金的时间效益，合理筹措、调度资金，加快资金周转，降低资金成本。

五是加强概算管理，在建设单位内部建立概算投资管理部门责任制，实行静态切块、动态控制管理，落实控制责任和措施，力争工程各项目支出控制在国家审定的概算以内。

高坝洲水电站已经国家批准开工，主体工程施工现已全面展开，只要我们一鼓作气，团结拼搏，就一定能够实现主体工程开工三年首台机组发电的目标，一定能够把高坝洲水电站建设成质量好、工期短、投资省、环境美的一流工程。

（原载 1997 年 6 月 19 日《湖北日报》）

高坝洲水电站一期工程建设管理回顾

李焰云　汪全元

高坝洲水电站位于湖北省宜都市境内，是清江流域开发最下游的一个梯级，是上游隔河岩水电站的反调节电站。电站装机三台 84 MW 水轮发电机组，年发电量 8.98 亿 kW·h，动态总投资 30.76 亿元。设计总工期 6 年，计划 5 年建成，主体工程开工 3 年首台机组发电。工程分两期施工：一期先围左河床，利用右岸明渠导流、泄洪，先建左岸大坝、发电厂房、泄洪深孔；二期围右河床，枯水期利用深孔导流、泄洪，汛期右岸坝体过水，建右岸坝体升船机，并利用坝体挡水发电。

工程于 1996 年 10 月 26 日实现一期工程截流，同年年底开始基坑开挖；1997 年 4 月 1 日主体工程浇筑第一仓混凝土；1998 年 6 月 15 日，一期大坝全线达到设计高程，9 月底一期主体金属结构完成安装调试，一期工程具备挡水条件。

高坝洲工程建设在有关各方的大力支持和全体建设者的共同努力下，取得了一期工程的阶段性胜利。一是克服工期紧、施工条件复杂等困难，按期实现了各阶段网络计划目标，用一年的时间完成了一期主体混凝土浇筑，两年就完成了一期土建施工和金属结构安装(其中金属结构安装调试仅 2 个月)，为确保主体工程开工三年首台机组发电并力争再提前奠定了坚实的基础；二是工程质量好，单元工程合格率达 100%，优良率始终保持在 85%以上，安全施工连续三年保持了零目标；三是在建设管理方式上，继承和发扬高坝洲前期准备工程建设中推行的项目法人负责制、招标承包制、建设监理制、开发性移民由地方政府包干负责制、工程服务社会化、封闭式施工管理、建设花园式水电站等成功管理经验，并坚持改革创新，取得了新的突破。

在一期工程建设管理中，我们的做法主要有以下几个。

1　充分发挥政治优势，组织阶段性施工战役

高坝洲水电站是一个“短、平、快”项目，工程建设一环紧扣一环，要实现主体工程开工三年首台机组发电这一创同类大型水电站施工工期最短的目标，每一个施工阶段都极为关键，必须全力以赴。为此，我们充分发挥建设各方作为社会主义企业必须讲政治、讲大局、讲贡献的政治优势，广泛动员全体建设者以把高坝洲水电站建成质量好、速度快、投资省、环境美的一流工程为己任，调动一切积极因素，采取集中力量、组织阶段性施工

大会战的办法，通过开展一次活动、组织一场战役、实现一个目标来推动工程建设节节进展。为确保每一个施工战役取得全面胜利，我们坚持精心部署、精心组织，做到制定目标、宣传发动、施工组织、质量安全管理、后勤保障、检查验收工作环环落实。首先，根据工程总进度目标和网络计划，确立阶段性控制目标，制定阶段性施工计划，建设各方按照统一的计划目标，层层分解落实目标责任制。二是利用工区广播、标语、橱窗及对外宣传报道等形式，进行广泛宣传、深入发动，搞好阶段性施工战役的战前总动员。同时，坚持在各级党委的领导下，发挥基层党组织的核心保证作用和战斗堡垒作用，发挥工会、共青团的桥梁纽带作用，发挥青年和民兵的突击队作用，组织广大建设者，围绕工程建设目标任务，开展劳动竞赛和岗位练兵活动，为打好阶段性战役提供内在动力。三是抓好现场组织协调，加强现场监督指挥，及时解决影响施工的矛盾和问题，为施工顺利进行创造良好的条件。四是在狠抓工期目标的同时，注重抓好质量安全工作，反复深入开展质量月、安全月、安全周活动，落实质量安全目标责任制，建立健全质量安全保证体系和奖惩制度，不断提高施工质量和安全水平，以质量、安全保进度，实现工程建设高速度、高强度、高质量、高安全、高效益的“五高”综合目标。五是千方百计保证建设资金、工程物资与设计图纸供应工作，确保满足施工需要。六是阶段性战役结束时及时组织建设各方开展检查验收，总结成绩，找出差距，表彰先进，整改落后，为下一阶段性战役做好充分准备。

从 1996 年 9 月至 1998 年 10 月，我们按照上述模式共开展了 9 项活动，组织了 9 大战役，实现了 9 个阶段性目标，夺取了一期工程施工的全面胜利。1996 年 9 月，由于导流明渠开挖受长江水位顶托和上游发电来水影响，施工期短，水下开挖任务重，施工条件极为复杂，为确保一期工程截流一举成功，实现工程首战告捷，我们开展了“大干一个月，确保一期工程按期截流”活动，组织导流明渠开挖突击战，使导流明渠按期达到了设计过流断面要求，为一期工程 10 月 26 日按期实现截流创造了决定性条件。截流成功后，为保证基坑按期闭气与抽水，我们又迅速组织防渗墙施工攻坚战，一个月完成了上、下游围堰防渗墙施工任务，确保了 12 月 26 日一期基坑开始开挖目标的实现。1997 年 1 月，为将因 1996 年 11 月上旬遭遇的超百年一遇秋汛所耽误的一个月工期抢回来，确保一期围堰于 1997 年汛前具备抗御 20 年一遇洪水能力，我们迅即组织参战各方开展“大干一百天，全面实现去冬今春奋斗目标”活动，组织基坑开挖大会战、纵向混凝土围堰浇筑和横向土石围堰填筑突击战，并同时开展“高产稳产月”和“质量月”活动。经过为期三个多月的顽强奋战，最终实现了 4 月 1 日浇筑第一仓主体混凝土、4 月底一期围堰基本达到设计高程的目标，夺取了一期工程 1997 年汛前安全脱险这一关键性的胜利。7、8 月份，我们又针对高温、高空、高强度的复杂施工条件，开展“战高温、创高质、夺高产”活动，取得了夏季高温条件下优质高速浇筑主体混凝土的好成绩。10 月份，我们围绕实现年度建设计划目标，开展“大干第四季度，全面完成全年建设任务”活动，保证了 1997 年建设计划的全面完成。1998 年 2 月，我们根据主体工程施工战线全面铺开，大坝混凝土浇筑强度高、工序复杂的实际，组织建设各方开展“大干四个月，全面实现上半年建设目标”活动，5 月上旬又一鼓作气，开展“突击四十天，全面完成上半年建设任务”活动，组织厂房混凝土浇筑攻坚战，最终实现了尾水平台 5 月底、一期大坝 6 月中旬达到设计高程的目标，全面地完成了上半年建设任务。1998 年 7 月，为确保一期工程取得决战性胜利，我们又组织“大战七八九，确保一期工程 9 月底具备挡水条件、二期工程 10 月底截流”活动，8 月底再次开展“突击一个月，全面完成大战七八九建设任务”活动，组织金属结构安装和帷幕灌浆突击战，确保了9月挡水和10月截流两个关键性目标的按期实现，从而夺取了一期工程的全面胜利。

2　实行网络计划动态管理

网络计划管理是进行施工进度控制的有效手段。高坝洲工程施工进度控制由建设单位负责，要确保实现主体工程开工三年首台机组发电的目标，必须充分发挥建设单位的主导作用，严格实行网络计划管理，搞好工期控制。高坝洲主体工程开工后，我们为确保按期实现工程建设各阶段目标，对工程网络计划实行编制、实施、监督、分析、调整的系统化管理，对工程进度实行全方位、全过程的控制。一是科学编制网络计划，形成计划保证体系。以施工总进度网络计划为龙头，督促施工单位、设备制造厂家等编制二、三级网络计划；根据总进度计划编制下达年、季、月度建设计划；根据工程建设实际，编制关键阶段、关键项目的专项网络计划；在项目施工冲刺阶段，采用倒排计划的办法，将生产任务落实到周、日甚至到小时，进而形成以月保季、以季保年、以下保上、以局部保整体的计划保证体系。二是建立计划实施监督机制，搞好计划跟踪管理。项目和计划管理人员深入现场，及时掌握计划落实情况，按期编报周、月生产统计报表，反馈计划进展信息；坚持每季度分析检查一次网络计划执行情况，每月检查一次季、月建设计划执行情况，对进度滞后项目及时研究对策，采取有效措施，确保计划工期。三是根据工程建设的实际进展情况，及时调整网络计划，始终保证计划管理的科学性、有效性。高坝洲工程实行网络计划动态管理，取得了显著成效。如1996年底工程遭遇超百年一遇秋汛后，原有的施工计划部署被打乱，如不及时进行调整，高坝洲工程就难以实现1997年4月1日浇筑主体工程混凝土、4月底一期围堰达到设计高程的控制性目标，进而将对总网络计划的执行造成重大影响。为此，我们及时组织编制今冬明春施工计划，对原网络计划进行调整，突出基坑开挖、围堰浇填筑等占直线工期的项目，对各重点项目施工方案、施工手段及计划工期进一步提出明确要求和保证措施，从而保证了总网络计划目标不变。1997年汛前控制性目标实现后，为搞好一期大坝工程施工，确保一期大坝按期到顶、一期工程按期具备挡水条件和二期工程按期截流等重要目标的实现，我们又于1997年7月组织编制了一期主体工程施工计划，对原网络计划再次进行了局部调整。这样，不仅确保了各阶段目标及总计划的按期实现，而且通过安排部分项目提前施工，为首台机组发电时间再提前创造了有利条件。

3　推行项目责任组制度

为加强对土建项目施工和设备制造安装的管理力度，我们除充分发挥职能部门的管理作用外，还从有利于分工协作、责权落实的原则出发，实行项目责任组管理制度。即从各部门抽调技术骨干成立责任组，实行定人定项目，负责现场施工组织协调，进行质量和进度控制，参与制订施工技术方案并督促实施，负责工程进度结算签证及项目验收的组织工作，及时协调并反馈与项目有关的质量、安全、技术问题，为公司领导决策提供建议。

实行项目责任组制度，对于加强项目施工管理力度，提高项目管理水平，确保计划目标按期实现具有许多优势：一是责任组成员都是从各部门抽调的与项目专业对口的技术骨干，有利于充分发挥各成员的技术专长，增强项目管理的技术力量；二是对施工项目实行定人、定职责、定任务、定完成时间的目标管理，分工具体，目标明确，责任落实；三是责任组实行组长负责制，由分管经理直接领导，并赋予现场验收签证等管理职权，有利于简化管理层次，提高了效率，使决策及时、指挥迅速。从前期准备工程施工起，公司先后成立了交通附企、房建、土石方与混凝土、基础处理、金属结构安装等责任组，在项目施工管理中发挥了重要作用。如1996年一期工程截流后，为确保基坑按期闭气与开挖，上、下游两道低土石围堰防渗墙施工，包括准备期35天内必须完成，施工时间异常紧张，基础处理责任组坚持昼夜值班，现场办公，督促施工单位三班高强度作业，敦促监理单位及时搞好检孔验收，确保打孔、灌浆工作能连续作业，经过一个月的苦战，圆满完成了任务。在施工任务同样十分艰巨的基坑开挖与纵向围堰混凝土浇筑中，土石方与混凝土责任组坚持抓好现场监督检查工作，充分发挥现场组织协调作用，督促施工单位加大人力物力投入，对关键部位落实专人盯住不放，逐日检查计划完成情况，确保按期完成了施工任务。

4　对影响直线工期的重点卡关项目，集中力量组织施工攻关

水电工程施工不仅季节性强，而且工种多、工序复杂、质量要求高，往往容易出现一些工程量集中、技术要求高、施工难度大的重点卡关项目。对这些项目，如果不加以重视，将直接影响直线工期，进而影响总进度目标的实现。

高坝洲水电站主体工程开工三年首台机组发电的目标工期在国内外同类型工程中是少有的，时间紧，难度大。为确保实现工期目标，我们对重点卡关项目，采取集中力量组织施工攻关的办法，取得了较好的效果。一是对卡关项目实行领导负责制，一级对一级负责，层层落实领导责任；关键项目、关键阶段还成立领导小组，加强组织协调工作。如为确保一期工程按期顺利截流，我们组织建设各方成立一期工程截流指挥部，对截流前准备工作实行指挥部会议办公制度，截流时进行现场指挥，确保了截流一举成功。二是精心编制项目施工组织设计，优化施工方案，认真搞好设计现场服务，及时解决施工中出现的技术问题。如1997年夏季为主体混凝土施工高峰，但高温气候直接制约了混凝土施工进度和质量。为加快夏季混凝土浇筑进度，保证混凝土质量，我们采取了许多有效措施，如将拌和楼的混凝土制冷容量从原设计的100万kcal增加到200万kcal，并在工地现场加装2台LSLGF1000型制冷机组，形成足够的制冷能力，从根本上保证了混凝土温控要求，并加快了混凝土施工速度。三是充分运用经济杠杆，实行奖励政策。对难度大的卡关项目设立进度目标奖；对加班、加点、加手段、加措施提前或按期完成施工任务的适当给予赶工奖，以调动施工单位的积极性，突击完成施工任务。四是加大人财物的投入，督促施工单位落实施工所需的设备，并保证完好率；坚持三班高强度流水作业，连续作战，提高工效；建设单位及时保证建设资金及施工物资的供应。一期工程截流后，我们先后对围堰防渗墙施工、大坝基坑开挖、大坝厂房浇筑、一期金属结构安装等关键项目组织开展施工攻关，确保了一期基坑按期抽水开挖、主体工程按期浇筑第一仓混凝土、一期大坝按期浇筑到顶、一期工程按期具备挡水条件等重要目标的实现。

5　发挥科技作用，推动工程建设

大型水电站是技术密集、科技含量高的工程，充分发挥科技的作用，对推动工程建设十分必要。为此，我们在一期工程建设中，坚持依靠科技，围绕工程开展设计攻关、科研攻关，积极采用新材料、新设备、新工艺，向科技要质量、要速度、要效益，有力地推动

了工程建设。

一是利用设计单位、高等院校、科研部门等社会科技力量，进行工程科研试验、安全监测、技术咨询和重点项目的科研攻关。工程开工以来，针对工程技术上的重点、难点，我们共组织了数十项专题研究，其研究成果直接运用于工程建设后，取得了很好的效益。如厂房钢筋混凝土蜗壳防渗方案、厂房直缝提前灌浆及宽槽提前回填的可行性研究成果运用于施工后，为首台机组三年发电并力争再提前创造了有利条件。

二是充分发挥长江水利委员会设计力量雄厚的优势，集中力量开展设计攻关，加快设计进度，优化设计方案，满足施工需要。如在纵向围堰开挖清基施工攻坚战中，根据现场基岩情况，及时优化设计方案，直接在完好的天然岩面上浇筑混凝土，节约混凝土近万立方米，为纵向围堰堰体按期浇至设计高程赢得了时间。1998 年 3 月至 8 月，公司根据厂房施工设计工作量大、技术问题多、可能制约施工的实际，立即组织设计单位集中力量，进驻现场开展设计，并保证设计进度与质量，为厂房施工顺利进行提供了设计保证。

三是充分发挥公司自身技术力量，认真开展设计审查，优化设计方案，把住设计质量关。高坝洲除主体工程进行了多项优化外，其他工程几乎每个项目都进行了优化，其中多项优化节约投资都在千万元以上。此外，公司还组织自身技术力量，完成多项小型附企项目设计。

四是聘请社会上有经验的中高级专业技术人员参与工程技术管理，提供技术服务。公司先后聘请高级工程师 8 人，他们都是有着丰富管理经验的水电专家，技术过硬，责任心强，在设计、施工和设备监造中发挥了咨询、指导、技术把关作用。

6　妥善处理建设各方的关系，形成建设合力

我国是社会主义国家，建设单位与设计、施工、监理及地方政府在总目标和根本利益上具有一致性。为此，我们坚持正确把握和处理好与建设各方的关系，充分调动各方的积极性，形成建设合力，推动工程建设顺利进行。一是灵活运用政治思想工作、行政手段与经济杠杆相结合的“三位一体工作法”，即建设各方统一思想、统一认识，并充分发挥政治优势，搞好舆论宣传，树立共同目标；以建设单位为主导，建设各方行政体制为基础，层层落实行政领导责任制；适当运用经济激励措施，调动建设各方确保工期与质量的积极性。三者有机结合，促使建设各方形成合力，大家一条心，拧成一股绳，紧密团结，同舟共济，共同搞好工程建设。二是建立以甲方为主导，“严帮”结合的新型甲乙方关系。建设单位与施工、设计单位在隔河岩工程建设中有着很好的合作基础和经验，在高坝洲工程建设中，我们坚持发扬过去的老传统，实行“严帮”结合，既严格要求，又热情帮助，在严格履行合同的前提下，实事求是地帮助解决具体困难，尽可能为设计、施工创造良好的外部条件。三是在工程建设中，注意充分听取建设各方的建议与意见，对重要技术方案、施工计划的制定和修改，坚持各方面参与，充分讨论，民主决策，科学决策，既提高了决策方案的科学性、合理性，又调动了建设各方执行决策的积极性、主动性。四是调动地方的积极性，支援工程建设。高坝洲工程与地方是鱼水关系，一兴俱兴，一损俱损。工程兴建将带动地方经济发展，而工程建设也离不开地方的支持与配合。为此，我们高度重视与地方的关系、积极与地方加强沟通协调，做到相互支持、相互配合。公司力所能及地支持地方经济发展，地方积极搞好工程移民搬迁安置，维护好工区的社会治安秩序，利用商业、

金融、卫生、邮政等设施搞好服务，为工程建设创造良好的外部条件。

7　加强制度建设，促进管理规范化

现代化的管理需要科学、严密的制度作保证。高坝洲工程坚持以一流的管理为目标，把加强制度建设，努力提高管理制度化、规范化水平作为推动工程建设的重要手段，收到了较好的效果。一是自公司成立之初，就以建立公司办公、生产运转秩序为重点，讨论制定了公司各部门职责范围、合同管理、财务管理、机电设备管理、行政接待管理等共 19 个管理制度，并将其汇编成册，发给公司职工人手一份，严格按制度办事，保证了公司各项日常工作的正常运转。二是根据工程建设进展及建设管理需要，以规范管理行为，提高管理水平为目标，先后组织制定了主体建筑工程质量奖惩办法及其实施细则、机电金属结构安装质量奖励办法及其实施细则、工程物资供应管理办法、工程竣工资料整编要求等 10 多个管理制度。通过这些管理制度的颁布施行，保证了工程建设中程序明晰、责任明确、赏罚分明。三是以提高管理效率为宗旨，注重抓好各种例会制度的建立完善和组织实施。如公司每周一次生产例会，每月一次建设四方负责人联席会、工程技术协调会、公司经理办公会，以及每季度召开的经济活动分析会、质量安全分析会、计划管理会等，都能根据建设管理需要，在充分做好会议准备的基础上按时召开，及时解决工程建设中的各种问题。四是积极推行办公自动化，大力普及计算机管理，力求把管理规范化提高到一个新的水平。目前，公司平均两人拥有一台计算机，我们结合工程实际组织开发的计划统计、合同管理、进度管理、财务结算、声像档案等计算机软件，均已在我们内部计算机网络中投入正常运行，公司规范化管理正逐步走向自动化、现代化。

目前，高坝洲水电站二期工程已胜利截流，首台机组发电在即。我们将一如既往，精心组织，团结拼搏，按照“(速度)快、(质量)好、(投资)省、(环境)美、(管理水平)高”的五字方针，努力实现高坝洲工程五年建成、主体工程开工三年首台机组发电并力争再提前，质量达到国家优质标准，投资不突破国家批准的可行性研究报告概算总投资，厂区环境花园化，全部机组投产后三个月具备国家一流电厂验收条件的建设目标，创造国内大型水电工程建设的新速度、新经验、新水平！

（原载 1998 年 10 月 27 日《湖北日报》）

依靠科技进步　推动工程建设

吴启煌

1　工程概况

清江高坝洲水电站是清江水电开发最下游的一个梯级电站，位于隔河岩下游 50 km 处，距宜都市（长江口）12 km。高坝洲水电站的主要任务是发电和航运。

高坝洲水电站大坝为混凝土重力坝，坝高 57 m。电站装机 3 台，总装机容量 252 MW，多年平均发电量 8.98 亿 kW·h。通航建筑物为 300 t 级全平衡重式垂直升船机，年最大单向通过能力 173.3 万 t。

工程静态总投资为 19.97 亿元，动态总投资为 30.76 亿元。

2 重视科技工作

“科学技术是第一生产力”在高坝洲工程建设中得到了充分的体现。实践表明，单纯依靠增加投入来提高质量、加快进度，既不划算也不现实。科学技术的创新和进步，不仅为解决复杂的技术问题指明方向和找到办法，而且带来了显著的经济效益。因此，必须在思想上重视科技工作，把科技工作放在十分重要的位置。

3 重视设计优化

设计上的节约是最大的节约，把握住设计这个龙头，就把握住了工程建设的脉搏。几年来，我们立足工程实际，根据工程需要，在优化设计方面做了大量的工作。

3.1 RCC 筑坝技术

取消上游 RCC 过水围堰，采用 RCC 筑坝技术修建高坝洲二期坝体，经济效益十分显著：节约 RCC 9.7 万 m^3，相当于节省静态投资 2 270 万元；由于提前一年下闸蓄水发电，施工期净增发电量 6.34 亿 kW·h，按高坝洲电厂试运行期的临时电价 0.252 元/kW·h 计算，增创效益 1.6 亿元。

3.2 水轮机预应力钢筋混凝土蜗壳

高坝洲水电站蜗壳最大工作水头在考虑水击压力时接近 60 m，且防渗要求严格，因此选取合理的蜗壳结构型式，成为高坝洲水电站重大技术问题之一。

经比较并经模型试验及破坏试验，采用预应力钢筋混凝土蜗壳结构，使蜗壳受力条件得到改善，并满足了防渗要求；简化蜗壳侧墙钢筋，便于施工，有利于提高混凝土浇筑质量；减少了钢衬和接触灌浆环节，为宽槽提前回填创造了条件。蜗壳施工直线工期实际缩短了 10 个月，为高坝洲水电站第一台机组 1999 年 7 月具备发电条件作出了突出贡献。

2000 年 12 月，湖北省科学技术厅组织鉴定，认为该成果达到国内领先水平，局部已达国际先进水平。2001 年 8 月，该项成果获湖北省科技进步二等奖。

3.3 水轮机转轮型式

为合理选择高坝洲水电站水轮发电机组，突出其综合技术性能，对三种不同型式转轮的技术参数及综合技术经济指标进行了优化研究。在国产机组上率先采用了很多国外先进技术，其中包括在 40 m 水头段的轴流转桨式水轮机设计中首次采用 5 叶片(国内一般为 6 叶片)。

3.4 右岸防渗帷幕

运用地球物理勘查新方法(探地雷达法(GPR 法)和瞬变电磁法(TEM 法))，结合常规勘探方法，查清了高坝洲水电站右岸防渗帷幕基础地质情况。在此基础上，确定将郑家冲帷幕从原定位置上移 85 m，缩短防渗线路 228 m，节省投资 1 000 万元以上。

3.5 高压组合电器的分析和研究

在电气设备选型阶段，结合电厂主接线型式和场地布置特点，对开关站主要电气设备的组合方式进行了分析和研究，提出了高压电气设备的组合方案，满足了电站安全运行的要求。

另外，还有其他一些设计方案的修改和优化，如厂房宽槽提前回填方案、厂房下游墙尽早与主机室分离单独上升的技术方案、电站厂房坝段施工期横缝临时止水方案等，都在不同程度上起到了节省工程量、缩短工期的作用。

4　重视科研试验

试验作为一项基础研究，在工程建设中起着十分重要的作用。在高坝洲工程建设中，进行了大量的科学试验和生产性试验。

4.1　RCC 现场试验

为了保证 RCC 各项性能指标及施工质量，在先期室内试验的基础上，先后三次进行 RCC 现场试验研究，通过模拟坝体施工出现的工况，确定了混凝土配合比，选择了合理的施工工艺及有关技术参数。

4.2　岩溶角砾岩爆破试验

高坝洲坝址左岸及 1#～6#坝段坝基为岩溶角砾岩基础，由角砾岩和方解石组成，性脆易裂，并有形态各异、大小不一的晶洞。通过岩溶角砾岩爆破试验，取得了这种特殊岩体的爆破控制标准和相应的爆破参数，指导了左岸灌浆平洞及一期基坑开挖的设计和施工。

4.3　帷幕灌浆方面的试验

帷幕灌浆生产性试验是根据不同的岩性情况，研究岩体的可灌性，选择灌浆材料和压力，研究在浆材中掺入粉煤灰灌注溶洞的可能性，取得了预期的效果。帷幕灌浆施工中，除进行常规的压水试验、注水试验外，还进行了 F_{51} 断层耐压试验、灌前灌后弹性波对比测试等特殊试验。

4.4　锚桩试验

研究在不同岩层条件下基岩的抗拔力，优化了深孔、表孔消力池的锚桩布置，节约了投资。

4.5　RCC 围堰拆除控制爆破试验

针对 RCC 围堰拆除的特点，进行了控制爆破试验。采用将无后座依托抛掷爆破、深孔梯段爆破与大范围水平光面爆破相结合，独立三干线复式串并联非电塑料导爆管爆破网络和孔间微差爆破等技术，保证了 RCC 坝段的完整性，各部位质点振点速度均小于安全控制标准，使与之相邻的护坦固结灌浆、河床段帷幕灌浆、枢纽建筑物和电器设备免遭破坏影响。同时，95%的爆渣被掷于右边基坑，有利于左侧深孔的安全泄洪。

4.6　机组的动平衡试验

针对 3#机组在试运行过程中出现的机组振动摆度超标的现象，先后三次对机组进行了动平衡试验。通过试验，找出了机组振动摆度超标的根源，确定了缺陷处理的方案和实施措施。在施工单位和制造厂家的共同努力下，消除了机组安全稳定运行的隐患，并且为今后修订机组安装质量验收标准提供了新的依据。

4.7　闸门的动水试验和振动原型观测试验

2000 年 7 月底进行了表孔闸门的动水试验，2000 年 8 月和 2002 年 5 月分两次对表孔弧门和深孔弧门进行了静力和动力原型观测试验。

4.8 机组型式试验

试验内容包括能量试验、空化试验、飞逸转速试验、尾水管压力脉动试验。在机组选型阶段，还分别与东电和哈电两厂合作，进行了不同型号水轮机转轮的性能比较试验，并在此基础上对初选结果进行了全流道转轮模型试验，为最终确定水轮机型号提供了可靠的技术保证。

5 采用新技术、新材料、新工艺和新设备

5.1 WHDF 外加剂

碾压混凝土存在极限拉伸值、抗渗、抗冻、耐久性等指标不足的问题。WHDF 是一种新型混凝土外加剂，试验表明，WHDF 不仅可以改善混凝土的各项性能，尤其是提高极限拉伸值，还能节约胶材用量。

5.2 大坝变形 GPS 监测系统

利用全球卫星定位系统(GPS)，对大坝在平时实施间断的，在特殊时期实施连续、高精度的外观变形监测，通过与常规监测手段互相校核，取长补短，更为有效地对大坝进行监测。

5.3 保护层一次爆除的基坑快速开挖方法

基坑开挖中，预留 2 m 原保护层，采用手风钻钻孔，浅孔小药量爆破，最后留 20 cm 厚岩石由人工撬挖至设计建基高程，加快了基坑开挖施工速度。

5.4 Doka 模板

在纵向围堰及主体工程施工中，大量采用了 Doka 模板和大型拼装模板，有利于混凝土浇筑，加快了工程进度，保证了工程质量。

5.5 防渗墙钻抓结合的施工工艺

防渗墙施工中，对主孔采用钢丝绳冲击钻造孔，对副孔上部采用抓斗施工，底部再用冲击钻施工。钻抓结合的施工工艺大大加快了防渗墙施工进度。

5.6 电渣压力、窄间隙熔槽焊接和冷挤压连接技术

采用这种技术，有利于提高钢筋(或连接)的速度和质量。

6 优化施工方案

对重点施工项目及时研究，不断优化施工方案，确保了整个网络计划的实现。

6.1 取消右岸砂石系统

原设计在左、右岸各布置一套砂石系统，左岸系统供一期工程使用，右岸系统供二期工程使用，两岸交通由索道桥联系。具体施工中，取消了右岸砂石系统，两岸之间通过高坝洲大桥联系。

6.2 改善垂直运输手段

原设计在一期坝体上游架设一条高 11 m 的钢栈桥，在其上面布置 2 台 10 t 塔机。实际施工时，在上游布置了 2 台 SDTQ1800/60 型高架门机，改善了垂直运输条件，有利于混凝土浇筑和机电、金属结构设备及埋件的安装。

6.3 改善温控条件

混凝土制冷系统的制冷容量原设计 4.186 8 GJ，实际施工时改为 8.373 6 GJ。1997 年

夏天，又在工地加装了 2 台 LSLGF1000 型冷水机组，这对实现温控要求、确保混凝土质量起了重要作用。

6.4　廊道预制方案

将原设计大坝基础廊道现浇方案修改为预制方案，使廊道施工占用的直线工期大为缩短，加快了大坝混凝土浇筑进度。

6.5　坝基固结灌浆施工方案优化

一期工程固结灌浆一般安排在 3~4 m 厚盖重下进行。但在混凝土浇筑施工紧张时，少数坝段先抢浇混凝土，然后在较厚盖重下采用其他方法进行固结灌浆。例如：将 12#坝段部分灌浆孔分别移到大坝基础廊道和下游辅助排水廊道打斜孔施工。

二期工程混凝土浇筑工期较为紧张。调整后，在坝基垫层混凝土间歇期进行上游及中部的固结灌浆孔施工，下游孔在排水廊道及大坝下游斜坡钻灌。个别坝段上游基础的固结灌浆在基础廊道及大坝上游打斜孔钻灌。

6.6　右岸灌浆平洞衬砌

右岸灌浆平洞在地质条件较差部位采用全断面钢筋混凝土衬砌。地质条件较好部位的侧墙和顶拱不配钢筋，共节约钢筋 80 t。另外，部分溶洞发育的衬砌段取消顶拱回填灌浆。

7　处理地质缺陷和施工缺陷

7.1　16#、17#坝段楔形体处理

16#、17#坝段内由 F_{205}、F_{214}、F_{218} 三条缓倾角断层切割所形成的楔形体，方量达 1 200 m^3，并沿其周边大量涌水。经听取各方面意见，反复研究权衡，决定保留该楔形体，采用截渗堵漏、锚筋锚固、灌浆补强的方式，进行有效的处理，避免了大规模开挖占用直线工期和对周围完整岩体的损伤。

7.2　3#坝段溶槽处理

3#坝段上游发育一溶蚀沟槽，规模大，延伸远，对大坝稳定影响较大。为确保大坝安全，对该溶槽作深挖处理，然后置换回填混凝土，最后进行接触灌浆和固结灌浆施工。

7.3　纵向围堰导 4、导 5 防渗处理

在深孔消力池基础开挖中，发现下纵堰导 4、导 5 段左侧的消力池内存在两股涌水，最大总涌水量达到 80 L/s。经反复摸索，总结经验，最后确立了“变动水为静水”的指导思想，制订了“先浇并锚然后灌”的总体施工方案，堵住了渗流。

7.4　20#、21#坝段 RCC 质量缺陷处理

20#、21#坝段 49~55 m 高程碾压混凝土层面结合不良，密实性较差，存在较严重的缺陷，对该质量缺陷共布置 8 批 50 个灌浆孔和检查孔进行处理，经检查合格。

7.5　12#坝段灌浆处理

12#坝段右侧面有一条近似贯穿性的纵向裂缝，对坝体整体性影响较大，蓄水后，基础廊道内部分排水孔渗漏量加大。用水溶性聚氨酯 DH814 灌浆处理，共布孔 42 个。处理后，渗漏量显著减小。

7.6　深孔横缝漏水处理

深孔 10#、11#坝段、11# ~ 12#坝段横缝漏水量较大，分别达到 180 L/min 和 120 L/min。为保证安全和美观，经多次试验和反复比较，采用骑缝钻孔和化学灌浆（灌 LW–Ⅱ或 DH814 水

溶性聚氨酯)的方法，成功地进行了处理，基本做到了滴水不漏。

7.7 深孔弧门止水改造

原设计转角止水橡皮为现场胶粘式，经过一年的频繁运行，接头从开裂逐渐扩大为侧止水翻转撕裂，导致漏水。为解决这一问题，经过深入调查研究，决定采用整体转角止水橡皮，从而根本解决了深孔闸门漏水问题。运行的实践证明，此种止水方式很可靠。

目前，高坝洲工程建设已进入尾声，但升船机设备的制造、安装及调试等在国内尚无完善和系统的经验，还需要在实践中研究探索。

（原载《湖北水力发电》2002 年第 4 期）

优化施工方案　缩短建设工期

林善祥　姜手虞

1　高坝洲工程的施工概况

高坝洲水电站是清江流域水电开发的最下游一座梯级电站，距入长江的清江河口 12 km。工程为河床式电站，前缘总长 439.5 m，坝顶高程 83.0 m，最大坝高 57 m，装机 3×84 MW，机组安装高程 35.9 m。工程分两期施工。一期先围左河床，右岸河床明渠导流，设高、低两个土石围堰，在低土石围堰保护下修筑高土石围堰，基坑全年施工。二期围右河床，中、枯水期利用一期大坝深孔导流，汛期基坑过水，汛后利用上游土石围堰和下游 RCC 围堰挡水。施工中共设 9 条围堰，其中 2 条 RCC 围堰、7 条土石围堰。1996 年 10 月 26 日一期工程截流，1999 年 7 月具备首台机组发电条件，工期 33 个月，比招标文件要求提前了 3 个月。至 2000 年 4 月底，项目全部完工(升船机除外)，工期 41 个月。

2　充分发挥技术优势，实现最优方案中标

招标文件明确提出了缩短工期、提前发电的要求，承建单位制定了切实可行的网络计划。在厂房和进水口之间，建基面高差大，为了改善受力条件，在厂房主机段与进水口之间设置纵缝和宽槽。宽槽回填必须满足两侧混凝土冷却至稳定温度和在低温季节施工两个条件才能进行，这就要求，只有提前完成宽槽回填，实现厂房进口段与主机段联合挡水，才能如期发电。因此，厂房宽槽回填是问题的核心。

按正常程序和招标文件的进度计划，1998 年 10 月回填宽槽，再浇筑蜗壳顶板、发电机层混凝土及厂房封顶，然后进行装修和机组安装。这样的安排很难实现 1999 年 10 月 26 日首台机组发电的目标。

为了确保按期发电，我们将宽槽回填时间提前到 1998 年 3 月，按照这个目标倒排施工计划。考虑到宽槽冷却与回填历时 3 个月，1997 年底必须形成宽槽。从安Ⅱ集水井开始施工到宽槽形成，其中包括安Ⅱ集水井混凝土、底板混凝土、固结灌浆、尾水管安装和混凝土浇筑、直锥段混凝土、蜗壳侧墙混凝土，工期至少 8 个月，即 1997 年 4 月必须完成开

挖。若考虑4个月的开挖工期，1996年12月前必须完成基坑抽水。

按照提前回填宽槽的计划，制定了压缩土石方开挖、防渗处理和混凝土浇筑的施工方案。主要措施有：

(1)截流前完成左右岸陆上边坡开挖，并浇筑1#和22#坝段基础混凝土，形成上、下游连通道路，创造大开挖条件。

(2)利用河中沙滩相对较高的地形，提前进行纵向低堰防渗处理。

(3)在厂房上游布置两台高架门机，覆盖一期工程上游全部浇筑范围，代替推荐的高栈桥方案。

(4)在安装场进口架设混凝土预应力梁，安装坝顶门机承担后期主厂房浇筑任务。

(5)在厂房尾水渠安装丰满和天塔门机，分别解决前期要求门机投产快、混凝土强度大，后期要求起吊幅度高的问题。

由于提前回填宽槽的措施合理、具体、可靠，确保了按期发电，使我们以最优的施工方案中标承建高坝洲工程。

3　抓好里程碑工期，确保总目标的实现

中标后，根据高坝洲工程受每年汛期和低温季节限制的特点，在网络计划中设置了里程碑工期。

(1)为满足一期工程全年施工，一期土石围堰和纵向RCC混凝土围堰在1997年5月1日前完成。

(2)宽槽混凝土回填要求在低温的1997年12月形成到冷却稳定温度，1998年3月前回填完毕。

(3)1998年10月前一期工程大坝具备挡水条件，并拆除一期土石围堰，10月26日二期截流。

(4)1999年5月1日前，二期土石围堰具备挡水和过水条件，二期大坝浇筑到60.5 m高程，具备下闸蓄水条件。

(5)1999年7月前机组安装调试完成，第一台机组发电。

(6)2000年4月二期工程混凝土浇筑、表孔闸门安装调试完成，工程完工验收。

按照总网络中的6大里程碑工期，我们共组织6次大的战役，确保了总目标的实现。

4　优化施工方案，为快速施工创造条件

快速施工的网络计划必须要有先进的技术措施作保证。高坝洲工程一期大坝基础混凝土浇筑，安排在1997年的5~9月施工，正遇高温季节，因强约束区的混凝土温控要求比较严格，施工中我们一方面安装了制冷楼，另一方面预埋冷却水管并及时通冷水，降低了混凝土温升，保证了强约束区混凝土质量。

为了满足汛期基坑过水要求，设计要求二期大坝在1999年汛前至少要完成一排帷幕灌浆。为此，采用全封闭式的预制混凝土廊道模板，实现混凝土浇筑与防渗帷幕同时施工，确保了灌浆施工时间。

原设计1999年汛后施工大坝下主排帷幕，因上游基坑水压力将会影响灌浆质量，故制订了汛后上游基坑抽水方案，相应要求上游土石围堰过流时不能被冲坏。我们在土石围

堰上游面设置钢筋块石笼，在顶面布置一层铁丝网块石笼，并浇筑 20 cm 厚混凝土，下游坡面布置双层焊接钢筋笼装块石。

1998 年 10 月二期截流前，必须完成深孔 3 扇弧门、厂房进水口 6 扇工作门、2 扇检修门、15 扇拦污栅及 6 扇尾水检修门的安装，工期只有 3 个月。为此，我们采取了以下 3 项技术措施：

(1)原设计深孔闸墩 76.0 m 高程以下分为上游、下游两块，中间设宽槽。1997 年冬季宽槽回填完成，再浇筑上部混凝土，进行弧门安装。我们建议采用圆拱先封闭宽槽，再进行上部混凝土浇筑的方案，得到设计批准，使深孔弧门于 1998 年 4 月具备安装条件。

(2)厂房进水口拦污栅结构复杂，设分层连系梁，影响进口段混凝土上升。通过设置施工缝，使进口段先浇，为进口闸门提前安装创造了条件，同时采用拦污栅埋件一次浇筑，减少了拦污栅埋件二次安装和浇筑的工序。

(3)门槽埋件安装和打毛需要搭设大量的施工平台。我们以门槽顶工字钢作梁，焊接钢筋形成吊台，减少了排架搭设工作量和钢管用量，为闸门安装提前完工奠定了基础。

一期混凝土纵向围堰最大堰高 32 m，分 14 层施工，工期十分紧张，加上 1996 年 11 月 6 日清江遭遇超百年一遇的秋汛，最大流量 4 200 m^3/s，洪水冲垮了刚刚截流的上游低土石围堰，影响工期 20 多天，使混凝土纵向围堰填筑强度必须达到最高月上升 12 m。由于采用多卡模板施工配仓面吊拆装，缩短了立模时间，纵向围堰由原来 3 个仓变为 4 个仓，两个作业面同时浇筑，增加汽车入仓道路，压缩每层循环时间，使纵向围堰月上升最高达到 14 m。

1 #机进口段与主机相接的斜坡上设计布置了一个观测室，其中有双金属标和倒垂孔。观测室顶部是进水口过流面 1 #机左边墩，观测室封顶后，由于其位置和结构尺寸制约，倒垂孔的钻机无法就位，这将严重影响宽槽按期形成。我们优化施工程序，在观测室封顶前，在斜坡上搭设钢筋柱排架，进行倒垂孔施工，并在主机尾水管下弯段混凝土浇筑的同时加快了进水口段浇筑，抢回工期达一个月，为宽槽的形成创造了条件。

5 合理配置资源，适应施工进度的需要

高坝洲电站分一、二期工程，在一般情况下，会出现一部分资源较富裕、另一部分资源不足生产很不平衡的情况。只要合理地配置资源，确保关键线路上的工期不变，就能较好地解决生产不平衡问题。

一期工程混凝土浇筑阶段，厂房进水口 9 个闸墩 18 个仓，主机 3 个尾水管 12 个仓位，深孔 6 个闸墩 12 个仓位，其上游的两台高架门机和模板工、钢筋工成为十分紧缺的资源。其中，进水口与深孔闸墩浇筑到顶是二期截流的必备条件，1 #主机混凝土是首台机组发电的重点，2#、3 #主机段还有自由时差，1997 年底只要浇到 38.93 m 高程，满足 1998 年 3 月前完成纵缝灌浆，可以放缓施工，5 月进入闸门安装，三项资源都有富裕时，再加快施工。

1999 年汛后，表孔闸墩混凝土浇筑时，左右岸各布置一台丰满门机，从两边向中间“夹攻”，中间 15# ~ 18#闸墩浇筑主要依靠基坑安装的小高架门机入仓，而升船机闸室底板浇筑还要小高架门机承担，吊装手段十分紧张。针对这种情况，我们采取了 4 项措施：首先，抓紧形成小高架门机安装条件，使资源尽快投入，同时组织专班人员，负责小高架门机的维修保养，提高设备利用率。其二，加快 14#闸墩浇筑和预制梁制作，使安装在该坝顶的丰 10#门机向右侧推进，早日投入 15#闸墩浇筑。第三，放慢 19#闸墩浇筑，避免 19#墩太高

影响丰15#门机运行，将19#、18#坝段过流面混凝土由丰15#门机吊运入仓，减少小高架门机的负担。第四，在升船机闸室底板上另外安装天8#塔机，减轻小高架门机的工作任务。通过这些措施，较好地解决了中间闸墩入仓手段不足的问题，使控制总工期的表孔闸墩混凝土按期完成。

6 定期检查、分析进度，实行动态管理

为了控制实际施工进度与网络计划的偏差，我们坚持日、周、月检查和里程碑进度检查，制定纠偏措施，并进行评比、表彰、奖励。

1998年，特大洪水持续时间长，计划9月中旬开始拆除一期土石围堰，至9月29日拆除道路仍被水淹没，不能如期开工，对二期截流目标工期造成威胁。为此，我们采取果断措施：第一，了解中长期水情预报，决定从围堰顶部用反铲拆除3～4 m高；第二，利用顶部拆除石渣，加高拆除围堰所用的施工道路，创造后期大开挖条件；第三，加快二期截流前的各项准备工作，抢回了工程进度。

1999年元月，二期基坑开挖时，在16#～17#坝段揭露了深层岩溶通道，渗水量大，基坑开挖进度滞后，为了实现5月前表孔浇筑到60.5m高程安全度汛和蓄水发电的目标，在16号坝段上游布置一个减压井，采取减压堵漏的灌浆处理措施，恢复正常开挖。同时，提前制定了下一步混凝土快速施工技术措施，实现不间断浇筑。

(原载《水力发电》2002年第3期)

高坝洲水利枢纽经济合理性分析

柳林云 安有贵 李文俊

1 枢纽简况

高坝洲水利枢纽位于湖北省宜都市境内，是清江干流最下游的一个梯级。上距隔河岩水利枢纽约50 km，下距清江河口12 km。正常蓄水位为80 m，死水位78 m，总库容4.863亿m^3；电站保证出力61.5 MW，装机3台，总装机容量252 MW。

电站建设总工期7年(其中施工期为5年3个季度)，第5年第一台机组投入发电，到第7年3台机组全部投入运行。按1995年上半年物价水平编制，工程静态总投资为195 839万元，固定资产投资247 125万元，总投资为287 836万元。国家批准的总概算为：工程静态总投资19.97亿元，动态总投资30.76亿元。

高坝洲枢纽主要有3个方面的效益：①发电。利用隔河岩至高坝洲50 km河道约40 m的水位落差发电，近期年发电量为8.98亿kW·h，远景通过水布垭枢纽反调节，年发电量达到9.91亿kW·h。②航运。电站建有300 t级垂直升船机。大坝将河床水位抬高40 m，使隔河岩到高坝洲区间成为能终年通航的深水航道。通过下游12 km的河道整治和水库调节，可使清江河道达到Ⅴ级通航标准。③反调节。通过水库反调节，将隔河岩调峰电站下

泄的间断不稳定流量，变为连续较为稳定的下泄流量，以满足下游航运和供水需求。因此，高坝洲水利枢纽的建设，对解决湖北省供电的紧缺、促进清江航运和鄂西山区的经济发展具有重要意义。

2 国民经济评价

国民经济评价是从整个国民经济的角度，分析评价水电建设项目的经济合理性。依照高坝洲电站所在地区的具体情况，替代电站拟定为能同等程度满足电力系统电力和电量需要的火电站。

2.1 效益分析

国民经济评价原则上应考虑项目的全部效益和费用，但高坝洲水利枢纽除发电效益外，航运和其他效益还难以用货币定量计算，且所占整个效益比例较小，故未计入。影响经济分析的发电效益有以下 3 个方面：①电站装机 252 MW 全部为必需容量，年发电量 8.98 亿 kW·h；②通过对隔河岩水电站的反调节作用，使隔河岩电站增加 300 ~ 400 MW 的调峰容量及相应的峰荷电量，该电量以分时电价计入电站的发电收入中；③由于隔河岩和高坝洲水电站的调峰作用，可相应减少系统中其他水电站的弃水调峰电量。本次国民经济评价计算中，只计入①、②两项效益。

2.2 主要参数确定

在国家未定期公布影子价格的有关参数时，高坝洲电站及其替代方案费用均按财务价格计算。采用燃煤凝汽式火电站为替代电站，主要参数为：①考虑火电站厂用电约为其发电量的 7% ~ 9%，水火电当量取值为 1.07；②煤耗率参照实际已运行中的同规模等级火电站资料，取 380 g/(kW·h)；③标煤煤价为 300 元/t；④替代火电站单位千瓦投资取值 4 000 元/kW。

其余基础参数如总分析期及水、火电站工程更新改造费用、年限、经营成本等，依规程确定。

2.3 国民经济评价分析及结论

(1) 国民经济净效益：国民经济评价的主要指标是经济内部收益率(*EIRR*)。其次，可参考经济净现值(*ENPV*)和经济净现值率(*ENPVR*)这两个评价指标进行分析。

经过计算，*EIRR* 等于 19.42%，大于社会折现率 12%；*ENPV* 等于 71 511 万元，大于 0；*ENPVR* 等于 56.18%，大于社会折现率 12%。这说明，高坝洲水利枢纽经济上是合理的。

(2) 不确定因素分析。影响高坝洲经济评价指标的主要因素有：是否计入反调节效益，水、火电投资的增加和减少。对以上不确定因素进行敏感性计算，结果见表 1。

表 1 不确定因素分析计算

方案	考虑反调节效益			不考虑反调节效益		
	EIRR (%)	*ENPV* (万元)	*EVPVR* (%)	*EIRR* (%)	*ENPV* (万元)	*EVPVR* (%)
基本方案	19.42	71 511	56.18	10.31	– 12 666	– 9.95
水电投资增 10%	17.36	56 805	40.57	8.71	– 27 372	– 19.55
水电投资减 5%	20.6	78 864	65.22	11.25	– 5 314	– 4.93
火电投资增 10%	20.81	82 122	64.52	11.71	– 2 056	1.61

分析表 1 可知，当不计入高坝洲电站的反调节效益，水电投资增加 10%和减少 5%、火电投资增加 10%时电站的经济指标都较差；只有当火电投资增加 20%(即火电单位千瓦投资为 5 000 元/(kW·h))时，才具有经济合理性。与计入反调节效益的情况相比较，其经济指标及抗风险能力都较差。

(3) 根据上述分析，可得出以下结论：高坝洲枢纽是隔河岩水利枢纽不可分割的一部分，只有在高坝洲枢纽修建后隔河岩枢纽才能充分发挥其发电调峰及航运作用。高坝洲枢纽也只有在考虑其反调节作用后，国民经济评价指标才具有较强的抗风险能力。同时必须指出，高坝洲作为反调节枢纽，其反调节效益是应当予以充分考虑的，否则就不能完整体现项目本身对国民经济发展带来的净效益，也不能全面反映梯级联合运行所具有的效益。

3　财务评价

财务评价是根据国家现行财税制度、价格体系和建设机制，分析计算电站的上网电价和水电建设项目的财务可行性。其中包括：费用、发电效益的计算，清偿能力、盈利能力的分析，最后还应对不确定因素作敏感性计算比较。

3.1　基础数据

(1) 固定资产投资=静态总投资+价差预备费。

其中价差预备费按两种方法测算：①价差预备费年上涨指数为 7%(作为基本方案)；②根据国家开发银行的要求，1996 年到 2001 年的价差指数逐年分别为 10%、9%、8%、7%、7%、7%(即价差变指数)。以上两种测算方法计算结果见表 2。

表 2　不同计算条件时电价测算指标

方案	价差指数为 7%				价差变指数			
	还贷电价(元/(kW·h))	还贷后电价(元/(kW·h))	财务内部收益率(%)	利税率(%)	还贷电价(元/(kW·h))	还贷后电价(元/(kW·h))	财务内部收益率(%)	利税率(%)
基本方案	0.861	0.337	20.03	15.42	0.914	0.405	20.15	15.42
不计反调节效益	1.104	0.601	19.98	15.42	1.158	0.629	20.10	15.42
第 6、7 年利息不计入成本	0.953	0.512	21.01	15.41	1.011	0.547	21.10	15.11
电价中含增值税	1.091	0.502	20.02	19.97	1.156	0.536	20.14	19.96
含增值税不计反调节效益	1.334	0.726	19.98	19.97	1.399	0.760	20.10	19.96
还贷期 15 年	0.639	0.337	18.91	15.42	0.680	0.405	18.97	15.42

(2) 其余：上网电量为 8.98 亿 kW·h；全部投资的基准收益率采用 12%；资本金共计 3.3 亿元，第 1、2 年分别投入 1.5 亿元，第 3 年投入 0.3 亿元。

3.2　费用计算

(1) 成本：高坝洲水电站的发电成本、发电经营成本、发电总成本按《水电建设项目财务评价暂行规定》(试行)第 2.2 条规定计算(本次测算未计入专用配套输变电成本)。

(2) 主要计算参数：①固定资产贷款年利率采用 1994 年 5 月 1 日公布的贷款利率(为

15.12%)，流动资金贷款利率为 10.98%；②借款偿还期限为 12 年。

其余参数：根据高坝洲水电站的实际情况，电站定编人员数为 618 人、厂用电率取 0.2%；折旧率、修理费率、材料费率、库区维护费率等按规定取值。

3.3　发电效益计算

(1) 发电收入：将高坝洲水电站作为独立核算的发电项目计算其发电收入，其中上网电价不含增值税。

(2) 税金：①电力销售税金包括增值税和销售税金附加。增值税率为 17%，销售税金中城市维护税税率和教育费附加税率分别为 5%和 3%；②企业利润按国家规定征收所得税，税率为 33%。

(3) 利润：由于高坝洲水利枢纽的反调节作用，增加了隔河岩水电站的调峰容量和峰荷电量，由此增加的发电效益收入计入高坝洲水利枢纽的销售收入中，最后计算电站的发电利润。

3.4　财务评价结果及分析

(1) 清偿能力：①在价差预备费上涨指数按 7%计算时上网电价为 0.861 元/(kW·h)，此电价与目前全国 7 个在建或设计的大体同类的大中型项目相比较，还贷期上网电价略低，但相对目前实行的电价却较高，用户承受有一定困难(见表 3)；②借款偿还期限，项目在机组全部投产后的第 5 年(开工后的第 12 年)底可还清固定资产投资借款本息，满足借款偿还期要求。

表 3　各枢纽上网电价对比

电站名称	流域名称	装机容量(MW)	年发电量(亿 kW·h)	上网电价(元/(kW·h))
高坝洲	清　江	252	8.98	0.86
碾盘山	汉　江	250	10.81	0.98
亭子口	嘉陵江	750	30.46	0.99
凌津滩	沅　水	240	9.91	0.88
王甫洲	汉　江	109	5.81	1.03
江　垭	澧　水	300	9.61	0.90
皂　市	澧　水	110	3.35	1.30

(2) 盈利能力分析：在价差指数 7%条件下，财务内部收益率为 20.03%，大于财务基准收益率 12%；投资回收期 9 年，即在全部机组投入运行后第 2 年可以收回全部投资；投资利润率为 12%，投资利税率为 15.42%。以上指标符合国家有关规定。

3.5　方案对比及电价分析

为全面分析财务评价的可行性和考察项目是否具备一定抗风险能力，从价差指数 7%和价差变指数两方面，对财务评价政策性因素的变化作如下方案的对比计算：①销售收入中不计入高坝洲对隔河岩电站的反调节效益；②建设期的第 6、7 年贷款利息不直接计入成本，而全部形成固定资产价值；③上网电价中含增值税，即计算税后电价；④不计入反调节效益，同时电价仍含增值税；⑤基本方案基础上，还贷期延长到 15 年。计算结果见表 2。

分析以上成果可知：还贷期电价偏高，而财务内部收益率达 20%左右，高于目前贷款利率过多。主要原因是贷款偿还期限短，电站正常发电后的还贷时间只有 5 年。另一方面，基本方案上网电价 0.861 元/(kW·h)，总成本费用占上网电价的 39.23%(其中：利息为 22.77%，其他为 16.46%)；还贷部分占 28.71%；所得税占 19.60%；公积金、公益金占 5.74%；资本金回报占 5.12%，销售税金附加占 1.36%(无增值税)。也就是说，在 0.861 元/(kW·h)中，只有 0.24 元用于偿还贷款，除维持电站正常运行必须支出的经营成本 0.035 元/(kW·h)外，其他占还贷电价比例过大是造成电站上网电价偏高的直接原因。

计算结果表明，将还贷期延至 15 年后，还贷电价可降至 0.639 元/(kW·h)。因此适量延长水电还款期是降低水电上网电价、促进水电工程建设的重要影响因素。

对比方案的指标还表明，价差预备费的计算方法、是否考虑反调节效益、还贷期利息是否计入成本、税率及交税要求等对上网电价和各财务指标都有较大影响。

4　总结及建议

通过对高坝洲水利枢纽的经济评价可以看出：在国民经济方面，项目有较好的效益；但是按现行投资体制和财税制度进行财务评价，上网电价指标偏高。水电工程投资大、建设周期长，而现行的基本建设贷款还款期短、利率高，要按还本付息的要求定价，相应的税收也高，那么水电站在还款期的上网电价就相应抬高。为此，提出以下建议：

(1)梯级联合运行电站的发电效益分析。在梯级水电工程经济评价中，除计入电站本身的发电效益外，还应全面考虑梯级电站在联合运行中所增加的效益。例如，本次计算中，国民经济评价和财务评价都计入了高坝洲的反调节效益，结果表明各项经济指标均符合国家有关规定。同时，也对不计入反调节效益作了对比计算，结果是国民经济指标变差，财务评价的电价涨幅达 28%。

通过高坝洲电站是否计入反调节效益对经济指标影响的对比分析，说明在对水电开发实行全过程管理中，为实行梯级滚动开发，可建立流域开发机构以利用流域或地区已建成的水电站收益，拓宽投资渠道，有效降低建设期贷款规模，使项目合理可行，增加竞争能力。例如清江的水电开发，可利用已建成隔河岩水电站的收益，来滚动开发高坝洲等水利枢纽工程。

(2)综合考虑水电建设项目的各方面效益。高坝洲水利枢纽是具有发电、航运、旅游和养殖等综合效益的工程。依照《水电建设项目财务评价暂行规定》(水规规字[1994]0026号)，上述各部门应对电站的投资进行分摊，这样才能客观、实事求是地反映电站的经济合理性。在进行投资分摊时，可以按各部门受益大小或其他方法分摊枢纽总投资，减少电站工程的投资，从而降低上网电价。经过测算，当电站分摊占总投资的 90%时，基本方案上网电价降到 0.774 元/(kW·h)左右，降低幅度为 10%。

(3)现行财税制度对水电发展的不利影响。根据高坝洲水利枢纽财务评价的结果，结合目前财税制度，建议采取如下措施：①适当延长借款偿还期。水电开发项目属于国民经济基础产业和社会公用事业，电价的高低受国家宏观调控影响较大。高坝洲水利枢纽工程经计算，财务内部收益率在 20%左右，高于目前国家贷款利率较多，究其原因就是贷款偿还期限过短。因此，适当延长借款偿还期，如从 12 年延长到 15 年或 20 年，上网电价就可大大降低。②适当降低借款利率。从 1995 年 7 月 1 日起，国家将固定资产投资借款利率调高到 15.12%，这对于周期长、前期投资较大的水电项目来说非常不利，使工程在筹建期甚至施工准备期需要投入较多的自有资金。因此，国家可设立专项补贴，或在工程正式开工后给予一定的贷款优惠。

最后要说明的是，结合工程实际情况，充分考虑项目的有利与不利因素，客观准确地反映项目经济评价的可行性，是水电建设项目经济评价的目的之一。因此，无论采取哪些评价条件在哪个设计阶段，都应具体问题具体分析，并运用好现行投资及财税制度，客观地进行经济评价工作。

（原载《人民长江》1997 年第 9 期）

高坝洲水电站的开发效益

安有贵

清江干流自隔河岩坝址至清江汇入长江的河口 62 km，天然落差 41 m，水能理论蕴藏量 150 MW。高坝洲水电站是清江干流梯级开发中最下游的一级。它不仅对隔河岩水电站起反调节作用，而且是经济合理开发利用隔河岩坝址以下河段水资源的水利枢纽工程。其坝址位置交通便利，施工条件好，输电距离近，方便航运。

1 开发效益

1.1 反调节效益

高坝洲水电站工程开发的首要任务是对隔河岩水电站进行反调节，完善和提高隔河岩工程的经济效益。隔河岩水电站具有年调节能力，承担着湖北省及华中电网的调峰任务，枯水期和平水期，其发电出力随着系统日内负荷的变化而变化，发电时间集中在系统高峰负荷段，深夜至次日凌晨当系统负荷减少时，电站将停止发电使得下游河道断流，影响下游河道船只通航和沿江两岸城乡的工业和生活用水。若满足隔河岩枢纽下游沿江两岸的工农业和城镇生活用水需要，隔河岩枢纽必须泄放 60 m^3/s 基荷流量；若恢复隔河岩枢纽修建以前清江干流的通航状况，隔河岩枢纽必须泄放满足原航运需要的 100 m^3/s 最小通航流量；考虑航运的发展，若满足下游Ⅴ级航道的正常航运要求，隔河岩水库必须至少泄放 180 m^3/s 流量(即维持 150 MW 左右的航运基荷)。经电力电量平衡分析，隔河岩水电站只能发挥 700～800 MW 的容量效益。为了改善这种状态，实现清江综合开发利用的各项任务，从流域开发的总体要求出发，在隔河岩枢纽的下游修建高坝洲水电站工程，抬高河道水位，形成水库。这不仅使隔河岩至高坝洲 50 km 的天然河道成为能终年通航的深水航道，沿江两岸的供水和航运问题得到根本解决，隔河岩枢纽下游不再存在最小下泄流量的要求，从而增加电站的调峰电量。高坝洲水库有 5 370 万 m^3 的反调节库容，可以调节隔河岩电站日内变幅很大的发电流量，按高坝洲水电站设计的运行方式和下游河道的航运要求流量下泄，满足其坝下游 12 km 河道的航运要求，并可以减免隔河岩水电站的航运基荷，增加 400～500 MW 调峰容量；而且，由于隔河岩电站不再需要小流量低出力长时间运行，使得机组出力系数提高，单位电能耗水量下降，发电量增加。

高坝洲水利枢纽修建后，隔河岩枢纽的运行状况得到了根本的改善，调峰能力和灵活性大大加强，并可与华中电网中的其他径流式电站进行补偿调节。按35年日径流系列和调度图进行径流调节计算，隔河岩水电站多年平均发电量为29.19亿kW·h(比按旬径流系列计算出的年发电量30.4亿kW·h少1.21亿kW·h)。其中枯水期为10.12亿kW·h，占34.7%；丰水期发电量为19.07亿kW·h，占65.3%。有高坝洲枢纽后，隔河岩水电站在基荷工作的电力电量移到了峰荷，并随时可以为电力系统提供调峰、调频、事故备用等的电力电量，在不计增加的航运等其他效益情况下，考虑有、无100 m^3/s航运基荷流量两种情况的峰、平、谷电量差别，按分时计价办法，隔河岩电站相当于每年增加平均电量4.82亿kW·h的调峰能力，减少电力系统中火电的开停次数或水电的弃水调峰电量损失。

1.2　发电效益

高坝洲水电站的效益来自发电，而发电收入是水电企业经营的基础，也是国民经济发展的基础。湖北省煤炭资源缺乏，而用电量却增长很快，特别是由高坝洲水电站供电的宜昌及荆沙地区是湖北省重要的工农业生产基地，用电增长更快，迫切需求清江的水力资源。通过水库的合理调度，结合下游河道整治，高坝洲水电站的运行在满足下游航运要求的条件下，还可以担负系统的调峰负荷，改善火电及电网的运行条件。另外，高坝洲水电站可以作为一个独立电源支撑点，当隔河岩水电站输向宜昌和荆沙地区江南部分的线路出现故障时，高坝洲可与葛洲坝水电站联合供电，从而提高江南地区供电的可靠性。

清江水能资源比较丰富，通过隔河岩和高坝洲两枢纽的开发，枯水年调节流量达220 m^3/s，是实测最小月平均流量的5.6倍，可装机1 452 MW。隔河岩水电站装机容量1 200 MW，具有年调节能力，控制流域面积14 400 km^2，占高坝洲水电站控制流域面积的92%；高坝洲水电站装机容量252 MW，具有日调节能力，发电运行较大程度受隔河岩水电站发电的影响，除航运基荷外，发电出力基本根据隔河岩水电站出力的大小而变化。两梯级电站的发电调度以隔河岩水电站为主，通过水库调节控制两梯级的平均发电出力，以满足系统的用电要求。高坝洲水电站最大发电水头40 m，设计发电水头32.5 m，按日径流调节计算多年平均发电量为8.86亿kW·h(比按旬径流计算的年电量少0.12亿kW·h)。需要强调的是，高坝洲水电站的发电量中，枯水期电量比重大，在华中电网湖北省的水电站中是最好的，枯水期的发电量占全年发电量的比例高达39.5%，比其他电站高5 %以上，这有利于电力系统在枯水期减少火电开机，减少燃煤量，对改善系统的经济性有利。

1.3　航运

高坝洲水电站库区河段的地势及河道情况为：从隔河岩坝址以下，流经津洋口和龙舟坪镇至白氏雄关一段，地势较平缓，落差不大；白氏雄关至牛津滩属峡谷河段，水流急，落差大；再向下游，地势逐渐开阔，流向大体由西向东，经鄢家沱以后，河流急转，由北向南流经磨市镇，蜿蜒曲折，呈“S”形河道；经过石门镇后，河道恢复为东西向，直至河口。本河段内天然情况下有阻航险滩近30处，给航运发展带来困难，并且遇到枯水期小流量时无法通航。高坝洲水电站枢纽工程建成后，不仅淹没了库区的险滩，而且可为下游航道进行丰、枯水量的调节，下泄航运基荷流量，与隔河岩枢纽配合运行，形成150 km长的V级深水航道，并与长江干流的“黄金水道”连接贯通，有效地改善了流域内交通落后状况，为地区经济发展创造了条件。

1.4 养殖、旅游效益

高坝洲水库处于丘陵地区，库汊多，交通方便，水库水面面积 28 km^2，且水位变幅一般不超过 2 m，水深一般在几米至 30 多米之间，日照充足，天然饵料丰富，没有污染，具有非常优良的养殖条件，是湖北省西南地区最好的天然养殖场。它不仅为地区经济发展提供了基础条件，而且对改善当地膳食结构、拓宽就业门路、引进先进的文化技术有极大的推动作用。

清江流域峻岭重叠，山清水秀，两岸岩溶发育、绵延不断，景色十分迷人，又具有土家族等少数民族特色的风土人情。随着流域的滚动开发，特别是清江门户高坝洲水电站的建设，使水路贯通。逆流而上，沿江自然风光加上大坝拦江、高峡平湖、山光水色的旅游景色，开发前景非常广阔。

2 结语

高坝洲水电站的开发规模合适、开发布局合理、开发任务明确，带来的开发效益也是多方面且巨大的。高坝洲和隔河岩是一组联合运行的水电站，相距 50 km，共同承担电力系统调峰、调频任务，并能满足清江中、下游 150 km 长的Ⅴ级航道的通航要求。高坝洲水电站位于负荷中心，综合开发效益较大，技术经济指标较好，作为隔河岩枢纽的反调节工程，只有其投入后，才能使隔河岩工程的发电和航运效益得到充分发挥。

（原载《水力发电》2002 年第 3 期）

工期—效益优化法在高坝洲水电站工程中的应用

秦道先 刘定华

常用网络计划优化方法有工期优化法、工期—费用优化法、资源优化法和综合优化法等。工期—费用优化法一般从施工企业角度出发，以提高施工企业的经济效益为目的，在编制初始网络计划的基础上，对工期和费用进行优化，通过优化寻求企业经济效益最优时的进度计划，使通过优化的网络计划有较强的适应性，便于实施和有效地监控；但这种方法有其局限性，它不可能从建设项目的全局利益出发，追求建设项目的整体经济效益。

从业主的角度出发，以提高业主的经济效益为目的，业主必然从建设项目的全局利益出发，追求建设项目的整体经济效益。由于水电站机组投产后的发电效益巨大，所以把发电效益引进工期管理和投资管理，对业主来说是可能的，也是必然的。

1 工期—效益优化方法

1.1 工期—效益优化法基本原理

工期—效益优化法，是在工期—费用优化法的基础上，考虑机组发电效益得来的。使用这种优化方法的前提是工期的缩短取得了发电效益，否则就失去了意义。

工期—效益优化法是对工期—费用优化法的发展，工期—费用优化法认为总费用最低时的工期为最优工期，它没有考虑工期缩短换取的发电效益。假定工期缩短 Δt，总费用势必增加Δc。设水电站提前发电取得的单位时间发电效益为k，则工期缩短Δt取得的发电效益$\Delta u = k\Delta t$。当$\Delta u > \Delta c$时，总效益$V=\Delta u - \Delta c > 0$，则工期缩短$\Delta t$是可行的；若$\Delta u < \Delta c$，总效益$V=\Delta u - \Delta c < 0$，则工期缩短$\Delta t$是不可行的。

工期缩短是在关键线路上进行的。在关键线路不变的情况下，对其上某一工序的工期进行缩短，以期获得发电效益。当有多条关键线路时，可同时等额缩短其工期，确保在多条关键线路不变的情况下，获得发电效益。

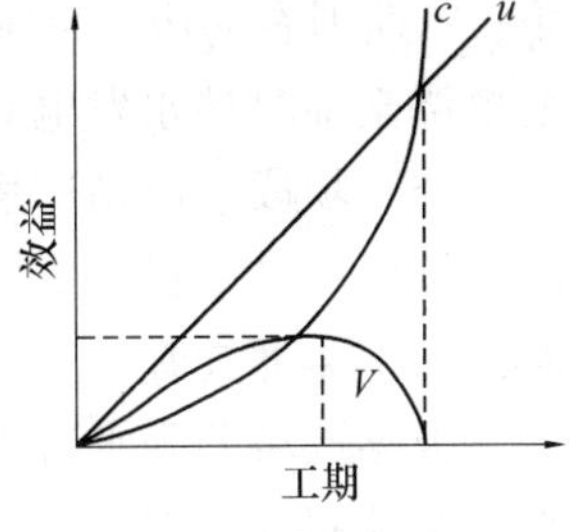

图 1　工期—效益曲线

1.2　工期—效益曲线

工期—效益曲线如图 1 所示。

发电效益u与工期缩短时间t成正比关系，用公式表示为

$$u = kt \tag{1}$$

式中，k为工期缩短单位时间的发电效益。发电效益曲线用图 1 中u线表示。

总费用增量曲线如图 1 中c线表示。

总效益V由发电效益u减去总费用的增量c求得，即

$$V = u - c = kt - c \tag{2}$$

工期—效益曲线见图 1 中V线表示。

工期—效益曲线的最高点(即V的最大值)表示该点的经济效益最为显著，它所对应的工期即为某项工作的最优工期。

1.3　工期—效益优化法的基本步骤

(1)按正常工作时间编制网络计划图，并计算计划工期和完成计划的总费用。总费用等于组成该工程的全部工作的费用之和。

(2)列出构成整个计划的各项工作在正常工期和最短工期时间的费用，以及每缩短单位时间所增加的费用额，即费用斜率。

(3)找出网络计划中的关键线路，计算总工期。

(4)根据费用最小原则，找出关键工作中总费用斜率最小的首先给予压缩，这样可以使总费用的增加最少。当只有一条关键线路时，将总费率最小的一项工作压缩至最短持续时间，并找出关键线路。若被压缩的工作变成了非关键工作，则将其持续时间延长，使之仍为关键工作。当有多条关键线路时，就需压缩一项或多项总费率最小或组合总费率最小的工作，并将其中正常持续时间与最短持续时间的差值最小的为幅度进行压缩，找出关键线路。若被压缩的工作变成了非关键工作，则将其持续时间延长，使之仍为关键工作。

(5)在压缩以后，必须比较发电效益和总费用增加值的差值，如差值持续递增，则需继续按上述方法进行压缩；如差值出现递减，则在此前一次的方案即为优化方案。

(6)列出优化表。

(7)计算优化后的效益。

(8)绘出优化网络计划。

2　高坝洲水电站工期优化结果

2.1　高坝洲水电站的特性

高坝洲大坝为混凝土重力坝，最大坝高 57 m，坝顶前缘长度 439.5 m。电站厂房为河

床式，安装 3 台机组，单机容量 84 MW，总装机容量 252 MW。

高坝洲水电站分两期施工。一期先围左河床，利用右河床明渠导流，一期工程全年施工；二期围右河床。为满足机组低水头发电的要求，二期大坝上游 RCC 围堰应在一个枯水期抢浇至临时挡水发电高程，汛期深孔导流，二期坝体允许过水。一期主体建筑物包括左岸非溢流坝段、电站厂房坝段、泄洪深孔坝段、纵向围堰坝段。二期主体建筑物包括表孔泄洪坝段、升船机挡水坝段、右岸非溢流坝段。

2.2 原控制性工期

根据流域的降水特点，清江每年 6～9 月为汛期，11 月～次年 4 月为枯水期。高坝洲水电站控制性工期为：第一年元月导流明渠开始施工，10 月底具备通航条件，同时一期工程截流；第二年 4 月底前完成 RCC 纵向围堰和上下游高土石围堰的施工，确保一期工程全年施工；第三年 10 月底前一期工程具备挡泄水条件，10 月底二期工程截流；第四年 12 月，在二期围堰挡水条件下，第一台机组开始低水头发电；第五年 7 月右岸非溢流坝段完成施工，年底表孔坝段完成土建施工；第六年元月开始表孔闸门安装，6 月二期工程具备挡泄水条件，水库下闸蓄水，机组开始正常发电，年底工程竣工。

2.3 工期的优化

设计阶段业主委托设计部门对二期坝体采用 RCC 筑坝技术进行了研究，确定二期坝体采用全断面 RCC 结构。二期坝体可在第四年年底完成土建施工，第五年元月开始表孔闸门安装，6 月二期工程具备挡水条件，水库下闸蓄水，机组开始正常发电。这样，水库下闸蓄水和机组正常发电的工期缩短了一年，除升船机外工程竣工工期缩短了一年。

设计阶段采用工期—效益优化法对网络计划进行优化，第一台机组低水头发电的工期由第四年的 12 月提前到了 10 月下旬，工期缩短近 2 个月。3 台机组累计缩短工期约 5 个月，创造效益约合人民币 1 500 万元。

招投标阶段采用工期—效益优化法对网络计划进行优化，机组低水头发电工期分别为：第一台机组为第四年 7 月 1 日，第二台机组为第四年 11 月 26 日，第三台机组为第五年 3 月 26 日。三台机分别缩短了 4 个月、3 个月和 2 个月，创造效益约合人民币 2 700 万元。

综上所述，工期—效益优化法充分体现了追求水电站包括发电效益在内的整体经济效益的观点，是一种新思路。它适用于工程建设的设计和招投标阶段。

（原载《水力发电》2002 年第 3 期）

Ⅱ　勘测设计

高坝洲水电站设计概述

徐麟祥　陈麟灿

1　自然条件

高坝洲水电站上距隔河岩枢纽 50 km，控制流域面积 15 650 km^2，约占全流域面积的 92%，多年平均径流量 138 亿 m^3，考虑了上游隔河岩水库的调蓄作用后 1 %频率设计洪峰流量为 17 240 m^3/s，受长江水位的顶托，在小流量时坝址下游水位相差 6 ~ 8 m。坝址年平均降水量为 1 223 mm，多年平均气温 16.7℃。

坝址处在不对称的斜向谷，河床宽 350 ~ 380 m，两岸山体完整，均为岩质边坡。河床右侧高出枯水位的高坝洲滩地宽 200 m、长 500 m。坝址出露基岩为寒武系中统的白云岩夹灰岩、砂岩互层。库岸稳定性较好，岸坡岩体中有隔水层和相对隔水层分布，且地下水位的分水岭高于设计蓄水位，水库封闭条件较好。坝址区的主要工程地质问题有：①层间剪切带，岩层走向与坝轴线斜交倾向上游偏右岸，倾角 30° ~ 35°，层岩中夹有因受剪切作用而形成的泥软化物，一般厚 1 ~ 5 mm，泥化面的抗剪强度很低，摩擦系数 f= 0.2 ~ 0.25，有沿泥化面的深层滑动稳定问题；②岩溶渗漏，右岸分布的黑石沟组和三游洞组灰岩，岩溶发育强烈，并有与河流斜交的断层未被充填密实，形成绕坝渗漏的通道；③岩溶角砾岩区，左岸有一岩溶角砾岩区，虽已被方解石充填，但仍留有孔洞，部分孔贯通性好，会形成透水通道。

上述 3 个问题通过基础处理得到圆满解决。

2　工程任务与效益

清江流域规划确定干流分 3 级开发，总装机容量为 294.3 万 kW，其中 120 万 kW(4 × 30 万 kW)的隔河岩水电站已在 1994 年全部投入运行，由于水库的调蓄能力较好，电站将担负湖北省乃至华中电网的尖峰负荷，其发电出力随系统负荷变化而变化。当系统负荷减小时，电站少发电甚至停发，每天发电时间仅为 5 ~ 6 h。这样势必会造成下游断流，影响船只通航及两岸城镇居民和工业用水。

为实现清江流域的综合开发任务，必须在隔河岩下游修建反调节水库以抬高河道水位，满足通航及城市工业和居民用水需要，并利用其反调节性能，用以调蓄隔河岩水电站的日变化流量。通过高坝洲水电站的调度运行可按下游河道航运要求下泄流量，满足坝下到长江口 12 km 河道的航运要求。所以，只有当高坝洲枢纽修建以后，隔河岩水电站才能充分发挥其调峰作用和航运效益。根据隔河岩枢纽下游通航水深 2 m 的要求，确定高坝洲水电站的死水位为 78 m，考虑到今后电网峰谷差将进一步扩大，隔河岩水电站的调峰作用将进一步发挥，若每天发电 5 ~ 6 h，则需要高坝洲枢纽的反调节库容为 3 000 万 m^3，为留有一定的余度，确定高坝洲枢纽设计蓄水位为 80 m、坝顶高程 83 m。选择 3 台单机容量为 8.4 万 kW 的轴流转桨式水轮发电机组。总装机容量为 252 MW，多年平均发电量为 8.98 亿 kW·h，年利用小时数达 3 560 h。

高坝洲水电站在流域开发中的任务是发电、航运，除了可与隔河岩水电站进行同步调峰外，为满足下游通航要求，发基荷流量为 200 m^3/s。

3　枢纽布置及水工设计

高坝洲枢纽作为反调节水库，其枢纽布置既要能满足航运要求，又要能方便施工和提前发电，尽早发挥效益。根据枢纽的特性及自然条件，选定河床式电站，混凝土实体重力坝坝型。设计共进行了 3 条坝线、5 个枢纽布置方案的比选，最后选定通过高坝洲滩地中部的上Ⅲ坝线。该方案可充分利用滩地修筑纵向围堰，方便施工导流。枢纽的具体布置自左至右为：左岸非溢流坝段长 56 m，河床式电站(装机 3 台及两个安装场)长 121 m，3 个深孔(兼作二期导流用)泄洪坝段长 54 m，接 20 m 宽的纵向围堰坝段，此为一期工程；其右依次为 7 个表孔泄洪坝段总长 116.5 m，升船机坝段长 25 m，3 个右岸非溢流段长 47 m，坝轴线总长为 439.5 m。这样的布置形式可采用分期导流，先围左岸主河床，修筑河床式电站及深孔坝段，当二期右岸明渠截流后修筑大坝，上游蓄水到 60 m 时电站就能发电。枢纽布置见图 1 。

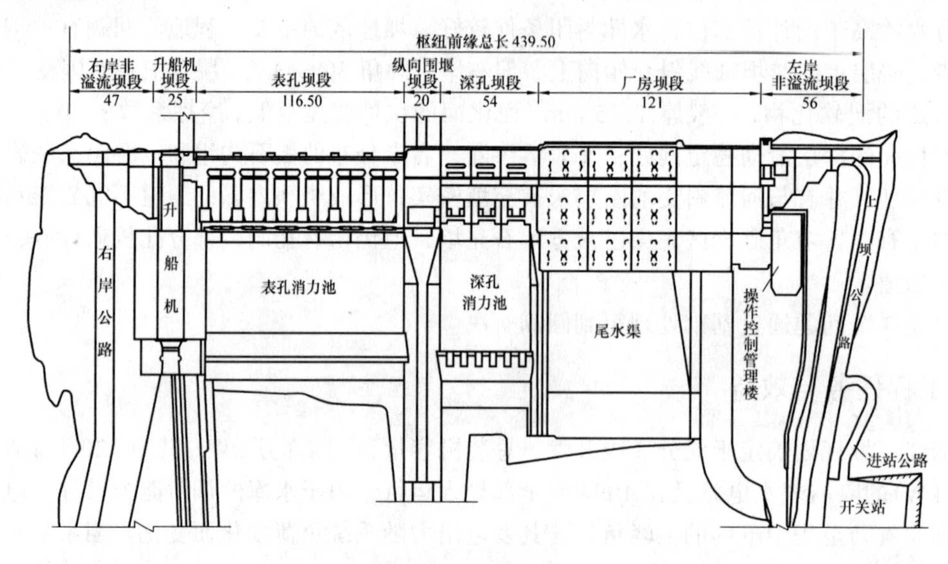

图 1　高坝洲枢纽平面布置(单位：m)

在水工设计上有以下的几个主要问题。

(1)深层抗滑稳定。坝址基岩为上峰尖组及黑石沟组层状的白云岩及灰岩互层，夹有层间剪切带 10 余层，其中有 7 层已泥软化，沿夹层的摩擦系数为 0.2 ~ 0.25，岩层产状倾向上游偏右岸，倾角约 30°。经计算 17#坝段沿 300-1#夹层抗滑稳定安全系数不能满足设计要求的 1.30，在水荷载作用下，17#坝段的滑动方向是偏向右岸，也就是有向 18#坝段挤压之势，将 18#与 17#坝段联合作整体受力，其抗滑安全系数达到 1.30，满足设计要求。还采用重力坝新规范进行了抗滑稳定计算，其抗力均大于作用效应，满足规范要求。通过用三维有限元法进行坝基深层的抗滑稳定计算，沿夹层也只有约 3.0 m 范围达到屈服点，坝基上、下游未产生滑裂面，安全裕度较大。抗滑稳定均能满足规范要求。

(2)预应力钢筋混凝土蜗壳。河床式电站的水头达到 40 m，钢筋混凝土蜗壳需要用钢衬进行防渗。由于蜗壳断面较大，钢衬混凝土的浇筑比较复杂，往往在钢衬与混凝土之间会形成空隙，需进行灌浆充填，这势必影响施工进度。经研究采用预应力钢筋混凝土来改善蜗壳的受力条件，在设计水头情况下蜗壳全断面受压。每台机组共设置 200 t 级预应力锚索，水平环向 8 索，垂直向 9 索，其中水平向 4 索在原预留宽槽内进行张拉，其余均随混凝土上升而埋设张拉，缩短了厂房直线工期 10 个月，又保证了防渗的要求。蜗壳运行 1 年后，经监测，整个蜗壳呈承压状态，未发现有裂缝，说明其运行状态是良好的。

(3) 消能工形式研究。左岸 3 个深孔，进口底板高程 45 m，出口尺寸为 9 m×9.4 m，最大泄洪能力为 5 600 m^3/s，承担着二期导流截流及运用期泄洪任务。根据水工模型试验及计算分析，采用消力池加差动式尾坎，使下游水流平顺，并经右岸坡的整治使升船机口门流速满足通航要求。右岸设表孔 6 个，堰顶高程 62 m，孔口尺寸 14 m×18 m，最大泄洪能力 16 600 m^3/s，消能设施曾比较了消力戽、戽式池、消力池等。为了能适应长江水位顶托而引起的下游水位变化，经试验确定选用收缩比为 0.5、上大下小的 Y 形宽尾墩接消力池方案。经整体水工模型试验，冲坑最深高程为 24 m，在通航流量条件下升船机下游航道及口门区流速均能满足通航要求。

(4) 简化坝体结构方便 RCC 筑坝。RCC 筑坝是一种快速施工方案，对于高坝洲枢纽大坝这样的混凝土实体坝十分适宜。为了加快施工进度就需要简化坝体结构。左岸河床式电站及深孔坝段孔洞较多、结构复杂不宜作 RCC。纵向围堰、右岸溢流坝及非溢流坝均可采用 RCC，为便于施工，将升船机挡水坝段与提升楼分开，这样形成了右岸约 200 m 长的坝段可用 RCC，并对坝体结构作了适当调整，溢流坝段下游面浇成台阶形并预埋锚筋，留出抗冲耐磨层，在一个枯水期将碾压混凝土浇筑至 59 m 高程，然后浇筑堰顶 12 m 范围的帽盖常规混凝土。堰顶高程到 62 m，就可在汛期泄流，取消了原设计的 RCC 上游过水围堰。帽盖以下的抗冲磨层混凝土可与闸墩同时上升。将基础固结灌浆布置在上下游基础廊道内进行，在基础层混凝土浇后立即浇筑 RCC 混凝土，节省过水围堰混凝土 9.7 万 m^3。

4　安全监测资料分析

高坝洲枢纽工程 1999 年 6 月实现初期蓄水，2000 年 2 月 1$^{\#}$机组发电，4 月下闸蓄水，6 月底蓄至正常蓄水位，7 月 3 台机组全部投入运行。

从 1998 年即开始进行变形与渗流监测，以及应力应变监测。从监测成果分析：①大坝变形符合重力坝变形的一般规律，无异常现象，具有明显的年周期变化特征，与库水位及气温变化相关，基础廊道水平位移在 0.85～3.87 mm，垂直位移在 1.32～4.4 mm；②基础渗漏量较少，总量在 43～70 L/min，基础扬压力远小于设计值，排水幕处的渗压水位均低于坝后下游水位；③预应力蜗壳的应变量在锚索张拉后混凝土处在受压状态，其压应变增量为−58～−28 με。在蓄水发电后，蜗壳受内水压力及温度变化，但蜗壳混凝土内仍为受压状态，满足预应力混凝土蜗壳防裂的要求。

综上所述，工程总体设计方案合理，大坝及电站经过两年运行和两个洪水期考验，工程运行是正常安全的。

（原载《水力发电》2002 年第 3 期）

高坝洲水利枢纽设计洪水

金蓉玲　郭海晋

1　清江流域降水及暴雨特性

据清江流域30个雨量站1960～1991年资料统计，流域多年平均降水量为1 000～2 000 mm，面平均雨深为1 460 mm，是长江流域多雨区之一。其分布特点是上、下游大，中游小。马水河上游年降水量达1 500～2 000 mm，渔洋河中上游可达1 430～1 890 mm。隔河岩至高坝洲(简称隔—高)区间也是清江流域多雨区之一，其支流丹水中上游年降水量达1 400～1 750 mm。五峰站1935年降水量为2 577.9 mm，是全流域历年实测最大值。降水年际变化较小，单站最大值与最小值之比在1.5～2.0之间。但降水量年内分配不均，4～9月占年降水量的75%～78%，其中5～8月占年降水量的50%～55%；7月降水量最多，为200～300 mm；冬季降水量较少，尤以1月最少，为20～30 mm。

清江流域是长江流域多暴雨区之一，按日雨量大于50 mm为暴雨统计，流域多年平均暴雨天数为2～7 d。出现5 d以上的多暴雨区有两处，一处位于马水河中上游一带，以磺厂坪站暴雨频次最多，多年平均暴雨天数可达7.3 d，最多可达12 d(1969年)，为清江流域暴雨最多的地区；另一处多暴雨区位于渔洋河上游，高桥站平均暴雨天数达6 d，最多可达15 d(1983年)。此外，隔—高区间的支流丹水中上游也是清江流域暴雨较多的地区，堡子站平均暴雨天数为4.1 d。流域内暴雨最早出现在4月，除个别站11月还可以发生暴雨外，大多于10月结束。6～9月为暴雨集中期，4个月暴雨天数占全年的85%～95%，其中又以7月暴雨最多，其次是6月，6～7月两个月暴雨天数占全年的50%左右。1935年7月五峰站3 d暴雨达1 076.1 mm，是清江流域、也是长江流域的最大值。1935年8月都镇湾24 h暴雨达630.4 mm，是清江流域、也是湘西、鄂西南暴雨区的最大值。影响清江流域的暴雨天气系统主要有切变低涡、冷锋低槽和登陆台风3种类型。

2　清江洪水

2.1　清江洪水特性

清江流域位于鄂西暴雨区，水量丰富，长阳站多年平均流量为423 m^3/s，相应径流量为133亿m^3。丰富的水量和较大的落差使清江水能资源丰富，适宜建大型水电站。但水量年内分配极不均匀，使清江洪水频繁发生。清江洪水一般由暴雨形成，洪水季节性变化与暴雨基本一致。每年4月开始涨水，汛期为5～9月。6～9月是暴雨集中期，清江干流各站有90%年最大洪峰出现在这段时期。据长阳站1951～1990年40年资料统计，年最大洪峰发生在6、7月的分别有13、14次，分别占32.5%、35.0%，此两个月合计占67.5%，且此期间的大多数洪水峰高量大。这主要是由于6～7月间清江流域处于梅雨期，暴雨频繁，暴雨持续时间较长，故出现峰高量大洪水的机会最多；发生在9月的有7次，占17.5%；出现在5月的有4次，占10%；出现在8月的仅有2次，仅占5%，这主要是由于8月份长江中下游受副热带高压控制，清江流域降水较小所致。

长阳站年最大洪峰流量大多为6 000～10 000 m^3/s。在40年资料中，大于均值8 140 m^3/s的有19次，大于10 000 m^3/s的有9次，大于11 000 m^3/s的有5次。实测年最大洪峰流量系列中，最大值为18 900 m^3/s，发生在1969年7月12日；最小值为3 140 m^3/s，发生在1961年6月9日，极值比为6.0。

清江属山溪性河流，流域与河道的坡度大，汇流快，调节能力小，同时流域形状狭长。所以洪峰的形状不仅与暴雨的时程分配有关，还与流域形状、暴雨中心位置及暴雨走向有关，致使峰形多变。峰形既有单峰和复峰，又有多次起伏的连续峰；既有尖瘦的高峰洪水，又有洪量较大而洪峰不太大的洪水。前者如1969年7月的特大洪水，后者如1935年7月著名的"35·7"暴雨洪水。洪水历时单峰一般为3～5 d，复峰和连续峰可达10 d左右。

2.2　清江与长江洪水遭遇分析

据长江宜昌站与清江长阳站 1951～1990 年同步洪水资料统计，宜昌站与长阳站年最大洪峰流量同一天、相隔1 d、相隔2 d、相隔3 d出现的分别有2、1、1、2次，且都是长阳先出现，宜昌后出现，两者洪水过程遭遇的机会最多。由此可见，清江与长江洪水是经常发生遭遇的。如出现大洪水遭遇，对清江尾闾地区和长江荆江河段将增加洪水威胁，1935年7月就是一个实例，该年由于清江与长江干流洪水洪峰及过程发生了遭遇，致使清江下游发生了严重洪灾。

2.3　清江历史大洪水

自1672年以来300多年间，清江曾发生1788年、1883年、1969年3次特大洪水；此外1935年洪水洪峰不是太大，但洪量特大。根据洪痕推算，1883年、1935年洪水长阳站洪峰流量分别为18 700、15 000 m^3/s。1788年洪水，根据文献记述，比1883年大，但与1969年相比，难以确定谁大谁小，在洪水频率分析中，作大于1969年处理。在清江下游河段，还调查到1920年、1950年洪水，推算的长阳站洪峰流量分别为14 200、12 300 m^3/s。

3　枢纽设计洪水

3.1　坝址设计洪水(天然)

根据高坝洲枢纽水文分析计算主要依据站——长阳站1951～1990年40年洪水资料和历史洪水资料，运用频率分析法，推算洪峰、洪量统计参数。最大洪峰流量及最大24 h洪量频率分析应用了1883年、1935年、1920年和1950年历史调查洪水，实测1969年洪水作特大值处理。1969年、1883年、1935年、1920年洪水重现期分别定为150年、100年、40年、20年，1950年调查洪水并入实测连续系列。最大72 h洪量频率分析中只应用了1935年历史调查洪水，其重现期按100～150年处理。加入历史洪水的统计参数，采用克—孟公式，理论频率曲线采用P-Ⅲ型，经验频率公式采用 $P=m/(n+1)\times100\%$。计算的变差系数 C_V 根据计算机适线情况作了调整，至于偏态系数 C_S 值，由于实测系列不长未直接计算，根据适线确定 C_S/C_V 比值。最后经审定的统计参数及设计值见表1。清江洪峰出现频繁，但峰形不同，所求 C_V 值由洪峰至洪量逐渐增加，符合清江洪水变化规律。

表 1 高坝洲枢纽设计洪水成果

坝址或区间	特征值	统计参数			设计值	
		$\overline{X}$	C_V	C_S/C_V	1%	0.1%
高坝洲坝址（天然）	Q_m(m³/s)	8 320	0.40	3.0	18 800	24 300
	W_{24h}(亿 m³)	5.99	0.42	3.0	14.01	18.33
	W_{72h}(亿 m³)	12.10	0.49	3.0	31.70	42.83
隔河岩坝址	Q_m(m³/s)	7 820	0.40	3.0	17 700	22 800
	W_{24h}(亿 m³)	5.48	0.42	3.0	12.8	16.8
	W_{72h}(亿 m³)	11.1	0.49	3.0	29.1	39.3
隔—高区间	Q_m(m³/s)				5 340	8 070
	W_{24h}(亿 m³)				3.28	4.93
	W_{72h}(亿 m³)				5.20	7.85

3.2 设计洪水的地区组成

3.2.1 方法概述

高坝洲水利枢纽是隔河岩枢纽的反调节水库，洪水调度与隔河岩水库联合运行。上游隔河岩枢纽设计标准高、防洪库容大，所以计算高坝洲枢纽设计洪水时，需分析设计洪水地区组成。即分别计算隔河岩和隔—高区间的设计洪水过程线，隔河岩洪水经隔河岩水库调洪后与区间洪水组合，即为受隔河岩水库调蓄影响的设计洪水。高坝洲枢纽设计考虑了两种洪水组合：一是高坝洲发生设计频率洪量时，隔河岩发生同频率洪量，而隔—高区间为相应频率洪量；二是高坝洲发生设计频率洪量时，隔—高区间发生同频率洪量，而隔河岩为相应频率洪量。对这两种洪水组合分别进行调洪计算，其不利组合将作为设计依据。根据清江洪水特性及高坝洲调节库容小的特点，设计洪水时段以 72 h 控制。

3.2.2 典型年选择

隔河岩枢纽设计时，曾选过 1935 年、1955 年及 1969 年 3 次洪水典型作了比较。1935 年洪水过程是推算的，精度较差；1969 年洪水峰形尖瘦，用峰量同频率放大不能满足与典型洪水形状相似的要求。经分析后认为采用 1955 年洪水典型比较恰当，该年洪水发生于 6 月下旬，为全流域降雨所形成，洪峰形式是小峰在前、主峰在后，对水库调节是较恶劣的。高坝洲设计除用 1955 年洪水典型外，还补充 1969 年洪水典型作分析，结果除出现上述隔河岩设计过程与典型过程的形状变形大外，推算高坝洲、区间同频率时隔河岩相应洪水过程，用 72 h 同倍比放大，使洪峰、24 h 洪量超过设计标准，故高坝洲枢纽设计也以 1955 年洪水作为设计典型。

3.2.3 高、隔同频率、区间相应时分区设计洪水

(1)隔河岩坝址设计洪水：考虑隔河岩坝址设计洪水已经多次复核和审定，所以隔河岩坝址设计洪水参数及设计过程线采用审定成果，见表 1 和图 1(a)。

(2)隔—高区间相应洪水：区间 72 h 相应频率洪量为高坝洲、隔河岩同频率 72 h 洪量之差。先用区间 1955 年雨量资料推算该年洪水过程，再用同倍比法放大区间 72 h 相应频率洪量，即为区间相应洪水过程，见图 1(b)。

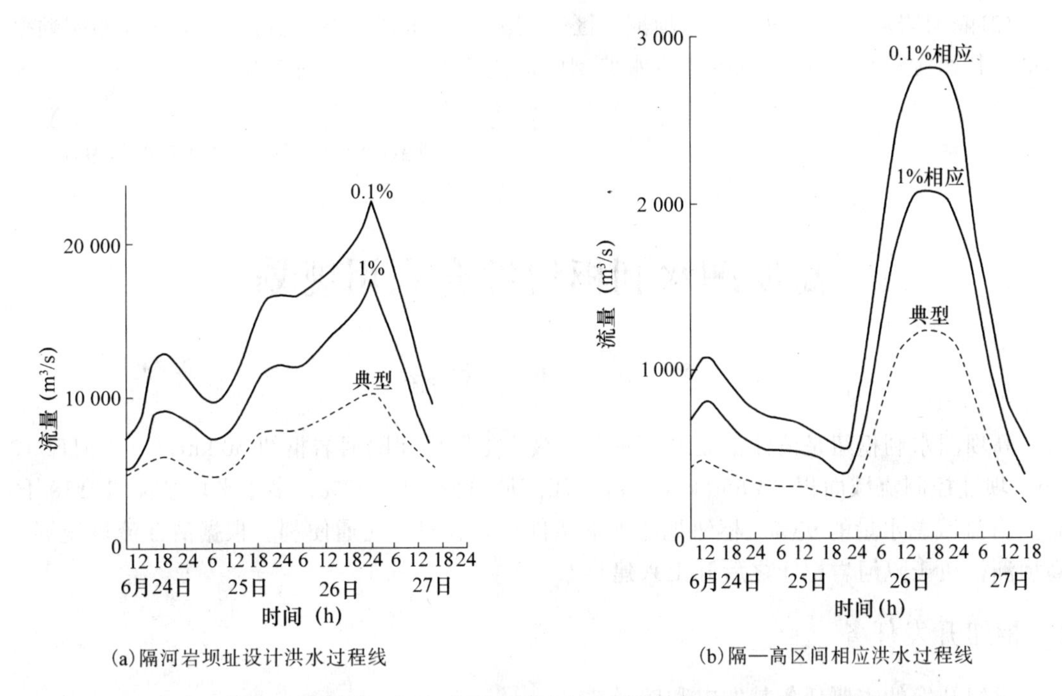

(a)隔河岩坝址设计洪水过程线　(b)隔—高区间相应洪水过程线

图 1　高、隔同频率、区间相应时高坝洲设计洪水过程线(1955 年典型)

3.2.4　高、区间同频率、隔相应时分区设计洪水

(1)隔—高区间设计洪水：区间面积为 1 220 km²，除左岸支流丹水集水面积较大为 512 km² 外，其他均为无名网状小河沟，丹水高家堰水文站有流量资料，但控制面积仅占区间的 27.4%，所以无法用流量资料推求区间设计洪水。区间设计洪水采用暴雨资料推求。暴雨频率分析采用了区间堡子、高家堰、长阳、聂家河 4 个雨量站 1962~1990 年资料，并加入了 1935 年 7 月历史特大暴雨资料。产流计算采用初损后渗法，汇流计算采用单位线法，产汇流有关参数根据经审定的《湖北省暴雨径流查算图表》确定。推算的设计洪水峰量及过程线见表 1、图 2(a)。

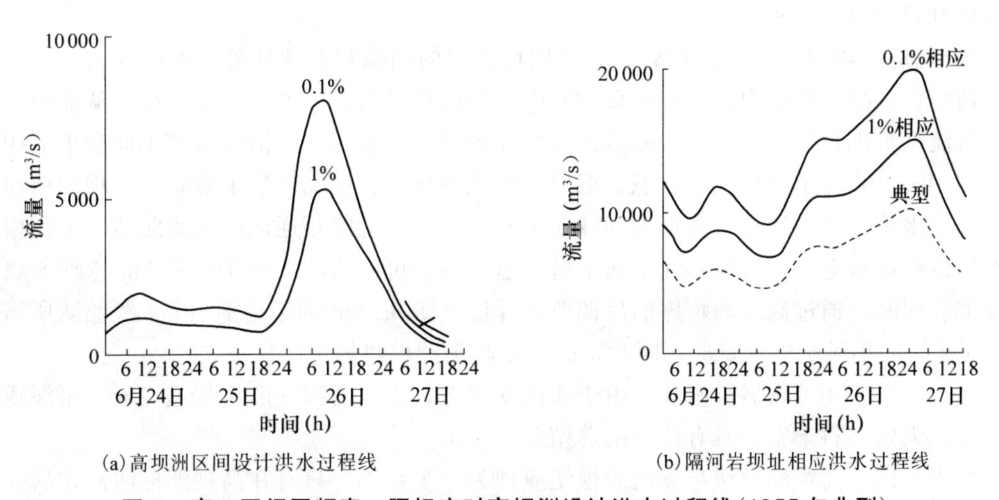

(a)高坝洲区间设计洪水过程线　(b)隔河岩坝址相应洪水过程线

图 2　高、区间同频率、隔相应时高坝洲设计洪水过程线(1955 年典型)

(2)隔河岩坝址相应洪水：高坝洲、区间同频率 72 h 洪量之差为隔河岩 72 h 相应频率洪量。其相应洪水过程用 1955 年洪水典型同倍比放大求得，见图 2(b)。

（原载《人民长江》1997 年第 9 期）

高坝洲水利枢纽综合利用规划

钟　琦　安有贵　柳林云

高坝洲水利枢纽是清江干流最下一个梯级，上距已建隔河岩枢纽 50 km，下距河口 12 km。坝址控制流域面积 15 650 km^2，占清江流域总面积的 92%，多年平均径流量 138 亿 m^3，占流域总水量的 93%。枢纽地质地形条件较好，对外交通便利。根据清江流域规划，高坝洲枢纽于隔河岩枢纽之后开工兴建。

1　枢纽开发任务

枢纽开发的主要任务是发电和航运。

(1)发电：高坝洲枢纽利用隔河岩至高坝洲 50 km 内约 40 m 的落差发电。清江来水，经隔河岩水库调蓄后，枯水期调节流量由天然状况的数十至 100 m^3/s 提高到 220 m^3/s，可得保证出力 61.5 MW，电站装机容量达 252 MW，为一大型水电站，年发电量 8.98 亿 kW·h。远景，当上游水布垭枢纽建成后，通过水布垭水库的调节，保证出力可提高到 76.6 MW，年发电量可达 9.91 亿 kW·h。湖北省煤炭资源比较缺乏，每年需从外省调入千万吨火电煤，因此充分利用本省的水力资源(尤其是清江水力资源)以节省火电用煤，是符合湖北省能源资源的特点的，经济上也是有利的。此外，高坝洲水库具有日调节能力，通过水库合理调度，在满足航运要求的条件下，高坝洲电站可与隔河岩电站同步调峰运行，担负电力系统十分紧缺的部分峰荷，以改善电网和火电站的运行状况，提高电网运行的经济性和可靠性。

(2)航运：隔河岩枢纽修建后，电站担负系统的调峰和调频任务。电站发电出力随系统负荷变化，且主要集中在高峰负荷时发电，深夜低负荷时，电站全部停机，从而引起电站下游流量极不稳定，甚至河床断流，因而下游河道不能通航，沿岸城镇工业和生活用水也得不到满足。为了改变这一状态，根据清江流域规划，在隔河岩下游修建高坝洲枢纽，抬高河床水位，使隔河岩至高坝洲 50 km 天然河道成为能终年通航的深水航道。不仅恢复天然河道航运状态，结合高坝洲枢纽下游航道整治，可使清江干流 100 多 km 达到 5 级航道标准。同时，通过高坝洲水库的反调节，保证下游 12 km 河道通航 300 t 级船队所需的 120 m^3/s 的最小通航流量要求。因此，航运是高坝洲枢纽的主要任务之一。

此外，水库还可发展养殖业。由于库区支汊多，水位变幅一般不超过 2 m，水深浅，日照足，天然饵料丰富，具有优良的养殖条件。

应当指出，高坝洲枢纽与隔河岩枢纽应视为一个整体，只有在高坝洲枢纽修建后隔河岩电站的调峰效益和枢纽的航运效益才能得以充分发挥，隔河岩枢纽以下 62 km 河道的航运条件才能得以解决，300 t 级的船队才能从长江直达隔河岩库区。因此，根据清江流域综合利用开发规划，高坝洲枢纽的修建是必不可少的。

2 特征水位选择

高坝洲枢纽作为清江最下一级水利枢纽，根据其开发利用任务，正常蓄水位和死水位选择应满足下列原则和要求：

(1)正常蓄水位不淹没长阳县城。

(2)为满足隔—高河段的通航需求，枢纽死水位应与隔河岩坝址枯水位相衔接，同时，区间河段的水力资源也得到充分利用。

(3)选择的正常蓄水位，要确保高坝洲水库有足够的反调节库容，以调节隔河岩电站的不均匀甚至间断性的发电流量，同时满足下游河道 120 m^3/s 的航运基流需要。

特征水位的选择，枢纽设计中一般先选定正常蓄水位，确定大坝规模，再选定死水位。而在高坝洲枢纽设计中，根据水库担负的反调节任务和库区航运要求，先选定死水位，而后根据所需反调节库容及其他综合因素再选定正常蓄水位。

2.1 死水位选择

上游隔河岩枢纽枯水位 78 m，枢纽引航道底板高程 75.5 m，考虑 2.5 m 的通航水深，最低通航水位为 78 m。为满足船只从引航道驶入承船厢，以及隔—高区间河道的通航需要，高坝洲枢纽死水位不应低于 78 m 的高程。如果低于 78 m，由于高坝洲枢纽为日调节水库，库水位每天将消落到 78 m 以下，水库末端将出现一段天然航道，影响船队的正常航行，船只也不能进入承船厢。死水位 78 m 时，隔—高梯级枢纽水位首尾衔接，区间河道成为能终年通航的深水航道，区间河道航运问题得到了根本解决。同时水力资源也得到了充分的利用。

如果死水位高于 78 m，虽然高坝洲电站的发电效益有所增加，但是由于梯级水位重叠，相应减少了隔河岩电站的发电水头和发电出力，两电站的发电总量基本上是相等的，但是增加了高坝洲枢纽的工程量和投资，增加了水库淹没损失，经济上是不利的。

综上所述，高坝洲枢纽死水位选定为 78 m。

2.2 正常蓄水位选择

根据专题研究，高坝洲所需反调节库容为 2 600 万～3 000 万 m^3。在库水位 78 m 以上，水位每增加 1 m，库容增加约 2 600 万 m^3。从航运和梯级联合运行调度考虑，正常蓄水位 79 m 能基本满足需要；80 m 方案，调节库容有 5 000 多万 m^3，留有充分余地。因此，高坝洲枢纽正常蓄水位比较范围很小，仅 1 m 的变化幅度，拟定 79 m 和 80 m 两个方案。比较如下。

(1)发电：由于梯级水位衔接，对于隔河岩电站来说，在隔河岩电站的中小发电流量时，高坝洲电站高方案发电出力虽然较多，但由于相应提高了隔河岩下游水位，减少了隔河岩电站的发电水头，发电量相应有所减少，两电站发电总量不变。隔河岩电站大流量发电时，由于隔河岩下游天然水位高于高坝洲正常蓄水位，对隔河岩电站来说两方案的发电量是一样的，而对高坝洲电站来说，高方案发电量要大一些。但是这种情况出现的时间很短，效益也很少。当流量增加到大于水轮机过水能力时，高坝洲电站产生弃水，此时效益也就不再存在。对于区间径流，高方案的发电效益要大一些，但由于区间径流较小，多年平均只有 10 m^3/s，效益亦不显著。在考虑上述各种因素后，通过梯级水库径流调节计算，两方案间年电量仅差 800 万 kW·h，相当于年发电量的约 0.2%，差别很小。

(2)大坝高度和工程量：通过对高坝洲水库的洪水调度专题研究，为降低大坝高度和减少水库淹没损失，大洪水时库水位预泄到 76 m 高程。两正常蓄水位方案，调洪起始水位是一致的，坝前设计和校核水位也是相等的，大坝坝顶高程也相同。而通航建筑物和金属结构，由于水位相差 1 m，高方案工程量和费用略有增加。

(3)水库淹没：5%和 20%的洪水水面线，两方案坝前起始水位相同，水面线完全一致。水库淹没线仅水库库前部分，由于正常蓄水位不同而略有差别。两方案在长阳城关回水位一致。据调查，高方案多淹没耕地 42.7 hm^2，多迁移人口 490 人。高方案工程投资和水库移民补偿费多 700 万元。与所获电能比较，单位电能投资仅 0.875 元/(kW·h)，经济上显然有利。

综上所述，高坝洲枢纽正常蓄水位选择范围较小，变幅仅 1 m，79 m 和 80 m 两个方案，枢纽大坝高程是相同的，仅正常运行水位不同，工程量和淹没损失差别很少，投资费用差 700 万元，发电量相差 800 万 kW·h，水库库容差 2 800 万 m^3。为了使水库梯级联合调度和水电站补偿调节留有充分余地，更适应隔河岩电站的调峰和航运发展需要，在工程投资和水库淹没增加不大而又能多一些发电量的情况下，正常蓄水位高一些比较有利。推荐采用 80 m 方案。

3 装机容量选择

高坝洲枢纽为反调节梯级水库，有效库容 5 400 万 m^3，水库具有日调节能力。根据反调节库容专题研究，在满足航运等综合利用要求条件下高坝洲电站可与隔河岩电站同步调峰运行，担负部分峰荷，以充分发挥电站的作用，提高电站和电网运行的经济性和可靠性。

高坝洲水库来水，近期经隔河岩水库、远景经水布垭水库调节后，枯水期来量比较稳定，平均可达 350 m^3/s 左右，保证出力 76.6 MW，考虑下游 120 m^3/s 航运基流后，仍可有 68.4 MW 担负峰荷。

高坝洲枢纽位于清江宜都市境内，距宜昌市约 40 km，距沙市约 100 km。电站建成后，主要供电宜昌地区和荆沙地区。根据枢纽所处地理位置，电站将成为宜昌、沙市等长江以南地区的一个支撑电源，当隔河岩电站向该地区输电线路出现故障时，高坝洲电站可承担供电任务，从而提高江南地区的供电可靠性。

在改革开放政策的指引下，尤其是三峡工程的兴建，宜昌地区以及荆沙地区用电负荷有较大的发展，用电需求将十分紧迫。

由于宜昌和荆沙为湖北省电网的一部分，电力需求由湖北省电力局统一调度，因此高坝洲电站应纳入湖北省电力系统平衡，电站装机容量由全省电网供需平衡研究确定。

湖北省电网负荷 1995 年为 5 630 MW，峰谷差 2 500 MW，预计 2000 年负荷可达 8 460 MW，峰谷差 3 500 MW。系统水电考虑了葛洲坝、丹江口水电站分配在湖北省的容量、电量，考虑了湖北省其他中型水电站，同时考虑了系统内火电电源及其调峰能力。经系统电力电量平衡分析，2005 年系统调峰容量仍得不到满足，高坝洲电站可担负系统部分峰荷，再加上航运基荷，电站工作容量可达 200 MW，另加系统备用容量 52 MW，电站装机容量 252 MW，全部为系统必需容量。

装机容量 252 MW 时，年发电量为 8.98 亿 kW·h，装机容量利用小时数为 3 560 h，水量利用率达 84%。至于是否设置重复容量，经论证，重复容量利用时数 800 h，全为丰水季节性电量，电能质量不高，经济上不利。

4　水库洪水调节

高坝洲水库洪水主要来自隔河岩以上地区，隔河岩枢纽流域面积占高坝洲流域面积的 92%，区间流域面积仅占 8%。隔河岩为已建枢纽，水库预留有 5 亿 m^3 防洪库容，对洪水有一定的调蓄作用。因此，高坝洲水库的洪水调节实际为梯级水库的洪水调节，一方面要考虑同一频率洪水的洪水组成，另一方面还要考虑隔河岩水库的洪水调节作用。

长阳县城位于高坝洲上游约 41 km 处，为一历史古城，城区总面积约 7 km^2，人口约 2 万，是长阳县政治、经济、文化中心。长阳县城沿清江老街地面高程较低，一般在 83.5～86 m，自然条件下只能防御 5 年一遇洪水。隔河岩枢纽修建后，防洪能力有了很大的提高。长阳县城对隔河岩枢纽来说为防洪保护对象，对高坝洲枢纽来说为水库淹没保护对象。根据城市防洪规范，长阳县城的防洪标准为 20 年一遇。因此，在梯级水库联合洪水调度中，要充分考虑长阳县城区不受影响或少受影响。

4.1　洪水调节标准及其组合方式

隔河岩枢纽为 1 等工程，主要水工建筑物为 1 级，大坝防洪标准为 1 000 年一遇洪水设计，10 000 年一遇洪水校核。为下游高坝洲水库淹没安置和枢纽大坝设计，还需研究 5 年、20 年、100 年、1 000 年一遇洪水联合调节。高坝洲枢纽为 2 等工程，主要水工建筑物为 2 级，按 100 年一遇洪水设计，1 000 年一遇洪水校核，同时对 5 年一遇和 20 年一遇洪水也需进行调节研究，以确定水库的回水高程，为水库淹没调查和移民安置规划（或防护）提供基本依据。

高坝洲枢纽的坝址洪水由隔河岩坝址洪水和区间洪水组成，在考虑上游梯级隔河岩枢纽已建情况下，高坝洲坝址同一频率洪水有两种组合方式：一种是以隔河岩坝址同频率为主，区间相应；另一种是以区间同频率为主，隔河岩坝址相应。所谓为主，是指产生同一频率洪水的暴雨中心位于隔河岩库区，还是位于区间地区，是指单位面积产流值的大小，而不是洪水的绝对值。由于隔河岩坝址的流域面积是区间面积的 12 倍，同一频率洪水无论是洪峰还是洪量，隔河岩坝址要大得多。上述 4 种频率洪水共有 8 种组合方式，各频率组合洪水经隔河岩水库调洪后，下泄洪水加上区间汇入洪水，即为高坝洲坝址的各频率设计洪水。

4.2　减轻长阳县城区水库淹没影响的研究

高坝洲枢纽修建后，由于坝前水位顶托，同一频率洪水长阳城区的水库回水位大于天然情况下的河床水位。为减轻水库回水对长阳城区的影响，分析研究了高坝洲不同坝前水位、隔河岩不同下泄流量的情况下长阳城区回水位，结果见表 1。

从表 1 中可以看出，为减少长阳城区的回水位以及水库的淹没损失，隔河岩水库应充分发挥其调洪作用，削减洪峰。根据隔河岩水库洪水调节计算，20 年一遇洪水时，水库最小下泄量可控制在 11 000 m^3/s，小于这一流量，隔河岩坝址库水位将超过设计高程，增加水库的淹没损失。从表 1 中还可看出，降低高坝洲坝前水位也可减少长阳城区的回水位，但不如减少流量显著。坝前水位每降低 1 m，长阳城区水位降低约 0.3 m。根据水库运行调度研究，洪水时高坝洲坝前水位可预泄到 76 m 高程。当坝前水位 76 m 高程时，20 年一遇

表 1　长阳县城区回水位　　　（单位：m）

坝前水位	隔河岩下泄流量(m^3/s)					
	9 000	10 000	10 500	11 000	12 000	13 000
80	84.53	84.97	85.19	85.22	85.88	86.53
79	84.13	84.58	84.82	84.85	85.55	86.24
78	83.77	84.25	84.49	84.53	85.25	85.98
77	83.47	83.96	84.22	84.26	85.00	85.75
76	83.22	83.74	83.99	84.03	84.79	85.65
75	82.99	83.54	83.81	83.86	84.63	85.41
74		83.37	83.66	83.70	84.51	85.28
73			83.53	83.58	84.38	85.19
72				83.47	84.30	85.10
70					84.17	84.98

洪水，长阳城区回水位为 84.03 m，回水位平新码头街面高程，较天然水位高 0.9 m，基本不危及长阳城区的安全。因此，20 年一遇洪水时，高坝洲坝前水位下降到 76 m 控制。

4.3　梯级水库洪水调节

隔河岩枢纽为年调节水库，汛期预留 5 亿 m^3 防洪库容，对水库洪水能起到一定的调节和削峰作用。高坝洲枢纽为日调节水库，调节库容很小，无调节洪水能力，只能起到滞洪作用。根据隔河岩水库防洪调度及上述梯级水库防洪调度研究，为减轻长阳城区淹没损失，隔、高梯级水库洪水调度原则如下：

(1)隔河岩水库汛期防限水位 192.2 m 到正常蓄水位 200 m 之间时，控制最大泄量不超过 11 000 m^3/s。

(2)隔河岩库水位在 200 m 到 203 m 之间时，最大下泄量控制在 13 000 m^3/s。

(3)隔河岩库水位 203 m 以上时，按泄洪能力控制下泄。

(4)高坝洲水库洪水(隔河岩水库泄量加区间来量)达 9 000 m^3/s 时，库水位维持在死水位 78 m 运行；水库洪水达 10 000 m^3/s 时，库水位降至 76 m 并维持在 76 m 运行，只有当来量大于 76 m 高程的最大泄洪能力时，按泄洪能力下泄，库水位方能抬高。

根据上述调度原则进行各频率各洪水组合方案的隔、高梯级洪水调节计算。计算结果表明，以区间洪水为主，隔河岩洪水相应的洪水组合方式最为恶劣，高坝洲坝前水位最高。设计洪水时坝前最高水位为 78.5 m，校核洪水时，坝前最高水位为 82.9 m。

（原载《人民长江》1997 年第 9 期）

高坝洲水利枢纽电站厂房设计

刘晓刚

1　概述

清江高坝洲水电站是湖北省清江流域梯级电站中的最下游的一个电站，位于宜都市境内，距隔河岩水电站 50 km，距清江与长江汇合处 12 km，为隔河岩电站的反调节电站。电站总装机容量 252 MW，保证出力 61.5 MW，多年平均发电量 8.98 亿 kW·h。年利用小时 3 560 h，水库校核洪水位 82.90 m，设计洪水位 78.5 m，正常蓄水位 80.0 m，死水位 78.0 m，设计最大水头 40 m。厂房采用河床式布置。

2　电站总体布置

高坝洲坝址的主河槽靠左岸，河床中部偏右覆盖层较厚，为卵石滩地。整个坝址岩层倾向上游偏右岸，顺水流向视倾角 25°。

坝址左岸较开阔，生活区、施工场地、进坝区公路均布置在左岸。在枢纽布置中，无论厂房布置在左岸还是右岸，就厂房本身而言，除覆盖层开挖工程量有一定差别外，其他工程量基本相同。虽然厂房布置右岸方案的基岩条件及边坡稳定条件较有利，但厂房布置左岸的方案其对外交通及出线条件好，施工条件优越，运行管理方便，有利于电站附属建筑物的布置。所以，选用电站位置在左岸的方案。

高坝洲电站装有 3 台 84 MW 的轴流式水轮发电机组，采用河床式厂房的布置型式，其左侧接非溢流坝段，右侧接深孔泄洪坝段。电站建筑物由主厂房、安装场、操作控制管理楼、开关站、引水渠、尾水渠及其他建筑物构成。

电站厂房从左至右依次布置安Ⅰ段、安Ⅱ段，1#～3#机组段。1#～2#机组段各长 24 m，3#机组段长 27 m，主机段共长 75 m，比初设阶段总长减少了 3 m。安Ⅰ段长 16 m，安Ⅱ段长 30m，安装场总长 46 m，厂房总长 121 m。厂房顺水流向底宽 65.2 m。为节省投资，利用拆除后的上游围堰形成厂前拦砂坎。尾水渠底宽 66 m，长 92.8 m，其右侧为混凝土厂坝导墙，左侧为尾水渠护岸工程，岸顶布置有进厂公路。操作控制管理楼位于进厂公路左边。户外开关站布置在电站厂房下游左岸山坡上，其上游边线距坝轴线 170 m，场地面积 115 m×41 m，地面高程 74.00 m。

3　厂房布置设计

3.1　设计条件

高坝洲电站属大Ⅱ型电站，工程等级为二级，厂房建筑物按二级设计，地震设防烈度Ⅵ度。设计洪水标准为 100 年一遇，相应库水位 78.5 m；校核洪水标准为 1 000 年一遇，相应库水位 82.9 m。正常蓄水位 80.0 m，厂房下游防淹水位 59.15 m，按 500 年一遇考虑。下游最低尾水位 40.0 m，设计尾水位 40.5 m(发电保证率 95%)。电站最大水头 40 m，最小水头 22.3 m，围堰发电水头 16 m，额定水头 32.5 m，额定出力 85.8 MW，额定流量 288.7 m^3/s。

3.2　厂房型式选择

厂房总高约 70 m。电站最大水头 40 m，系介于中、低水头临界值的电站。可采用河床式厂房布置，也可采用坝后式厂房布置。经研究分析比较，采用坝后式厂房布置比河床式厂房布置的土石方开挖工程量要多 20%，混凝土工程量要多 60%，整个工程量要多 2/3。因此，采用工程量较省的河床式厂房布置较经济合理。河床式厂房既是挡水建筑物，又是电站建筑物。

对于临界水头同样可以选择轴流式或混流式机型。据分析，混流式机组开挖量要省一些，混凝土工程量基本相当；混流式机组不能满足二期截流利用围堰水头(16 m)发电的要求。所以，选择轴流式机组可节省工程投资，缩短施工周期，使工程提前受益。此外，在总装机容量不变的基础上，还进行过3台机与4台机的厂房布置方案比较，因3台机比4台机厂房布置方案的工程量省，而且可缩短厂房前缘长度，有利于协调枢纽建筑物的总布置，因此从装机台数比较，以采用3台轴流式机组的河床式厂房布置较优。

3.3 厂房布置

主厂房顺水流向分为进水口段、主机段和尾水平台及下游副厂房段3部分。其进水口段长24.5 m，主机段长22.7 m，尾水段长21.5 m。

进口段顶高程83.0 m，上游侧建基面高程26.0 m，进水口底坎高程45.0 m。为减少拦污栅被堵塞，采用淹没式拦污栅。栅顶高程69.0 m，栅顶以上为导栅胸墙。检修门采用平板滑动门，孔口尺寸6.8 m×12.6 m，门底坎高程38.05 m。为了降低启闭力，工作门选用平板定轮门，孔口尺寸6.8 m×10.24 m，门底坎高程34.08 m。坝顶设2×1 600 kN/300 kN双向门机1台，利用门机上的回转吊，供安装拦污栅及清污之用。坝顶公路宽7.5 m，人行道宽1.5 m。

由于高坝洲电站二期施工时需利用围堰低水头发电，并考虑气蚀等方面因素，机组安装高程定为35.9 m。相应尾水管底板建基面高程14.0 m，底板顶面高程19.07 m；水轮机层地面高程44.48 m，发电机层地面高程50.60 m，桥机轨顶高程70.0 m，厂房屋顶高程79.0～80.14 m。主机段桥机轨顶以下厂房净宽19.0 m。厂房顶部略低于坝面高程，采用机械通风。为了使厂房内整洁美观，发电机上机架埋入地坪以下，控制保护盘和励磁盘布置在发电机层的下游侧。发电机主引出线在下游侧从水轮机层引出，经下游副厂房上至尾水平台与主变压器相接。中性点引出线与主引出线成135°角，位于上游左侧。水轮机层上游侧设有蜗壳放空阀操作室，左侧布置有调速器及油压装置等设备。全厂布置1台桥式起重机，其容量为2×2 000 kN/400 kN，跨度19 m，承担机组、变压器等设备的安装与检修。

尾水平台地面高程59.0 m，布置有主变压器及尾水门机等设备。尾水门机的起吊容量为2×500 kN，跨度5.5 m，门机上游侧轨道与运输变压器的轨道共轨。尾水检修门采用平板滑动门，孔口尺寸7.8 m×7.6 m，底高程21.59 m。尾水平台以下设4层副厂房。自下而上第1层地面高程33.26 m，布置有主变事故油池；第2层地面高程38.87 m，布置机组技术供水系统；第3层地面高程44.48 m，布置发电机主引出线及相应的电气设备和贯通全厂的电缆廊道及送风道。厂房布置的剖面图如图1所示。

安装场共分2段，安Ⅰ段是进厂设备卸货及发电机架组装的场地，地面高程与尾水平台高程一致，即59.0 m。其下部布置两层副厂房，上层为机修间，地面高程50.60 m，下层布置厂内透平油库和油处理室及通风机房等，地面高程与水轮机层高程一致。

安Ⅱ段是机组安装检修的主要场地，地面高程50.6 m，其下部水轮机层布置有深井泵房、空压机室及发电机层左风机房。检修集水井及渗漏集水井底高程分别为11.5 m和13 m。安装场上游坝体内设有放置工作门、检修门、拦污栅的门库，尾水平台设有尾水检修门门库。安Ⅱ段下游还布置了3层副厂房，各层地面高程与机组段、下游副厂房地面高程相对应。自下而上第1层布置有空气过滤室及生活废水处理池。第2层布置消防水泵房、水轮机层送风机房及厂内卫生间。第3层布置公用配电盘及厂用配电装置等设备。

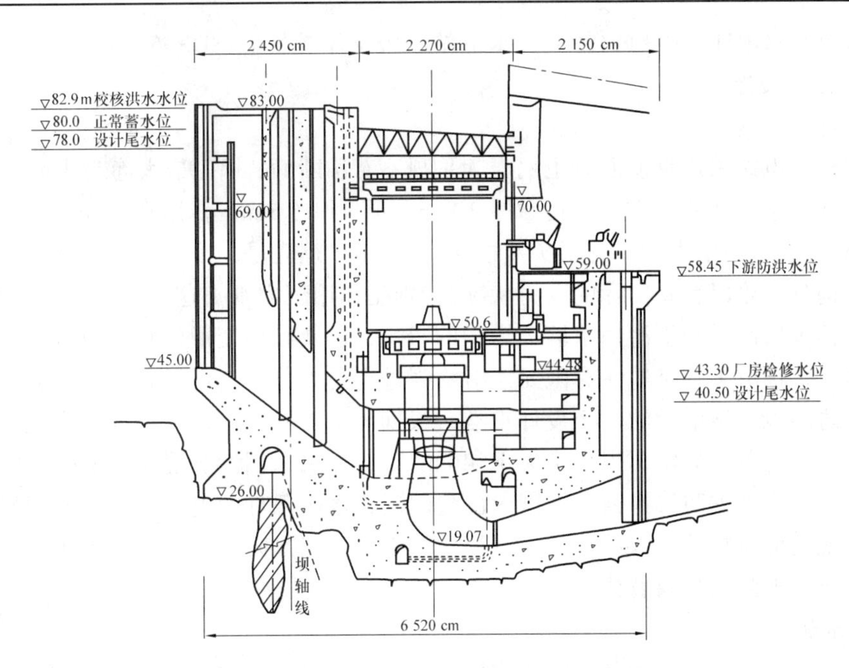

图 1　电站厂房布置剖面（沿 2#机组中心线横剖面）

全厂布置有 3 条平行于坝轴线的廊道，即进口段灌浆排水廊道，断面尺寸 3 m × 3.5 m；主机段机组检修排水廊道，断面尺寸 2 m × 2.5 m；尾水段交通廊道，断面尺寸 2 m × 2.5 m。另外，各层副厂房及交通廊道均设有进水轮机室、蜗壳、锥管及尾水管的进人孔。

厂内的竖向交通由设在机组段、安Ⅱ段的楼梯组成。在安Ⅰ段上游墙内布置有上桥机的钢梯，在安Ⅰ段与安Ⅱ段之间设有主楼梯上下至发电机层。各机组段在主机室内有楼梯下到水轮机层。设在 1# ~ 2#机组段副厂房内的楼梯可通至水轮机以下各层。为了满足消防的要求，在 3#机组段增设了至上游坝段及下游尾水平台的安全通道及消防楼梯。

4　厂房结构设计

主厂房结构设计分下部结构与上部结构两部分。下部结构包括进口段的底板、闸墩、拦污栅构架、胸墙、挡水墙，主机段的蜗壳、尾水管，尾水管段的闸墩及下游挡水墙等。上部结构包括坝顶公路、主厂房排架、发电机风罩和主副厂房及安装场各层板、梁、柱结构。

4.1　设计原则

(1) 所有钢筋混凝土结构一律视为均质弹性体，一般简化成平面问题进行结构计算。比较复杂的结构按三维问题进行应力分析。采用复杂结构力学与弹性力学两种计算方法。当简化成平面杆系或空间杆系进行结构分析时，对于下部分大体积结构，均考虑杆件节点刚域和剪切变形的影响；对于上部结构，一般不考虑剪切变形的影响。

(2) 所有钢筋混凝土结构，均进行限裂验算。对于上部结构，还进行变形验算。

(3) 结构设计所使用的电算程序有：SUPER SAP 大型微机有限元分析程序、SAP84 通用结构分析程序。

(4) 设计依据的规范有：《水工钢筋混凝土设计规范》(SDJ20—78 试行)、《混凝土结构设计规范》(GBJ10—89 试行)、《水电站厂房设计规范》(SD335—89 试行)。

4.2 主要结构设计

4.2.1 蜗壳

高坝洲水电站采用钢筋混凝土蜗壳为平顶不对称断面，蜗壳最大净高 10 m，平面最大净宽 16.4 m，包角 210°，左、右边墩厚 3.8 m，顶板厚 5.5 m，作用在蜗壳的压力水头一般为 45 ~ 55 m，考虑水击时压力水头接近 60 m。由于蜗壳是一个空间受力体，切取几个平面进行结构分析难以反映实际的受力状况，特别是作用压力水头这么大的钢筋混凝土蜗壳，必须考虑其进口闸墩和上游挡水墙等结构的影响，以及结构变形的相互协调。针对该电站的具体情况，选取了三维整体有限元法对蜗壳进行受力分析，可较直观反映各部位受力状况。蜗壳防渗也是该电站的一个设计难点，根据《水力发电厂机电设计技术规范》和《水电站厂房设计规范》规定，当水头大于 40 m 时，如果采用钢筋混凝土蜗壳，则应有技术经济论证，并应考虑防渗措施。在国内已建的同等水头条件的电站中，它们的蜗壳内壁均做有钢板或其他材料的防渗层，为了既简化施工，又满足防渗要求，目前正在研究采用预应力结构或其他防渗材料替代防渗方案。

4.2.2 尾水管

根据基岩条件，尾水管采用整体式底板结构。出口最大净宽 18.2 m，高 7.6 m，最小断面高 3.9 m，边墩厚 2.9 m，中墩厚 2.6 m。扩散段底板厚 4.2 m，弯管段底板厚 5.07 m。作为厂房主要承压结构，为了更好地反映弯管段底板的受力情况，除了选取一些代表性断面作平面受力分析外，还选取了整个尾水管作三维有限元分析，可以避免因底板简化成交叉梁，或假定成一边自由三边固定的梯形板进行计算造成的底板周边应力集中的现象，由此可减少配筋密度。在底板的抗剪验算中根据底板的跨高比已满足深梁的条件，因此按深梁进行抗剪验算，可提高底板混凝土自身的抗剪强度，减少底板的厚度。

4.2.3 进水口闸墩

进水口闸墩为厂房主要挡水结构，也是该电站一个设计难点。闸墩采用对称布置，左右边墩厚 3.8 m，中墩厚 2.8 m，水流向长 20.7 m，高 40 ~ 50 m，闸墩的挡水高度与顺水流向长度之比为 0.5 左右。挡水高度超过 40 m，比一般的河床式厂房的挡水高出 0.5 ~ 1.0 倍，因而闸墩强度主要受顺水流向控制，仅按一般结构力学分析方法进行受力分析，即按偏心受压构件进行配筋计算，难以定出既经济又安全的配筋。而根据整个进口段三维有限元计算分析成果得出的闸墩底部上游侧产生拉应力区的范围，闸墩的竖向钢筋应插入进口段底板的深度，需要增加几倍的钢筋锚固长度。同时，采用了剪力墙的模式，进行闸墩的配筋计算，它不仅可以减小闸墩前端的配筋密度，而且可充分地利用闸墩两侧的钢筋强度。用以上方法使设计更趋于合理。

5 结语

高坝洲水电站厂房设计布置于左岸，不仅有利于厂房附属建筑物的布置及今后的运行管理，而且可将厂房列入一期工程施工，做到早投资、早受益，可在开工后的第 3 年第 1 台机组发电，与隔河岩电站的联动效益明显。在厂房布置型式选择中，按河床式厂房布置，工程量省，施工周期短。同时选择轴流式水轮发电机组，可利用围堰水头提前发电。主厂房布置基本上做到了简洁、紧凑、明快，机电设备布置合理。在结构设计上，通过多种理论和方法，分析结构实际受力情况，尽可能地发挥结构自身应有的潜力，以保证结构的可靠性。

（原载《人民长江》1997 年第 9 期）

高坝洲水利枢纽通航建筑物设计

邓越胜 刘小宁 杨金平

清江高坝洲枢纽下距清江河口 12 km，上距隔河岩枢纽 50 km，两枢纽升船机建成后，清江从水布垭枢纽以下至河口 153 km 将成为Ⅴ级航道，可通航 300 t 级船队。高坝洲垂直升船机位于右岸，最大提升高度 40.3 m。升船机采用分离式布置，大坝挡水，机室置于坝后，两者间用通航渡槽联结。通航建筑物由上游引航道及锚地、上闸首、升船机主体、下闸首以及下游引航道等工程组成，线路总长 1 253.3 m，如图 1 所示。

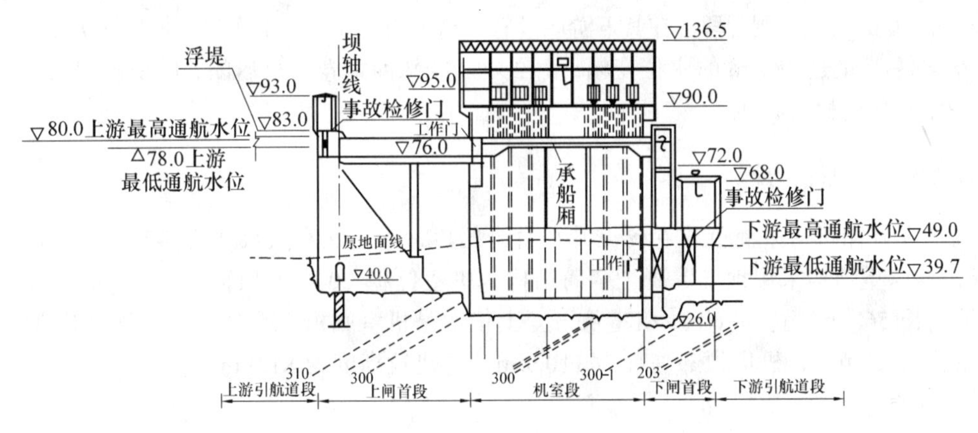

图 1 （高程单位：m）

1 上游引航道及锚地

上游引航道位于库内，由水库蓄水后自然形成，引航道最高通航水位 80.0 m，最低通航水位 78.0 m，水位变幅 2.0 m。引航道内设有导航浮堤，浮堤采用钢结构，长 60 m，宽 9.0 m，型高 2.9 m，吃水 1.5 m，浮堤上游端用铸钢锚链固定在锚墩上，锚墩为重力式混凝土结构，建于河床的基岩上，基础高程为 37.0 m，下游端铰接在 20#坝段通航槽左侧导承槽内，浮堤上还设有防撞护舷，供船只停靠系统的系船柱和锚链铰盘、导航照明以及生活等设施。

在大坝上游 295 ~ 474 m 处，靠近右岸边布置有两个驳位的船队编、解队码头，编解队码头由两组各 5 个间距为 15 m 的靠船墩组成。靠上游一组为上行船队编队码头，下游一组为下行船队解队码头。靠船墩为钢筋混凝土结构，断面均为正方形，顶高程为 81.5 m，底高程为 70.0 m，墩高 11.5 m。墩基础高 2.0 m，尺寸 7.0 m × 7.0 m，墩身高 9.5 m，断面尺寸为 2.0 m × 2.0 m，各墩靠航道一侧分别在墩顶和高程 80.0 m、78.5 m 设固定系船柱。

2　上闸首结构工程段

上闸首段自 20#坝段大坝前缘至升船机机室前缘共长 46 m，由 20#坝段的通航槽、渡槽和工作闸门段组成。通航槽宽 10.2 m，槽底高程 76.0 m，通航水深 2.0 ~ 4.0 m。

20#坝段基础沿升船机轴线方向长 36.225 m，因通航要求在高程 76.0 m 处设宽度为 10.2 m 的通航槽，通航槽长 6.0 m，在靠坝轴线上游 3.0 m 处设一道事故检修门，供遇事故或需检修工作门及渡槽和挡千年一遇洪水位时使用。事故检修门由一台 2 × 250 kN 单向桥机启闭，在坝顶布置有桥式启闭机排架，排架由 6 根间距为 14 m 的钢筋混凝土柱在横河向构成两跨框架，顶高程为 95.25 m，柱断面尺寸 1.6 m × 1.0 m。闸门检修场地设在航槽右侧。

渡槽为钢结构简支梁。有效水域宽度为 10.2 m，槽底高程 76.0 m，边墙顶高程 81.0 m，最高通航水位 80.0 m，最低通航水位 78.0 m。渡槽总长 40 m，分两跨布置，第一跨长 18.5 m，第二跨长 21.5 m，分别支承在 20#坝段、中间支墩及垂直升船机上游端箱梁上。

工作闸门坐落在横架于机室承重结构上部的钢筋混凝土箱梁上，箱梁外形尺寸 3.6 m × 5.6 m，跨度 16.0 m，壁厚 0.8 m，箱梁与机室承重结构刚性连接，上游端 1.02 m 为渡槽支承段，后 3.0 m 为工作闸门段。在其下游端设有一道平板工作门，工作门外形尺寸为 11.2 m × 5 m（宽 × 高），能适应 2 m 的水位变幅，由 2 × 125 kN 固定卷扬机启闭，启闭机房与主机房连成一体并共用检修桥机。

3　升船机承重结构段

高坝洲升船机为平衡重式卷扬提升垂直升船机，承船厢有效尺寸为 42.0 m × 10.2 m × 1.7 m，其承重结构采用钢筋混凝土全筒结构。机室位于 20#坝段坝轴线下游 34.0 ~ 90.3 m 处，轴线长 56.3 m，宽 39.6 m，机室从下至上依次是机室底板、承重结构筒身和上部机房，建基面高程 29.0 m，机房顶部高程为 110.9 m，总建筑高度为 81.9 m。

3.1　承重结构

机室底板为 4.0 m 厚的钢筋混凝土实体结构，顶面高程为 33.0 m，高程 33.0 ~ 54.0 m 为筒体根部（左侧为高程 33.0 ~ 58.0 m），由机室左右对称的两列筒体和上闸首支承梁构成封闭的承重结构，每列宽 11.9 m，内墙厚 1.0 m，外墙高程为 33 ~ 54 m（左侧为高程 33.0 ~ 58.0 m），厚度由 3.5 m 向内扩宽至 6.5 m，每列筒体平面上由 1.0 m 厚横隔板沿顺河向分成 8 个小筒，第 2、4、6、8 筒为重力平衡重井，平面尺寸为 3.9 m × (7.4 ~ 4.4) m，第 3、7 筒为转矩平衡重井，平面尺寸为 8.5 m × (7.4 ~ 4.4) m，第 5 筒为联系结构，平面尺寸为 5.7 m × (7.4 ~ 4.4) m，第 5 筒在高程 54 m 处封顶构成约 100 m^2 的大平台，左侧平台布置泵房，右侧为吊物孔，于此处将长筒 54 m 高程以上分成上、下游独立筒体。上、下游筒体平面尺寸分别为 26.2 m × 9.1 m 和 20.1 m × 9.1 m，筒壁和横隔板厚 0.8 m，在筒内高程 73.5 m 和 81 m 分别布置有船厢锁定平台和平衡重锁定平台，并在上、下游两筒平台间架设人行天桥。电梯井和楼梯间布置在第 1 筒内。在机室两侧和上游的 54.0 m 高程布置有运行、安装平台和通道。此外筒体还布置有通气孔，安装、人行通道，船厢上、下锁定，夹紧和顶紧机构等。左右两侧筒在 87.2 ~ 90.0 m 高程联成整体，构成上部机房底板。机房两侧外悬 3.25 m，左侧布置配电装置室，右侧布置主电室，下游外悬 5.0 m，布置控制室。上部机房平台尺寸 58.95 m×42.1 m，机房内吊车梁轨顶高程为 101.1 m，机房屋顶采用网架结构。

3.2　金属结构及机械设备

升船机主机房平面高程 90.0 m，对称布置 4 套提升主机，提升主机为单卷筒卷扬提升机构。由 4 台 75 kW 交流变频电机驱动。4 套卷扬机构采用机械轴同步，卷筒及平衡滑轮直径均为 3.5 m，总提升力 1 600 kN。主机室设有一台 630 kN/2×100 kN 的双向检修桥机，供提升机安装、检修用。

升船机室下部为承船厢室，是承船厢载运船只上下运行空间，满足 40.3 m 的升程及 8.0 m 通航净空的要求。承船厢室平面尺寸 50.3 m×16.0 m(长×宽)。

承船厢最大外形尺寸 50 m×14.0 m×6.5 m(长×宽×厢头高)，有效水域尺寸 42.0 m×10.2 m(长×宽)。承船厢结构由两侧的箱形主纵梁、铺板、横梁构成。允许误载水深 0.20 m。船厢两端设有卧倒式闸门，分别由两台 2×200 kN 液压启闭机操作。

承船厢还配有如下设备：密封船厢与闸首之间缝隙的 U 形密封框；2 套顶紧机构；2 套缝隙充泄水系统；承受船只进出船厢过程中所产生的附加载荷，并兼做船厢升降过程中的沿程安全设施的 4 套夹紧装置；供承船厢检修的上下锁定及纵、横导向装置等。上述各类机械设备主要由设在承船厢上的液压设备驱动。

承船厢结构自重加设备约 560 t，带水重约 1 560 t。

承船厢的总重量由等量平衡重平衡。平衡重分为两类，一类为重力平衡重；另一类为转矩平衡重。重力平衡重总重 1 024 t，分为 8 组，转矩平衡重总重 536 t，分为 4 组。钢丝绳直径为 56 mm，安全系数均大于 8。

4　下闸首结构

下闸首长 21.7 m，底宽 34.9 m，航槽宽 10.2 m，航槽底高程 36.5～37.7 m，基岩面高程 26~32 m，顶高程为 54.0 m。

下闸首布置有工作门和检修门，工作门尺寸为 17.5 m×14.7 m(宽×高)，门型为带卧倒小门的下沉式平板门。当下游水位变幅在 2.0 m 内时，由 2×500 kN 液压启闭机开启卧倒小门，沟通下游引航道，当水位变化大于 2.0 m，工作大门带压提升或下降，以适应水位变化。工作门槽设有锁锭，工作大门由 2×2 500 kN 固定卷扬机操作。启闭机房内设 200 kN/50 kN 检修桥机。下游检修门，由 5 节 11.7 m×3.26 m(宽×高)的叠梁组成。由 2×200 kN 双向桥机起吊。边墩顶面下游端外悬 2.0 m，作为检修门桥机柱基和检修门检修平台。排架两柱间距为 10.5 m，顶高程 66.0 m，轨顶高程 68.0 m，柱断面尺寸 1.2 m×1.6 m。工作门启闭机设在下闸首启闭机房内，启闭机房下部筒体分别设在左右边墩 54.0 m 高程上，在 75.0 m 高程由板梁结构联成整体，机房平面尺寸为 30.2 m×9.0 m，检修桥机轨顶高程 81.1 m，机房顶高程 87.2 m。

5　下游引航道工程

下游引航道为人工开挖航道，总长 665.0 m。升船机轴线在下闸首以上 255.57 m 处左转 6.5°，弯曲半径 r=260 m，然后用 400 m 直线段与主河道平顺连接。紧接下闸首航槽，引航道右侧按 1∶5 扩宽至距轴线 30 m，左侧按 2.67°角扩展至距轴线 10 m，形成引航道的总宽为 40 m。在引航道左侧布置隔流墙，全长 389.74 m。隔流墙首段为 105.0 m 长的重力式导航墙，建基面高程为 32.0 m，顶高程为 50.3 m，顶宽 2.5 m。紧接重力式导航墙，布置有 19 跨跨中距为 15.0 m 的墩板式隔水墙，墩建基面高程 34.0 m，采用扩大基础，基底尺寸顺河向 7.0m，横河向 10.0 m，墩基础厚度 3.7 m。墩身断面尺寸均为 3 m × 3 m。钢筋混凝土板嵌固在相邻两个墩上，板顶设 2 m 宽人行道，高程为 50.3 m，板底高程为 37.7 m，板厚 1.2 m。出机船队编队码头设在弯道下 15 m 右侧，由 5 个间距为 15 m 的靠船墩组成。墩基础平面尺寸为 5.0 m × 7.0 m，底高程为 34.7 m，基础厚度 2.5 m。墩身断面尺寸为 2.5 m × 2.5 m，顶高程 50.3 m。每个靠船墩靠航道一侧在高程 40.7 ~ 50.3 m，每隔 1.92 m 布置有 1 个龛式系船柱。

6　船只过机程序及通过能力

6.1　船只过机程序

高坝洲升船机运行方式以船只下行为例，上闸首工作门及承船厢上游端闸门处于开启状态，船只由上游引航道经渡槽、上闸首，进入承船厢，在厢内系缆，同时推轮退出船厢，关闭上闸首工作门及厢头闸门，泄掉两门间的缝隙水，松开厢头密封框和顶紧、夹紧装置。卷扬机驱动承船厢下降至厢内水位与下游水位齐平时停止，完成承船厢顶紧、夹紧及密封装置动作，并向下游端闸门间缝隙充水平压后，打开两闸门，船只解缆，下游引航道牵引设施牵引船只出厢，驶入下游引航道，至编队码头编队。上游船只运行过程与下行相似。

6.2　通过能力

船舶单向过坝时间为 22 min，迎向过坝时间 33 min，日平均单向过坝次数 31 次，一年单向通过能力拖轮不过坝 173.3 万 t，拖轮过坝 115.6 万 t。

（原载《人民长江》1997 年第 9 期）

高坝洲水利枢纽金属结构设计

李亚非　杨天清　史　兵

1　设计基本参数

设计基本参数如下：

坝顶高程	83 m
设计水位	80 m
电站进水口拦污栅底坎高程	45 m
电站进水口检修门底坎高程	38.054 m
电站进水口工作门底坎高程	34.082 m
电站尾水检修门底坎高程	21.59 m
设计洪水相应下游水位	55.46 m
尾水闸门检修水位	43.3 m

尾水平台高程	59.00 m
泄洪底孔事故检修门底板高程	45 m
泄洪底孔工作门底坎高程	44.747 m
泄洪表孔工作门底坎高程	61.49 m
泄洪表孔事故检修门底坎高程	61.87 m

2　电站部分

河床式电站厂房布置在水电站左岸，装机 3 台，单机容量 84 MW，每台机组在进水口至尾水管出口部分均分隔为 2 个孔口，沿水流方向依次设拦污栅、检修闸门、工作闸门和尾水检修门，此外还有电站厂房顶部钢屋架、输变电塔架等设计项目。

2.1　电站闸门布置

(1)进口拦污栅：每台机组进水口设置由 4 个小隔墩形成的 5 个拦污栅栅孔，孔口尺寸 3.6 m(宽) × 24 m(高)，工作拦污栅 15 套，另增设每台机组的备用栅，共计 20 套拦污栅。每套拦污栅栅体高 24 m，分 4 节设计(栅条间距 200 mm)，利用坝顶门机 300 kN 回转吊通过吊杆分节启吊，栅槽顶部设有锁锭。当栅前污物需要清理时，采用清污抓斗进行处理，若栅体自身附着污物过多，则需提栅至坝顶清污。

(2)进口检修门：每台机组进水管由隔墩划分为 2 个进水孔，设 2 扇检修门以满足单台机组检修的需要，3 台机组共用 2 扇检修门。闸门门体分为 4 节，节间用销轴连接板连接，顶节设平压阀，采取充水平压启门、静水闭门的方式，检修闸门为单吊点、滑块支承型式，由坝顶门机提升机构借助于液压自动抓梁启闭。

(3)进口工作门：在检修门下游设置工作门，每台机组 2 扇，共 6 扇，闸门可动水关闭，不要求快速下门，平时闸门锁定在门槽内，与检修门共用 1 套抓梁，利用坝顶门机的主提升机构启闭闸门。闸门为平面定轮门，分为 3 节，顶、底节各设 6 个轮子，中间节设 4 个轮子，轮径 800 ~ 900 mm，最大轮压 2 500 kN，采用偏心轮轴保证所有轮子落在一平面上，操作条件为动水闭门、平压充水提门(考虑 2 m 水头差)，顶节门设有平压阀。

(4)尾水检修门：尾水管为双出口，3 台机组共设 6 扇尾水检修门(其中 4 扇用于施工期挡下游水)。门体分 3 节，中、上节门叶面板在上游机组侧，下节在下游面，以避免检修时淤沙堆积于门叶梁格内。全部门体为滑块支承、双吊点型式，上节门叶设平压阀，采用充水平压启闭方式，利用尾水平台 2 × 500kN 门机通过液压自动挂钩梁启闭。电站部分闸门主要技术参数见表 1。

表 1　电站厂房闸门特性

闸门名称	闸门型式	孔口尺寸(m) (宽 × 高)	设计水头 (m)	总水压力 (kN)	启闭机型式及容量 (kN)
检修闸门	平面滑动	6.8 × 12.6	41.95	31 600	坝顶门机 2 × 1 600
工作闸门	平面定轮	6.8 × 10.24	45.92	28 300	坝顶门机 2 × 1 600
尾水检修闸门	平面滑动	7.8 × 7.7	34	18 400	尾水门机 2 × 500

2.2 电站闸门启闭机械选择

整个电站坝顶共布置 2 台 2×1 600 kN/300 kN 双向门机，安装在 83 m 高程，分Ⅰ、Ⅱ型安装型式，其中Ⅰ型门机在下游门腿右侧设置回转吊，Ⅱ型门机在上游门腿左侧设置回转吊，Ⅰ、Ⅱ型门机结构尺寸及技术参数完全一样。Ⅰ型门机主要用于泄洪坝段，Ⅱ型门机主要用于电站厂房坝段，必要时 2 台门机均可运行至泄洪、电站厂房坝段。

(1)坝顶门机。主要技术参数如下：

额定起重量	2×1 600 kN
总扬程/轨顶扬程	54/16 m
起升速度	1.96 m/min
门机轨距	10.5 m
工作级别/结构级别	A4
电机功率：主起升机构/回转机构	90/37 kW
行走机构大车/小车	15/7.5 kW

门机主要由起升机构、门架、大(小)车行走机构、回转吊等组成，主起升机构采用集中驱动方式。1 台电机通过主传动轴驱动两套减速装置，带动开式齿轮及双联缠绕卷筒，卷筒直径 1 400 mm，钢丝绳直径 30 mm，大车行走机构为 4 点驱动，主轮轮径 710 mm，小车轮径 630 mm。回转吊幅度 13.5 m，总起升高程 52 m(坝顶以上 14 m)。

(2)尾水门机。尾水平台 59 m 高程装有 2×500 kN 单向门机，总起升高度 40 m(坝顶以上 8.5 m)，轨距 5.5 m，除操作尾水闸门外，还可供尾水平台一般设备的吊运。起升机构中卷筒直径为 1 200 mm，采用双联缠绕方式。两套驱动装置由刚性同步轴连接，电机功率 2×35 kW，起升速度 2.5 m/min，减速器齿轮为中硬齿面，强制润滑，设专用供油泵在开机前 30 s 对轮啮合区进行喷射润滑，大车运行机构运行速度为 19.1 m/min。

(3)门机的附属设备。坝顶门机共配置 3 套液压自动挂钩梁，其中表孔事故检修门和深孔事故检修门各一套，进口检修门与进口工作门共用 1 套挂钩梁。其上部为双吊点，吊距(4.7 m)与门机吊距一致，下部为单吊点，通过液压柱塞穿轴装置与闸门吊耳相连接，可调节挂钩启吊中心以适应两闸门不同的重心。尾水检修门挂钩梁上、下部均为双吊点，吊距 4.2 m。挂钩梁通过导向装置沿门槽的主、副轨及侧轨滑动，保证挂钩梁吊耳与闸门吊耳准确定位，通过信号装置监测挂钩梁就位、穿(脱)销、充水行程等动作，确保挂钩梁在水下工作灵活、可靠。

3 泄洪部分

泄洪深孔坝段毗邻电站厂房，位于纵向围堰左侧，3 个泄洪深孔设置 1 扇平板事故检修门和 3 扇弧形工作门。其纵向围堰右侧为泄洪表孔坝段，布置 6 个溢流孔口，设置 1 扇事故检修门和 6 扇弧形工作门。

3.1 泄洪闸门设计

(1)深孔事故检修门。事故检修闸门为平面定轮门，面板布置在上游侧，局部利用水柱重，门体分为 4 节，顶节设 2 个 ϕ300 mm 的平压阀。事故检修时可动水闭门、充水平压启闭门，考虑有 2 m 的水头差，每节门还布置了 4 个简支轮，采用偏心轴，可调整多轮共面，轮径为 800 mm，最大轮压 2 800 kN。采用双吊点起吊方式，吊距 6.536 m，在纵向围堰坝段门机轨道下游侧设有门库，利用坝顶门机（Ⅱ型）通过液压自动挂钩梁对闸门进行启闭操作。

(2) 深孔工作门。深孔工作门采用弧形门型式，既可避免平板门因设置门槽所带来的水力学问题，又可适应闸门局部开启调节泄量的要求，门体采用双腹式主横梁同层布置、斜支撑，弧面半径 15.4 m，支铰为圆柱铰，支铰中心高程 55 m，吊点距 5.4 m，动水启闭。闸门止水采用包聚四氟乙烯镶头的侧水封橡皮，除在闸门全关位置设置一道水封外，还在胸墙埋件上加设一道可转动式弹簧钢板水封，以避免闸门局部开启过程中门叶与胸墙之间产生的间隙射流。为满足运输条件，门体分 4 个制造单元，支臂分 3 个制造单元，工厂内进行总拼装，检修合格后拆运工地现场拼焊成整体。闸门驱动采用 1 门 1 机方式，操作方便，安全可靠，启闭机型式采用 2×1 250 kN 固定卷扬机。

(3) 表孔事故检修门。表孔事故检修门采用平面滑动闸门，胶木滑道支承，线压强 25 kN/cm，动水闭门，静水启门，利用节间充水平压。闸门门体分为 6 节，节间用销轴连接板连接，局部利用水柱重加压下门，双吊点（吊点距 9.0 m），由坝顶门机（Ⅰ型）通过液压自动挂钩分节启吊。

(4) 表孔工作门。表孔工作门为弧形闸门，采取动水启闭方式，闸门结构为斜支臂三主梁型式，支铰高程 70 m，弧面半径 23 m。门顶高程按上游设计水位加高 0.5 m 考虑，用以拦阻因风浪引起的超高水位，门顶不设水封。闸门门体分 6 个制造单元，支臂分 2 个制造单元。由于闸门跨缝布置，支铰选用球铰，以适应两支铰可能发生的不均匀沉陷及安装误差，弧门吊点距 12.92 m，由液压启闭机操作，可视泄洪调度需要同时全开或隔孔开启或局部开启，泄洪闸门主要技术参数见表 2。

表 2　泄洪闸门主要技术参数

闸门名称	闸门型式	孔口尺寸（m）（宽×高）	设计水头（m）	总水压力（kN）	启闭机型式及容量（kN）
深孔事故检修门	平面滑动闸门	9×10.9	34	30 500	坝顶门机 2×1 600
深孔工作闸门	弧形闸门	9×10.15	35.3	29 720	固定卷扬机 2×1 250
表孔事故检修门	平面滑动闸门	14（宽）	18.13	24 000	坝顶门机 2×1 600
表孔工作门	弧形闸门	14（宽）	18.51	24 530	液压启闭机 2×2 000

3.2　泄洪闸门启闭机械选择

(1) 坝顶门机。泄洪坝顶的坝顶门机除回转吊置于门腿下游侧外，其余设计参数和结构型式与电站坝段坝顶门机相同。

(2) 深孔弧门固定卷扬机。启闭容量 2×1 250 kN，扬程约 11.6 m，安装在坝后弧形门顶部启闭机机房内，并配有专用于固定卷扬机的检修吊。起升机构采用集中驱动方式，两台电机之间设机械同步轴，电机功率 2×35 kW，当 1 台电机发生故障时，另 1 台可通过同步装置将闸门安全下降至最低位置，滑轮组倍率为 6，钢丝绳直径为 30 mm，卷筒直径 750 mm。

(3) 表孔弧门液压启闭机。启闭机通过两个油缸装置启闭表孔弧门，启闭容量 2 × 2 000 kN，工作行程 9 572 mm，启门速度 0.49 m/min，闭门速度 0.35 m/min。启闭机可在机房内操作，亦可由中控室远程操作，在任意开度上，液压系统能安全可靠地将油缸锁住，油缸露天布置，支铰高程为 80.4 m，采用尾部耳环铰座结构型式，油缸两端装有自润滑关节轴承，允许微量偏转以适应安装误差，每台机设一套泵站，分别安装于各闸墩处机房内。

4 升船机布置

高坝洲升船机位于电站右岸，为一线 1 × 300 t 级垂直升船机，由上游渡槽(上闸首)、垂直升船机主体、下闸首等主要部分组成，其升程 40 m，承船厢有效尺寸 42 m × 10.2 m × 1.7 m(长 × 宽 × 水深)。

(原载《人民长江》1997 年第 9 期)

高坝洲水电站机电设计

高光华

1 机电设计原则

高坝洲水电站为河床式电站，总装机容量为 252 MW，单机额定容量为 84 MW，保证出力为 61.5 MW，建成后多年平均发电量为 8.98 亿 kW·h，在系统中担负部分基荷和峰荷。作为隔河岩水电站的反调节电站，其水库具有日调节能力，枢纽的主要任务是发电和航运。

高坝洲水电站建成后将可缓解宜昌电网的缺电现象，与隔河岩电站联合调度运行，可在保证隔河岩枢纽以下供水和航运的前提下，充分发挥隔河岩水电站在系统的调峰调频作用，同时该电站本身也具有一定的调峰调频能力。根据该电站的功能和所处的地位，机电设计的原则是：①电站运行可靠、灵活，维护方便；②电站考虑将来实行无人值班(少人值守)运行方式，因而电站应具有高度的自动化水平；③全厂公用设备及辅助设备的选型和设计都能适应高度自动化的操作；④电站主接线及主要电气设备应具有可靠性高、运行稳定的性能；⑤电站的控制与保护设备应运行可靠、动作准确，以保证主设备的安全运行。

2 水轮发电机组设计

2.1 水轮机选型

高坝洲水电站水头范围为 22.3 ~ 40 m，处于低水头向中水头过渡区间，适用的机型主要有轴流式和混流式两种。在该电站的初步设计选型过程中，曾选择了 ZZD32B、ZZA315 轴流转轮和 HLA551 混流式转轮进行机型比较，ZZD32B 型转轮各项参数都较为理想，因而曾初步选定其为高坝洲水电站的推荐机型，并经审查通过。随着国内制造厂的技术进步，通过与国外公司间的技术交流和引进，对高坝洲水电站的机型又作了进一步优化，将ZZD32B转轮和引进的ZZD231转轮进行了比较。由于ZZD231转轮各项参数及性能指标都比ZZD32B转轮更优，经优化决定采用ZZD231型转轮。

2.2 机组辅助设备

为适应无人值班（少人值守）的要求，水轮发电机组的辅助设备本身应具有优良的性能，且运行稳定、灵活、可靠，自动化水平较高。

（1）励磁系统采用自并励静止可控硅直流励磁系统。选用双微机型数字式励磁调节器，每套调节器包括自动调节通道和手动调节通道。正常运行时，一套调节器工作，一套调节器备用。当工作调节器发生故障时，则自动将备用调节器投入运行，切除故障调节器并发出报警信号。励磁系统有完善的辅助调节功能、保护功能以及故障检测功能，能方便地在远方和现地操作，可靠接受和执行遥控系统的操作与调节指令，并向监控系统发送励磁系统运行状态信息。

（2）调速器采用由可编程序控制器控制的电液调速器，桨叶的控制为数字协联，调速器具有速度调节、功率调节、开停机和紧急停机控制、电气导叶开度限制、频率跟踪控制、数字协联、桨叶随动控制、适应式控制、在线自诊断及处理等功能。

根据电站运行要求，调速器的设计按下列控制方式考虑：①现地－远方控制；②手动－自动控制。在远方自动控制方式下，调速器接受电站计算机监控系统的控制指令，并向监控系统传递有关运行状态和数据。

（3）油、气、水系统设计除考虑系统运行的可靠性和灵活性外，还考虑了电站控制系统的自动化程度，以适应计算机监控系统的控制要求。因此，设计上将油、气、水系统的控制与操作，纳入了计算机监控系统的控制范围，而且油、气、水系统本身也能独立地自动运行，而无需值守人员干预。

3 电气一次设计

3.1 电气主接线及接入系统

（1）接入系统。在接入系统设计中，分析比较了220 kV和110 kV两种电压等级方案。高坝洲电站是与隔河岩电站配合运行的反调节电站，主要供电范围是宜昌、荆州地区的部分县市。这些地区在隔河岩电站外送配套工程中，已先后建成了长阳、松滋、公安、石首等220 kV变电所和相应的110 kV送电网络。采用220 kV电压等级对简化电站电气接线，对电站设计布置及以后的运行和调度管理都较为有利。故选用了220 kV电压，并以两回出线接入系统，一回至松滋变电站，一回至宜都变电站。

（2）电气主接线。该电站仅有 3 台机组，两回出线。因此，经比较选定发电机变压器采用发变组单元接线。其接线简单，运行可靠，易于配置继电保护设备，电能损耗小，厂内电气设备布置方便。高压侧电气主接线比较了4个方案，即环形接线、桥形接线、双母线接线和扩大桥形接线，这4种接线方案中扩大桥形接线方案从技术和经济各方面来看都有较明显的优越性，其主要指标和性能为：①接线简单、清晰；②继电保护简单；③无母线、可靠性高；④占地面积小，比其他3个方案少占地1 000 m^2以上；⑤投资小，可比其他3个方案节省投资100多万元。

电气主接线选定为扩大桥形接线方案。

3.2 主要电气设备选择

该电站水轮发电机型号为SF84－48/9500，额定容量84 MW，机端电压为13.8 kV，其中性点接地采用带3次电阻的接地变压器接地方式，这种接地方式在隔河岩水电站应用中取得了成功的经验，其中包括长江水利委员会设计院机电处与长江科学院仪器研究所联合设计研制的两套发电机中性点接地装置。

发电机引出线采用自然风冷离相封闭母线，额定电压为13.8 kV，额定电流4 100 A。在3台机中仅有2#发电机装设出口断路器，该断路器采用SF_6断路器，其额定电压为20 kV，额定电流6 000 A，额定开断电流58 kA。

升压变压器采用强油风冷油浸式变压器，额定容量 100 MVA，额定电压 242 ± 2 × 2.5%/13.8 kV，中性点采用小电抗接地。变压器高压侧采用架空线出线，低压侧与离相封闭母线相连。220 kV配电装置为开敞式布置，断路器采用单柱式单断口SF_6断路器，额定电压220 kV，额定电流2 500 A，额定开断电流31.5 kA。

4 电气二次设计

4.1 监控系统

该电站的监控系统设计是以实现无人值班、少人值守为原则进行的，因此其监控的对象为全厂所有需要操作的机电设备，如机组、开关站电气设备、厂内油气水系统、厂用电系统等。

该电站采用全计算机监视与控制系统，实现对全厂所有机电设备的监控。只在电站中控室有少人值守，机旁无人值守。中控室和机旁都不再另设常规控制系统。监控系统结构为开放式分层分布体系结构，整个系统分为两层，主站层包括两台主机、两台操作员工作站、1台工程师工作站及模拟屏驱动器。网关设备等布置在中控室内，而3套机组现地控制单元、1套开关站控制单元和1套公用设备现地控制单元构成现地层，分别布置在相应设备的周围。整个系统采用冗余结构，即双主机、双操作员工作站、双光纤总线以及现地控制单元双CPU结构。

监控系统各功能控制分布在系统中相关设备上，每个设备严格执行指定的任务和通过网络与其他设备通讯，系统中任一设备的故障都不会影响其他设备的正常工作。在主站计算机故障时现地控制单元仍能独立工作，完成与之相联设备的自动监控，保证机组和电气设备的安全运行。

现地控制单元采用智能化分散结构，即所有的输入/输出极设置有独立的CPU，以便能独立地完成工作，并尽可能布置在靠近过程设备附近，从而减少电缆引线，提高系统的可靠性。

4.2 继电保护

继电保护设备应当在各种运行方式下，当保护区域内发生各种类型的故障时，能迅速可靠地切除故障；而当发生区域外故障时不应误动。根据规程要求，各保护中的主保护应按双重化配置，并采用按不同原理工作的保护装置。该电站线路保护采用一套微机保护和一套集成电路保护，同时还配置有自动重合闸、断路器失灵保护以及故障示波器。

1#、3#发电机－变压器组单元无发电机断路器，采用微机和集成电路保护。主要配置有：发－变组差动保护、定子绕组匝间保护、低电压过电流保护、定子过压、定子单相接地、定子过负荷、负序过负荷、失磁、主变零序电流、防瓦斯、控制温升保护等。2#发变组单元设有发电机断路器，故差动保护设有发电机差动和变压器差动保护，而未设发变组差动保护，其他保护设置同1#、3#发变组单元。

4.3 通信系统

该电站对外通信采用电力载波和微波两种通信方式，以保证迅速可靠地传递调度命令和保护、远动信息。每回220 kV线路上开设2路电力载波通道、同时开设2路高频保护和远动通道。数字微波电路由电站至宜都变，接入隔河岩—白洋数字微波电路中，传输话路为30路。

厂内生产调度和行政通信采用数字式程控交换机，生产调度总机可通过微波或光纤与梯级调度进行通信，行政通信可通过清江有限责任公司内部的微波系统与宜昌基地和隔河岩电厂行政通信系统联系。

4.4 泄洪闸门控制

高坝洲水电站泄洪坝段有6扇表孔闸门和3扇深孔闸门。表孔闸门采用液压启闭机驱动，深孔闸门采用卷扬启闭机驱动。闸门单机控制采用可编程控制方案，并设有简单常规控制，闸门可以实现远方集中控制，也可以实现现地可编程控制或手动控制。

根据水工要求，所有的深孔闸门和表孔闸门均需参与集中控制，在集中控制室设有两台集控上位机，互为备用。正常运行时，一台作控制用，另一台备用，同时作运行监视。上位机与各闸门现地控制单元通过总线连接，操作员可在上位机通过交互式人机界面进行单孔闸门启闭或各孔闸门成组启闭。闸门开度检测采用数字编码器，可连续检测闸门从全关至全开位置，因而可精确控制闸门提升或关闭到任意的需要位置。

5 机电设备消防

水轮发电机组和主变压器采用水喷雾灭火，在发电机机坑内和主变周围装设有感温感烟火灾探测器，火灾发生时，感温感烟报警器动作，自动或手动启动水喷雾消防系统。厂内其他设备则采用手提式或移动式灭火器材，并设有3套火灾报警监测系统，分别监测电站厂房、大坝和升船机的火灾情况，每套火灾控测报警系统有一定数量的区域报警控制器和一个集中报警控制器，集中报警控制器布置在相应的控制室内或分别与电站监控系统、泄水闸集中控制系统、升船机控制系统合为一体。

6 结语

高坝洲水电站装机规模虽然不大，但其在梯级电站和电力系统中占有一定的位置，电站的自动化运行和安全可靠性要求较高。因此，电站的机电设计应在充分考虑电站所处的地位及安全可靠经济运行要求的前提下，尽可能采用当今国内和国外先进的技术和设备。如40 m水头的轴流转桨机组采用5个叶片的ZZK507转轮。当然，这一设计与整个电厂的机电设计一样，都将在电站实际运行中经受检验。

（原载《人民长江》1997年第9期）

高坝洲水利枢纽一期工程施工导流设计

魏新柱　单俊方

1　概述

清江高坝洲水利枢纽正常蓄水位 80 m，校核洪水水位 82.90 m，总库容 4.863 亿 m^3，大坝全长 439.5 m，最大坝高 57 m。建筑物布置从左至右依次为：左岸非溢流坝段，电站厂房，深孔，纵向围堰，泄洪表孔，升船机和右岸非溢流坝段。

2　导流方案

2.1　导流特点

(1) 清江洪水汇流快，水位陡涨陡落。洪峰高历时短，洪枯流量比高，水位变幅大。坝址水位–流量关系受长江水位顶托，尤其在汛期枯水时影响显著。

(2) 河漫滩覆盖层较深厚，局部含漂石，渗透系数大，防渗墙施工难度较大，必须采用可靠的堰基防渗方案。

(3) 上游隔河岩枢纽已蓄水发电，枯水期发电下泄流量加上隔河岩—高坝洲区间流量一般高于天然流量，增加了一期低土石围堰的施工难度。

(4) 坝址处河床较宽阔，河中心有一漫滩，适宜采用分期导流布置。

(5) 高坝洲滩地枯水期出露且右河床底高程较高，可先期进行导流明渠开挖及一期低土石围堰纵向段基础防渗施工，能缓解初期导流施工工期紧张，且明渠开挖料可利用作为一期土石围堰填料。

2.2　施工导流方案

根据坝址施工导流特点，采用分期导流方式，工程分两期施工。经研究比较，由于电站厂房布置在左河床，一期先围左河床，有利于提前发电尽早发挥效益。一期截流前，先开挖位于右河床的导流明渠，截流后江水改由明渠通过，施工期流量小于 500 m^3/s 可通航。在一期低土石围堰保护下，修建混凝土纵向围堰和上下游高土石围堰，汛前高围堰完建，拆除低土石纵堰段，形成左高右低复式断面明渠度汛。高围堰保护一期基坑全年施工。二期围右河床，枯水期由一期完建的永久深孔导流。在上下游土石围堰保护下，一个枯水期将大坝抢至高程 62 m 和修筑下游 RCC 过水围堰，汛期基坑过水，汛后利用 RCC 坝体挡水，保护基坑内永久建筑物施工。一期导流平面布置见图 1。

3　水文和地质条件

清江洪水主要由暴雨形成，洪峰多发生在 6、7 月，6～9 月为汛期，11 月～次年 4 月为枯水期。40 年实测水文系列中，最大流量为 18 900 m^3/s，最小流量为 29.8 m^3/s，水位变幅约 12 m。20 年一遇坝址天然洪峰流量为 14 600 m^3/s，10 年一遇坝址天然洪峰流量为 12 800 m^3/s。

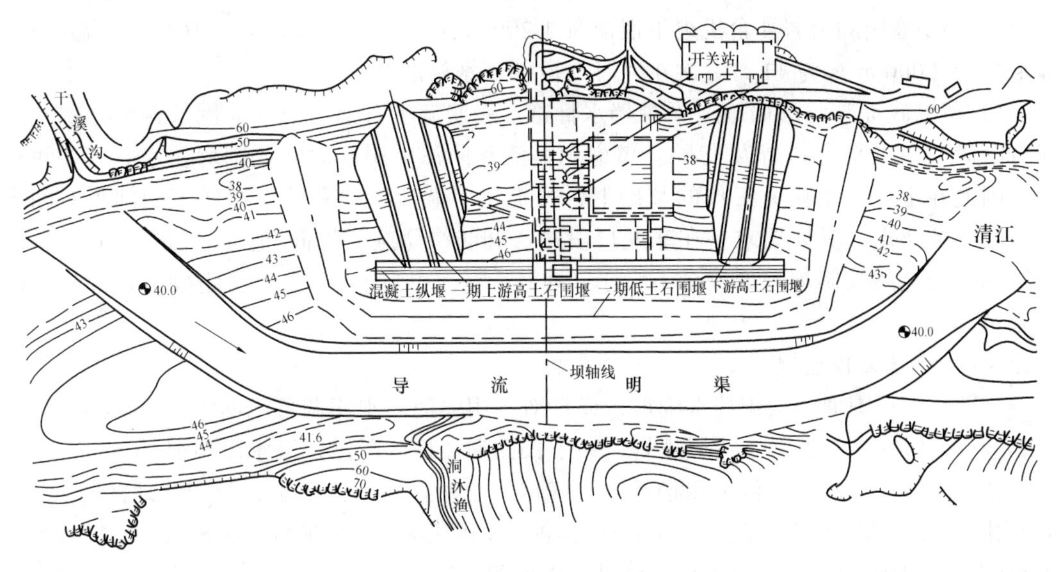

图 1　一期导流布置

坝址两岸为不对称的斜向河谷，河宽 350～380 m，左岸为顺向缓坡，右岸为近逆向陡崖，两岸山体高程分别为 120 m 和 200 m。

坝址两岸坡脚为坡积、人工堆积层。河床中漫滩由冲积砂卵石组成，厚度 6～11 m，滩顶高程 46～47 m。漫滩砂卵石层由上至下呈三元结构，卵石粒径为 5～150 mm，局部卵石中夹有 200～300 mm 漂石，渗透系数 53～1 600 m/d 不等。

4　导流设计标准

4.1　导流建筑物等级

根据《水利水电施工组织设计规范》(SDJ388—89)，保护对象为Ⅱ级建筑物的围堰，即一期高土石围堰、混凝土纵向围堰为Ⅳ级临时建筑物；围护一期高土石围堰、混凝土纵向围堰干地施工的一期低土石围堰为Ⅴ级临时建筑物。一期高土石围堰使用时间为 1997 年 5 月～1998 年 8 月，混凝土纵向围堰使用时间为 1997 年 5 月至二期工程完建。

4.2　导流标准

根据一期导流建筑物特点及各围堰作用、保护对象和使用年限，综合考虑上游隔河岩电站调蓄、发电下泄流量，隔一高区间流量等影响，一期导流标准分述如下。

4.2.1　一期低土石围堰

(1)围堰挡水标准。一期低土石围堰挡水时段为 11 月～次年 4 月，通常应选用该时段频率 5%天然最大瞬时流量 3 840 m^3/s。设计中一方面考虑到一期低土石纵堰紧临导流明渠左侧，模型试验表明当导流明渠宣泄 3 840 m^3/s 时测得纵向围堰处最大流速 7.9 m/s，需在纵向围堰迎水侧堰脚全线抛投大块石保护，这样不仅防护工程量大，而且施工难度也相当大。另一方面又考虑到上游隔河岩电站已建成，在枯水时段改变了坝址天然流量。所以在确定挡水标准时，对利用隔河岩水库调蓄降低围堰挡水标准的经济合理性进行了研究。研究结果表明，若利用隔河岩调蓄控制坝址流量在 2 000 m^3/s 以下，虽然损失电量约 220 万

kW·h，但可降低围堰高度 2 ~ 3 m，减少围堰填筑工程量近 10 万 m^3，解决了纵堰防冲保护问题。因此，采用隔河岩 4 台机组下泄流量 1 200 m^3/s 与隔—高区间 4 月 10%频率流量 800 m^3/s 之和 2 000 m^3/s 为 11 月 ~ 次年 4 月时段的挡水标准。

(2)截流戗堤与防渗墙施工平台挡水标准。一期低土石上下游横向围堰截流戗堤顶高程与防渗墙施工平台同高为 47 m。考虑到截流和防渗墙施工时间比围堰挡水时间要短得多，因此在上述调蓄研究工作的基础上，又提出了截流戗堤和防渗墙施工期间短时间内更高的调控要求。具体要求是在非龙口段进占和防渗墙施工期间(施工工期约 30 d)，由上游隔河岩电站控制坝址处流量不大于 1 000 m^3/s，相当于 2 ~ 3 台机组发电加隔—高区间流量。

4.2.2 一期高土石围堰

一期高土石围堰为全年挡水围堰，设计对利用隔河岩水库调蓄汛期洪水降低围堰挡水标准进行了研究。根据清江流域规划，为了长江荆江地区防洪，该水库预留了 5 亿 m^3 防洪库容，当清江洪水与长江洪水遭遇时，隔河岩水库拦蓄清江洪水，对荆江地区防洪有一定作用。如按不动用 5 亿 m^3 防洪库容考虑，隔河岩下泄流量可控制在 11 000 m^3/s，需多拦蓄 1.0 亿 m^3 洪水，则汛期防洪限制水位要降低 1.0 m 多，电量损失较大，为此一期高土石围堰挡水标准仍选用全年 5%频率天然最大瞬时流量 14 600 m^3/s。

4.2.3 混凝土纵向围堰

混凝土纵向围堰为全年挡水围堰，同时满足二期运行要求，挡水标准亦选用全年 5%频率天然最大瞬时流量 14 600 m^3/s。

4.2.4 导流明渠

导流明渠在 1996 年 10 月 26 日截流后，一期低土石围堰挡水期间(1996 年 11 月 ~ 次年 4 月)，最大过水标准为 2 000 m^3/s，1997 年 5 月至二期工程截流前过水标准为 14 600 m^3/s。

5 导流建筑物设计

5.1 导流明渠

导流明渠布置在右河床，全长 1 250 m，进出口均为喇叭口形。导流明渠设计断面为梯形，渠底宽 65 m，底高程 40 m。明渠坐落在砂卵石覆盖层上，底部基岩高程为 32 ~ 39 m。渠身段左侧开挖边坡 1∶1.5 至高程 46 m 滩地，上接 1∶1.5 填方坡至低纵堰堆石防冲护脚，经高程 48 m、宽 7.5 m 平台后，接低土石纵堰外坡。右侧紧傍右岸岸坡，开挖边坡 1∶1.5 ~ 1∶1。1997 年汛前，低土石围堰纵向段拆除后，导流明渠呈底高程为 40 ~ 46 m 的复式断面，高渠底宽 80 m，左侧为混凝土纵向围堰。

5.2 一期土石围堰

5.2.1 一期低土石围堰

一期低土石围堰填料为砂卵石，轴线全长 952.1 m，上横段长 171.1 m，纵向段长 578.5 m，下横段长 202.5 m。

上横段围堰顶宽 7 m，堰顶高程 50 m，最大堰高 13 m，上游边坡 1∶2.5，下游边坡 1∶2。下横段顶宽 7 m，堰顶高程 48 m，最大堰高 11 m，边坡同上横段。纵向段堰顶高程 48.5 ~ 50 m，顶宽 7 m，迎水坡 1∶2.5，背水坡 1∶2。

为保证围堰防渗措施安全可靠，采用柔性材料防渗墙垂直防渗型式。上、下横防渗墙施工平台高程 47 m，纵向段施工平台高程 45.5～46.5 m。施工平台上部堰体防渗采用现浇混凝土心墙，厚度 0.8 m。

低土石纵堰迎水坡紧临导流明渠左侧，明渠设计流量 2 000 m^3/s 时，计算流速 4.0 m/s 左右，为防止纵堰堰脚被水流淘刷，纵堰右侧全线设 6 m 宽堆石防冲体。纵堰上下游头部流态紊乱区设堆石矶头，进行重点防护，上游矶头顶高程 50 m，顶宽 7 m，长 53.6 m，迎水侧设 6 m 宽防冲堆石体，顶高程 49 m。下游矶头周边为 7.5 m 宽防冲堆石体，顶高程 48 m。

5.2.2　混凝土纵向围堰

混凝土纵向围堰全长 460 m，其中坝身段及下纵段是临时结合永久的建筑物，设计标准必须同时满足施工导流建筑物与永久建筑物的设计标准。

上纵段长 179.5 m，堰顶高程 62 m，最大堰高 26 m，堰顶宽度 5 m，两侧高程 57 m 以下为 1：0.35 斜坡。

坝身段长 43.5 m，坝顶高程 83 m。施工期堰体两侧均需挡水，结构型式采用长方体形。下纵段长 237 m，堰顶高程 57 m，最大堰高 21 m，顶宽 5 m，两侧自高程 52 m 以下为 1：0.35 斜面。

设计考虑了施工期、运用期、检修期 3 种工况下混凝土纵向围堰侧向挡水的稳定和应力，同时考虑了混凝土纵堰坝段在运用期顺水向挡水的稳定和应力，经验算，混凝土纵堰断面由应力控制，控制工况为一期导流侧向挡水。

5.2.3　一期高土石围堰

(1) 上游高土石围堰。一期上游高土石围堰轴线长 193.3 m，为柔性材料防渗墙上接黏土心墙砂卵石料堰壳型式。堰顶高程 62 m，堰顶宽度 10 m，最大堰高 27 m。迎水坡 1：2.2，高程 48 m 设 3 m 宽平台，背水坡 1：2.0。柔性材料防渗墙施工平台高程 46 m，右侧与混凝土纵堰接头高程 46 m 以下采用现浇混凝土防渗墙。施工平台以上堰体防渗采用黏土心墙。

(2) 下游高土石围堰。一期下游高土石围堰轴线长 180 m，为柔性材料防渗墙上接黏土心墙砂卵石料及基坑开挖料堰壳型式，堰顶高程 57 m，堰顶宽度 8 m，最大堰高 22 m。迎水坡 1：2.2，高程 47 m 设 2 m 宽平台，背水坡 1：2.0。柔性材料防渗墙施工平台高程 46 m，右侧与混凝土纵堰接头方式与上游高土石围堰相同。施工平台以上堰体防渗采用黏土心墙。

6　一期截流

6.1　截流时段和截流流量

截流时间为 1996 年 10 月 26 日。截流设计流量为 500 m^3/s。截流期间及龙口合龙后堰体加高的 3 天内，上游隔河岩电站须根据隔—高区间水情，调节控制下泄流量，保证坝址处流量不大于 500 m^3/s。

6.2　截流施工

设计根据河床地质情况，确定龙口段布置在主河槽处，龙口宽度 70 m。高坝洲滩地是一期土石围堰的堆料场，非龙口段在滩地上从右向左进占，龙口段截流从左、右两岸同时进占，采用以右岸为主、左岸为辅的立堵截流方式。

非龙口段 1996 年 10 月初开始进占，戗堤顶高程 47 m。10 月 24 日进占至龙口宽度 32 m 时，实测堤头流速 5.0 m/s，龙口流量 389 m^3/s，明渠分流 306 m^3/s。25 日预留龙口宽度束窄至 18 m，实测堤头流速 5.0 m/s，龙口流量 76 m^3/s，明渠分流 40 m^3/s。26 日开始龙口段(龙口宽 18 m)截流，合龙最终落差 0.88 m，流量 70 m^3/s。

非龙口段进占期间，由于上游隔河岩电站日内下泄流量变化较大，尤其是 24 日晚坝址流量达到 800 m^3/s，超过设计流量 300 m^3/s，实测堤头流速 5.05 m/s，龙口落差 1.05 m，虽在龙口抛投了混凝土四面体，堤头仍被冲坍塌 2.5 m。龙口段合龙阶段施工，由于上游隔河岩电站在短时间内 4 台机组全部关闭，坝址流量只有 70 m^3/s，龙口最大流速 3.6 m/s，落差较小仅 0.6 m。10 月 26 日截流戗堤合龙后，上下游低土石围堰继续加高加宽至防渗墙施工平台高程 47 m，浇筑防渗墙槽口板混凝土。防渗墙施工平台挡水标准为 1 000 m^3/s，相当于隔河岩 2～3 台机组发电下泄加隔—高区间流量。由于清江隔河岩库区 11 月 3～6 日连降大雨，4 日入库流量达到 4 300 m^3/s，下午开始逐渐加大出库流量；7 日 4 时坝址流量达到 4 600 m^3/s，相当于 11 月 1%频率最大瞬时流量，大大超过防渗墙施工平台挡水设计标准，基坑开始过水并持续到 11 月 10 日。过水后经检查，混凝土槽口板虽然大部分被冲倒在围堰上，但其发挥了有效的防冲作用，上下游低土石围堰防渗墙施工平台被冲 1.5 m，未造成重大损失，否则围堰冲刷深度还会更大。

7　结语

高坝洲水利枢纽是隔河岩的反调节水库，上游梯级隔河岩水库早已正常蓄水，4 台机组全部投入运行。因此，高坝洲水利枢纽施工导流设计通过施工实践有以下几点体会。

(1) 高坝洲施工导流设计标准的选用，按上游隔河岩发电下泄流量与隔—高区间相应频率流量叠加作为枯水时段导流设计标准，汛期仍采用相应重现期的天然流量作为汛期施工导流设计标准是合理的。

(2) 一期低土石纵堰利用隔河岩水库调蓄降低导流标准，不仅解决了技术上的难题，在经济上也是合理的。

(3) 为了减少截流难度，在龙口段合龙阶段施工，由于隔河岩 4 台机组在短时间内全部关闭，控制了坝址流量，对保证顺利截流发挥了重要作用。

(4) 当枢纽所在河段上游建有水库，导流建筑物采用的洪水标准考虑上游水库的影响及调蓄作用时，设计应当研究利用上游梯级水库调蓄对施工导流有利的作用和不利的影响，提出对水库调蓄和控制机组下泄流量的要求，以及对发电效益的影响。由于这些问题都牵涉到各方面的利益，必须认真研究比较，论证其必要性和经济合理性。

(5) 一期施工导流设计对上游隔河岩电站提出了长期和短期的调蓄要求，在建设过程中由业主(清江高坝洲工程建设公司)负责与有关方面协调，使上游电站调蓄、控制下泄流量措施基本得到落实，保证了高坝洲一期导流工程顺利完成。

(原载《人民长江》1997 年第 9 期)

高坝洲水利枢纽泄洪消能建筑物设计

郭艳阳　金　蕾

1　概述

高坝洲水利枢纽坝址为宽缓的丘陵谷，河床高程 42.0 m，河谷横断面枯水期宽 120.0 m，洪水期宽 350.0 m，横断面上宽大于高，这种地形有利于分期导流。坝址出露的基岩为寒武系中统的白云岩、砂岩互层，岩层走向 280°～290°，与坝线交角 34°～40°，倾向 SW(倾向上游偏右岸)，倾角一般 30°～35°，陡者可达 40°。

坝址控制流域面积为 15 650 km^2，占清江流域的 92%，多年平均流量 436 m^3/s，多年平均径流量 138 亿 m^3。根据《水利水电工程等级划分及设计标准》，本枢纽工程为大(2)型水电工程，等别为二等，相应泄水建筑物为二级建筑物，消能工为三级建筑物。二级建筑物设计洪水重现期 100 年，入库洪峰流量为 17 240 m^3/s，校核洪水重现期 1 000 年，入库洪峰流量 24 070 m^3/s。三级建筑物设计洪水重现期 50 年。

枢纽工程距清江口仅 12 km，坝址水位受长江水位顶托的影响较大，因此坝址水位流量关系是以河口水位为参数的 $H\sim Q$ 曲线簇。考虑下游航道整治与洪水的冲切影响，以河口水位为参数推求出 $H\sim Q$ 曲线簇，作为同级流量的“下限水位”；以天然河床 $H\sim Q$ 曲线簇的最高水位作为同级流量的“上限水位”；当泄量大于 10 000 m^3/s 时，长江水位顶托的影响不明显，$H\sim Q$ 曲线近于单一线。

2　泄洪消能设计特点

(1) 高坝洲河谷较宽，枢纽主要建筑物均布置于河床，应尽量使建筑物少向岸边扩展以节省工程量，因此溢流前缘宜短勿长。

(2) 清江洪水陡涨陡落，峰高量大，泄水建筑物必须有足够的泄流能力和超泄能力，故泄水建筑物应考虑以堰流为主。

(3) 泄水建筑物布置须考虑临时与永久相结合，满足二期导流和初期发电的要求。当库水位为 62.0 m 时，泄流能力不小于 3 000 m^3/s，同时闸门能控制运用，以维持发电水位。另外，泄洪建筑物调度运用须满足 2 000 m^3/s 流量以下的安全通航要求。

(4) 消能工的特点是单宽大、佛氏数低，下游水位变幅大，设计中应很好地解决此类的消能问题。

3　泄洪消能建筑物布置

经多方案比较论证，泄洪布置采用“堰孔结合，以堰为主”的布置型式。即在一期工程中布置 3 个泄洪深孔，兼作导流之用；在二期工程布置 6 个表孔，作为主要的泄洪设施。

3.1　泄洪深孔设计

泄洪深孔布置在纵向围堰坝段与厂房坝段之间，前缘总长 54.00 m，采取墩中分缝，除 1#孔左墩为 8.0 m 外，其余闸墩厚均为 3.80 m。

深孔体型采用有压短管型式，有压段出口尺寸为 9.00 m × 9.40 m，有压段长 14.30 m，进口底坎高程为 45.0 m，底缘曲线为近 1/4 圆弧，顶缘曲线为 $\frac{x^2}{10.9^2}+\frac{y^2}{3.6^2}=1$ 的一部分，进口侧面为斜椭圆柱面，其水平截面为 1/4 椭圆曲线，方程为 $\frac{x^2}{5.4^2}+\frac{y^2}{1.8^2}=1$；有压段为明流泄槽，泄槽底部采用二次抛物线 $y = 0.007\,x^2$，泄槽出口两侧闸墩 53.0 m 高程以下采用扩散出口，扩散圆弧半径为 41.10 m，扩散顺流向长度为 5.72 m，由此闸墩厚度由 3.80 m 变至 3.40 m。在有压段设有两道胸墙，其间设事故检修门槽，事故检修门由坝顶门机启闭，有压末端设弧形工作门，由布置在下游侧 71.00 m 高程平台的固定卷扬机操作。

3.2 泄洪表孔设计

6 个表孔跨 13# ~ 19#坝段的横缝布置，溢流前缘长度 116.50 m，孔口尺寸 14.00 m × 18.00 m（宽 × 高）；中墩厚 4.20 m，13#坝段边墩厚 4.50 m，19#坝段边墩厚 4.00 ~ 7.00 m。表孔泄槽由直段和宽尾墩侧边构成的收缩段组成，其中直段水平投影长度为 23.80 m，收缩段位于闸墩尾部，由闸墩逐渐展宽形成，长度为 9.0 m，收缩比 β=0.5。出口立面高程 53.94 m 以下孔宽为 7.0 m，高程 53.94 m 至 67.00 m 孔宽由 7.0 m 变至 14.00 m，由此形成“Y”形出口。

表孔溢流堰堰顶高程为 62.00 m，堰顶距堰头 4.80 m。堰顶上游面为 1/4 椭圆，椭圆方程为 $\frac{x^2}{4.8^2}+\frac{(y-2.79)^2}{2.79^2}=1$（以堰顶 0 点为原点建立的坐标系），堰头与上游坝面齐平。堰顶下游面由 WES 堰面曲面、斜面及反弧段组成。WES 型堰面曲线方程为 y=0.041 5 $x^{1.85}$，斜面坡度为 1：0.75，反弧段半径 R=16.00m，中心角为 39.538 4°。表孔设平板事故检修闸门和弧形工作门，平板事故检修闸门由坝顶 2 × 1 600 kN 门机启闭，弧形工作门支铰中心线高程 70.00 m，弧形工作门由布置在闸墩顶部的液压启闭机操作。

4 消能工设计

根据高坝洲枢纽水头低、单宽大这一水力特性，施工详图阶段之前曾对消能型式进行了多方案比较。挑流消能因挑距近，不适宜于本工程；底流消能对流量和水头的适应范围较大，是水利工程中较为常用的消能措施，但对池长、池底高程有较严的要求，因而工程量大；戽式消能特别是宽尾墩加戽式池乃近年发展的新型消能工，对低佛氏数水流的消能效果甚好，相对于底流消能，可以减少消能工工程量。经比较，本工程选择戽式池为消能建筑物。

4.1 水力学设计

在泄洪布置和消能型式基本确定后，计算各级流量下戽流、底流的第二共轭水深（或临界水深），与相应的下游水位进行比较。以选择合理的消能型式和消力池尺寸、体型等，再通过水工模型试验验证或修改。表孔用公式一和公式二进行计算，深孔利用公式二和底流消能公式计算。

（1）公式一 ——郭子中公式：

$$h_1=\frac{1}{3}E[1-2\cos(60^\circ+\frac{\theta}{3})]$$

$$\frac{\theta}{3}=\frac{1}{3}\arccos(1-13.5\frac{K^2}{2\psi^2})$$

$$\eta=\frac{h_2}{h_1}=\frac{a}{h_1}-0.4+1.3639Fr$$

式中：a 为尾坎高度；h_1 为第一共轭水深；h_2 为第二共轭水深；K 为流能比，$K=\frac{q}{(gE^3)^{0.5}}$；ψ 为系数，$\psi=1.1K^{1/3}$；E 为池底板上的总能头。

(2)公式二——王世夏等人公式：

$$h_1=0.71EK^{0.9}$$

$$h_2=1.4FrH_1$$

表孔、深孔的水力计算结果分别列于表 1、表 2，计算结果表明，表孔消能工用两种公式进行计算，均能满足稳定戽流时 σ=1.1 的要求；深孔用底流公式和戽流公式进行计算，淹没度 σ 差值在 1%～3.4%范围，流量越小，σ 值越低，特别是在下游水位为“下限水位”时，消力池设计工况下淹没度小于 1.0，池长、池底高程略显不足。经在模型上进行论证，与计算结果基本吻合：表孔戽式池对下游水位的适应性较好，各级流量情况下池内均能产生稳定的淹没水跃，跃尾在池内；深孔戽式池对下游水位较敏感，一般情况下，水跃位于池内，但当 Q=1 500～2 000 m^3/s，下游出现“极限低水位”时，戽式池长度略显不足。由于清江涨水而长江不涨水的可能性几乎不存在，再者下游水位可通过发电来调节，因此出现此种极端的情况完全可以避免。

表 1　表孔戽式池水力计算

频率 P	枢纽总泄量 $Q(m^3/s)$	表孔泄量 $Q_b(m^3/s)$	表孔单宽流量 $q(m^3/s\cdot m)$	上游水位 $Z_u(m)$	下游水位 $Z_d(m)$	公式一计算结果			公式二计算结果		
						$h_1(m)$	$h_2(m)$	σ	$h_1(m)$	$h_2(m)$	σ
0.10%	22 670	16 620	143.3	82.9	59.15/57.81	9.1	22.63	1.11/1.05	5.68	23.32	1.08/1.02
1%	16 810	11 080	95.5	78.5	56.7/55.46	6.8	18.79	1.21/1.14	4.08	19.59	1.16/1.10
2%	15 660	9 950	85.8	78	56.05/54.23	6.3	17.93	1.23/1.13	3.71	18.76	1.18/1.08

表 2　深孔戽式池水力计算

频率 P	枢纽总泄量 $Q(m^3/s)$	深孔泄量 $Q_s(m^3/s)$	深孔单宽流量 $q(m^3/s\cdot m)$	上游水位 $Z_u(m)$	下游水位 $Z_d(m)$	戽流消能计算结果			公式二计算结果		
						$h_1(m)$	$h_2(m)$	σ	$h_1(m)$	$h_2(m)$	σ
0.10%	22 670	5 600	112.0	82.9	59.15/57.81	7.57	21.77	1.16/1.10	4.55	21.54	1.17/1.11
1%	16 810	5 280	105.6	78.5	56.7/55.46	7.33	21.13	1.07/1.02	4.46	20.46	1.11/1.05
2%	15 660	5 260	105.2	78	56.05/54.23	7.32	21.08	1.05/0.96	4.46	20.36	1.08/0.99

4.2　消能工结构设计

消能工结构型式比较了封闭抽排和锚固自排两种方案。本工程因消力池面积与周长比偏小，封闭后消力池结构减少的工程量不足以补偿基础渗控工程量。此外，封闭抽排方案要设置廊道和抽水系统，增加了施工难度和运行费用。锚固加自排的方案施工方便，运行简单，当基岩较好时，锚桩的锚固效果有充分保证，并能取得较好的经济效益。经比较采用锚固加自排的结构型式。

锚桩的布置按抗浮稳定计算而得，$K \geqslant 1.1$，通过现场试验，深孔上峰尖组基岩的单桩(4Φ36)锚固力取为 60 t，表孔黑石沟组基岩锚固力取为 60 t，锚桩间排距 2~3 m，桩长 9.0 m，进入基岩的锚固长度为 7.0 m，护坦基础设由主、副排水沟形成的排水网，以降低护坦扬压力。此项措施在设计中仅作为安全储备。

5　泄洪消能建筑物设计优化

5.1　深孔布置调整及消能型式优化

初步设计阶段，深孔坝段前缘长度 51.00 m，消能工为戽式池，戽式池能产生戽流流态，呈现“两滚一浪”，出戽后的涌浪降低，涌浪后的漩滚消失，但由于深孔属大单宽流量、低佛氏数这一水力特性，使得消能效果不很理想，下游河床冲刷深度和下游水位波动值较大；另外，由于深孔两侧导墙在平面上均存在不对称台阶形，且泄洪中心线左、右侧过流断面不均(左小右大)，在戽池内形成回流，使深孔两边孔跃头下移，尤以左侧更甚。为解决上述问题，施工详图阶段，随着设计工作和水工模型试验研究的不断深入，对深孔的布置及消能工的体型作了以下修改和调整：

(1)深孔孔口尺寸不变，通过减少右边墩及缝墩(中墩由两缝墩组成)厚度 0.2 m(厚度由 4.0 m 减至 3.80 m)，即相应减少 10#、11#坝段宽度各 0.4 m，将减少的宽度增加至 9#坝段左墩，从而达到泄洪深孔整体右移的目的，此措施使深孔泄洪中心线右移 0.6 m。

(2)将厂房坝段减少 3.0 m，增加到深孔中心线以左的左边墩上，再加上右边墩及中墩减少的宽度，左边墩厚度由 4.0 m 增至 8.0 m，相应深孔坝段由总长的 51.00 m 增至 54.00 m，相应厂闸导墙中心线左移 2.04 m，从而增加消力池左侧的过流面积。

(3)在 1#、3#深孔的出口直立边墙与左、右导墙的正常断面间设 29.00 m 长的扭面过渡段，以使水流平顺入池并减小回流。

(4)将坡度 1∶2.5、高度 5.0 m 的连续式尾坎优化为雷伯克齿坎，高坎高度 7.0 m，低坎高度 4.0 m，上、下游均以 1∶2 的坡度分别与消力池底板、护固段相接。

经对深孔坝段布置的调整和消能工的体型进行优化后在 1/100 水工模型上验证，各种运用工况下，池内能够产生稳定的水跃漩滚，跃头前移，坎顶水面平稳，出池水流相对较均匀；消能效果充分，坎顶流速和不均匀系数降低，下游冲刷深度减小 3.0 ~ 6.0 m，下游水位波动值降低 1.50 m 左右。

5.2　表孔泄洪消能型式优化

在初步设计的基础上，着重对宽尾墩加戽式池的消能型式进行了研究，对表孔泄洪消能设计作了如下优化：

(1)为减少泄槽内的单宽流量及挡水闸门高度，并结合取消上游碾压混凝土围堰，利用坝体临时挡水发电的要求，将表孔坝顶高程由 61.00 m 抬至 62.00 m，孔宽由 13.00 m 抬至 14.00 m。

(2)将闸墩由平尾墩改成上“Y”形宽尾墩，改善了收缩射流水流入池条件，堰上水流以收缩射流进入戽池，在池内产生稳定、完整的三元戽跃漩滚，紊动强烈，消能率显著提高。

(3)为减少消力池开挖，将池底高程由 32.5 m 抬高至 34.00 m，尾坎高程也相应抬高

1.5 m。

(4)为改善水流出池流态，将池长由原来的 40.87 m 增长至 60.245 m。

(5)将二期下游横向围堰 40.00 m 高程以下予以保留，以此阻挡底部回流对纵向围堰下导段基础的淘刷，取得了很好的效果。

表孔泄洪消能设计通过上述优化，既节约了工程量，又缩短了工期，为二期工程在一个枯水期内完成基础开挖和坝体 62.00 m 高程以下的混凝土浇筑创造了条件，从而使提前发电的计划得以实施。同时，消能效果显著提高，下游流态得到改善，表现为坎顶流速由 12 ~ 13 m/s 降至 7.5 ~ 8.5 m/s，垂线流速不均匀系数减小，下游河床的冲刷减弱，冲坑深度减少了 3 ~ 8 m。

(原载《清江高坝洲水电站工程科技文稿选编》，2004 年 5 月)

清江高坝洲枢纽对外交通工程后高公路桥梁设计

张桂初

1　概述

清江高坝洲枢纽对外交通工程——后高公路跨越两条溪河(枇杷溪与竹林溪)，需修建桥梁。本工程设计单位——长江水利委员会设计局已作有该二处桥梁的设计，鉴于本公路是利用堤防与原采石山场公路进行扩建、改建的，原路线上已建有两座桥梁。根据湖北省宜都水利采石场提供的该公路工程建设期间的设计与施工资料，二桥原来的设计标准与本次设计标准完全相符，因此给本次施工利用原桥提供了可能，只需对路线走向进行适当调整即可以在原桥基础上加固改建，以节省部分基础和下部结构的工程量。为安全起见，对原桥可利用的结构进行必要的复核，并补充部分结构的设计。少量细部构造(如栏杆等)，仍利用长江水利委员会的设计成果。

1.1　原桥竣工状况

1.1.1　景家桥(枇杷溪桥)

跨度：净跨 8 m。

宽度：行车道 7 m(桥墩长 9 m)。

结构型式：下部结构为整体现浇钢筋混凝土 U 形结构，八字形翼墙，墙板式桥台。

上部结构：查原设计资料系简支式 T 形梁板结构。但在施工中，因工程项目缓建，当下部结构的墙板式桥台浇至底板以上 2.5 m 时即停工，直至 1984 年工程复工续建时，将荷载标准降低为汽车—15 级，上部结构改为浆砌块石拱桥，即成现有状况。

1.1.2　竹溪桥

跨度：净跨 8 m。

宽度：行车道 7.55 m，两侧人行道各 1 m。

结构型式：下部结构为分置式基础，墙板式桥墩，八字形翼墙。上部结构为简支式 T

形桥板结构，该桥系按原有设计施工完建。

1.2 改建加固方案

1.2.1 景家桥

根据竣工状况，原桥下部结构是按照设计汽车—20 级、校核挂车—100 级的标准设计的，仅上部浆砌石拱结构承载能力不满足要求，故拟利用下部结构，增加后桥台，拆除上部的砌石拱，改以 T 形梁板式桥面。对利用部分进行必要的验算，重新设计部分结构。

验算内容包括：①水文水力学计算，验算桥孔过洪能力；②下部结构的结构计算，验算基础的基底应力、地基承载力，底板与侧墙(墙板式桥墩)的强度与稳定。

重新设计的内容包括：①后桥台形式；②上部结构。

1.2.2 竹溪桥

本桥是按原设计的汽车—20 级荷载标准施工完建的，但由于原路线的高程偏低，本次设计的防洪标准是 25 年一遇，按此，本桥处的路面、桥面高程需抬高 2.6 m，故本桥亦只能利用原有的下部结构，加固接高桥墩，增加后桥台，重新修建 T 形梁板式上部构造。

需要验算与重新设计的内容同前。

2 原桥验算

2.1 基本资料

(1) 水文资料。

承雨面积(从 1/50 000 地图量测)：枇杷溪桥 $F = 5.83\ \text{km}^2$；竹林溪桥 $F = 4.3\ \text{km}^2$。暴雨量，本区域 20 年一遇日暴雨 181 mm，50 年一遇日暴雨 226 mm，内插求得 25 年一遇日暴雨为 191 mm。

(2) 荷载标准。

设计标准：汽车—20 级。

校核标准：挂车—100 级。

(3) 材料力学性质。

钢筋 R_g(流限)：A3 – Rg=2 850 kg/cm^2。

16Mn – Rg=3 520 kg/cm^2

混凝土 R_ω(极限强度) 150$^\#$ – R_ω=140 kg/cm^2；

200$^\#$ – R_ω=180 kg/cm^2；

250$^\#$ – R_ω=220 kg/cm^2。

2.2 水文水力学计算

2.2.1 洪水

按“由暴雨资料推求设计洪水”的方法计算。

求得：景家桥设计洪水流量 $Q_m = 40.69\ \text{m}^3/\text{s}$；

竹溪桥设计洪水流量 $Q_m = 31.59\ \text{m}^3/\text{s}$。

2.2.2 水力学计算

(1) 按堰流(不考虑清江水顶托)计算过桥洪水位。

采用公式 $Q = m'\sigma_s B\sqrt{2g}H_0^{3/2}$ 求得两桥通过 25 年一遇洪水无清江水顶托时，桥下过水深分别为 2.39 m 与 2.02 m，相应水位为 51.09 m、49.32 m，两桥上下游水位均低于上下游沿岸农田地面高程，不造成淹没影响。

(2)按清江流域25年一遇洪水、两溪河同时遇同频率暴雨时，计算桥孔过洪能力。

根据公路设计资料，清江25年一遇洪水通过时，两桥处洪水位分别为53.92m(竹溪桥)及51.72m(景家桥)，其下游水深分别为6.62 m及3.02 m。

按淹没的堰流状态计算，求得两桥上游水位分别为53.97 m(竹溪桥)与51.86 m(景家桥)，均满足梁底与水面净空的规范要求。

2.3 结构验算

因两桥均只能利用下部结构，上部结构需要重新设计，故在验算下部结构时，上部荷载均应按本次设计要求的状况计算。

2.3.1 荷载

(1)恒载，上部结构为T形梁板式简支结构(图4)，其自重q=13.13 t/m(全桥)。

(2)车辆荷载，采用等代荷载法计算内力，计算跨度为8.6 m。

由《水工钢筋混凝土》一书，查表得汽车—20级梁上各点的等代荷载如表1，挂车—100级梁上各点的等代荷载如表2。

表1　汽车—20级等代荷载　(单位：t/m)

位　置	支座处	1/8跨处	1/4处	3/8处	1/2处
等代荷载q_0	5.65	5.33	5.21	4.90	4.77

表2　挂车—100级等代荷载　(单位：t/m)

位　置	支座处	1/8跨处	1/4处	3/8处	1/2处
等代荷载q'_0	14.00	13.34	11.84	11.20	10.40

(3)冲击力，按车辆荷载的0.27计。

(4)人群荷载，取0.3 t/m^2。

(5)制动力，按汽车荷载的重车重力的30%计。

(6)土侧压力，按有车辆荷载的主动土压力计算公式：$E=\frac{1}{2}B\mu\gamma H(H+2h)$计算。

(7)摩阻力，按$F=\mu v$计算，取μ=0.5。

(8)风力、水流压力均忽略不计。

2.3.2 墙板式桥墩与基础底板结构验算

2.3.2.1 景家桥

(1)荷载计算。

恒载产生的支座压力：$P_1=\frac{1}{2}qL$=59.09 t

汽车荷载产生的支座压力：$P_2=\frac{1}{2}q_0L\times2$=50.85 t(双车道荷载)

人群荷载产生的支座压力：$P_3-\frac{1}{2}q_{人}L\cdot B$=3.8 t

汽车冲击力：P_4=0.27　P_2=13.73 t

上部结构的总重力：ΣP=127.87 t

土侧压力：按截面高程分别计算

$E_i=\frac{1}{2}B\mu\gamma H_i(H_i+2h)$（有车辆荷载的主动土压力）

其中：$h=\frac{\Sigma G}{BL_0\gamma}$　（见图 1），（H_i 为计算截面距路面高度）

$\delta=0$、$\alpha=0$、$\beta=0$，取 $\Phi=25°$、$\gamma=2.0\ \mathrm{t/m^3}$

$L_0=H\tan\theta$（破坏棱体顶宽度）

$\tan\theta=-\tan\omega+\sqrt{(\cot\Phi+\tan\omega)(\tan\Phi-\tan\alpha)}$（破坏棱体破裂面位置）

$\omega=\Phi+\frac{\Phi}{12}$　　$\tan\theta=0.681$

根据车辆荷载图，当 L_0=1.4 ~ 5.4 m　　即 H=2.2 ~ 8.5 m 时

$\Sigma G=2\times2\times12=48$(t)

（汽车—20 级重车二后轮轮压、双车道布载）

$$h=\frac{\Sigma G}{BL_0 r}=24\times\frac{1}{BH\tan\theta}=35.24/(BH)$$

$$\mu=\frac{\cos^2(\Phi-\alpha)}{\cos^2\alpha\cos(\alpha+\delta)+\left[1+\sqrt{\frac{\sin(\Phi+\delta)\sin(\Phi-\beta)}{\cos(\alpha+\delta)\cos(\alpha-\beta)}}\right]}=\frac{\cos^2\Phi}{(1+\sin\Phi)^2}$$

(2) 土压力分布：$P_1=B\mu\gamma h$（均布）

$P_2=B\mu\gamma H_i$（三角形分布，底边压力值）

(3) 截面校核（见图 2）：

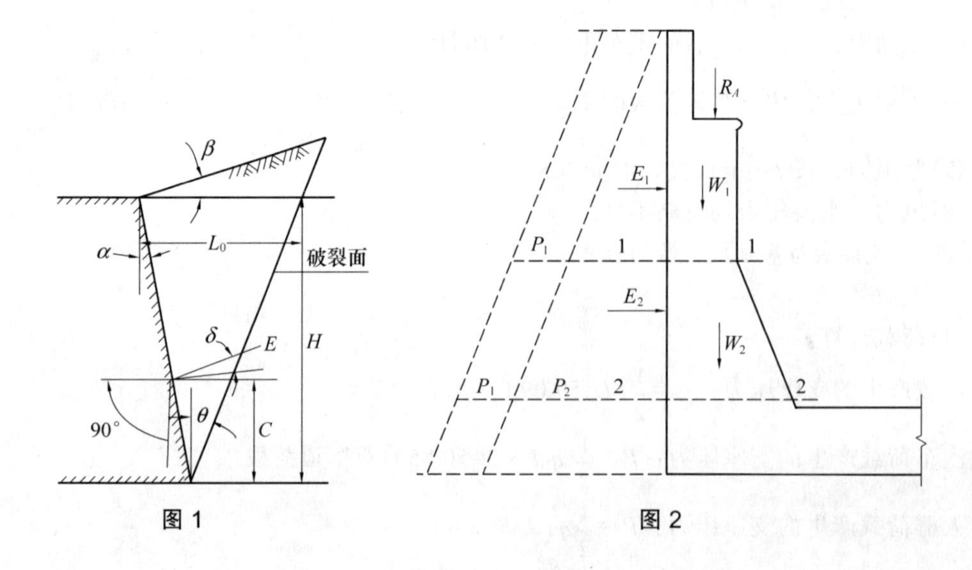

图 1　　图 2

1—1 截面：H_i=3.5 m

h = 1.26 m

$P_1 = B\mu\gamma h = 8\times 0.367\,3\times 2\times 1.26$=7.40（t/m）

$P_2 = B\mu\gamma H_i = 8\times 0.367\,3\times 2\times 3.5$=20.57（t/m）

$W_1 = 9\times 1.0\times 2.7\times 2.5 = 60.75$（t）

$N = R_A+W_1 = \Sigma P+W_1 = 127.87+60.75 = 188.6$（t）

$$M_H = \frac{1}{2}P_1H_1^2+\frac{1}{6}P_2H_1^2+eR_A = 112.9$$（t·m）（e 为偏心距）

截面应力：

$$\sigma = \frac{N}{A}\pm\frac{M}{W} = \frac{188.6}{9\times1}\pm\frac{112.9}{9\times12/6} = 20.96\pm75.26 = \begin{matrix}+96.20\\-54.30\end{matrix}\ (\mathrm{t/m^2})$$

配筋计算：$A_0 = \dfrac{KM}{bh_0^2R_\omega}$

K = 1.5　　b =900 cm　　h_0=96 cm

R_ω= 140 kg/cm^2　　R_g=2 400 kg/cm^2

$$\alpha = 1-\sqrt{1-2A_0}$$

$$\mu = \alpha\frac{R\omega}{Rg}$$

$A_g = \mu bh_0$

用 PB – 700 机算得　A_g=74.0 cm^2

已按构造配有 9 × 5 Φ18，实有 A_g=117.07 cm^2＞74.0 cm^2 满足要求。

2—2 截面：H_1= 6m　　取 B =7.8 m

W_0=78.75 t　C_0=0.72 m

W_2 重心位置：e_2=0.18 m

$M_e=R_Ae_0+W_1e_1+W_2e_2$

=127.87 × （0.9 – 0.7）+80.75 × （0.9 – 0.5）+78.75 × （0.9 – 0.72）=64.05（t·m）

h=0.75 m

$P_1 = B\mu\gamma h$ = 4.31 t/m

$P_2 = B\mu\gamma H_1$ = 34.4 t/m

$$M_{2\text{-}2} = \frac{1}{2}P_1H_1^2+\frac{1}{6}P_2H_1^2-M_e = 220.00$$（t·m）

$N=R_A+W_1+W_2$=267.37 t

截面应力：$\sigma = \dfrac{N}{A}\pm\dfrac{M}{W} = 16.5\pm45.3 = \begin{matrix}+61.8\\-29.8\end{matrix}$ (t/m^2)

应力小于 1—1 截面，配筋无须核算。

底板结构验算：

底板自重：W_3=10 × 9 × 1 × 2.5=225（t）

结构受力：$P = 2(R_A+W_1+W_2)+W_3=759.7$ (t)

$\sigma = P/F = 759.7/(10 \times 9)=8.44$ (t/m²) < 10 t/m²

满足地基容许承载力要求。

强度核算：

底板所受地基反力 $q = \sigma - q_3=8.44 - 2.5=5.94$ (t/m²)

跨中弯距：$M_0 = \frac{1}{24}qL^2 = 10.96$ (t·m/m)

边缘弯距：$M_0 = \frac{1}{12}qL^2 = 20.91$ (t·m/m) (取 L =6.5 m)

应力：$\sigma = \pm\frac{M}{W} = \pm\frac{20.91}{1\times1^2/6} = \pm125.46$ (t/m²)

配筋校核：b=100 cm　h_0=96 cm　K=1.4

PB –700 程序计算得：A_g =12.85 cm²

已配筋：5Φ18，A_g=12.7cm² ≈ 12.85 cm² 满足要求。

2.3.2.2 竹溪桥

(1) 荷载计算：同前景家桥。

上部结构总重：ΣP =127.87 t

土侧压力计算参数：μ=0.367 3　h=35.24/(BH)

(2) 截面校核(见图 3)：

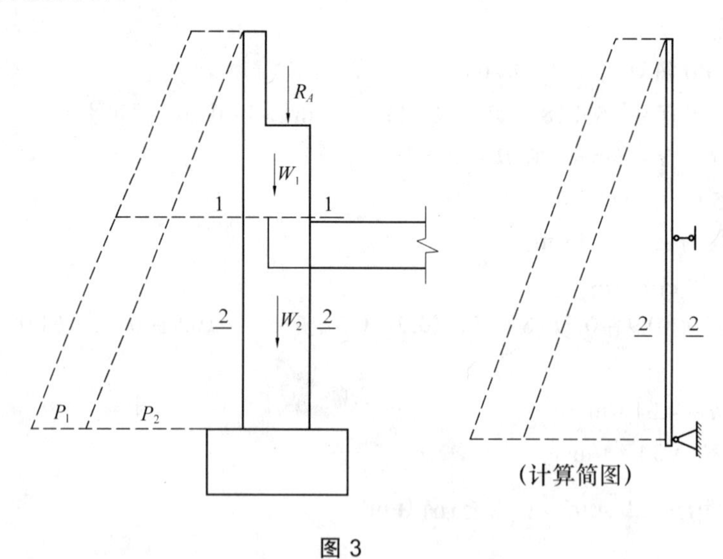

图 3

1—1 截面：H_1=3.1 m　h=1.34 m

$W_1=8.5 \times 2.5 \times (0.3 \times 1+2.1 \times 1)=51$ (t)

$P_1=B\mu\gamma h=8.5 \times 0.367\,3 \times 2.0 \times 1.34=8.35$ (t/m)

$P_2=B\mu\gamma H_1=8.5 \times 0.367\,3 \times 2.0 \times 3.1=19.36$ (t/m)

$M_e=R_A e=25.6$ t·m

$$e_1 = 0.5 - \frac{0.3\times1\times0.15+2.1\times1\times0.5}{0.3\times1+2.1\times1} = 0.044(\text{m})$$

$M_e' = W_1 e_1 = 51\times0.044 = 2.23$ (t·m)

$$M_{1-1} = \frac{1}{2}P_1H_1^2 + \frac{1}{6}P_2H_1^2 + M_e - M_e' = 94.5\ (\text{t·m})$$

$N_{1-1} = R_A + W_1 = 178.87$ t

$$\sigma = \frac{N}{A} \pm \frac{M}{W} = \frac{178.87}{8\times1} \pm \frac{94.5}{8\times1^2/6} = 22.36 \pm 70.88 = \begin{matrix}+93.24\\-48.52\end{matrix}\ (\text{t/m}^2)$$

配筋校核：

取 K=1.5　h_0=96 cm

机算得：A_g=61.95 cm^2

已配有 Φ18@20，计 41 根，

$A_g = 41\times2.54 = 104.1$ cm^2＞61.95 cm^2 满足要求。

2—2 截面：H_i=3.1+5.2=8.3 m　H'_1=5.2 m

取 B=6.2 m，h=0.685 m，

$W_2 = 8\times5.2\times2.5\times1.0 = 104$ (t)

$P_1 = B\mu\gamma h = 3.11$ t/m

$P_2 = B\mu\gamma H_i = 37.8$ t/m

验算从 1—1 ~ 2—2 截面的跨中弯距(考虑原桥梁结构的支承作用)

$$M' = \frac{1}{8}(P_1 + \frac{3.1}{8.3}P_2)H_1'^2 = 58.23\ (\text{t·m})$$

$$M'' = \frac{1}{24}(1 - \frac{3.1}{8.3})P_2H_1'^2 = 80.04\ (\text{t·m})$$

$$M_{1-1}' = \frac{1}{2}P_1H_1^2 + \frac{1}{6}(\frac{3.1}{8.3}P_2)H_1^2 + R_Ae - M' = 60.9\ (\text{t·m})$$

$M = M' + M'' - M_{1-1} = 77.34$ t·m，小于 M_{1-1}

应力与配筋均满足要求。

$N = R_A + W_1 + W_2 + G = 127.87+51.0+104+50 = 332.87$ (t)

(其中 G 为原桥梁板结构重量，参考原设计书为 $G = \frac{9\times6}{2}q_1 = 50$ t

基底应力：$\sigma = \frac{N}{F} = \frac{332.87}{10\times2.4} = 13.86$ (t/m^2)＜15 (t/m^2)

原基础已开挖至老黄土，并有部分岩石出露[σ]≥15 t/m^2

抗滑稳定：

总土侧压力：

$$E = \frac{1}{2}B\mu\gamma H(H+2h) = 200.5\ (\text{t})$$

作用点：$C = \frac{H}{3}(\frac{H+3h}{H+2h}) = 2.96$ (m)

$$R_1=\frac{EC}{5.2}=114.23\ (\mathrm{t})$$

$$R_2=E-R_1=86.27\ (\mathrm{t})$$

$$K_{滑}=\frac{fN}{R_2}=\frac{0.3\times332.87}{86.27}=1.16>1.05$$ 满足要求。

2.4 结语

经验算，两桥水文水力计算、结构强度计算，均满足本次公路设计标准的要求，可以部分利用。

3 桥梁上部结构设计

3.1 结构型式

两桥跨度一致，故桥梁上部结构采用同一型式，为现浇整体式 T 形梁板结构。初拟主要尺寸如下（图 4）：

梁长：9.2 m

理论支承跨度：8.6 m

主梁间距：2.0 m

主梁总高：0.9 m

板厚(最小)：0.2 m

混凝土标号：R_{28}—250#

桥面铺装层厚：0.1 m

桥面铺装混凝土标号：R_{28}—300#

3.2 结构设计

3.2.1 主梁设计

3.2.1.1 荷载与荷载组合

(1)恒载：结构重力全桥为 13.13 t/m

$$q_1=\frac{1}{5}\times13.13=2.63(\mathrm{t/m})$$

(2)车辆荷载：设计为汽车—20 级(等代荷载 t/m)。

(3)冲击力：按车辆荷载的 0.27 估计。

(4)人群荷载：取 0.3 t/m^2(人行道上)。

均匀分布于主梁：2 × 1.4 × 0.3/5=0.168 (t/m)。

(5)制动力：按汽车荷载的重车重力的 30%计。

(6)其他荷载不计。

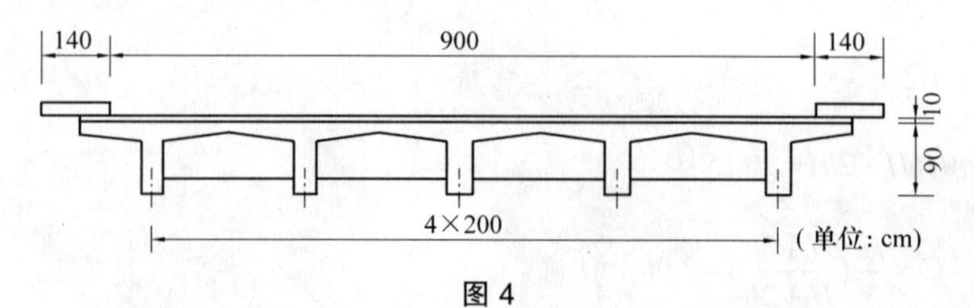

图 4

3.2.1.2　车辆荷载的横向分布

(1)按偏心受压修正法计算荷载横向分布系数，计算公式如下：

$$m_i=\frac{1}{n}\pm\frac{e\alpha_i}{\sum_{j=1}^{i}\alpha_j^2+A}\qquad A=\gamma_1\frac{G}{E}\cdot\frac{I_P}{I_X}\cdot n\qquad \gamma_1=\frac{L^2}{6}$$

式中：m_i为第i梁上分布的荷载系数；n为梁根数；α_i为梁对称间距；e为车辆荷载的最不利布载时重心离桥面中心的距离；$G/E=0.425$(混凝土的剪切模量/弹模)；I_P、I_X为惯性距。

计算得$m_1=0.668$——第1根梁，$m_2=0.534$——第2根梁。

以上方法计算的横向分布系数用于计算从1/4跨处至跨中各截面的内力，梁1为最不利状况，作设计计算代表。

(2)按杠杆法确定横向分布系数，以计算1/4跨至支座处的剪力。计算得

$$m_1=0.700\qquad m_2=0.775\qquad m_3=0.775$$

3.2.1.3　内力计算

(1)弯距(跨中)：

$q=q_0(1+\mu)m_1+q_1+q_人=6.845$(t/m)

$$M=\frac{1}{8}qL^2=63.28\ (\text{t·m})$$

(2)支座剪力：

$q=q_0(1+\mu)m_2+q_1+q_人=7.49$(t/m)

$$Q=\frac{1}{2}qL=32.2\ (\text{t})$$

3.2.1.4　配筋计算

按T形截面计算，得

$h'_1=25$ cm，$b'_1=200$ cm，$b=28$ cm

$h_0=84$ cm，$R_\omega=220$ kg/cm^2，$k=1.7$(安全系数)

判别：

$$b_1'\cdot h_1'\cdot R_\omega\cdot(h_0-\frac{h_i'}{2})=770\times10^5\ \text{kg·cm}=770\ \text{t·m}>KM=1.7\times63.28=107.587\ \text{t·m}$$

属中和轴在翼板内情况，按单筋截面配筋。

按$K=1.6$，$b=200$ cm，$h_0=84$ cm，$R_\omega=220$ kg/cm^2，$R_g=3\,400$ kg/cm^2

用PB—700程序计算得　$A_g=36.04$ cm^2

配以2Φ28+6Φ22，$A_g=35.1$ cm^2，基本满足要求。

3.2.1.5　斜截面强度计算

主拉应力：$$\sigma_{zL}=\frac{Q}{b\gamma_0h_0}=\frac{32\,200}{28\times0.9\times84}=15.21\ (\text{kg/cm}^2)$$

$$\frac{R_L}{K_a}=\frac{20}{2.7}=7.4\ (\text{kg/cm}^2)\qquad \frac{R_L}{K_b}=\frac{20}{1}=20\ (\text{kg/cm}^2)$$

即　$$\frac{R_L}{K_a}<\sigma_{zL}<\frac{R_L}{K_b}$$

(1)纵向钢筋承担 40%的主拉应力，

σ_g=0.225σ_{zL}=3.42 kg/cm^2。

(2)钢筋采用 2Φ@20

$$\sigma_{z1u}=\frac{na_nR_g}{Sbk}=3.01\ (\text{kg/cm}^2)$$

(3)需要起弯钢筋承担主拉应力的长度

$$X=\frac{420}{15.21}\times(15.21-3.42-3.01)=242.4(\text{cm})$$

$$\omega=\frac{1}{2}\times242.4\times(15.21-3.42-3.01)=1\,064.1\ (\text{kg·cm})$$

起弯钢筋 $A\omega=\dfrac{Kb\omega}{\sqrt{2}R_g}=\dfrac{1.7\times28\times1064.1}{\sqrt{2}\times2\,400}=14.9(\text{cm}^2)$

已配筋有 8 Φ18 及 4Φ22，A_ω实际远大于计算值。

3.3　按验算荷载标准校核主梁

本桥以挂车—100 级作为验算荷载。根据规范，挂车荷载在全桥内用一辆布载，并且不计冲击力、人群荷载和其他非常作用在桥涵上的各种外力。

(1)挂车—100 级在本跨度桥梁上各点的等代荷载见表 2。

(2)横向分布计算：最不利布载如图 5 所示。

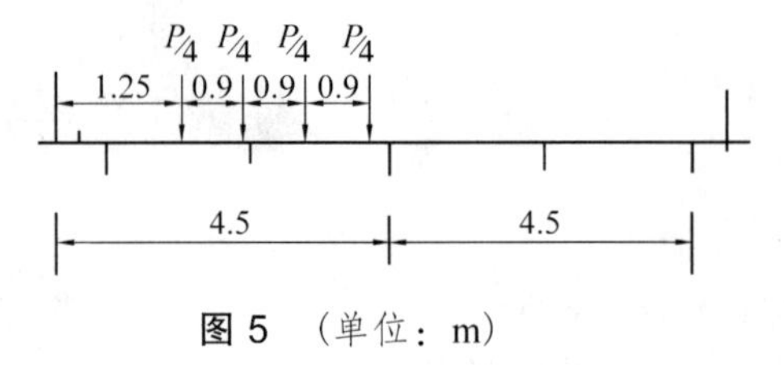

图 5　(单位：m)

计算得　m_1=0.360，m_2=0.280

$$M_{\max}=\frac{1}{8}(m_1q_0'+q_1)L^2=8.9\ (\text{t·m})$$

小于设计荷载(汽车—20 级)作用时的弯距(M=63.28 t·m)，故不需要重新进行截面强度设计。

3.4　桥面板设计

桥面板与主梁整体浇筑，故为弹性支承多跨连续板，采用近似公式计算。

3.4.1　荷载

车辆荷载最不利为重车后轮置于板跨中：

$b_2=0.6$ m，$a_2=0.2$ m，轮压$P=\dfrac{1}{2}\times12=6$ t

$L_0=1.72$ m，$h=0.25$ m

均布荷载：

自重：q_1=(0.25+0.1) × 2.5=0.875 (t/m^2)

人群：q_2=0.3 t/m^2(人行道上)

3.4.2　内力

(1)弯距：

均布荷载产生的弯距：

$$M_0' = \frac{1}{8} q_1 L^2 = 0.424\ (\text{t·m})$$

车辆荷载产生的弯距：

$$q_0 = \frac{P(1+\mu)}{b} = \frac{6\times(1+0.27)}{0.6} = 12.7\ (\text{t/m})$$

$$M_0'' = \frac{1}{8} q_0 (2Lb - b^2) = 3.18\ (\text{t·m})$$

$M_{支}$=– 0.7M_0=– 0.7(M_0'+M_0'')=2.52(t·m)

$M\varphi$=0.5M_0=1.8(t·m)

(2)配筋：K=1.4　h_0=28 cm　b=100cm

计算得　A_g=5.30 cm^2

配筋Φ12@20　A_g=5.65 cm^2。

(原载《清江高坝洲水电站工程科技文稿选编》，2004 年 5 月)

高坝洲水电站厂房设计优化

刘晓刚　刘　惟　丁　钢

高坝洲工程分二期施工，电站厂房为一期工程。整个工程是一“短、平、快”项目。枢纽工程于 1996 年 10 月第一期低围堰合拢，厂房坝段于 1997 年开始浇筑混凝土，要求 1998 年 10 月一期工程具备挡水条件，以保证 1999 年 7 月第一台机组投产发电。为加快施工进度，节省工程量，保证施工质量，在高坝洲电站厂房设计过程中，分别从机组选型、结构设计、施工结构布置等方面进行了优化。

1　机组选型

高坝洲水电站机组工作水头范围为 22.3 ~ 40 m，处于低水头向中水头过渡区间，适用的水轮机机型主要有轴流式和混流式两种。若采用混流式机组，增加了厂房长度和宽度，混凝土工程量大，土建经济指标较差，而且不能满足二期截流利用围堰水头(16 m)发电的要求，为节约工程投资，缩短施工周期，使工程提前受益，选择轴流式机组。

2　结构设计

水电站厂房结构复杂，分上部结构和下部结构两部分。下部多属大体积结构，主要包括进口段的底板、闸墩、拦污栅、胸墙、挡水墙、主机段的蜗壳、尾水管段的闸墩及下游挡水墙等；上部多属板梁柱结构。在高坝洲电站厂房结构设计中，主要针对大体积结构形状及受力特点，选择合理的结构分析方法和结构型式，使结构尽可能发挥自身潜力，以保证结构可靠性，节约工程量，加快施工进度。

在高坝洲电站厂房结构设计中，为全面、准确地反映结构受力情况，一般对同一种结构采用两种以上的理论分析方法。对于重要的大体积结构采用结构力学和弹性力学相结合的计算方法：通过三维计算方法分析宏观受力状况，通过平面杆件方法分析局部受力状况，并对两种计算结果进行综合分析，以得出合理的结论。在计算模型和结构简化方式的选取上，尽可能根据结构实际受力特点，对常规方法进行改进。除进行结构计算方法的优化外，还针对本工程自身的特点，对结构型式进行优选。

2.1 蜗壳

高坝洲水电站选用轴流式水轮机机型，按选定机型配套为混凝土蜗壳。蜗壳采用平顶不对称断面，蜗壳最大净高 10 m，平面最大净宽 16.4 m，包角 210° ，左、右墩厚 3.8 m，顶板厚 5.5 m，作用在蜗壳的压力水头一般为 45 ~ 55 m，考虑水击压力后接近 60 m。由于蜗壳是一空间受力体，切取几个平面进行结构分析难以反映实际的受力情况，特别是作用水头较大的混凝土蜗壳，应该考虑进口闸墩和上、下游挡墙等结构的影响，以及结构变形的协调。为全面反映蜗壳整体受力情况，分别采用平面结构分析方法、三维有限元及空间杆系方法进行分析。对于蜗壳平面结构分析，传统算法是沿蜗壳中心线切取单位宽度的截面，然后按平面Γ形框架进行计算。这种算法忽略了蜗壳的环向作用，计算结果偏于安全，配筋量大并难与三维有限元计算成果对比分析。

本次计算对计算模型作了以下改进：①将断面简化成“Π”形框架，考虑了座环、导叶、蜗壳上下锥体自身刚度影响。②通过弹性杆约束体现蜗壳环向作用。三维计算成果与常规计算成果基本一致，仅三维计算成果内力量值略小，这表明平面计算模型的改进是合理的。由于设计水头居国内混凝土蜗壳之首，防渗是该电站一个设计难点，在招标设计阶段设钢衬进行防渗。由于蜗壳断面尺寸较大，采用钢衬混凝土蜗壳施工环节多，施工周期长，影响施工进度。针对钢筋混凝土蜗壳的受力特点，为了适应高坝洲电站的施工进度，对采用防渗涂料、钢板衬砌等各种防渗结构型式进行比较，选用预应力钢筋混凝土蜗壳型式。经对若干预应力方案优选，采用水平环向锚索与竖向锚索组合布置方案，每台机组共设置 17 束 200 t 级预应力锚索，垂直向 9 束，水平环向 8 束。其中水平向 4 束锚固段设在宽槽下游壁面，其余 4 束设在宽槽上游进口段边墩内壁上。

采用预应力钢筋混凝土蜗壳方案后，首先将蜗壳侧墙的钢筋由原来的 3 ~ 4 排减少到 2 排，简化了施工，有利于蜗壳混凝土浇捣；其二，改善了结构的受力性质，蜗壳侧墙由偏拉构件转变为偏压构件，从而满足了结构的防渗要求；其三，由于减少钢衬与接触灌浆环节，为宽槽提前回填创造了条件，直线工期实际缩短了 10 个月，仅提前发电一项直接经济效益近 1.8 亿元。2000 年 12 月，湖北省科学技术厅对该成果进行鉴定后认为：高坝洲水轮机蜗壳采用预应力混凝土结构为国内首创，研究水平达到国内领先水平，局部已达国际先进水平。它的成功实践填补了我国水电站蜗壳设计的一项空白，经近 2 年的实际运行考验，说明结构安全可靠，为较高水头的大中型水电站水轮机蜗壳设计，提供了一条新的途径。

2.2 尾水管

根据基岩条件，尾水管采用整体式底板结构。出口最大净宽 18.2 m，高 7.6 m，边墩

2.9 m，中墩 2.6 m；扩散段底板厚 4.2 m，弯管段板厚 5.07 m。作为厂房主要承载结构，结构设计除按常规选取扩散段和弯管段的特征断面进行平面框架和平面有限元分析外，选取了整个尾水管作三维杆系和三维有限元分析，避免因底板简化成交叉梁或假定成一边自由、三边固定的梯形板进行计算，造成底板周边应力集中现象，由此可减小配筋量。在底板的抗剪验算中根据底板跨高比已满足深梁的条件，按深梁进行抗剪计算，可充分利用底板混凝土自身抗剪强度，减少底板的厚度。

2.3 进水口闸墩

进水口闸墩为厂房主要挡水结构，是该电站设计难点之一。闸墩采用对称布置，左右边墩厚 3.8 m，中墩厚 2.8 m，水流向长 20.7 m，高度 40 ~ 54 m，闸墩挡水高度与顺水流向长度之比为 0.5 左右。挡水高度超过 40 m，比一般的河床式厂房的挡水高度高出 0.5 ~ 1.0 倍，因而闸墩强度主要受顺水流向控制。结构设计除按一般结构力学分析方法进行受力分析外，还取整个进口段进行三维有限元计算，利用应力分析成果进行配筋；同时，采用了闸墩剪力墙的模式进行闸墩配筋计算。以上方法使闸墩钢筋布置更加合理，不仅可以减小闸墩配筋密度，而且使钢筋充分发挥作用。

3 施工结构布置

3.1 厂房分缝及施工顺序

选择合理分缝型式对于加快厂房施工进度，改善结构受力条件起着重要作用。厂房结构体型复杂，将一个机组段分左右 2 块，顺水流向分 3 段浇筑。为保证厂房整体性，厂房分缝以错缝为主。考虑采用错缝浇筑，厂房交错均衡上升，施工工期会受到一定的限制，为满足施工进度要求，在局部部位设置直缝。

(1)进口段与主机段间分缝型式及施工顺序。分缝型式主要考虑了施工进度、蜗壳施工期温控、厂房的整体性要求等因素的影响，经对多个方案比较研究后，决定在进口段和主机段之间高程 38.93 m 至高程 28.93 m(蜗壳侧墙范围)预留宽槽，高程 28.93 m 至 19 m 设置灌浆直缝，高程 19 m 以下底板不设缝，在其余部位采用错缝。这样既可满足进口段快速上升提前挡水要求，又能减小蜗壳施工期温度应力，同时还保证了进口段和主机段之间底板结构完整，使厂房底板受力均匀，基础变形均匀。由于只有直缝灌浆与宽槽回填后进口段方可单独挡水，因此不能等进口段浇至坝顶，而要在蜗壳顶板浇捣后不久便提前回填宽槽和作直缝灌浆，同时还需采取如下措施以保证厂房结构的安全可靠性：①对基础轮廓进行一定优化调整；②直缝与宽槽距机组中心线 8.5 m，以减小直缝应力和满足混凝土蜗壳布置要求；③回填应控制在每年 12 月至次年 3 月，并要求在进口段浇至 65 m 高程，蜗壳侧墙混凝土浇完后间歇期不少于 2 个月进行；④为使温度降至设计要求，并保证新老混凝土结构结合良好，还需采取预埋冷却水管、控制混凝土浇筑温度、规定回填混凝土标号和浇筑分层及施工程序等一些施工措施。

(2)尾水段与主机段间分缝型式及施工顺序。为保证尾水段也能提前挡水，要求尾水段与主机段之间设缝分块，使尾水段能够提前单独快速上升。考虑以上因素并有利于结构整体性，尾水段和主机段之间在扩散段以下错缝浇筑，扩散段顶板以上采用直缝。为了能够提前安装金属结构及机电设备，首先将尾水墩墙上升至高程 59 m 尾水平台，然后再浇筑下游副厂房各层楼板。

(3)主厂房下游墙柱提前上升。主机段原施工顺序是先进行尾水管直锥段安装及其二期混凝土浇筑，随后部分蜗壳侧墙浇筑，然后座环安装及剩余部分蜗壳侧墙浇筑，再进行直缝灌浆、宽槽回填，其后是蜗壳侧墙顶板混凝土的浇筑。在施工阶段，为使厂房早日具备挡水条件，进口段和尾水段优先上升，使得利用施工吊车进行座环安装有困难。为了早日利用桥机进行座环安装，主机段上升到 36.73 m 高程后，下游墙柱在蜗壳顶板尚未形成前便自蜗壳侧墙尽早上升，并随之安装厂内桥机，形成吊装能力。为保证施工期结构和桥机运行的可靠性，通过结构计算和研究分析，适当增配主机段下游墙体钢筋，并采取结构措施保证其与蜗壳顶板混凝土和下游副厂房楼板的连接。

3.2 主机段混凝土分层分块设计优化

(1)蜗壳分块分层。在招标设计阶段，蜗壳的外围混凝土分 6 块 5 层，在施工设计阶段，考虑到预留宽槽可减小蜗壳施工期温度应力，将蜗壳外围混凝土改为 4 层 4 块，由此提前工期 1 个月，为 1#机宽槽回填提供有利条件。

(2)尾水管采用倒置 T 形模板和配置温度钢筋。为加快施工进度，节约模板，尾水管扩散顶板设置倒 T 形模板梁；在尾水管顶板内适当配置温度钢筋，取消尾水管顶板内的封闭块，由此节约工期 2 个月。

(原载《水力发电》2002 年第 3 期)

高坝洲工程两岸防渗线路选择和帷幕灌浆优化设计

周和清　姚春雷　欧阳崇云

高坝洲水电站是清江干流的最下一个梯级电站，总库容 4.863 亿 m^3，工程为大(2)型，等级为二等，大坝为混凝土重力坝，最大坝高 57 m，电站装机容量 252 MW。坝址两岸为具有可溶性的白云岩和石灰岩，岩溶发育，天然状况下地下水位低，两岸分布有多条规模较大的顺河向断层。经地质勘探论证，两岸需布置线路较长的防渗帷幕。初步设计阶段，左右岸选定的防渗线路长度分别为 450 m 和 2 050 m，帷幕灌浆工程量分别为 2.03 万 m 和 9.37 万 m。招标设计及施工详图阶段，根据补充勘探资料和施工揭露的实际地质条件，以及有关岩溶渗流场的研究与分析成果，对右岸防渗线路及帷幕灌浆进行了较大的优化与调整。右岸最终实施的防渗线路长度缩短为 1 822 m，左右岸帷幕灌浆工程量分别为 1.88 万 m 和 5.39 万 m。

1 坝址水文地质条件

坝址区出露基岩主要为寒武系中、上统海相碳酸盐岩与碎屑岩，河床及左岸主要为岩溶相对不甚发育的上峰尖组和黑石沟组第一段泥灰岩，左岸近河段为岩溶发育的岩溶角砾岩，右岸为岩溶发育的黑石沟组第二段和三游洞组灰岩。

坝址两岸山体不高，垂直流向地表冲沟(岩溶干谷)发育，顺河向分布有多条贯穿性断层，顺断层岩溶发育，顺河向断层及次生裂隙控制了坝址区岩溶发育总体格局。两岸山体地下水位与岩溶发育程度相关性好，由于岩溶发育，右岸上游侧以洞沐渔岩溶通道为中心分布一约 3 km^2 的低地下水位区，通过多条顺河向贯穿性断层，使右岸存在向大坝下游的渗漏通道。

坝址区岩溶形态主要表现为地表溶蚀性洼地—漏斗—落水洞—地下短程水平管道(几十至几百米)—溶隙的组合形式。右岸冲沟及边缘发现十几个汇水的落水洞使降雨不以明流流向清江，而通过地下岩溶系统排向清江及下游冲沟。因此，坝址区地下水渗流场属汇集型水动力模式，呈点状统一集中排泄、以管道及溶蚀裂隙脉状管道流循环为主的岩溶水系统。这种水文地质条件形成不利组合时，会造成严重的水库渗漏，其防渗措施以封堵近水平溶蚀通道及溶蚀裂隙脉状管道为重点。

2　防渗线路选择

2.1　坝轴线选择

灰岩地区坝址选择阶段地质勘探时，一般需根据区域地质条件考虑水库及坝址两岸的渗漏问题，比选合适的坝轴线和防渗线路。

从基岩强度方面考虑，坝址位于质纯厚层灰岩较为有利，其岩体完整性较好，单块岩体强度较高，但厚层灰岩一般岩溶发育，对坝基防渗不利；从坝基防渗方面考虑，基岩为页岩、薄层灰岩等岩溶相对不发育的坝址较为有利。当坝址选定后，对坝轴线和防渗线路，亦需根据坝址工程地质和水文地质条件进行多方面综合比较。

初步设计阶段在高坝洲坝址自上而下进行了上Ⅲ线、上补线和上Ⅱ线等 3 条坝轴线的比较，从基岩强度和防渗线路两方面看，3 条坝轴线优缺点如下：

上Ⅲ线出露强度较高的黑石沟组第一段厚层白云岩夹灰岩较宽，两岸坝肩山体较雄厚，岩溶角砾岩对左岸顺向边坡稳定有利，但右岸距可作为防渗依托的上峰尖组岩层较远，防渗线路较长，防渗帷幕灌浆工程量较大；上Ⅱ线大部分出露强度较低的上峰尖组第三段薄层泥质白云岩，右岸距可作为防渗依托的上峰尖组岩层较近，防渗线路较短，防渗帷幕灌浆工程量较小；上补线优缺介于两者之间。综合比较，上Ⅲ线总体上优于上Ⅱ线和上补线，坝轴线最终选定为上Ⅲ线。

2.2　右岸防渗线路选择与优化

高坝洲坝址右岸分布有大范围的岩溶强烈发育的三游洞组及黑石沟组第二段灰岩，下游侧岸边虽然分布有岩溶发育相对较弱的上峰尖组及黑石沟组第一段泥灰岩，但分布有近 10 条顺河向断层，顺断层岩溶强烈发育，存在管道性岩溶通道，顺河向断层有可能成为沟通水库内外的通道，因此右岸山体需设置线路较长的防渗帷幕。选择了上、中、下 3 条防渗线路比较如下。

(1) 上线：向上游进入岩溶强烈发育的三游洞组灰岩，封堵Ⅴ#岩溶通道，防渗端点接地下水位高于下游蓄水位(80 m 高程)的 51#地下水长观孔或 110 地勘孔，线路总长约 1 100 m。

(2) 中线：基本平行于坝轴线进入三游洞组灰岩至地下水位高于 80 m 高程的区域，线路总长约 1 500 m。

(3) 下线：向下游进入上峰尖组及黑石沟组第一段泥灰岩，在其中重点封堵顺河向断层，端头接至地下水位高于 80 m 高程的 W_{104} 泉，线路总长约 2 050 m。

上述 3 条线路中，下线线路最长，帷幕线路岩溶发育相对较弱，灌浆成幕难度小；上线需穿过Ⅴ#岩溶通道，灌浆成幕难度大，可靠性较差；中线可避开Ⅴ#岩溶通道，防渗线路上岩溶仍很发育，灌浆成幕难度较大。经充分论证，防渗线路最终选定下线。

选定的防渗下线远岸段存在以下问题：地表高程低，灌浆平洞成洞条件差，部分洞段可能塌陷冒顶，如在地表布置压浆板，则需大量征地移民；终端点 W_{104} 泉是当地居民生活水源，不宜扰动等。

施工详图阶段，根据补充钻探及物探成果，综合分析坝址右岸的岩溶发育情况和渗流特性，确定远岸段防渗线路向上平移 85 m，使该段防渗线路布置在郑家冲上游侧山坡一带，使沿线均可布置灌浆平洞，避免了防渗线路附近的征地移民，并便于灌浆施工和运行管理；同时，根据补充的右岸帷幕终端点一带的地下水位观测资料，对帷幕的终端缩短为穿过 F_5 断层，缩短防渗线路 228 m。

3 帷幕灌浆优化设计

3.1 优化设计的提出

鉴于以下几方面原因，施工设计时应对帷幕灌浆进行优化设计。

(1) 右岸山体黑石沟组第二段和三游洞组灰岩岩溶发育，黑石沟组第一段岩溶较发育，上峰尖组泥灰岩岩溶相对不发育，可作为防渗依托，右岸防渗帷幕过上峰尖组岩层后主要是封堵 F_{17}、F_{16}、F_{15}、F_{10}、F_{10-1}、F_5 等顺河向大断层及其他可能存在的水平岩溶渗漏通道；左岸山体为岩溶角砾岩和上峰尖组岩层，防渗帷幕主要是封堵 F_{113}、F_{114}、F_{51} 等顺河向大断层及其他可能存在的水平岩溶渗漏通道。初步设计阶段在顺河向断层及其影响范围布置了两排灌浆孔，为确保防渗效果，在顺河向断层间预设了先导和补充灌浆工程量。

(2) 高坝洲工程水头不高，而两岸防渗帷幕线路很长，灌浆工程量较大，为节省投资，施工详图阶段根据补充收集的地质资料，对顺河向断层的分布和规模以及断层间岩体的岩溶发育状况作进一步研究，以确定灌浆孔的具体布置方案。

(3) 灌浆平洞开挖和帷幕灌浆钻孔揭露的实际地质条件与初步设计阶段的勘探结论总体上基本一致，但顺河向断层在防渗线路上的出露位置和岩溶发育规模，与初步设计勘探结论有差异，黑石沟组第二段和三游洞组断层间岩体透水性较小，岩溶发育较弱，灌浆平洞开挖时，在右岸 F_{18}、F_{15}、F_{10}、F_{10-1} 和左岸 F_{114}、F_{51} 断层范围揭露了大规模的溶洞或溶洞群，需进行重点灌浆处理。其他部位需通过先导孔进一步查明岩溶发育程度后，确定帷幕灌浆孔的布置。

(4) 对灌浆平洞开挖揭露的溶洞进行了较为彻底的清理回填，为节省帷幕灌浆工程量创造了有利条件。

3.2 优化设计原则

针对高坝洲两岸山体的地质条件，左岸和右岸远岸段帷幕灌浆孔按“分期布孔，逐步加密或加排”的优化设计原则布置，一期孔布置如下：

(1) 在顺河向断层及其影响带布置了 1 排灌浆孔，孔距 2.5 m。

(2) 已查明的顺河向断层间布置先导孔或 I 序孔，孔距 10 ~ 20 m。

(3) 左坝肩及右岸近岸段视地质条件布置 1 ~ 2 排灌浆孔，孔距 2.5 m。

一期孔施工时，地质人员和设计人员在现场逐孔逐段综合分析地质条件及灌浆资料后，再确定后期孔的布置，直至满足防渗要求。

3.3 优化设计实施情况

3.3.1 左岸山体

左岸 F_{51}、F_{114} 断层揭露 K_{5101}、K_{5102}、K_{1141} 等溶洞，断层间岩层透水性较弱。施工详

图优化后的灌浆孔布置如下：

(1)左岸 F_{113} 及 F_{113-1} 断层距河床较近，原布置 2 排灌浆孔，平洞开挖和灌浆先导孔均显示断层胶结良好。据下主排灌浆孔压水、灌浆资料，各段透水率均小于设计防渗标准，灌浆单耗较小，经充分分析论证后，决定取消上主排灌浆孔。

(2)左岸 F_{51} 断层部位布置两排灌浆孔，防渗帷幕灌浆底线为 30 m 高程，根据该部位先导孔资料岩溶发育下限为 0 m 高程左右，将下主排防渗帷幕底线调整到 0 m 高程。

(3)对 F_{114} 与 F_{113}、F_{113-1} 与 F_{51} 之间的弱透水岩体，因透水率小于防渗标准，灌浆单耗小，未布置后续灌浆孔。

3.3.2　*右岸近岸段*

右岸近岸段 F_{20}、F_{248}、F_{247} 断层一般均有明显的溶蚀，分布于桩号 0+400～0+433 之间的 T_3 溶蚀带规模较大，靠近王家冲的洞段岩溶发育，在该部位增布一排灌浆孔。

3.3.3　*右岸远岸段*

右岸远岸段 F_{15} 和 F_{10}、F_{10-1} 断层揭露 K_{1541}、K_{1001} 等较大型溶洞，并在桩号 0+670～0+715 间揭露大型溶洞群，其他断层大部分有明显的溶蚀现象，断层间亦发现少量规模不等的岩溶洞穴。灌浆孔最终的布置如下：

(1)在 F_{18}、F_{10}、F_{10-1} 等断层共计长 327.5 m 的岩溶发育段布置了两排灌浆孔。

(2)在 F_{154}、F_{16}、F_{17} 等断层共计长 415.8 m 的岩溶发育段布置了一排灌浆孔。

(3)其余共计长 595 m 的岩溶不发育段布置了灌浆先导孔及Ⅰ序孔，少数部位布置了Ⅱ序孔。

综合分析帷幕灌浆检查孔压水试验、灌前灌后物探测试及大口径钻孔检查资料成果，两岸山体防渗帷幕灌浆效果良好，防渗指标满足设计要求。

4　结语

高坝洲工程已蓄水运行 2 年多，蓄水后两岸地下水位明显抬高，右岸帷幕上游岩溶发育的低地下水位区消失，表明两岸防渗帷幕起到有效防渗作用。通过高坝洲工程防渗帷幕的设计，有以下几点认识和体会。

(1)岩溶地区建坝要慎重对待水库渗漏的问题，坝址和坝轴线选择时，应重点考虑防渗方案的可行性与可靠性。坝轴线与防渗线路的关系是整体与局部的关系，必要时，局部必须服从整体。

(2)岩溶地区防渗线路的选择与端点的确定，地质人员和水工设计人员应密切合作，深入细致地进行论证工作。

(3)岩溶地区防渗帷幕施工设计时，要充分利用先导孔钻孔岩芯素描、压水和灌浆资料调整灌浆孔的布置，切忌一成不变。

(4)高坝洲工程两岸防渗帷幕优化设计经验表明，对岩溶地区两岸的防渗帷幕，在施工详图阶段采取“分期布孔，逐步加密(排)”的优化设计措施，分批分期布置灌浆孔的设计原则是可行的，其他类似工程可借鉴采用。

(原载《水力发电》2002 年第 3 期)

高坝洲水电站水轮发电机组选型设计

陈冬波　陆师敏　宋木仿

1　水轮机选型设计

1.1　参数水平

高坝洲水电站水头范围为22.3～40 m，较好的适用机型主要是轴流式水轮机。根据统计，我国轴流式水轮机比速系数 K 值一般为2 400～2 500，最大为2 600(水口电站)，40 m水头段已建和在建水电站水轮机的单位流量一般在1.4～1.6 m^3/s，最优单位转速在115 r/min左右。国家"八五"、"九五"大中型水电机组科研发展纲要转轮型谱系列中，要求40 m水头段的水轮机单位参数达到 Q_1'=1.6～1.8 m^3/s，n_1'=120～125 r/min，将该参数换算到高坝洲水电站水轮机的比速系数 K 值为2 540～2 800。考虑到电站水头变幅相对较大(围堰发电期)及机组与隔河岩电站同步调峰运行的方式，水轮机参数水平不宜太高，但又要达到现代水轮机发展水平，故高坝洲水电站水轮机 K 值宜为2 600左右，相应水轮机比转速为456(m · kW制)左右。按选定的比转速及水轮机单位参数的合理匹配关系，并考虑尽量减少过大的过流量对水轮机空蚀造成的影响，水轮机单位流量宜为1.6 m^3/s 左右，相应单位转速宜为120 r/min左右。

1.2　机型选择

高坝洲水电站初步设计于1992年完成。在初设方案中，对ZZD32B、ZZA315、HLA551、HLPO45四种型号的水轮机进行了装机3台、4台方案共8种组合方案的真机技术经济比较。

真机技术比较工作主要从技术参数、安装高程及水轮机低水头发电能力三方面进行。从8种真机技术参数看，4种转轮真机最高效率均大于94%，除HLPO45型转轮外，其余转轮加权平均效率均达到92.6%以上，能量指标总体上都比较好。从参数水平的结构尺寸看，ZZD32B转轮比转速达446(m · kW制)，故其结构尺寸最小。轴流机可方便地通过铁路运输，而混流机必须通过水陆联运或分瓣运输方式到达工地。根据丰、中、枯3个典型代表年水能调度计算成果统计，电站弃水期大部分出现在额定水头附近，轴流式机组可通过加大导叶开度方式运行，多获得汛期电能，混流式机组因受出力限制线限制，基本不具备加大导叶开度发汛期电能的能力，经计算，通过加大导叶开度方式运行，电站平均每年可多发电量200万kW·h。由于台数和机型不同，各方案水轮机吸出高及安装高程也不同。轴流式机组具有负吸出高，而混流机具有正吸出高，其中ZZD32B转轮吸出高最小为–6.9 m。较低的安装高程无疑会增加电站的开挖量，因此有必要对各种机型进行全面的经济比较。

一般水轮机按正常发电水头进行选择，其允许使用的最大水头主要由叶片强度和对水轮机产生的空化及稳定性的影响来决定，而水轮机最小水头可以偏离设计水头较大，但主要是受空化和低频压力脉动造成不稳定运行的限制。高坝洲水电站正常运行水头对额定水头的比值范围为0.68～1.23，这与通常能获得较好能量特性、空蚀特性的0.65～1.25倍水轮机设计水头比值范围相适应。根据施工进度安排，高坝洲水电站有约 2 年的围堰挡水发电期，旬平均发电水头为 10.8 ~ 17.3 m，远低于电站正常最小发电水头 22.3 m。按 0.65 倍水轮机设计水头关系计算 8 种真机转轮正常最小水头值，3 台机方案的 ZZD32B 转轮计算值为 18.3 m，其他机型方案在 19.5 ~ 22.5 m 之间；按综合特性曲线有效区域框算的最小水头值，3 台机方案的 ZZD32B 转轮为 16.0 m，其他机型方案在 17.4 ~ 21.3 m 之间。显然 3 台机方案的 ZZD32B 转轮适应低水头发电能力最强。通过对国内外 17 个电站轴流式水轮机实际最小运行水头与设计水头比值统计，绝大多数水电站的比值低于 65%、高于 45%但最低值为 30%。葛洲坝水电站和沙溪口水电站为 33%、34%，水口水电站和国外阿斯旺水电站为 53%和 44%。由此可见，这些比较著名的水电站正常运行水头偏离设计水头较大，虽然可能影响机组的效率及空蚀性能但能安全稳定运行。如前所述，3 台机方案的 ZZD32B 转轮按综合特性曲线有效区域框算的最小水头为 16.0 m，其相对于水轮机设计水头的比值为 43.8%。由于施工期电站出现 16 m 及以上旬平均水头的概率达 66%，这样如果确定水轮机最低安全发电水头为 16 m，在围堰挡水发电期，1 年中电站将有 66%的时间可进行围堰挡水发电，采用 3 台机方案的 ZZD32B – LH – 580 型水轮机 1 年可发出 3 亿 kW·h 的电能，经济效益将十分显著，所以确定水轮机正常最小发电水头为 16 m。在该水头以下，可通过试探运行方式，确定安全稳定的下限发电水头。

各方案经济比较主要从厂房土建工程量、机组造价及其加权平均效率等经济指标进行，其计算结果见表 1。

表 1　各方案经济比较

方　案	三(一)	三(二)	三(三)	三(四)	四(一)	四(二)	四(三)	四(四)
水轮机型号	ZZD32B—LH—580	ZZA315—LH—645	HLPO45—LJ—610	HLA551—LJ—610	ZZD32B—LH—500	ZZA315—LH—560	HLPO45—LJ—530	HLA551—LJ—538
发电机型号	SF84—48/920	SF84—56/10350	SF84—72/12190	SF84—76/12600	SF63—44/8250	SF63—48/8900	SF63—64/10760	SF63—68/11280
机组台数(台)	3	3	3	3	4	4	4	4
全厂机组总重(t)	3 510	4 710	4 920	4 890	3 520	4 680	4 840	5 000
全厂机组总造价(万元)	7 443	9 930	10 080	10 014	7 460	9 832	9 904	10 220
电站厂房总造价(万元)	6 391	7 057	6 901	6 766	6 808	6 925	6 770	6 627
厂房和机组总造价(万元)	13 834	16 987	16 981	16 780	14 268	19 757	16 674	16 847
补充造价(万元)	0	3 153	3 147	2 946	434	2 923	2 840	3 013
水轮机加权平均效率(%)	92.66	93.83	87.35	93.04	92.9	94.13	89.15	93.34
多年平均发电量(亿 kW·h)	8.98	9.06	8.616	9.006	8.996	9.081	8.739	9.027
补充电量(万 kW·h)	0	800	– 3 640	260	160	1 010	–2 410	470
补充单位电量造价(元/(kW·h))	0	3.94	—	11.33	2.65	2.9	—	6.46

由表 1 可见，ZZD32B – LH – 580 机型方案，投资最少，但电量相对也较小，HLPO45 转轮投资大、电量小，其他机型投资较大，电量也较大，故采用补充单位电量造价进行综合比较。HLA551 转轮补充单位电量造价太大，ZZA315 转轮和 4 台机方案的 ZZD32B 转轮也大于整个工程 1.53 元/(kW·h)的单位电量投资水平。3 台机方案的 ZZD32B 转轮投资和电量水平则较为合适。

经上述技术经济比较，推荐3台单机容量为84 MW的ZZD32B－LH－580机型方案，并在1993年通过了部级初步设计审查及立项可行性咨询评估。

1.3 机型优化

随着对外技术交流的深入，一些厂家为高坝洲水电站又推荐了高性能的轴流转桨机组，主要有ZZK507、ZZA441等转轮。为便于编制机组招标文件，并做好技术准备，重新进行了机型优化论证，对ZZD32B、ZZK507、ZZA441转轮进行了综合技术经济比较，主要从模型和真机的技术参数、外形及结构尺寸、重量及土建工程量、电量效益等方面进行。在满足初步设计电站厂房前缘布置要求的前提下，优化出电站的目标转轮或水轮机目标参数。经对3个转轮的比较，ZZK507转轮性能参数水平更优，加权平均效率达到93.57%，年均发电量可增加620万kW·h。这与其优良的叶型设计、较少的叶片数(5个)、较大的流道外形尺寸(导叶分布圆直径D_0=1.234 D_1)和较大的蜗壳断面有很大关系。在满足电站厂房前缘宽度不变条件下，经过详细技术设计比较，ZZK507机型比ZZD32B机型机组约重5%，蜗壳高度比ZZD32B水轮机蜗壳增加1.95 m，导致水轮机层、发电机层高程均有所抬高。机组和土建工程量共需增加894万元。虽然机组重量、土建工程量均有所增加，但由于其加权平均效率较高，补充单位电量投资为1.44元/(kW·h)，低于电站1.53元/(kW·h)的单位电量投资水平。因此，在技术上、经济上，ZZK507机型都是更优的机型方案。经机型优化分析后，高坝洲水电站采用ZZK507机型参数作为招标文件选择参数。

2 最终采用的机型

1996年采用招投标方式，选择ZZD231–LH–580型机型作为高坝洲水电站应用机型，并根据招标文件要求和ZZK507转轮原有条件，通过模型初步试验和验收试验最后定型。

2.1 水轮机模型参数及模型验收试验

ZZD231转轮是在对引进ZZK507转轮进行消化吸收，针对高坝洲水电站的使用水头和流道条件，对叶片根部进行加厚并进行了各项性能和强度试验基础上定型设计的，模型参数如下：转轮型号ZZD231–35；轮毂比0.49；叶片数5；蜗壳包角210°；导叶高0.4 D_1；导叶分布圆直径1.234 D_1；尾水管高度2.71 D_1；模型最高效率91.9%；最优点单位流量1.070 m^3/s；最优点单位转速129 r/min。

经模型初步试验、验收试验，ZZD231转轮各项性能指标均达到了合同规定的要求，具体为：原型水轮机最高效率为94.73%，比保证值高0.2%；原型水轮机额定点效率为93.83%，比保证值高0.6%；原型水轮机加权平均效率为93.872%，比保证值高0.022%；模型压力脉动最大值为4%，小于保证值；在最小水头22.3 m、导叶开度为109.7%时，水轮机出力不小于51.0 MW；在极限最小水头16.0 m，导叶开度110%时，水轮机出力不小于27.0 MW。

2.2 水轮机真机参数

水轮机型号ZZD231–LH–580；额定出力85.8 MW；额定流量286.8 m^3/s；额定转速125 r/min；额定效率93.83%(保证值93.23%)；飞逸转速协联工况258 r/min；非协联工况305 r/min；水轮机桨叶中心高程33.232 m；导叶中心高程35.9 m。

2.3 发电机基本参数

发电机型号SF84–48/9500；额定容量为96 MV·A；额定功率84 MW；额定电压13.8

kV；额定电流 4 016A；额定效率 98.338%；功率因数 0.875；转动惯量(GD^2) 16 000 t · m^2。

3　水轮发电机组的新型结构

3.1　水轮机结构

高坝洲水电站水轮机为立轴转桨式水轮机，采用混凝土蜗壳。它的国产机组上率先采用了很多国外先进技术，具体如下：

(1) 首次在 40 m 水头段采用 5 叶片轴流转桨式水轮机。为保证转轮有足够的强度，在有限元分析计算的基础上，还在制造厂内进行了转轮强度试验。试验在 DF–100 高水头试验台上进行，采用铜叶片上贴应变片方法测量，试验取得了成功。试验结果表明：由离心力引起的离心应力较小，水压应力是影响叶片强度最主要的因素，叶片根部靠法兰的圆弧半径正面为 16 mm，背面为 12.5 mm，在真机 40 m 水头下最大综合应力为 179 MPa，满足叶片强度要求。

(2) 大型国产机组，首次采用 5 坐标数控机床加工叶片，保证了叶型和叶片的加工质量。

(3) 采用多种手段减少叶片空蚀。在叶片外缘设置裙边，减少叶片与转轮室之间的间隙空蚀；取消国内传统的叶片吊装开孔，避免叶型受到损害和开孔处的空蚀。转轮吊装和支撑采用新结构，吊装时，采用转轮、主轴、支持盖整体吊装，机组组装过程中，上述部件先支撑在顶盖上，推力轴承装配完成后，再支撑在推力轴承上。

(4) 电站水头较高，采用混凝土蜗壳时，蜗壳上锥体混凝土与座环连接处可能受到拉应力而出现裂缝漏水，是结构设计中的薄弱环节。为解决这一问题，除在上锥体设置钢板衬护外，在座环上环板上还设置 12 个预应力拉锚螺栓将混凝土蜗壳与座环固为整体。

3.2　发电机结构

近年来，水轮发电机结构设计越来越先进。高坝洲水电站建设期，一些新型结构尚处于初期研发阶段，但在工程设计中还是大胆地采用了一些新型结构。

(1) 发电机定子、转子均采用现场组焊、铁芯堆叠、下线等工艺，以确保机组的整体质量。定转子结构设计采用了多项国外先进经验。

(2) 推力轴承采用东方型金属弹性塑料瓦，有效地解决了金属瓦烧瓦问题。

(3) 转子支架采用圆盘结构，解决了传统支臂式转子支架刚度不足、通风损耗过大等问题。

(4) 通风系统采用端部回风的双路径向通风系统。在结构上采取措施以保证机内各发热元件有良好的散热条件，如有效减少线棒绝缘厚度，增加定子铁芯通风沟数量等。在通风路径的设计上采用国外先进经验，控制风量不至过大(如 $Q \leqslant 5\ m^3/10\ MW$)，但也要使电机得到充分冷却。

(5) 国内厂家以往处理上机架传力的传统方式是：在上机架与混凝土风洞之间设置千斤顶来传递径向力，并设置剪断销限制事故径向力的传递，以保护基础不受损坏。这种结构的不足之处是随着机组容量的增大，其正常工况的电磁不平衡力、机械不平衡力和热应力也会增大，这些力最终还是由混凝土围墙承担，给土建结构设计带来困难。因此，在高坝洲水电站上机架设计时采用了一种能将径向力转换为切向力的新型结构，解决了大直径薄壁混凝土机墩设计问题。

高坝洲水电站3台机组分别于2000年2月、2000年2月、2000年7月正式投产发电，在投产初期，电站即达到“创一流”先进生产水平，至今运行良好，发挥了巨大的经济效益。

(原载《水力发电》2002年第3期)

清江高坝洲垂直升船机方案比选

周　贞

1　设计条件

清江高坝洲水利枢纽位于湖北宜都市境内，上距隔河岩水利枢纽50 km，下距清江河口12 km，以发电、航运为主，兼有防洪效益。根据规划，2010年过坝总运量为104.8万t/年，其中下水81.33万t/年、上水23.5万t/年。清江中下游规划为五级航道，升船机最大过坝船只为 300 t 分节驳，尺寸为 35 m×9.2 m×1.3 m(长×宽×吃水深)，通航净空高为8.0 m，承船厢有效尺寸水域为42.0 m×10.2 m×1.7 m。

升船机与坝体采取分离布置，通航建筑物由上下游引航道、上下闸首、渡槽、升船机室等建筑物组成，线路全长1 253.3 m。渡槽、上下闸首和机室均为二级建筑物，设计洪水100年一遇，校核洪水1 000年一遇；上、下游引航道及其他建筑物为三级，设计洪水50年一遇，校核洪水500年一遇。

坝址受长江水位顶托影响较大，通航建筑物下游高水位49.3 m、低水位39.7 m，检修水位44.0 m，下游通航水位变幅为9.6 m，下游水位变幅率较快，日平均变幅可达2.5 m左右。上游高水位为 80 m，低水位为 78 m，水位变幅仅为 2.0 m，升船机最大提升高度为40.3 m。

地震基本烈度为6度，设防烈度为6度。

升船机运行风级为六级，风力大于六级时停航，通航水流条件是：引航道口门区最大纵向流速≤1.5 m/s，最大横向流速≤0.25 m/s，最大回流流速≤0.4 m/s。

2　设计方案及运行方式

高坝洲垂直升船机在技术设计阶段，曾作全平衡式、下水式、全平衡液压下水式三种垂直升船机方案比选。这三种方案的升船机线路布置、上下游引航道布置和上闸首结构布置相同，但机室和下闸首结构、升船机主要设备和运行方式有所不同。

2.1　全平衡式垂直升船机

垂直升船机为多钢丝绳悬吊卷扬提升全平衡湿运升船机，由承船厢、主提升机、平衡悬吊系统和其他辅助设备组成。承船厢为钢质槽形结构、两端设有闸门，为保证船厢升降和停靠时工作可靠，船厢上设有活动密封框、顶紧装置、夹紧装置、充泄水水泵、供油泵、充泄水阀门、纵横向导轮、防撞设备、上下位置锁定等设备和设施。平衡系统由 8 组1 024 t重力平衡重和4组536 t转矩平衡重组成，升船机提升主机为4套卷扬机，采用机械轴同步，由交流变频电动机拖动。

以上闸首工作门及承船厢上游端闸门处于开启状态时的船舶下行为例，其运行方式为：船只由推轮从上游引航道经航槽、渡槽、上闸首推进承船厢，船只在船厢内系缆，同时推轮退出船厢，关闭上闸首工作门和船头闸门，泄掉两闸门间缝隙水，松开船头上端密封框和顶紧、夹紧装置。卷扬机驱动承船厢下降至厢内水位与下游水位齐平时停止，完成承船厢夹紧、顶紧及下端密封框推出动作，船厢下游侧工作门与下闸首工作门之间缝隙充水平压后开启两闸门。船只解缆后由下游引航道推轮牵引船只出厢，驶入下游编队码头编队后下行。船只上行时的运行方式与下行相似。

2.2 下水式垂直升船机

下水式垂直升船机承船厢为钢质槽型结构，在上闸首端部设有活动密封框和泄水系统，机室两侧承重结构上设有顶紧与夹紧装置、供油泵、防撞装置、纵横向导承、上下锁定等设备和设施。平衡系统为 8 组总重 980 t 的转矩平衡重，提升主机为 8 套卷扬机，采用机械轴同步，交流变频拖动。

以升船机上闸首工作门和承船厢上游端工作门处于开启状态时的船只下行为例，其运行方式为：已在上游解队的船只由推轮从上游引航道经航槽、渡槽和上闸首推进承船厢，船只在厢内系缆，同时推轮退出，关闭上闸首工作门及厢门，泄掉两闸门间的缝隙水，松开上游端厢头密封框和顶紧、夹紧装置。卷扬机驱动承船厢下降并入水至厢内水位与厢外水位齐平时停机，打开承船厢上下游工作门。船只解缆后由下游引航道推轮牵引出厢，驶向编队码头编队后下行。船只上行升船机的运行方式与下行相似。

2.3 全平衡液压下水式垂直升船机

2.3.1 总体布置

全平衡液压下水式垂直升船机，是由郭云锦、周贞、敖朝暹三人共同研究设计并已取得国家实用新型专利(专利号 328316)的一种垂直升船机新型式。高坝洲全平衡液压下水式垂直升船机的上下游引航道、上闸首布置与全平衡式垂直升船机完全相同。机室、下闸首土建结构和机室上游侧出水孔布置与下水式垂直升船机完全相同。

2.3.2 主要设备

全平衡液压下水式垂直升船机主要设备与全平衡式垂直升船机基本相同。两者的不同之处在于，全平衡液压下水式垂直升船机在全平衡垂直升船机的基础上，增加了一套液压压船机构，压船机构设在承船厢两侧船舷提升钢丝绳吊点附近，由 4 个 ϕ350 mm 液压主油缸和 8 个 ϕ130 mm 插入油缸等组成。液压主油缸的一端刚性固定在承船厢船舷上，其活塞杆的外漏端与插入油缸机座连成刚性整体，插入油缸活塞杆外漏端为插入齿结构；在机室内壁相应部位设置铸钢齿条作为主油缸压船反推力的受力点。插入齿端在插入油缸的作用下，可推出齿端与铸钢齿条相扣，也可内缩齿端与铸钢齿条脱离；在插入齿端与铸钢齿条相扣时，承船厢在主油缸的作用下，依靠齿条反作用力，克服承船厢所受水浮力，实现承船厢正常入水和出水。液压主油缸的最大压船，推力为 9 600 kN，电机功率 2×75 kW，直径为 350 mm，行程 2 000 mm，插入油缸直径为 130 mm；齿条长 10 m，宽 400 mm，间距 300 mm。

2.3.3 运行方式

以上闸首工作门和承船厢上端闸门处于开启状态时的船只下行为例，其运行方式为：已在上游解队的船只由拖轮从上游引航道经航槽、渡槽和上闸门推进承船厢，船只在厢内系绳，同时推轮退出，关闭上闸首工作门和厢头门，泄掉两闸门间的缝隙水，松开厢头密封框和顶紧、夹紧装置。卷扬机在全平衡状态下驱动承船厢在空气中下降，直至承船厢接触水面并入水一定深度。启动插入油缸推进插入齿端与铸钢齿条紧扣。启动主油缸在主卷扬机的协同下，克服水浮力，强行将承船厢下压入水至厢内外水位齐平时停机。承船厢夹紧，打开承船厢上下游工作门。船只解缆，由下游引航道推轮牵引出厢，驶向编队码头编队后下行。船只上行的运行方式与下行相似。

2.3.4 通过能力

全平衡液压下水式垂直升船机在空气中运行的加、减速度为 ± 0.01 m/s^2，空气中正常运行速度为 12 m/min，水中运行速度为 0.9 m/min（压船时间约 2 min），其他参数与全平衡垂直升船机相同。据此计算，全平衡液压下水式垂直升船机平均过坝时间约 30 min，日平均过坝次数 30 次，年单向通过能力拖轮不过坝时 171 万 t，拖轮过坝时 114 万 t。

3 方案比较

3.1 土建结构

（1）全平衡垂直升船机因下游工作门挡水，机室处于无水状态，承船厢始终在空气中运行。机室受外水压力而无内水压力，受力条件相对复杂，要求机室土建结构具有更大的强度和刚度；因机室内无水，筒体的建筑高度相对较小，机室建筑总高度为 81.9 m；由于筒体的隔墙较多，土建施工工艺相对复杂；下闸首因设工作闸门及其启闭机械，因此长度（21.7 m）和其土建工程量均较大。

（2）下水式垂直升船机下闸首不设工作门，机室内外水体相连，承船厢提出水面后在空气中运行，而入水和出水过程中受水浮力和吸附力影响。由于机室内外水体平压，改善了承重结构受力条件，筒体隔板数量减少，土建施工工艺相对简化；为保证平衡重不下水，增加了筒体建筑高度，机室建筑总高度为 88 m；下闸首不设工作闸门及启闭机械，简化了下闸首结构布置，大幅度减小土建工程量，下闸首仅长 3.5 m；与全平衡式垂直升船机相比，下水式垂直升船机受泄洪脉动压力的不利影响有所缓解；承船厢在出入水过程中，机室需不断排水和补水，为保证上游侧排补水畅通，机室上游端需设置进出水孔和检修闸门。

（3）全平衡液压下水式垂直升船机下闸首也不设工作闸门，机室内外水体相连，承船厢出入水时受水浮力和吸附力的影响。其土建结构吸收了全平衡式和下水式垂直升船机的各自优点，克服了全平衡式和下水式垂直升船机的各自不足，筒体受力条件优越，施工工艺简化，下闸首短，受泄洪脉动压力影响小，土建结构设计、施工难度和土建工程量均最小。

3.2 金属结构及机电设备

（1）全平衡式垂直升船机同时设有重力平衡重和转矩平衡重，两者配重之和等于承船厢带水重量，配重比达 100%，卷扬提升机械仅需克服系统摩擦力和空气阻力、提供加速动力、克服减速惯性力，因此主机提升功率小（仅为 4 × 75 kW），且运行和维护费用低。由于转矩平衡重所占比例小（34.36%），主机防止船厢失水的能力较弱，需采用其他技术措施以避免船厢大量失水。为保证承船厢运行的全平衡状态，船厢与下闸首需设对接辅助设备，导致下闸首金属结构和启闭机械复杂且工程量大。下沉式工作闸门需随下游通航水位变化调整门位，闸门经常带压操作，止水容易撕裂甚至失效，可能引起升船机停航检修，不易保证升船机长期、正常、安全运行，这是全平衡式垂直升船机下闸首设备存在的主要技术难点。

（2）下水式垂直升船机只设转矩平衡重，配重比为 70%左右。在空中运行时卷扬机提升机械需提供占船厢带水重量30%的提升力；在出入水过程中，卷扬提升机械除需克服系统摩擦力和空气阻力、提供加速动力、克服减速惯性力外，还需克服承船厢所受的部分水浮力和吸附力。因此，其电动机功率很大，为 8×150 kW，是全平衡垂直升船机的 4 倍，电动机最大提升力约为全平衡垂直升船机的 5~5.5 倍。

由于提升机械的制动力大，在船厢升降过程中，即使承船厢内水体漏空，主提升机仍能将其安全制动，不需另设防止船厢漏水的设备，因此更加安全可靠；下闸首仅设检修门，不设运行工作闸门，与承船厢无对接要求，取消了船厢下游端的顶紧、夹紧、密封和充泄水等辅助设备。

(3) 全平衡液压下水式垂直升船机配重系统设计、主提升系统设计、在空气中的运行方式与全平衡式垂直升船机完全相同；承船厢总体结构设计、下闸首金属结构和启闭机械设计与下水式垂直升船机相同，但承船厢出入水是压船机构与主提升设备协力完成的。因此，全平衡液压下水式垂直升船机充分吸取了全平衡式和下水式垂直升船机的优点，具有提升功率小、无下闸首与承船厢对接程序和相关辅助设备、不受下游水位变幅影响等特点。

承船厢在出入水过程中，由于受水浮力和吸附力影响，同时受液压主油缸下推力作用，受力条件较为复杂；转矩平衡重所占比例小，承船厢在空气中运行时，主机防止承船厢失水能力较弱，需另外采取补排水等技术措施。

3.3　运行条件

(1) 下水式和全平衡液压下水式垂直升船机无下闸首与承船厢的对接程序，因此运转环节相对较少，且增加了安全运转的可靠性。下游较大的水位变幅和变幅率对升船机正常运行无影响。

(2) 全平衡垂直升船机在船厢与下闸首对接及船舶进出厢过程中，如遇下游水位变幅超过 ±0.15 m，或出现较大涌浪时，受主机提升力的限制，升船机将难以正常运行，船厢工作门也将无法正常开启，必须等待水位消落、涌波减弱时或采取船厢补排水措施后，方可正常运行。另外，下游水位变幅超过 2.0 m 时，需调整工作大门，运行过程对接动作较多，运行操作过程冗长，其安全可靠性略差于另两种垂直升船机。

3.4　通过能力

(1) 下水式垂直升船机对接系列动作少、时间短，正常运行速度较低；全平衡式垂直升船机对接动作多、时间长，正常运行速度快；全平衡液压下水式垂直升船机空中运行速度快，虽无与下闸首对接程序，但压船机构动作多，入水速度慢。

(2) 经理论计算，并综合考虑运行方式和下游水位变幅影响等因素，全平衡式和全平衡液压下水式垂直升船机的实际过坝能力略低于下水式垂直升船机，但都能满足 2010 年规划过坝总运量要求。

3.5　工程投资及运行维护成本

(1) 经工程量计算和工程预算，全平衡式垂直升船机的静态总投资为 16 091 万元；下水式垂直升船机静态总投资为 18 746 万元，比全平衡式垂直升船机高出 2 655 万元；全平衡液压下水式垂直升船机总投资为 16 290 万元，比全平衡垂直升船机高出 199 万元，比下水式垂直升船机低 2 456 万元。

(2) 下水式垂直升船机的耗电量及设备维护费用大约是全衡式垂直升船机的 3 倍。全平衡液压下水式垂直升船机压船机构虽设有 2×75 kW 电机，但仅在短时使用，且省去了下闸首工作及其启闭设备的运行维护费用，因此其耗电量及设备维护费用与全平衡式垂直升船机相当。

3.6　技术成熟性

(1) 全平衡式和下水式垂直升船机是垂直升船机的两种传统形式，在国内外应用最为广泛，其设计理论成熟，制造、安装和调试经验丰富。水口水电站 2 × 500 t 级、隔河岩两级 300 t 级和三峡 3 000 t 级升船机均为全平衡垂直升船机。其中水口升船机已完成安装，正在调试；隔河岩升船机正在制造和现场安装；三峡升船机正在进行设计和方案研究。岩滩 250 t 级升船机为下水式垂直升船机，该升船机已完成安装调试，并已投入正常商业运行。

(2) 全平衡液压下水式垂直升船机投资少，运行及维护费用低，适应下游水位变化能力强，理论上不存在难以克服的技术问题，具有广阔的应用前景。但由于该种升船机型式提出的时间不长，尚无成熟的设计、制造、安装、调试经验，其压船机构的自身可靠性、主卷扬机构与压船机构运行状态转换与同步等问题需作进一步深入研究。

4　结论

(1) 全平衡式垂直升船机建设投资少，运行和维护费用最低，下闸首结构相对复杂，筒体施工要求较高，设备的设计、制造、安装、调试技术成熟，通过能力略低，但能满足规划要求。该型升船机适应下游水位变化的能力较差，高坝洲下游水位变幅仅为 9.6 m，日平均水位变幅不大(2.5 m 左右)，相遇次数极少，通过电站与升船机配合调度、优化下闸首工作门设计，此问题可以得到有效解决。

(2) 下水式垂直升船机下闸首土建结构简化，筒体施工工艺简单，设备设计、制造、安装、调试技术成熟，运行环节少，可靠性相对较高，能很好适应下游水位变化，调度灵活，通过能力最强，但工程投资、运行及维护费用均最高。

(3) 全平衡液压下水式垂直升船机充分吸收了上述两种升船机的结构优点，土建结构简化，能够很好适应下游水位变化，工程投资、运行维护费用、通过能力与全平衡式垂直升船机相当，主提升设备技术成熟，但压船机构的某些技术问题需作进一步研究。

高坝洲全平衡式、下水式、全平衡液压下水式垂直升船机方案都能满足航运规划要求，技术经济上各有利弊。全平衡式垂直升船机投资小，运行及维护费用低，技术成熟；不适应下游水位变幅问题可以通过泄洪优化调度和结构优化设计加以解决。鉴于此，高坝洲升船机采用了全平衡式垂直升船机型式。

(原载《水力发电》2002 年第 3 期)

高坝洲水电站弧形闸门设计和原型观测试验

李亚非　徐元发　何文娟　宋一乐

高坝洲水电站是清江流域的最下游一级电站，是隔河岩水电站的反调节梯级，设计蓄水位 80.00 m，调节库容 0.51 亿 m^3。泄洪表孔布置在河床右侧，设 6 孔，孔口尺寸 14 m ×

18.511 m（宽×高），底坎高程 61.489 m，坝顶高程 83.00 m，表孔工作门为露顶式弧形钢闸门，采用三主横梁斜支臂结构，弧面半径 23 m，弧门高度为设计水头和超高水头之和，支铰高程 70.00 m。主梁的位置由等水压布置原理和满足运输分节单元确定，为使主梁的正、负弯矩差及支臂的弯矩、框架的水平反力等计算数值均较小，故考虑采用斜支臂结构。因表孔坝段采用跨中分缝布置，弧门支铰采用球形轴承，以适应坝块温度变形。操作弧门的机械设备为 2×2 000 kN 双缸液压启闭机。

高坝洲水库的入库洪水主要来自于隔河岩水库下泄洪水，若入库洪水小于泄水闸泄洪能力时，控制泄洪闸门的开启孔数和单扇门的开度，按来量下泄；若入库洪水大于或等于泄洪能力时，闸门全部开启，按泄洪能力下泄。高坝洲水电站泄洪建筑物的特点，一是泄量大，二是泄洪闸门启闭频繁，且经常处于动水局部开启工况。

1　表孔弧形闸门设计

1.1　平面框架计算

表孔弧形闸门由面板、上中下 3 根工字形主梁和小横梁、纵隔板、工字形截面 3 支柱斜支臂等构件组成，主要受力构件材质为 Q345B。主梁截面、支臂截面如图 1 所示。

依据正常设计水位 80.00 m 和原型观测试验水位 79.35 m 进行弧门主框架应力计算。各框架荷载按均布线荷载计算，荷载分配范围采用相邻间距平分，如图 2 所示。

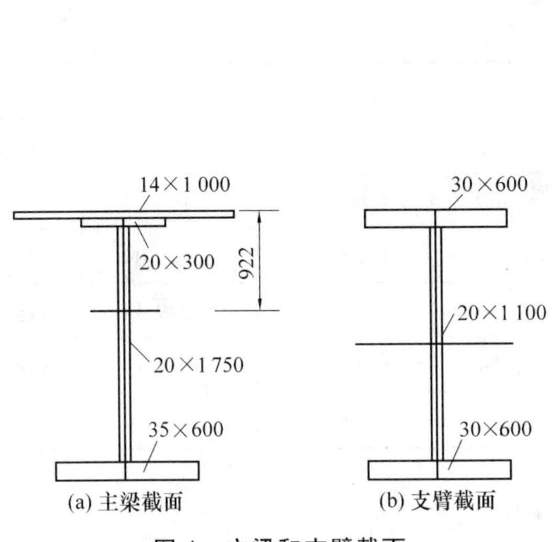

图 1　主梁和支臂截面

（尺寸单位：mm）

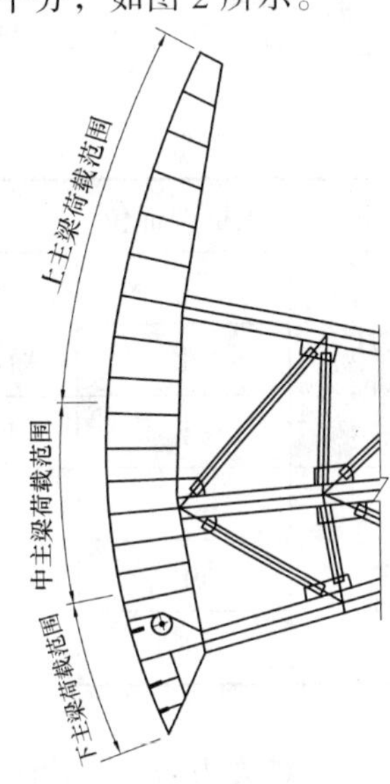

图 2　荷载分配范围

各主框架荷载 q：

$$P_x = 0.5\gamma\left[H_s^2 - (H_s')^2\right]$$

$$P_z = 0.5\gamma R^2[\phi_2 - \phi_1 + 2\sin\phi_1\cos\phi_2 - 0.5(\sin 2\phi_1 + \sin 2\phi_2) + \frac{2H_s'}{R}(\cos\phi_1 - \cos\phi_2)]$$

$$q=\sqrt{P_x^2-P_z^2}$$

式中：P_x、P_z 为水平和垂直水压力；γ 为水的容重；H_s 为上游水头；H_s' 为下游水头；R 为弧门平板曲率半径；ϕ_2 为支铰中心与底板和弧门底缘交点连线与水平线的夹角；ϕ_1 为支铰中心和弧门顶连线与水平线的夹角。

主框架计算简图见图 3，其中 l=14 000 mm，c=9 000 mm，b=2 500 mm，a =1 300 mm，h=22 078 mm，q 见表 1。

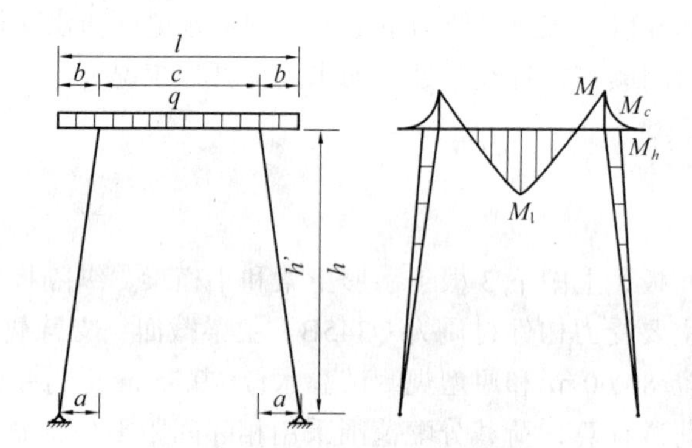

图 3　弧门主框架计算简图

表 1　表孔弧门主框架计算

工 况	主框架部位	H_s(m)	H'_s(m)	ϕ_1(rad)	ϕ_2(rad)	q(kN/m)
设计水位	上	9.369	0	– 0.449 80	– 0.027 43	436.16
	中	14.441	9.369	– 0.027 43	0.194 31	591.94
	下	18.511	14.441	0.194 31	0.349 09	657.70
试验水位	上	8.719	0	– 0.418 64	– 0.027 43	375.08
	中	13.791	8.719	– 0.027 43	0.194 31	559.64
	下	17.861	13.791	0.194 31	0.379 09	631.80

设主梁轴力为 H，支臂轴力为 N_h，线刚度比 $k=\dfrac{I_l h'}{I_h b}$，则

$$H=\frac{qb^2-6qc^2}{4h(3+2k)}+\frac{qal}{2h}\qquad N_h=(H_a+0.5qlh)/h'$$

$$M_h=Hh-0.5qla\qquad M=Hh-0.5qla+0.5qc^2$$

$$M_c=0.5qc^2\qquad M_1=0.125qb^2-M$$

式中：M、M_h、M_c、M_1 见图 3；主框架内力见表 2。

主横梁最大挠度为 0.4 cm。

表 2　表孔弧门主框架内力

工况	主框架部位	H(kN)	N_h(kN)	M(kN·m)	M_h(kN·m)	M_c(kN·m)	M_1(kN·m)
设计水位	上	192	3 059	1 634	271	1 363	2 782
	中	261	4 152	2 218	368	1 450	3 775
	下	290	4 613	2 464	409	2 055	4 195
试验水位	上	165	2 631	1 405	233	1 172	2 392
	中	246	3 925	2 097	348	1 749	3 569
	下	278	4 431	2 367	393	1 974	4 030

1.2　三维有限元分析

1.2.1　计算荷载

静力计算工况为设计水位下正常挡水和启门瞬时两种工况。静力荷载为闸门结构自重和水压力，水压力作用在面板上，以面板单元中心水头为准，以在单元内均匀分布计算。

动力计算时，考虑弧门所有构件的质量，有限元计算时按一致质量矩阵计算，同时水体按 Westergaard 公式计算附加集中质量附加于面板上。Westergaard 公式为

$$P=\frac{7}{8}\rho a\sqrt{hy}$$

式中：P 为动水压力；h 为水深；a 为闸门运动加速度；y 为水头；ρ 为水的密度。

由此，闸门附加质量为

$$m=\frac{7}{8}\rho\sqrt{hy}$$

式中：m 为分布质量。再将闸门面板各单元的分布质量平均分配到各结点上，得到附加于闸门结点上的集中质量。

1.2.2　有限元计算模型

将弧门的板构件(面板、主梁腹板、主梁翼缘、顶梁、底梁、纵隔板、纵隔板翼缘、支臂翼缘、支臂腹板、支臂肋板等)都离散为板单元，小横梁、纵隔板加劲板离散为梁单元。支铰刚度较大，且构造复杂，将其用 30 根刚度较大的梁单元代替。侧止水部件、启闭机活塞杆离散为杆单元。

离散后的弧门有限元模型共 3 988 个板单元、397 个梁单元和 110 个杆单元。

静力计算时，闸门面板两侧自由，支铰处约束 x、y、z 向位移，不约束转动。闸门正常挡水时不加启闭机杆，弧门底坎支撑，即约束面板底部 z 向位移。启闭时加启闭机杆，活塞杆下端与吊轴相连，上端支铰、面板底部自由。

动力计算时，加启闭机杆，约束闸门面板两端的侧向位移，面板底部自由。

1.2.3　弧门位移

在设计水位 80.00 m 时，弧门上主梁跨中最大位移为 2.2 mm，中主梁跨中最大位移为 3 mm，下主梁中最大位移 3.4 mm。

1.2.4　弧门应力

表孔弧门面板下游面应力分布规律是：上悬臂部分较小，下部较大，支臂纵隔板处较

大，中间较小，最大水平弯曲应力 σ_y 发生在下主梁支臂纵隔板处，为 51.9 MPa。最大竖向弯曲应力 σ_z 发生在下主梁下部中间，为 94.6 MPa。

主梁应力分布规律是：σ_y(水平弯曲应力)中部较大，两侧较小，主梁中部下游面受拉，上游面受压，上、中、下主梁 σ_y 最大值发生在跨中，分别为 45、62、69.7 MPa。σ_z(挤压应力)与支臂连接处较大，其他部位较小。

纵隔板应力分布规律是：各纵隔板上悬臂向下游弯曲，上游面受拉，下游面受压。最大弯曲压应力发生在边柱腹板下游侧上主梁处，为 99.6 MPa。

支臂应力分布规律是：翼缘、腹板近似均匀受压，最大压应力发生在上、中、下支臂腹板内侧，分别为 72.4、78.6、83.9 MPa。

1.2.5　弧门自由振动计算

启门瞬时(有水、无水)表孔弧门自由振动频率计算成果见表 3。

表 3　表孔弧门自由振动频率

频率阶次	无水频率(Hz)		试验水位频率(Hz)		振动形态
	计算	试验	计算	试验	
1	4.354	5.127	0.852	3.057	启闭机杆伸缩，弧门不变形
2	10.372	9.833	3.486	4.883	左右支臂同时向内(外)弯曲
3	10.562	10.38	3.733	5.279	左右支臂同时向左(右)弯曲
4	10.658	10.47	4.811	5.981	支臂与面板的弯曲与扭转
5	11.603	11.72	5.173	7.080	支臂与面板的弯曲与扭转

2　原型观测试验

2.1　结构静应力测试

静应力试验的主要作用是测试弧形门主要受力构件，如主横梁、纵梁、面板、支臂等在静水压力作用下的应力分布规律与应力大小，依据实测结果判断闸门的工作状况和承载能力，并和理论计算结果比较分析，相互验证。

实测坝前水位为 79.35 m，选用第 5 孔表孔弧门作原型观测，静应力检测方法采用广泛应用于工程中的电测法，以将结构的非电量变形转换为可传递的电信号。试验测点位置的布局根据弧门结构力学特性、闸门有限元计算结构及同类型闸门以往原型观测的资料和经验，共布置 67 片工作点。

支臂最大应力发生在右下支臂靠面板侧的截面变化处，其截面内侧翼缘应力值为 –106.5 MPa，左下支臂同一位置的应力值为–98.4 MPa。该截面应力较大与变截面处应力集中有关，同时支臂除了承受沿支臂杆长方向的水压力外，还承受了Π形主框架平面内的弯矩作用和垂直于主框架平面的弯矩作用，使得支臂内侧翼缘和腹板应力较大，而外侧翼缘应力较小。主梁最大应力为 100.6 MPa，发生在下主梁跨中部位，面板区格的应力状态为双向应力状态，其竖向应力为 102 ~ 106.3 MPa，水平应力为–9.9 ~ 11.9 MPa。支臂及支铰连接处的应力都不大。

为了解闸门在设计状态下受力情况，需要推求闸门在正常设计水位下弧门控制点的应力值，该推算方法基于假设材料在弹性范围内工作，采用一种荷载比例系数推出支臂最大压应力为 114 MPa，下主横梁最大拉应力为 107.6 MPa，实际上当荷载增大时，荷载与应力变化并非严格按线性变化，因而推算结果有一定的局限性。由此可见，闸门结构尚有足够的静力安全储备。

2.2　结构动态特性测试

闸门在水中的自振频率是分析闸门共振可能性的主要参数，振型可以了解闸门振动的基本变形，由于闸门在启闭过程中或局部开启时与动水相接触，往往会出现振动，一般振动是很轻微的，不足为虑。但若流体引起振动的频率与结构的自振频率相接近时，就可能引发严重的共振现象，通过动水试验还可测试出闸门在水流作用下主要受力构件的最大动应力与最大动位移，以此分析和评价闸门在运行过程中的安全可靠性。

测试参数包括：闸门自振频率、闸门振动位移、闸门振动加速度、闸门动应力和闸门启闭力。试验工况为：闸门全关至全开、全开至全关，其开度间隔为 1 m，进行闸门频率试验和闸门动力响应试验。

弧门在实际运行中，主要是前几阶次振型起作用，而从中反映出支臂结构是整扇闸门的薄弱环节，其动力稳定性是弧门安全运行的关键。启闭机油缸活塞杆牵引弧门绕支铰的第一阶振动频率基本上没有大的变化，随着弧门开度增加，受水体附加质量减小的影响，自振频率略有增加。泄洪过程中水流出现非稳定流状况，自振频率亦会发生变化。

试验结果表明，弧门支臂的动位移大于弧门主梁的动位移，支臂的刚度小于弧门梁系的刚度。5～10 m 开度泄流时，弧门动位移明显增大，其中 9 m 开度时支臂水平方向最大动位移量值为 0.222 mm。另外上、下支臂水平方向的位移量值基本相同，据时域曲线分析，上、下支臂振动相位也相同，即上、下支臂的振动是同方向的无扭曲振动。

根据动力学理论，结构承受的惯性力 $F=ma$，即结构质量加速度越大，结构承受的惯性力越大。弧门主要受力构件的最大加速度与弧门开度之间的关系为：开度 6 m 时，最大加速度量值为 0.099g，且垂直振动分量大于水平振动分量，以第一振型为主，这种振动对弧门结构影响不大，但验证了油缸活塞杆牵连弧门绕支铰的振动是最为容易发生的振动。

弧门在 6～10 m 开度泄流时动应力较大，其中最大动应力出现在 6 m 开度时。最大动力系数为 1.129，发生在下主梁跨中部位，7 m 开度时。最大动应力和最大加速度均出现在 6 m 开度。实测结果完全验证了加速度反映弧门惯性力的大小，而动应力又与惯性力的大小有关。

检测弧门启闭力，以核实弧门在运行过程中启、闭门力的计算理论值与实际值的吻合情况，再者检测启闭机运行的同步性。实测最大启闭力为 1 510 kN，为设计值的 75.5%，实测最大的闭门力为 1 364 kN，为设计值的 68.2%。

3　平面框架法、三维有限元法与试验结果比较

为了比较平面框架法、三维有限元法和试验结果的差异，按水位 80.00 m 将弧门下框架关键点应力的计算值与实验列入表 4(试验应力为推算值)。

表 4　表孔弧门下框架关键点应力　（单位：MPa）

计算方法	主梁中点下游面	支臂外翼缘(靠面板侧)	支臂内翼缘(靠面板侧)	支臂翼缘(靠支铰侧)
平面框架	86.2	56	89.2	72.6
三维有限元	69.7	63.1	85	77.4
试验结果	107.6	71.4	114.0	77.8

4　结论

(1) 实测结果表明，表孔弧门的最大应力和最大挠度均未超过材料允许应力和允许挠度，并有一定充裕的静力安全储备，闸门刚度满足设计规范的要求。

(2) 表孔弧门静力实测结果和电算结果规律完全相同，但一般测点实测应力比电算应力大 10%～30%，比平面框架法计算应力大 10%～20%。究其原因：一是电算力学模型不能准确、真实模拟弧门侧止水的弹性约束条件，二是实测点也不可能和计算点完全一致。

(3) 大量统计资料表明，水流的频率一般在 20 Hz 范围内，其中大部分又小于 10 Hz。试验过程中没有发现弧门剧烈振动现象，显然是因为下泄水流形成的动水荷载的高能区没有长期位于弧门的低频区而形成不利组合的缘故。表孔弧门在实际操作运行时应注意闸前横向流在闸前产生不规则的涡漩运动，破坏稳定流态引起弧门振动。

(4) 弧门大开度泄流时的动位移大于小开度泄流的动位移，至开度达 13 m 时水流部分脱离弧门底缘，门体动位移减小。支臂动位移大于弧门主梁的动位移，基本变形以支臂振动为主，支臂的稳定性是整个弧形闸门安全与否的关键。

(5) 支臂除受压力作用外，还承受了主框架平面内的弯矩和垂直于主框架平面的弯矩(双向弯矩)作用。

(6) 自 2000 年 4 月正式蓄水后，深、表孔金属结构设备均陆续投入运行，各设备运行状况正常，闸门止水情况良好，说明设计方案合理，安装质量合格，能保证大坝安全运行。

（原载《水力发电》2002 年第 3 期）

高坝洲水电站碾压混凝土纵向围堰拆除爆破设计与实践

刘晓军　杨树明　曾祥虎　刘立新

高坝洲水电站碾压混凝土下游纵向围堰堰顶宽 5 m，最大堰高 21 m，堰体呈梯形断面，两侧自高程 52.0 m 起坡，坡度 1∶0.35(斜坡分为若干小台阶，每一小台阶高 0.9 m，宽 0.315 m)。碾压混凝土标号 $R_{60}=150^{\#}$，抗渗标号为 S4，设计强度指标：$R_{抗压}=8.68$ MPa，$R_{抗拉}=1.08$ MPa。碾压混凝土下纵堰拆除分两层进行，第一层高程为 50.0～57.0 m，第二层高程为 43.0～50.0 m。上层分 4 区进行拆除，Ⅰ～Ⅲ区为试验爆破。下层长 100 m 在蓄水前一次拆除完毕。

碾压混凝土下游纵向围堰上端通过下纵导墙与纵向坝段相连，纵向坝段右侧坝顶正在进行金属结构安装，左侧泄洪坝段、厂房坝段及厂房部分机组正在挡水发电，大坝基础廊道高程 37.5 m 下部为灌浆帷幕体，护坦固结灌浆区与围堰拆除部位较近，爆破拆除时必须首先保证这些正在运行的重要建筑物的安全及完整性。

碾压混凝土下纵堰爆破拆除设计要求：

(1)保证高程 43.0 m 以下碾压混凝土围堰保留体的完整性。

(2)尽量减少落入围堰左侧河床(泄流通道)的爆渣，爆渣应大部分抛向围堰右侧基坑，以减少顶面清渣工作量。

(3)爆渣块度满足现场开挖设备(4 m^3 电铲)出渣要求。

1　爆破试验及成果分析

1.1　爆破试验方案设计及爆破效果

为确保下层碾压混凝土围堰的顺利拆除，在围堰上层Ⅰ~Ⅲ区进行拆除爆破试验。爆破参数详见表 1。

表 1　爆破试验参数表

项目	参数		
	Ⅰ区	Ⅱ区	Ⅲ区
长度范围(m)	15.5	28	39
高程范围(m)	50~57	50~57	50~57
孔径(mm)	85	85	85
孔距(mm)	2.0	1.5	1.5
排距(mm)	1.2~1.3	1.2~1.3	1.5~1.8
孔深(mm)	6.5	6.5	6.8
钻孔方式	垂直孔	垂直孔	倾斜孔(1：0.15)
单耗(kg/m^3)	0.37	0.42	0.55
药包直径(mm)	4×ϕ32(换算为 55)	ϕ70	ϕ70
装药方式	间断不耦合	间断不耦合	间断不耦合
最大单段药量(kg)	25.5	15.2	20.4
起爆方式	斜形	右侧中间开口上下游对称V形	右侧中间开口上下游对称V形
起爆网络	塑料导爆管排间微差	塑料导爆管孔间微差	塑料导爆管孔间微差
底部水平孔爆破方式	部分光爆、部分预裂	光面爆破	光面爆破
爆区上游端头与保留体垂直面爆破方式	1 排光面爆破	1 排光爆、1 排缓冲孔爆破	1 排光爆、2 排缓冲孔爆破

参考类似工程的经验，碾压混凝土拆除爆破的单位耗药量一般为 0.3 kg/m^3，Ⅴ区单位耗药量选定时，为了增大向右侧基坑抛掷的石渣量，取单耗为 0.37 kg/m^3。从Ⅰ区爆破试验结果看，破碎效果不理想，大部分渣体是沿碾压混凝土层面拉开，且因下游端部的平均单位耗药量小于 0.3 kg/m^3，因而出现一些大块。另外由于表层及两侧面为常态混凝土(称"金包银"结构)，与层间弱面的影响作用，在表层也出现一些大块。斜形起爆方式使爆渣绝大部分堆在右侧。垂直光爆壁面中间 3 孔半孔痕迹保留，两侧边孔上部边角拉坏，下部侧向出现裂缝但缝面未完全贯通。爆后水平面沿高程 49.4 m(水平光爆孔高程 50.0 m)的混凝土层面见底，底面平整。

针对Ⅰ区爆破石渣块度大、后冲向层面拉开严重的缺点，对Ⅱ区爆破方案作了适当调整：①孔距由 2.0 m 减小为 1.5 m；②单位耗药量加大至 0.42 kg/m^3；③主爆孔采用直径 70 mm 的药包；④Ⅱ区与Ⅲ区交界处布置 1 排光爆孔、1 排缓冲孔，光爆孔两侧各设 1 个导向孔；⑤采用中心掏槽，两侧炮孔对称 V 形起爆方式。Ⅱ区爆破的爆破效果得到了明显改善，爆渣主要抛向右侧，大块明显减少，约 10 块左右，代表性大块的尺寸为 1.4 m × 1.1 m × 1.1 m。后冲向垂直壁面上的 4 个光爆孔从上至下保留半个孔壁。两侧导向孔上部边角爆掉，下部边角保留。

为了给下层拆除爆破设计提供可靠的依据，保证下层拆除爆破获得理想的爆破效果，Ⅲ区爆破设计做了进一步的调整和优化：①右侧和中间的主爆孔改为 1∶0.15 的斜孔，以增加向右的抛掷量；②为了减少前排顶部出现大块，在前排炮孔与临空面之间增加 1 排孔深为 1.4 m 的手风钻炮孔，起解炮作用；③主爆孔单位耗药量增大至 0.55 kg/m^3，以增大向右的抛掷作用和渣体破碎作用；④为了减少爆破对保留体的振动破坏影响，Ⅲ区与Ⅳ区交界处设置 2 排垂直缓冲孔、1 排光爆孔，光爆孔两侧的导向孔在孔底 2.0 m 适当装药。

Ⅲ区碾压混凝土爆破破碎效果较好，爆渣向起爆方向集中，大块很少。垂直光爆壁面上部约 1.0 m 范围无光爆孔痕迹，下部光爆孔(4 孔)半孔壁保留，但壁面不平整。从壁面露头处可看出碾压混凝土质量较差，对爆后壁面的平整性有一定影响。爆后水平底面为混凝土浇筑层面，较为平坦。

1.2　爆破试验振动监测成果

3 次试验爆破时，对 2#机组尾水平台及 2#机组单元控制室进行了爆破质点振动安全监测。

尾水平台及单元控制室均为钢筋混凝土结构，单元控制室内有发电机组监控操作台及继电保护装置。根据《爆破安全规程》(GB86—6722)及招标文件的规定，钢筋混凝土的爆破振动安全标准为 8.0 cm/s，机电设备的爆破振动安全标准为 0.9 cm/s。实测成果远小于允许振动速度，振动频率也高于建筑物自振频率，监测对象处于安全状态，发电机组保持正常运行。

声波检测成果为：Ⅰ、Ⅱ区爆破垂直影响深度为 0.3 m，由于爆后水平壁面多为混凝土浇筑层面，爆炸能量在水平软弱层面被大量消耗，爆破对孔底层面以下的影响减小。

1.3　碾压混凝土下纵堰拆除爆破试验成果分析

碾压混凝土 3 次拆除爆破试验表明：

(1) 碾压混凝土每 30 cm 一个升层的浇筑方式，使堰体层面较多，形成较多的层间薄弱环节，在爆炸力作用下易形成大块；当单段药量稍大时，爆渣细碎，其对单位耗药量变化的敏感度较常态混凝土高。

(2)倾斜孔对控制爆破方向和改善爆破效果都较垂直孔有利。排距 1.2 ~ 1.3 m 偏小，增大了钻孔工作量。下层拆除爆破时排距可增大为 1.5 ~ 1.8 m。为了减少大块，可在前排主炮孔与临空面间布置 1 排手风钻孔(孔深 1.5 m 左右)。

(3)水平预裂或光面爆破孔应结合层面布置，以保证开挖面平整。仅采用垂直孔或倾斜孔爆破，会残留 0.3 m 左右的炮根，而前排炮孔爆破可能将临空面一侧下部水平边角爆掉，造成超挖，所以炮孔超深值应根据炮孔平面位置确定。

(4)采用导爆索引爆的耦合间断装药结构，不仅爆炸能量分布均匀，而且利用了剪切力，有利于混凝土块度破碎。

(5)中心掏槽两侧炮孔对称扩大起爆方式较单向起爆方式增大了爆渣相互碰撞的机会，有利于改善爆破质量。

2　围堰下层爆破方案设计

2.1　爆破参数设计

下游碾压混凝土纵向围堰下层拆除爆破区长 100 m，呈梯形断面，拆除高程为 43.0 ~ 50.0 m，拆除高度 7.0 m，上下顶宽分别为 6.8 m 和 11.0 m。根据断面特点，并保证 90%以上石渣抛向右侧，布置 5 排主爆孔，其中：右侧的 4 排孔倾向右侧，倾角 73° ~ 79°，左侧的 1 排炮孔与右侧的 4 排炮孔相互错开，并顺左侧临空面倾向左侧。右侧的 4 排炮孔主要作用是将爆渣大部分抛向右侧，左侧炮孔主要起解炮作用。在右侧第一排主炮孔与临空面之间错开布置 1 排手风钻炮孔，孔深 1.5 m，以减少前沿顶部的大块。

2.1.1　主爆孔爆破参数

①孔距：a=1.5 m；②排距：b(或 w)=1.5 ~ 1.8 m(孔口)；③孔深：l=6.3 ~ 6.5 m，孔底至设计底面距离 0.8 m；④堵塞长度：l_1=0.9 ~ 1.4 m；⑤单位耗药量：为了控制第四、第五排炮孔上部交叉部位的药量不至过大，第四、第五排炮孔单位耗药量取 $q_{4,5}$=0.4 kg/m^3，为了增加向右的抛掷方量，右侧 1、2 及 3 排炮孔单位耗药量取 $q_{1,2,3}$=0.59 kg/m^3，平均单耗 q=0.55 kg/m^3；⑥最大单段起爆药量：最大 2 个单孔药量之和为 $Q_{\max}$=18.66 kg；⑦装药结构：右侧 4 排炮孔及左侧 1 排炮孔下部，采用ϕ70 mm 药包间隔装药结构。左侧 1 排炮孔的上部采用小直径药卷均匀分散装药结构。

2.1.2　水平光面爆破参数设计

①孔距：a=0.8 m；②抵抗线：w=0.8 m；③孔深：l=10.0 m；④线装药密度：$q_{线}$=0.26 kg/m；⑤装药结构：采用ϕ32 mm 药卷，底部连接布置 2 支药卷，上部按 0.8 m 的间距均匀布置 11 支药卷，堵长 0.8 m。

2.1.3　垂直光面爆破

在下纵碾压混凝土围堰下层拆除区的上游端头与保留之间设置 1 排垂直光面爆破孔和 2 排垂直缓冲孔。在上层Ⅳ区拆除爆破时，将下层拆除区的上游端头与保留之间进行了预裂爆破。

2.2　爆破网络设计

爆破网络由 3 条干线组成。主爆孔从右至左各排分别采用 5、6、8、9 段和 10 段非电毫秒雷管，顶面设置 2 条主干线传爆网络，分别起爆右侧的 2 排和左侧的 3 排主爆孔。第三条干线敷设在右侧水平光面爆破孔下侧 2 m 附近，由 6、7 段和 8 段非电毫秒雷管组成，水平光面爆破每 6 ~ 8 孔由导爆索联成一个组，由 10 段雷管引爆导爆索。3 条主干线均从中间开始起爆，向上下游两侧依次传爆，形成中间掏槽上下游对称扩大的起爆方式。

3　拆除爆破效果及振动测试成果分析

3.1　拆除爆破效果分析

3 条主干线网络全部传爆，未发现炮孔拒爆现象。爆堆 90%以上集中堆于右侧，大块较少，表面也未发现大块，爆渣破碎，飞石较少。爆渣清除后发现局部留有根底，原因是主爆孔孔深未达到设计孔深。

3.1.1　爆破控制大块技术措施

由于碾压混凝土 30 cm 一个小升层、3.0 m 一个大升层的浇筑方式，使得堰体存在很多水平弱面，爆破时不仅在表面和接头部位出现大块，甚至在堰体内部也会出现大块，因而采取了以下控制措施：

(1) 提高单位耗药量。根据碾压混凝土的特点，当单位耗药量较低时，爆炸能量较小，爆炸能量首先使薄弱层面裂开，爆炸气体从层面裂缝逸出，使混凝土块体尚未破碎即被逸出气体带出，形成大块。

(2) 采用耦合装药和均匀间隔装药结构。耦合装药爆破堆孔壁产生的压力最大，最有利于爆破介质的破碎。钻孔直径 100 mm，药包直径的选用，必须考虑到深孔装药时，孔壁的摩擦阻力及施工的可操作性。药包要用绳索、导爆索及胶布绑扎，造成实际药径增大。经验表明，选用ϕ70 mm 药包较为合适。

(3) 布置手风钻炮孔。碾压混凝土表层 0.5 ~ 1.0 m 为常态混凝土，常态混凝土的整体性较强，爆破时表层易形成大块。在右侧顶部第一排炮孔与前沿临空面之间布置了 1 排手风钻炮孔，手风钻孔在其后的 2 个主爆孔起爆后爆破，即手风钻炮孔所在块体脱离母体后在空中爆破，起解炮作用。

(4) 采用中间掏槽对称式传爆的孔间微差爆破方式，增加爆渣在空中相互碰撞的机会，有利于渣块的破碎。

(5) 减小堵塞长度。炮孔堵塞长度控制在 1.0 m 左右，避免堵长过大而产生较多大块。

3.1.2　爆渣定向抛掷技术措施

高坝洲电站碾压混凝土纵向围堰拆除段（0+170 ~ 0+270）的左右两侧均呈临空状态，拆除要求限制爆渣落入左侧，为了使爆渣向右侧抛掷采取了以下技术措施：

(1) 5 排主爆孔中有 4 排炮孔布置成倾向右侧的斜孔，设计了较大的单位耗药量，以增加向右的抛掷量。临近左侧的 1 排炮孔取较小的单耗，仅起解炮作用。

(2) 起爆网络采用了右侧中部为开口点的对称式 V 形顺序起爆网络、孔间微差的爆破方式，使爆渣以斜后侧混凝土体为依托抛向右侧。

3.1.3　爆破参数对爆破效果影响因素分析

(1) 碾压混凝土使用较大直径的药包，孔排距也可适当加大。

(2) 随着单位耗药量的增大，大块率明显降低。单位耗药量达到 0.55 kg/m^3 以上时，大部分为碎渣。由于碾压混凝土具有浇筑层面多、薄弱环节多、整体性差及质量的不均匀性特点，碾压混凝土爆破对单位耗药量的变化反应较岩石和常态混凝土敏感，单位耗药量应比同标号的常态混凝土高。

(3)大体积碾压混凝土爆破拆除采用孔径 100 mm 的炮孔较为合适，以间断耦合装药结构为佳。深孔爆破时需附加绳索及 2～3 股导爆索，在孔壁不光滑或孔内有错层时装药困难，一般孔深 10 m 以内采用直径 70 mm 的药包可满足需要。

(4)由于一些炮孔钻孔深度未达到设计高程，使下部水平光爆层厚度增大，单位耗药量偏小，造成此处留有根底，不平整度增加。

3.2　拆除爆破振动监测成果

碾压混凝土下纵堰拆除爆破时，在碾压混凝土纵向导墙、$2^{\#}$机组尾水平台、$2^{\#}$机组单元控制室、$12^{\#}$坝段坝顶、$12^{\#}$坝段灌浆廊道、泄洪坝段闸门及中隔墩附近布置振动测点，进行了爆破质点振动安全监测，监测成果见表 2。

表 2　拆除爆破振动安全监测成果

测点	监测部位	最大质点振动速度(cm/s)	频率(Hz)
$1^{\#}$	在碾压混凝土纵向导墙 0+173 m	5.2	15～58
$2^{\#}$	$2^{\#}$机组尾水平台	0.17	
$3^{\#}$	$2^{\#}$机组单元控制室	0.19	
$4^{\#}$	$12^{\#}$坝段坝顶	0.19	
$5^{\#}$	$12^{\#}$坝段灌浆廊道	0.21	
$6^{\#}$	泄洪坝段闸门附近	0.18	
$7^{\#}$	中隔墩	1.07	

$1^{\#}$测点的垂直距离为 10 m，水平距离较小，故实测振速较大。$5^{\#}$测点布于 $12^{\#}$坝段灌浆廊道帷幕灌浆线附近，实测振速较小，仅 0.21 cm/s，远小于 1.2 cm/s 的安全控制标准。其他部位的实测值均小于允许质点振动速度，振动频率也高于建筑物卓越频率。周围建筑物均处于安全状态，发电机组保持正常运行。

4　结论

(1)高坝洲碾压混凝土纵向围堰拆除爆破效果及振动测试成果表明，碾压混凝土围堰拆除采用炸碎的拆除设计方案是合理的，爆破参数及起爆网络设计是成功的。

(2)围堰拆除爆破效果达到了绝大部分爆渣抛于围堰的右侧及块度满足现有挖装设备除渣的拆除要求。

(3)拆除爆破对大坝等周围建筑物没有产生不利振动影响，大坝及发电机组始终保持正常运行。

（原载《长江科学院院报》2003 年 12 月第 20 卷增刊）

Ⅲ　科研与新技术应用

碾压混凝土在高坝洲水利枢纽中的应用

刘　宁　陈勇伦

高坝洲水利枢纽的大坝自左至右为左岸非溢流坝段、厂房坝段、泄流深孔坝段、纵堰坝身段、泄流表孔坝段、升船机坝段及右岸非溢流坝段。大坝为混凝土重力坝。一期施工的厂房坝段和深孔坝段，由于孔口底板高层较低、薄壁曲面、多孔多筋等结构原因，未采用碾压混凝土(RCC)。为了缩短工期、降低造价，二期施工的纵堰以右的大坝都采用了RCC。为此，从结构和施工方面研究采取了一些措施。

1　采用RCC施工的坝工结构条件

1.1　纵向围堰的RCC施工特点

纵向围堰由上纵段(长179.5 m，堰顶高程62 m)、坝身段(即12#坝段，宽20 m，顺流向长43.5 m)、下纵导墙段(长137 m、堰顶高程57 m)、下纵段(长100 m、堰顶高程57 m)等组成，全长460 m。除12#坝段在高程38 m和34 m分设上游基础廊道(3 m×3.5 m)和下游辅助排水廊道、左右两侧为直立面外，其余堰段均是左右两侧为1∶0.35边坡的实体。因此，整个纵向围堰均适于采用RCC填筑。

上游纵向围堰分为5段，下纵导墙分为7段，下游纵向围堰分为2段。除上纵下段与12#坝段间、12#坝段与下导1#段间、下导7#段与下纵上段间为永久缝外，其余各段间均设诱导缝。各堰段除1.0 m厚的垫层混凝土、12#坝段廊道周边混凝土及下纵导墙段的外包常态混凝土外(由于后期有消能抗冲磨要求而采用“金包银”的结构型式)，其余部位均为全断面RCC。12#坝段与下纵导墙段的剖面型式见图1。

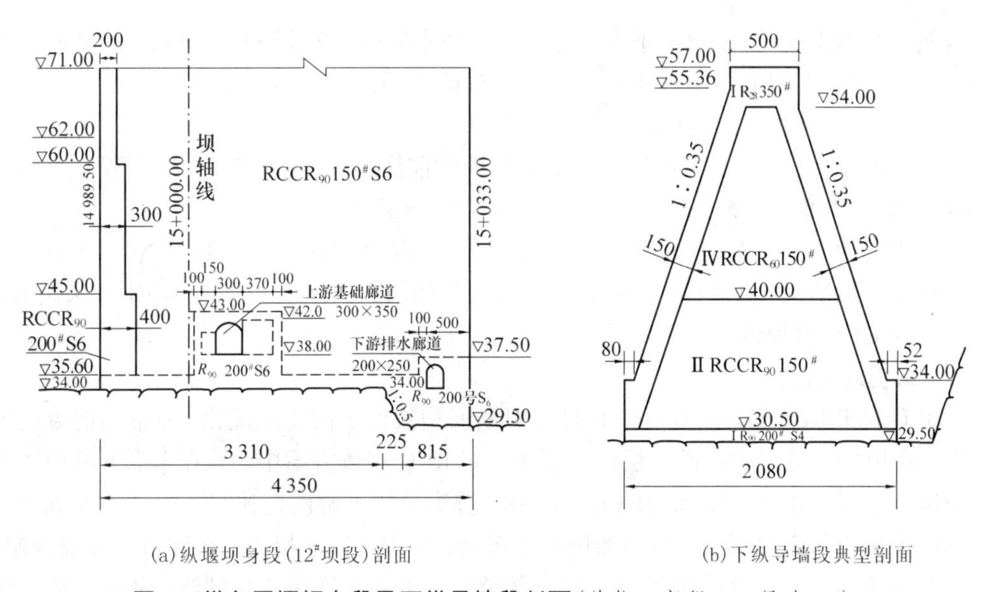

(a)纵堰坝身段(12#坝段)剖面　　(b)下纵导墙段典型剖面

图1　纵向围堰坝身段及下纵导墙段剖面(单位：高程m；尺寸cm)

1.2　13#~23#坝段 RCC 施工特点

曾就“金包银”及“全断面 RCC”两种方案进行过结构及施工等方面的比较，最后选择采用全断面 RCC 施工的方案。

1.2.1　13#～23#坝段结构特征

表孔坝段(13#～19#)前缘总长 116.5 m，分 6 孔，堰体为开敞式 WES 实用堰，堰顶高程 62 m。为了满足堰顶抗冲耐磨要求，需设 3 m 厚的常态混凝土帽盖，故只在 59 m 高程以下采用 RCC。距上游面 4 m 处设 1 条底板高程 37 m 的基础廊道，下游在高程 34 m 处设 1 条辅助排水廊道。两个廊道底板以下垫层浇常态混凝土，溢流面面层为抗冲耐磨混凝土，面层与内部 RCC 间设常态混凝土过渡层，其余部位均为 RCC，其中上游防渗层为二级配 RCC，坝体内部为三级配 RCC。12#与 13#坝段间设永久缝，其余各坝段间设诱导缝。典型剖面型式如图 2 所示。

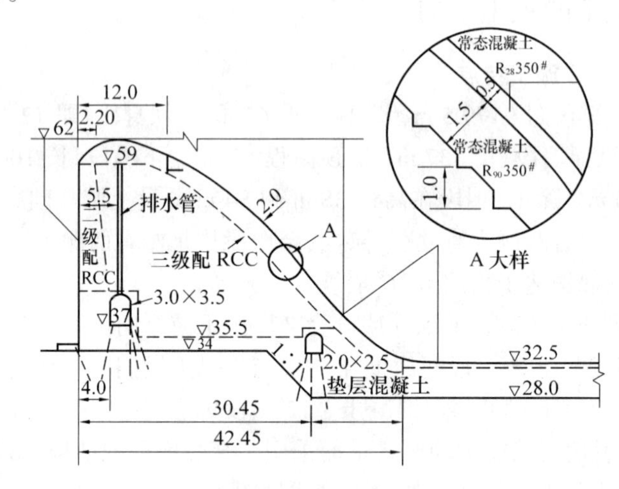

图 2　表孔坝段横剖面(单位：m)

通航建筑物为坝后式 300 t 垂直升船机，其挡水坝段(20#坝段)宽 25 m。建基面高程在 31~38 m，垫层常态混凝土厚 1.0 m，62 m 高程以下部位采用 RCC，除无下游排水廊道且下游坝面改为预制模板外，其余均与表孔坝段相同。

右岸非溢流坝段(21#~23#坝段)62 m 高程处的前缘长度为 33.5 m，该高程以下部位采用 RCC，各坝段间均设诱导缝，其他结构均同 20#坝段。

需要指出的是，二期工程坝体 62 m 高程以上部位仓面狭窄，尤其是 13#~19#坝段堰顶以上部位为闸墩结构，难以铺筑振捣，加之浇筑时间已到高温期和汛期，均不宜采用 RCC，故二期工程 62 m 高程以上坝体仍浇筑常态混凝土。

1.2.2　断面型式的优化

为了有利于 RCC 施工，在施工设计中对断面型式作了简化及优化。原常态混凝土坝体方案中，在坝体上游至少要设 2 层廊道系统；而 RCC 坝体方案中，只在上、下游坝体内各设 1 条廊道系统。由于上游廊道的上游面和下游廊道的下游面仓狭窄，不便于 RCC 施工，故该部位仍采用常态混凝土。但为加快施工进度，采取了以下措施：在廊道顶部加预制拱；除右岸非溢流坝段(21#~23#坝段)外，其余部位的廊道均水平布置。另外，从单纯的防渗观点出发，采用“金包银”的结构型式较为有利，但综合考虑工期要求、不同混凝土的结合等问题，最终采用“全断面 RCC”施工的结构型式。

在施工工艺上，为了满足坝体稳定，将坝体上游面设计成垂直面，便于采用 doka 模板；坝面排水孔幕采取坝顶钻孔方式；并且在非溢流坝段下游面采用混凝土预制模板，可以提高施工速度。

1.2.3　固结灌浆工序的优化

按常规方法对每个坝段进行固结灌浆要占据较长的直线工期，而 RCC 坝施工的特点是全线同步上升，这就要求全线的固结灌浆同时实施，因此有必要对固结灌浆工序进行优化。优化后的固结灌浆范围分为坝踵和坝趾两个区。坝基上游三分之一宽度范围为坝踵区，防渗帷幕前两排固结灌浆孔兼作辅助防渗帷幕；下游三分之一宽度范围为坝趾区；坝基中部三分之一宽度范围不进行固结灌浆。这样，固结灌浆开孔位置可尽量布置在上、下游廊道内，避免钻灌与混凝土浇筑相互干扰，为固结灌浆不占直线工期创造条件。

2　采用 RCC 施工的方案优化及进度控制

无论是纵向围堰施工，还是二期工程坝体 RCC 施工，都只有一个枯水期供截流、开挖、浇筑作业，尤其是混凝土施工(包括垫层填塘混凝土)时间不足 3.5 个月，工期相当紧张。为了满足工期要求，必须优化 RCC 施工方案，严格控制进度。

2.1　RCC 施工方案及进度

2.1.1　纵向围堰

设计要求纵向围堰分为上纵段、12#坝段及导墙段、下纵段等 3 个仓次施工，最大仓面约 3 600 m^2。在具体施工过程中，施工单位根据建基面开挖进度及混凝土入仓强度，分为 6 个仓次，即：试验段和上纵上段、上纵中段和上纵下段、12#坝段、导 1#～3#段、导 4#～7#段、下纵段，仓面最长 100 m，面积最大 2 000 m^2。

浇筑过程中，由于未能及时安装丰满门机等起吊设备，故采用混凝土泵将基岩找平，然后由自卸汽车直接入仓并辅以装载机转料浇筑常态垫层混凝土，待达到规定的高程后，开始进行 RCC 施工。除 12#坝段采用整体组合钢模板、下纵段采用台阶式组合钢模板外(每升程 0.9 m)，施工中主要采用 doka 模板，每升程 2.1 m。并且利用间歇期立模，不影响施工。

参考现场试验的中间成果，确定 RCC 施工的工艺如下：采用 4×3 m^3 郑州产拌和楼供应生产，拌和时间为 150 s；投料顺序为大石+小石→水泥+粉煤灰→外加剂→中石+砂；由红岩牌或 T20 自卸汽车直接入仓卸料，D80 型推土机平仓，按压实厚度 30 cm 控制摊铺厚度；然后以 BW202AD 型振动碾为主无振碾压 2 遍，有振碾压 6～8 遍；全断面 RCC 的模板及止水附近，则尽量采用 BW75S 型小型振动碾碾压，碾压不到的位置洒水泥素浆并用插入式振捣器振捣；诱导缝采用人工钢钎灌干砂的方式造缝；仓面的结合针对不同层面的暴露面间采取不同的处理措施。

纵向围堰自 1997 年 1 月 24 日开始浇筑试验段找平混凝土，2 月 4 日进行试验段的 RCC 施工，于 5 月上旬完成了整个纵向围堰的混凝土施工。

2.1.2　坝体

坝体较之纵向围堰，基础开挖更深(齿墙挖至 28 m 高程)、施工质量要求更严、工期更紧，因而施工难度更大。

表孔坝段是控制进度的关键部位。对 28 ~ 35.5 m 高程的常态混凝土，如采用薄层短间歇均匀上升的浇筑方式，需占直线工期 1.5 个月。在此期间进行上游基础廊道侧墙的立模、扎筋和浇筑，同时随基岩高程的上升浇筑 20# ~ 23#坝段垫层混凝土，可以不占直线工期。整个二期工程坝体的 RCC 施工采取一个仓次碾压、薄层连续上升的方式。这样 59 m 高程以下的坝体施工需 1.5 个月；13# ~ 19#坝段 59 ~ 60.5 m 高程的堰顶过渡层约需 0.5 个月，同期完成 20# ~ 23#坝段 59 ~ 62 m 高程的 RCC 施工。故自垫层混凝土开始浇筑到 61.5 m 高程的堰顶过渡层，共需 3.5 个月。

为了满足工期及进度控制要求，施工设计对混凝土施工布置方案及工艺作了相应的调整。浇筑垫层及其他部位的常态混凝土时，在二期坝体下游平行坝轴线方向安装 1 台塔机和 1 台履带吊作为入仓机械，水平运输以自卸汽车转卧罐为主。在塔机未投入使用之前，应临时增加 1 台履带吊，以加快入仓速度。坝体 RCC 施工仍由左岸拌和楼供料，由自卸汽车经高坝洲大桥运至右岸沿江公路直接入仓。

2.2　以 RCC 施工控制工期为主导的其他安排

由于二期工程在施工期仅靠 3 个永久深孔导流，所以截流时间不能提前，只能在 1998 年 10 月下旬合龙，12 月上旬戗堤闭气。要在一个枯水期完成截流、基坑开挖乃至 62 m 高程以下部位的混凝土浇筑，从而省去原常规混凝土坝体施工所必需的上游碾压混凝土过水围堰，还需各施工环节有机配合。

(1) 通过隔河岩水库调蓄施工期导流流量。由于二期工程主体施工期仅由 3 个深孔导流，而 5 月份 10%频率的流量为 5 480 m^3/s，依此推算大坝上游水位将超过 80 m 高程，按此高程加高围堰是不可取的，因此利用一个梯级——隔河岩水利枢纽调蓄，在 5 月底前控制坝址流量小于 2 800 m^3/s，从而确定上游土石围堰堰顶高程 62 m，与下游碾压混凝土围堰一起保护坝体的 RCC 施工，汛后则直接利用坝体挡水发电。这样，通过减少导流建筑物及相应的施工环节及工期，为二期工程坝体 RCC 施工争取工期。

(2) 加快基坑开挖速度。二期工程基坑开挖层厚 2 ~ 9 m，覆盖层开挖量 32.9 万 m^3，岩石开挖量 21.6 万 m^3，要在 1999 年元月底前完成主河床基坑开挖，任务十分艰巨。右非坝段及升船机机室高程 44 m 以上的岸坡开挖应在截流前基本完成。坝基全线开挖在 12 月份开始进行，元月中旬逐步提供保护层开挖部位。保护层开挖采用一次爆除的施工技术，以保证元月底前，表孔坝段建基面修整完毕，提供全线浇筑的仓位。

3　结语

(1) 纵向围堰混凝土工程量为 16.02 万 m^3，其中 RCC 工程量 12.41 万 m^3，占 77.5%；二期坝体高程 62 m 以下部位混凝土工程量为 21.95 万 m^3，其中 RCC 工程量 16.75 万 m^3，占 76.3%。与国内外工程相比，其 RCC 用量偏高，结构设计也是先进的。

(2) 二期工程坝体施工工期很紧，要求达到月平均上升约 15 m 的浇筑高度。国内已建全断面 RCC 坝中，坑口坝最大月上升高度为 13 m，月平均上升 10 m；普定坝最大月上升高度 17 m，但实际月平均上升高度仅 8 m，可见二期工程坝体的 RCC 施工速度指标是较高的，由于有纵向围堰的施工经验(12#坝段最大月上升高度已达到 18 m)，因此二期工程坝体的设计施工速度是能够达到的。

(3) 二期工程中不仅采取 RCC 中加大粉煤灰用量、简化施工工艺等措施，以获得直接经济效益，而且更注重其间接经济效益。如：用 8.77 万 m^3 的 RCC 取代原 8.12 万 m^3 的常态混凝土；取消上游碾压混凝土围堰，加高上游土石围堰(增加 8.0 万 m^3 填筑量)，从而节省了 9.7 万 m^3RCC。与原方案比较，可节约静态投资 2 270 万元，节约总投资 3 374 万元。另外，可使高坝洲电站提前 1 年下闸蓄水正常发电，在施工期间可增加发电量 67 400 万 kW·h，除去隔河岩枢纽因调蓄损失的约 4 000 万 kW·h 电量外，尚可获得 63 400 万 kW·h 的发电量。

(4)施工质量和进度的保证，有赖于建设、设计、监理及施工各方的有机配合，尤其取决于科学的施工管理和施工队伍的素质。RCC 坝的设计、施工有不同于其他材料坝的特点，通过 RCC 在高坝洲水利枢纽施工中的应用实践，可以进一步提高我国 RCC 筑坝的科研、设计、施工及管理技术水平。

(原载《人民长江》1997 年第 9 期)

清江高坝洲工程左岸边坡开挖爆破试验研究

汪金元　曾祥虎　刘晓军

1　概述

高坝洲水利枢纽位于湖北省宜都境内，是清江干流的最下一个梯级。枢纽建筑物包括通航建筑物，电站厂房及挡、泄水建筑物。

左岸岸坡自然坡角 25°～40°，多沿岩层层面形成，为视顺向坡。岩性为白云岩、泥灰岩互层岩体，夹 241#、242#和 235#剪切带。由于多结构面交叉切割，形成以 F_{114} 断层和 241#剪切带组合切割的下滑体，其危险性在于该断层切断岩体后缘，241#剪切带构成底部下滑面，使下滑体成为无根之石。

左岸边坡开挖 100.8～58 m 高程为灰岩，抗压强度 15～40 MPa；58 m 高程以下为岩溶角砾岩，抗压强度 26～46 MPa。

为了防止岩体顺层面滑动，设计在左坝肩岩体中布置了混凝土阻滑桩，还要求采用光面爆破开挖左岸边坡。为此，进行了爆破试验，其技术路线为：进行光面爆破和预裂爆破试验，摸索当地岩体的可爆性，优化钻爆参数，寻求爆破质点振动速度衰减规律，提出确保边坡安全稳定的开挖爆破方案。

2　预裂与光面爆破试验

2.1　试验技术方案

根据工程实践经验，考虑高坝洲工程现状，设计钻孔参数见表 1。

2.1.1　预裂爆破参数

预裂爆破参数见表 1。

(1)线装药密度，采用下式计算预裂爆破的线装药密度。

$$q=0.367\,\sigma_c^{0.5}\cdot a^{0.86} \qquad (1)$$

式中：q 为线装药密度，kg/m；σ_c 为岩石抗压强度，MPa；a 为钻孔孔距，m。

表 1　钻孔参数

爆破方式	爆破孔类型	孔径	孔斜	孔深	排距	孔距	超深
		(mm)	(°)	(m)			
预裂爆破	预裂孔	100	75	6.0 ~ 8.0	至缓冲孔 1.0	0.8 ~ 1.0	0.5 ~ 1.0
	缓冲孔	100	75	5.0 ~ 7.0	1 ~ 1.2	1.5	0.5 ~ 1.0
	主爆孔	100	75	5.0 ~ 7.0	2.0	2.5 ~ 3.5	0.5 ~ 1.0
光面爆破	光爆孔	100	75	5.0 ~ 7.0	1.2 ~ 1.5	1.0	0.5 ~ 1.0
	缓冲孔	100	75	5.0 ~ 7.0	1.0	1.5	0.5 ~ 1.0
	主爆孔	100	75	5.0 ~ 7.0	2.0	2.5 ~ 3.5	0.5 ~ 1.0

将 σ_c=15 MPa 及 46 MPa 代入公式(1)计算得 q=196 ~ 344 g/m；试验中，取 q=200 ~ 300 g/m。

(2)堵长：取 1 ~ 1.2 m。

(3)缓冲孔至预裂孔距离，取 1 ~ 1.3 m。

2.1.2　光面爆破参数

(1)单位耗药量：根据高坝洲岩石可爆性较好，取光爆单耗为 q=0.36 kg/m^3。

(2)单孔药量：根据表 1 中参数计算，单孔药量 Q=3.00 kg。

(3)密集系数：光爆孔密集系数 m=1/1.2=0.8。

(4)堵长：为避免上部出现大块，堵长取 1.25 ~ 1.5 m。

2.1.3　装药结构

按照通常的方法，采用串状药结构。实践表明，这种装药结构也可以获得高质量的预裂、光爆壁面。

2.2　试验实施

在灰岩及岩溶角砾岩中各进行结合梯段爆破的两组预裂爆破、两组光面爆破试验。为分析预裂与光面爆破地震效应，评价爆破对边坡的稳定影响，试验时在爆区后冲方向布一条测线，进行爆破质量振动速度衰减规律测试。

2.3　试验成果与分析

采用表 2 爆破参数，岩溶角砾岩和灰岩的预裂爆破和光面爆破均获得较好效果，预裂缝宽可达 3 ~ 5 mm(岩溶角砾岩)和 5 ~ 10 mm(灰岩)，残留半孔率高达 90%以上，壁面基本平整，仅灰岩预裂壁面局部有少量贴膏药现象。试验结果表明，高坝洲工程两种岩石可爆性好，预裂缝较易形成，预裂爆破及光面爆破壁面质量均较好，且光面爆破效果优于预裂爆破，表现在边坡壁面完整，半孔率高，无贴坡现象。

表 2　爆破参数

岩石种类	爆破方式	孔径(mm)	孔距(m)	排距(m)	线密度或单耗
岩溶角砾岩	预裂爆破	100	0.8		280 ~ 320 g/m
	光面爆破	100	1.0	1.2	0.36 ~ 0.42 kg/m^3
灰岩	预裂爆破	100	0.8		180 ~ 250 g/m
	光面爆破	100	1.0	1.2	0.36 ~ 0.42 kg/m^3

2.4　测试成果

将实测质点振动速度资料，按苏联萨道夫斯基经验式回归获得爆破质点振动速度衰减规律见表 3。

表 3　爆破质点振动速度衰减规律回归公式

爆破方式	方向	经验公式	适用范围 $P=Q^{1/3}/R$	相关系数 r
预裂爆破	垂直	$V=55.42(Q^{1/3}/R)^{1.13}$	0.593 ~ 0.076	0.89
	水平	$V=45.31(Q^{1/3}/R)^{1.1}$	0.489 ~ 0.076	0.95
光面爆破	垂直	$V=46.1(Q^{1/3}/R)^{1.48}$	0.224 ~ 0.046	0.9
	水平	$V=43.41(Q^{1/3}/R)^{1.4}$	0.224 ~ 0.046	0.86
梯段爆破	垂直	$V=76.78(Q^{1/3}/R)^{1.61}$	0.433 ~ 0.065	0.85
	水平	$V=71.66(Q^{1/3}/R)^{1.55}$	0.330 ~ 0.065	0.88

试验还表明，孔间微差起爆方式优于排间微差方式，表现在爆堆形状较好、岩石破碎均匀、块度较小，适于挖掘机装渣，爆破振动效应小，有利边坡爆破安全控制。

从表 3 中可以看出相关系数较高，能够代表该爆破方式的场地实际情况，可用于相同场地条件及相应爆破方式的爆破振动控制及爆破振动量预报。

波形 FFT 谱分析表明爆破振动主振频率范围 17.7 ~ 114 Hz，较天然地震频率大得多，并高于建筑物和岩体边坡的自振频率，爆破振动不可能像天然地震那样对边坡产生严重危害。

3　左岸边坡开挖方案

高程 58 m 以上为灰岩边坡，由 241#、242#及 243#破碎带为滑动面的下滑体处于不稳定状态，设计在高程 100 m 及高程 72 m 分别布置 3 根和 1 根混凝土阻滑桩，阻止高程 72 m 以上岩体下滑。由于高程 83 m 以上岩体呈不稳定状态，因而该段岩石开挖爆破必须从爆破方式、起爆网络及最大单段药量等方面综合控制。但高程 83 m 以上边坡岩石开挖厚度不大，炮孔排数少，且炮孔浅，光面爆破自身爆破振动效应小，光爆对保留岩体及壁面爆破振动影响小。所以提出高程 83 m 以上边坡采用边坡轮廓炮孔一次成孔，分两层光面爆破加梯级爆破方式，梯级爆破采用孔间微差爆破技术，主爆孔与光爆孔间设缓冲孔，以减少主爆区对壁面的爆破振动影响。最大单段药量：光面爆破为 30 kg，缓冲孔爆破和梯级爆破为 50 kg。经过计算可使阻滑桩及上部边坡的最大质点振动速度控制在 10 ~ 15 cm/s 以下。

高程 83 m 以下台阶开挖宽度逐渐增加，爆区逐渐远离不稳定体，边坡下部坛状岩溶角砾岩对边坡具有强支撑作用，阻止下部层面下滑。考虑到本地灰岩预裂爆破较易形成较宽预裂缝，且预裂爆破可以一次形成轮廓壁面，减少分层钻孔平台，避免边坡开挖与岩石松动爆破的干扰，从而能灵活控制施工分层厚度减少施工程序，加快施工进度。所以高程 83 m 以下各设计台阶边坡均采用预裂爆破配合梯段爆破进行开挖施工，同时注意控制最大单段起爆药量，并采取有效的减震技术措施，取得了较好的爆破效果和施工效率。高坝洲工程左岸边坡自上坝公路施工开始，至基础开挖结束，边坡始终是稳定的，说明所采用的爆破技术措施和开挖方式是安全可行的。

4 结语

高坝洲工程左岸边坡爆破试验及开挖爆破施工经验表明，当边坡存在不稳定因素时，应预先进行爆破试验，摸索出该岩体的可爆性及爆破振动衰减规律，以优化钻爆参数，预报和控制最大单段药量及采用相应的爆破技术措施，以确保爆破开挖施工期边坡的安全稳定。

在接近不稳定体时，采用光面爆破还是预裂爆破进行边坡轮廓开挖，要以确保边坡安全为第一要因，根据具体情况，综合分析确定。

(原载《爆破》2000 年 7 月第 17 卷增刊)

预应力钢筋混凝土蜗壳的结构研究与应用

吴启煌

1 蜗壳结构型式的选择

高坝洲水电站按选定机型配套为混凝土蜗壳。机组最大工作水头为 40 m，底板作用水头 51.07 m，计入水锤压力后，达到 55.07 m，设计水头之高，居国内混凝土蜗壳之首。由于水头较高，采用普通钢筋混凝土蜗壳配筋量过大，混凝土浇筑困难，而采用钢衬钢筋混凝土蜗壳，一则钢衬安装占一定的直线工期，二则直面钢衬与混凝土之间的接触灌浆技术难度高。为此，设计单位提出采用预应力钢筋混凝土蜗壳，由于在国内外未见实例，因此进行了专项研究论证。

2 预应力钢筋混凝土蜗壳的结构研究与试验

经设计单位和建设单位共同商定，进行了以下的理论分析和仿真模型试验工作。理论分析包括常规分析计算和三维有限元分析计算，模型试验包括预应力钢筋混凝土蜗壳仿真模型试验和预应力锚索压缩式内锚结构仿真试验。

2.1 蜗壳预应力工作原理

内水压力是蜗壳的主要荷载，并直接取决于上游库水位。未施加预应力时，蜗壳顶板、侧墙大多为偏拉构件。施加预应力，就是为了减少控制截面的弯矩值，并将轴拉变为轴压或减少轴拉量值，以改变截面受力，减少配筋，限制裂缝开度，满足防渗要求。

蜗壳是一个空间的结构，水平向切面具有 U 形曲线轮廓，径向的垂直剖面呈 Π 或 Γ 形，在内水压力作用下，两向共同工作，相应预应力锚索亦按两向位置。U 形曲线束锚索张拉锚固后，曲线孔道将作用有径向挤压力和切向拖曳力，可以平衡部分作用在侧墙上的水平向内水压力，相当于降低了水头。在径向垂直剖面中，侧墙为主要的承载构件，在内水压力作用下，上支座端与下支座端截面内侧纤维受拉，受力条件最为不利，而沿侧墙内侧布置竖向锚索，经张拉锚固后，将在侧墙上产生偏压应力增量，可起到平衡内水压力引起的拉应力的作用。

2.2　预应力钢筋混凝土蜗壳的理论研究

2.2.1　蜗壳结构常规计算与分析

(1)基本情况。高坝洲水利枢纽为大(2)型工程，枢纽等级为二等，蜗壳作为永久性主要建筑物为二级建筑。其蜗壳包角为210°，具有不对称梯形断面(见图1)。

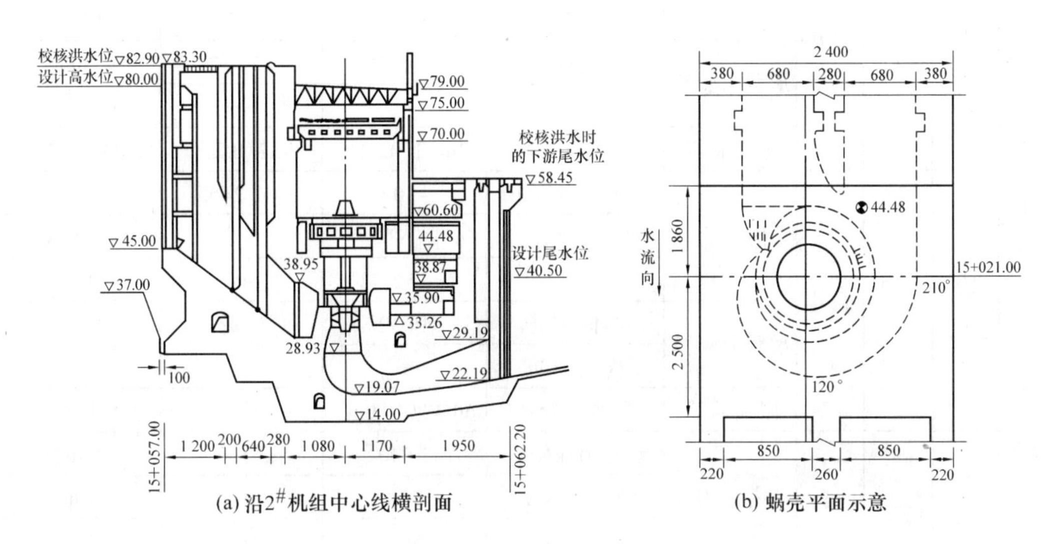

(a) 沿2#机组中心线横剖面　　(b) 蜗壳平面示意

图1　高坝洲水电站蜗壳示意（单位：高程 m；尺寸 cm）

(2)设计荷载及其结合。设计荷载包括结构自重、内水和外水压力、水击压力、机墩作用力、温度荷载及预应力荷载。荷载组合见表1。

表1　设计荷载组合

荷载组合		计算工况			设计荷载						
分类	编号	工况	上游水位(m)	下游水位(m)	结构自重	内水压力	水击压力	外水压力	机墩作用力	温度荷载	预应力
基本	(一)	正常运行	80.00	40.50	√	√	√	√	√	√	√
特殊	(二)	正常运行加温度	80.00	40.50	√	√	√	√	√	√	√
	(三)	检修放空	80.00	40.50	√			√	√		√
	(四)	校核洪水运行	82.90	59.15	√	√	√	√	√		√

(3)蜗壳结构计算。蜗壳结构传统算法是沿蜗壳中心线切取单位宽度的截面，然后按平面Γ形钢架进行计算。这种算法忽略了蜗壳的环向作用，计算结果偏于安全。计算结果表明，120°断面因受伸入副厂房的尾水中墩约束，受力条件明显较210°断面好，现将210°断面相应各控制工况的内力计算成果及承载力验算和限裂验算成果列入表2。

表 2　蜗壳进口断面常规计算成果

控制截面		控制工况		截面内力及验算项目		无预应力	预应力加荷方案	
部位	截面	编号	特征				方案 1	方案 2
侧墙	下支座	（二）	温升	内　力	弯矩 M(kN·m)	13 714	12 079	10 904
					轴力 N(kN)	–1 125	–2 123	–2 101
					剪力 Q(kN)	5 633	4 951	4 873
				承载力验算	纵向配筋	19Φ32	15Φ32	12Φ32
					横向配筋	—	—	—
				限裂验算	配筋与缝宽	23Φ32(0.24m)	5Φ32(0.27m)	12Φ32(0.25m)
	跨中	（二）	温升	内　力	弯矩 M(kN·m)	–304	–2 245	–2 707
					轴力 N(kN)	–53	–15 229	–1 508
					剪力 Q(kN)	52	600	478
				承载力验算	纵向配筋	4Φ32	构造	构造
					横向配筋	—	—	—
				限裂验算	配筋与缝宽	6Φ32(0.19m)	不裂	不裂
顶板	右支座	（二）	温升	内　力	弯矩 M(kN·m)	2 540	2 533	2 567
					轴力 N(kN)	748	691	706
					剪力 Q(kN)	565	563	541
				承载力验算	纵向配筋	5Φ32	5Φ32	5Φ32
					横向配筋	—	—	—
				限裂验算	配筋与缝宽	8Φ32(0.29m)	8Φ32(0.27m)	8Φ32(0.28m)
	左支座	（二）	温升	内　力	弯矩 M(kN·m)	2 319	2 322	2 447
					轴力 N(kN)	711	536	584
					剪力 Q(kN)	581	583	604

注：(1) 表中预应力加荷方案：竖向锚索间距 2 m，两方案均同；水平锚索 8 束，方案 1 全部于顶板浇筑后张拉，方案 2 半数于顶板浇筑前张拉，其余于浇筑后张拉。

(2) 轴力符号：受拉为正，受压为负。

控制性截面为侧墙的下部固端截面。相应的控制工况为考虑温度升高的情况（夏季）。控制截面配筋为保证结构正常使用的限裂条件而不是强度条件，一般说当结构设计受正常使用条件控制时，适于采用预应力加固措施，因此也验证了预应力加固蜗壳结构的合理性。

(4) 预应力加固效果。以侧墙支座截面为例，为满足限裂要求，普通钢筋混凝土，需配钢筋 23Φ32，若统一按每延米 (5～6) Φ32 布置，要布设 4 层钢筋，而采用预应力钢筋混凝土，只需布 2 层钢筋，显然预应力加固不仅可降低工程造价而且可简化施工，有利于提高工程质量。

2.2.2　蜗壳结构三维有限元计算与分析

(1) 基本假设。蜗壳结构三维有限元计算模型取自一个标准机组段。左右侧为机组横缝，模型宽 24 m；上游取至厂房上游墙，下游边为主厂房和下游副厂房分界处，距机组中心均为 12.5 m，模型长 25 m。模型顶部边界为蜗壳顶板，底边界取至底板以下 6 m，模型高 24.5 m。为便于验证常规计算结果并指导结构设计，将模型离散为三维杆系结构进行受力分析，模型中除下延至底边界的竖向杆件为固端约束外，其余杆件均不考虑外约束。模型杆件均以杆件截面中心线定杆轴线，座环与固定导叶亦按杆件模拟，由此得到的模型总结点数为 308 个，单元 483 个。

(2) 荷载作用。将各种计算工况下的荷载，均分别简化成节点荷载后到模型的相应节点上，而对于模拟蜗壳底板下方 6 m 厚混凝土底板的杆件，其任何工况均不计温度荷载作用。

(3) 计算成果与分析。结构计算采用 SAP84 程序进行，蜗壳进口断面即蜗壳 210°断面相应于预应力方案各控制性工况的内力及承载力验算和限裂验算成果见表 3。

表 3　蜗壳进口断面三维有限元计算成果

<table>
<tr><th colspan="2" rowspan="2">位　置</th><th colspan="2" rowspan="2">内力及强度计算</th><th rowspan="2">无预应力</th><th colspan="2">预应力加荷方案</th><th rowspan="2">工　况</th></tr>
<tr><th>方案 1</th><th>方案 2</th></tr>
<tr><td rowspan="10">边墙</td><td rowspan="5">内侧</td><td rowspan="3">内力</td><td>M(kN·m)</td><td>9 437</td><td>8 985</td><td>8 712</td><td rowspan="5">侧墙底部
工况 2</td></tr>
<tr><td>N(kN)</td><td>−1 167</td><td>−1 830</td><td>−1 822</td></tr>
<tr><td>Q(kN)</td><td>−3 881</td><td>−3 610</td><td>−3 535</td></tr>
<tr><td colspan="2">承载力验算</td><td>13Φ32</td><td>10Φ32</td><td>10Φ32</td></tr>
<tr><td colspan="2">限裂验算</td><td>13Φ32 (0.022 cm)</td><td>10Φ322 (0.028 cm)</td><td>10Φ32 (0.027 cm)</td></tr>
<tr><td rowspan="5">外墙</td><td rowspan="3">内力</td><td>M(kN·m)</td><td>−3 046</td><td>−2 735</td><td>−2 798</td><td rowspan="5">侧墙跨中
工况 2</td></tr>
<tr><td>N(kN)</td><td>167</td><td>−447</td><td>−470</td></tr>
<tr><td>Q(kN)</td><td>−879</td><td>−1 052</td><td>−1 033</td></tr>
<tr><td colspan="2">承载力验算</td><td>6Φ32</td><td>4Φ32</td><td>4Φ32</td></tr>
<tr><td colspan="2">限裂验算</td><td>8Φ32 (0.026 cm)</td><td>5Φ32 (0.028 cm)</td><td>5Φ32 (0.022 9 cm)</td></tr>
<tr><td rowspan="10">顶墙</td><td rowspan="5">内侧</td><td rowspan="3">内力</td><td>M(kN·m)</td><td>3 430</td><td>4 060</td><td>4 119</td><td rowspan="5">顶板侧墙端
工况 3</td></tr>
<tr><td>N(kN)</td><td>1 131</td><td>956</td><td>1 019</td></tr>
<tr><td>Q(kN)</td><td>−1 112</td><td>−1 223</td><td>−1 232</td></tr>
<tr><td colspan="2">承载力验算</td><td>8Φ32</td><td>8Φ32</td><td>8Φ32</td></tr>
<tr><td colspan="2">限裂验算</td><td>10Φ32
(0.029 7 cm)</td><td>11Φ32 (0.022 4 cm)</td><td>11Φ32 (0.026 cm)</td></tr>
<tr><td rowspan="5">外墙</td><td rowspan="3">内力</td><td>M(kN·m)</td><td>−2 134</td><td>−1 846</td><td>−1 802</td><td rowspan="5">顶板座环侧
工况 2</td></tr>
<tr><td>N(kN)</td><td>319</td><td>189</td><td>232</td></tr>
<tr><td>Q(kN)</td><td>44</td><td>−34</td><td>−42</td></tr>
<tr><td colspan="2">承载力验算</td><td>4Φ32</td><td>3Φ32</td><td>3Φ32</td></tr>
<tr><td colspan="2">限裂验算</td><td>7Φ32 (0.018 cm)</td><td>6Φ32 (0.016cm)</td><td>6Φ32 (0.017 cm)</td></tr>
</table>

三维计算成果与常规计算成果比较，就内力量值而言，三维成果普遍较小，这是合理的，而分布规律则是一致的。一是控制性截面均为侧墙下部截面，相应控制性工况为温度升高情况（夏季）。二是截面配筋由保证结构正常使用的限裂条件控制，而不是强度条件。

(4) 预应力加固效果。仍以侧墙下支座截面为例。为满足限裂要求，普通钢筋混凝土需钢筋 13Φ32，若统一按每延米 5Φ32 布置，要布设 3 层钢筋。对于预应力方案 2，只需钢筋 10Φ32，即 2 层钢筋便可满足限裂要求。显然对简化施工、节约工程量有显著的效果。

2.3 预应力钢筋混凝土蜗壳的试验研究

2.3.1 预应力混凝土蜗壳三维仿真材料结构模型试验

(1) 试验目的与项目。试验目的是在研究混凝土不开裂条件下，蜗壳在内水压力、温度荷载、预应力和其他荷载作用下应力和变形情况。试验项目包括：①顶板浇筑前蜗壳预应力试验研究；②顶板浇筑后蜗壳预应力试验研究；③竖向结构荷载(含机墩荷载)作用下的试验研究；④内水压力作用下的试验研究；⑤温度荷载作用下的试验研究(温升)；⑥温度荷载作用下的试验研究(温降)。

(2) 试验模型设计。试验模型为钢筋混凝土材料静态弹性模型，使用仿真材料，即模型材料与原型相同，模型比例尺为 1∶15。采用一级配混凝土，混凝土标号(250 号)和配筋率均与原型相同，预应力锚索用Φ12 光面筋替代原钢筋。

模型上共布置了 350 个应变片，其中 25 个为温度片，另布置了 20 个电阻温度计，在部分测量断面还布置有混凝土内部应变砖。沿蜗壳流道共设 6 个测量断面，即：包角 210°、120°、30°断面及与电站进口段相接的初始断面和另外 2 个辅助断面。

应力应变测量采用电测法，数据处理直接由计算机完成并输出。同时建立了比较完善的加载系统，能够进行竖向荷载加载、预应力加载、水压力加载。由于温度荷载是三维分布的，难以在模型中实现，故在不影响试验结果正确性的前提下，进行适当简化。

(3) 试验结论。该项试验很成功，既验证了理论研究的成果，又为预应力钢筋混凝土蜗壳的设计与施工提供了依据：①蜗壳水平方向马蹄形预应力作用使侧墙内侧竖向受压，有效地减少了由于内水压力作用下引起侧墙内侧角点处的竖向拉应力。如：当不考虑温度荷载时，初始断面左侧墙内表面上端的竖向应力由 9.30×10^5 Pa 减少为 3.88×10^5 Pa，拉应力值降低幅度是比较大的。②蜗壳竖向预应力筋使左侧墙竖向拉应力降低十分显著。如使 210°断面左侧墙内表面上端竖向拉应力由 8.05×10^5 Pa 减少为 0.45×10^5 Pa，比初始断面竖向拉应力降低还要明显。可见，布置竖向预应力筋十分必要。③考虑了温度荷载的组合是控制性组合。

2.3.2 预应力锚索压缩式内锚结构仿真试验

竖向预应力锚索的内锚长度由于受厂房机电埋件和孔洞布置的制约，最长为 3 m，难以采用常规的拉伸式内锚结构，必须研究新型压缩式内锚结构。

(1) 工作原理。常规锚索内锚段有两个接触面，其一为锚索与浆体之间接触面；其二为浆体与孔壁之间接触面。内锚段长度则由这两个接触面的抗剪强度决定，因而此类内锚结构需要较长的内锚段。缩短内锚段长度，关键在于提高接触面的抗剪强度，在浆体材料一定情况下，要达此目的，最有效的办法是使接触面受压。

(2) 试验目的。研制控制张拉力为 2 000 kN 级的预应力锚索压缩式内锚结构，并应用于高坝洲工程。

(3) 试验概况。试验的压缩式内锚结构按内锚头形式分为甲、乙两种类型，又按内锚段长度不同布置了 3 组方案，即组合成 6 组，每组 3 束锚束，共计 18 束。试验台座尺寸为 9 m × 2 m × 3.2 m(长 × 宽 × 高)。用于制备锚索的钢绞线为英标 BS5896-1980 级钢绞线，公称直径 15.2 mm，标准强度 1 670 MPa，每根锚索均由 12 根绞线集束而成。锚孔由预埋在混凝土中的 ϕ219 钢套管形成，套管壁厚 3 mm。灌浆材料为 $625^{\#}$硅酸盐水泥。

(4)试验结论。试验的18束锚束采用新型压缩式内锚结构，按三种内锚段长(2、2.5、3 m)、两种锚头形式(甲型、乙型)、2种锚孔材料(混凝土锚孔和钢衬混凝土锚孔)相互组合，分别试验。在2 000 kN额定拉力作用下，无一破损。在已做破坏性试验的3束锚束中，甲-2-15(甲型，锚长2 m，混凝土锚孔)、乙-2-18(乙型，锚长2 m，钢衬混凝土锚孔)、乙-1-9(乙型，锚长2.5 m，钢衬混凝土锚孔)均加荷到2 600 kN，锚索断丝，而锚孔混凝土无任何破损，表明锚固力远在2 600 kN以上。伴随试验过程，实测有内锚结构应力分布，使理论应力分布得以验证。试验的实际操作又完善了压缩式内锚结构加工制作和相应的工艺要求。这次试验为高坝洲水电站水电机蜗壳竖向预应力施工奠定了坚实的基础。

(原载《水力发电》2002年第3期)

高坝洲碾压混凝土大坝廊道设置研究

李昌彩

1　碾压混凝土大坝廊道布置原则

为了灌浆、排水、监测、交通和运行维护的需要，碾压混凝土大坝一般都要设置廊道。对常态混凝土大坝，布置廊道是很简单的事，但对碾压混凝土大坝来说，开设廊道却制约了工程的施工进度，发挥不了碾压混凝土快速施工的特点。为了减少施工干扰，增大施工仓面，碾压混凝土大坝布置廊道要遵循以下原则：

(1)尽量做到不设或少设，对没有灌浆要求并低于50 m高的碾压混凝土大坝最好不设廊道；

(2)力争做到一个廊道多种用途；

(3)尽可能不设倾斜的廊道；

(4)廊道断面设计尽量做到最小。

2　碾压混凝土大坝廊道布置方式

碾压混凝土大坝廊道布置约有以下4种方式，见图1。

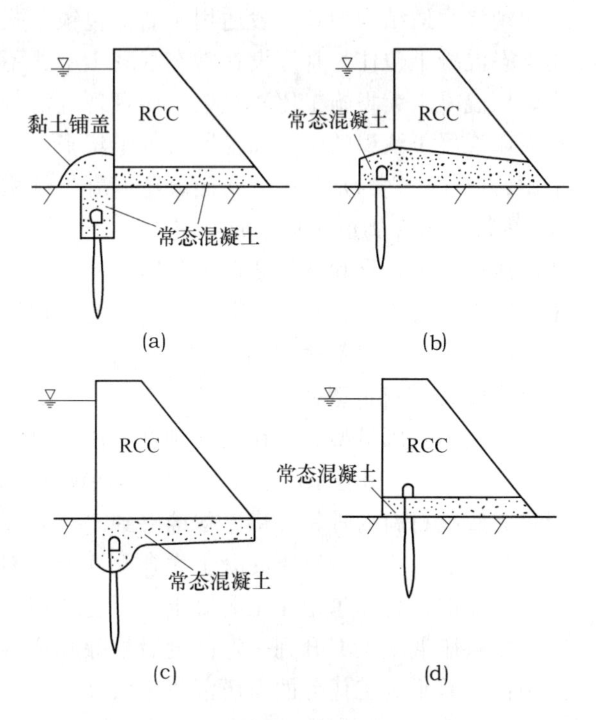

图1　碾压混凝土坝廊道布置型式

(1)图中(a)型廊道布置方式是在坝踵上游坝基基岩内开一齿槽，回填常态混凝土，在其中设置基础廊道，此回填坝体与坝踵可用可靠的止水措施柔性连接。

这种廊道布置方式的优点有：①减少了碾压混凝土的施工干扰；②减小了坝基扬压力；③改善了坝踵处应力状态。

这种廊道布置也存在以下缺点：①增

加了大坝工程量；②由于盖重小，对高压帷幕灌浆还需采取一定的措施，因此这种廊道布置方式不适用于有高压帷幕灌浆的碾压混凝土大坝。

(2) 图中 (b) 型廊道布置方式是将基础廊道设置在坝踵外伸部分，这种布置方式对增加坝体稳定十分有利。但增加了坝体工程量特别是常态混凝土的工程量，由于盖重小，也不适用于有高压帷幕灌浆的碾压混凝土大坝。

(3) 图中 (c) 型廊道布置方式是将基础廊道设置在坝踵齿墙内。这种布置方式可减少施工干扰和增加大坝的抗滑稳定，但这种布置方式也有明显的缺点：即增加了大坝开挖和混凝土浇筑的工程量，增长了施工工期，对有工期要求的碾压混凝土大坝不一定适用。

(4) 图中 (d) 型廊道布置是将基础廊道布置在大坝坝体内，这种廊道布置方式的优点是大坝工程量不需增加，布置比较简单，缺点是减小了碾压混凝土的施工仓面，干扰了碾压混凝土的施工，因此对有工期要求的碾压混凝土大坝要采取相应的工程措施和施工方法。

以上 4 种廊道布置方式各有其优缺点，一个碾压混凝土大坝，究竟采用哪种型式的廊道布置方式，要根据具体的情况而定。不过，国内外许多碾压混凝土大坝像常态混凝土大坝一样，仍采取 (d) 型廊道型式，即将基础廊道布置在大坝坝体内。为减少对碾压混凝土的施工干扰，要注意对廊道结构型式和施工方法进行优化。

3　碾压混凝土大坝坝体内廊道结构型式与施工方法的优化

碾压混凝土大坝坝体内廊道结构型式有很多，但主要型式有 3 种，即现浇廊道、柳溪坝式廊道和预制廊道。一个工程究竟采用哪种廊道型式，与该工程总的施工组织和总的施工要求密切相关，不同的工程，不同的要求，廊道结构型式就不一样。

3.1　现浇廊道结构型式

现浇廊道结构型式一般适用于“金包银”式的碾压混凝土大坝，即碾压混凝土外面都用常态混凝土包住，廊道设在常态混凝土中，不影响碾压混凝土的施工。由于“金包银”式碾压混凝土大坝施工比较复杂，而且现浇混凝土施工进度赶不上碾压混凝土，随着人们对碾压混凝土认识的深入和发展，近十年来，“金包银”式碾压混凝土大坝方案已不再被采用，取而代之的是采用全断面碾压混凝土结构型式。由于采用全断面碾压混凝土结构型式，现浇廊道在廊道高程区域将碾压混凝土施工仓面分成若干个小仓面，再加上钢筋绑扎，使碾压混凝土入仓和铺碾变得十分困难。另外，廊道以上的碾压混凝土因要等待常态混凝土龄期而不得不推迟几个星期铺碾。因此，现浇廊道方法尽管经验成熟，但在全断面碾压混凝土大坝采用很不适宜。

3.2　柳溪坝式廊道型式

柳溪坝式廊道型式是在美国柳溪碾压混凝土大坝探索发展起来的，故名叫柳溪坝式廊道型式。柳溪坝廊道原理是在填料浇筑层碾压完成后，用反铲挖除廊道部位的碾压混凝土，回填无胶凝材料的骨料，待工程铺碾到一定高程或完工后，再挖除回填骨料，形成廊道。用这种方法，不影响碾压混凝土大仓面铺碾，因此特别适用于全断面碾压混凝土大坝，如澳大利亚的柯普菲尔德碾压混凝土大坝也采用了这种廊道施工方法。但柳溪坝式廊道因要在大坝碾压混凝土上升到一定高度后挖除廊道骨料，廊道提供很迟，因此该廊道不适用于廊道内有繁重施工任务的碾压混凝土大坝。

3.3　预制廊道型式

预制廊道型式有很成熟的施工经验，施工也很简单，即场外预制、仓内吊装，但预制廊道方法像现浇廊道一样在廊道高程范围内也影响了碾压混凝土大坝的施工进度，另外采取预制廊道不太经济，所以作为工程的业主都不愿意采用这种结构型式的廊道。但是，如果廊道施工任务很重，大坝施工进度要求也比较紧迫，那么采用预制廊道型式就是最佳的选择。

4　高坝洲碾压混凝土大坝廊道位置

4.1　大坝廊道布置方式

高坝洲碾压混凝土大坝基础为强透水性灰岩，帷幕灌浆任务重，压力大，因此采用了在坝体内设置廊道的布置方案，见图 2。

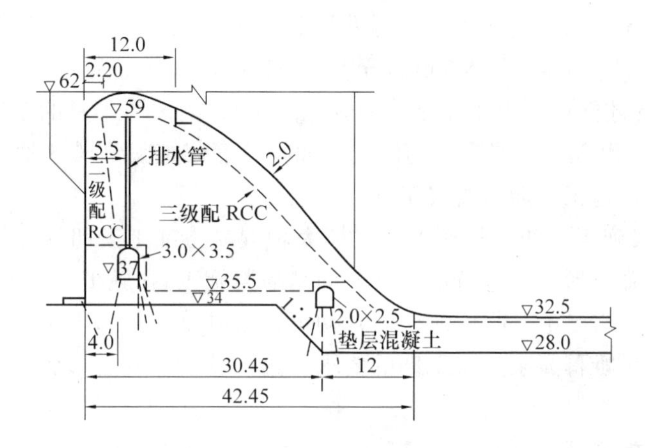

图 2　高坝洲水电站坝体断面(单位：m)

4.2　工程总体工期分析

高坝洲水电站要求二期碾压混凝土大坝在一个枯水期内完成截流、围堰施工、基坑开挖、碾压混凝土浇筑、大坝固结灌浆和河床坝段主排帷幕灌浆等工序施工，施工工期十分紧张，鉴于任何一道工序卡关，都将导致二期工程不能满足度汛要求，出现无法挽回的损失，因此对廊道结构型式的选择就成为不容忽视的问题之一。

4.3　二期碾压混凝土大坝河床坝段上主排帷幕灌浆施工条件

高坝洲水电站枢纽建筑物基础为溶蚀性的白云质灰岩和灰质白云岩，透水性极不均匀，为降低坝基扬压力，削减基础渗漏量及防止坝基软弱剪切带与断层的渗透破坏，在挡水建筑物上游侧基础设置了防渗帷幕。

按照高坝洲水电站施工网络计划的要求，二期大坝河床坝段上主排帷幕必须在汛前(即 6 月初)完成，否则，大坝的抗滑稳定和边缘正应力就不能满足规范要求，而上主排帷幕灌浆的施工要受控于以下 4 个条件：

(1)大坝基础廊道部分坝段固结灌浆必须在上主排帷幕灌浆施工前全部完成，而固结灌浆必须在廊道顶拱形成后才能开始。

(2)混凝土盖重至少要达到 20 m，才可进行上主排帷幕灌浆的施工。

(3)上主排帷幕灌浆施工至少需要一个月的工期。

(4) 1999 年 6 月初，上主排帷幕灌浆必须全部完成。

4.4 二期碾压混凝土浇筑与基础廊道灌浆施工工期分析

高坝洲水电站二期大坝上游侧设有基础廊道，廊道底高程 37 m，廊道尺寸 3.0 m × 3.5 m。帷幕灌浆施工和部分坝段固结灌浆施工都要在廊道内进行，按照二期大坝河床坝段上主排帷幕灌浆受控的 4 个条件和施工网络计划的要求，二期大坝混凝土浇筑与基础廊道的施工工期如下：

(1) 二期大坝混凝土施工工期。二期大坝垫层混凝土在 1999 年 2 月 20 日开始浇筑(以下工期均指 1999 年)，浇筑垫层混凝土至高程 35.5 m(包括完成大部分坝基固结灌浆)约需一个月的工期，于 3 月 20 日完成。垫层混凝土浇筑完成后开始进行碾压混凝土的浇筑，碾压混凝土摊铺层厚 33 cm 左右，每层碾压 6 ~ 8 遍，要求 6 ~ 8 h 完成一个施工循环；另外，按散热要求，碾压混凝土必须采用分层浇筑的方式，根据施工单位所采用的 doka 模板的参数，每升程厚 2.4 m，停 2.5 ~ 5 d 后，再进行下一升程的施工。据此计算，平均每升程至少需要 5 d 的施工工期，从高程 35.5 m 浇至高程 57 m(廊道底高程 37 m，混凝土盖重 20 m，则需浇至高程 57 m 才能进行上主排帷幕灌浆的施工)，需一个半月的工期，则到 5 月 5 日才能完成高程 57 m 以下碾压混凝土的浇筑，而帷幕灌浆施工要求 5 月初开工，恰好满足要求，这就要求廊道施工不能占直线工期。

(2) 廊道内灌浆施工工期。按照上述二期大坝混凝土施工工期的分析，浇至廊道顶高程约在 4 月 5 日，廊道形成后进行部分坝段固结灌浆施工(含施工准备期)约需 25 d 工期，帷幕灌浆施工准备约需 5 d 工期，则在 5 月初可具备帷幕灌浆施工条件，也正好满足二期大坝河床坝段上主排帷幕灌浆施工工期的要求，这样就要求廊道形成后，廊道内不得进行其他工序的施工。

4.5 廊道结构型式的选择

高坝洲水电站二期碾压混凝土大坝基础结构型式，如采用设计提出的现浇混凝土方案，由于立模、钢筋绑扎、混凝土浇筑等施工环节和层间间歇期的要求，完成廊道施工至少需要 40 d 工期，那么，二期工程施工工期将向后推迟 40 d，则不能满足工程度汛要求；如果采用柳溪坝式廊道的方式，虽有利于碾压混凝土大仓面施工，但由于柳溪坝式廊道要在铺碾到廊道顶部一定高程后才能挖除廊道内骨料，约需两个月时间，则二期河床坝段上主排帷幕灌浆的施工相应推迟两个月时间，也不能满足工程度汛的要求；如采用预制廊道结构型式，虽不利于碾压混凝土大仓面作业，但预制廊道不占廊道内项目施工的直线工期，能满足施工网络计划的要求，所以高坝洲水电站二期大坝廊道采用了预制廊道结构型式。

(原载《水力发电》2002 年第 3 期)

高坝洲工程 RCC 现场试验及其成果

曾祥虎　陈勇伦　李　婧

在高坝洲水电站设计施工中，经研究如二期坝体采用全断面 RCC 筑坝型式，有利于坝体快速上升，可省去原上游 RCC 过水围堰并可提前一年实现正常蓄水发电，经济效益、社会效益十分显著。同时，由于在 RCC 施工中还存在一些诸如工艺、技术及质量方面的问题，因此就高坝洲工程的特点进行了一系列室内、现场试验。

为保证 RCC 现场试验的条件与二期坝体施工具有相似性，将现场试验结合一期纵向围堰施工同时进行。主要原因有：①纵向围堰堰顶高程 62 m，与表孔溢流堰顶高程相同；②RCC 纵向围堰的施工安排在 1997 年 2～5 月中旬，与二期坝体 RCC 施工时段相似。试验段选在纵向围堰的上游端，分为两个试验段，每段长度 20 m。在每段基岩与高程 44.5 m 之间作为Ⅰ区，主要进行施工工艺试验和部分仪器埋设；高程 44.5 m 以上作为Ⅱ区，继续进行有关仪器埋设和施工试验，并在纵向围堰下纵段的最后两个碾压层进行原位抗剪试验。

1　RCC 配合比试验

本次试验分两步走，首先进行室内配合比试验，然后在此基础上进行现场 RCC 试验。

1.1　RCC 设计

二期坝体上游面防渗体采用 $R_{90}200^{\#}$的二级配富胶 RCC，坝体内部混凝土采用 $R_{90}150^{\#}$的三级配 RCC，基础部位采用 $R_{90}200^{\#}$常态混凝土作为垫层混凝土。RCC 抗压强度等级要求不低于设计强度的 95%，其他有关 RCC 控制指标见表 1。

表 1　RCC 试验主要设计技术指标

标号	级配	抗冻	抗渗	P(%)	均方差(MPa)	$\varepsilon p(\times 10^{-4})$	fc(MPa)	设计容重(kg/m³)	VC(s)
$R_{90}150^{\#}$	三	D50	S4	≥80	≤4.5	≥0.6~0.65	1	≥2 350	10±5
$R_{90}200^{\#}$	二	D50~D100	S6	≥80	≤4.5	≥0.7~0.75	1	≥2 350	±5

1.2　原材料

水泥选用荆门葛洲坝水泥厂、湖南石门水泥厂生产的 525#中热硅酸盐水泥。粉煤灰选用湖北松木坪电厂生产的分选粉煤灰，该厂粉煤灰为二级粉煤灰。骨料选用清江石门滩天然砂、石料，室内试验用料取自砂石系统的净料堆，室内试验采用的砂、石骨料的物理性能见表 2。RCC 采用的外加剂为吉林的木质素磺酸钙与湖北葛店化工厂生产的 CJ–4 引气剂复合而成的复合型外加剂，木钙与引气剂的复合掺量分别为胶凝材料总量的 0.15%和 0.05%。混凝土拌和用水采用可供饮用的清江江水，水质的各项质量指标均符合规范要求。

表 2　砂、石料物理性能

品种	比重(g/cm³)	松散容量(g/cm³)	F.M	粗骨料级配(%)		
				5～20 mm	20～40 mm	40～80 mm
细骨料	2.60	1.52	2.89			
粗骨料	2.63			30	40	30

1.3　RCC 配合比

按设计要求，对不同种类、不同设计标号的混凝土进行了不同骨料级配、不同粉煤灰掺量的配合比设计。通过试拌、调整，计算出各类混凝土室内配合比，再根据现场实际情况进行调整，最终选用的混凝土试验配合比见表 3。

表 3　RCC 试验采用的混凝土配合比

RCC 标号	RCC 级配	W (C+F)	W (kg/m³)	F (kg/m³)	C (kg/m³)	S (kg/m³)	S/A	C(kg/m³) 5~20 mm	20~40 mm	40~80 mm	外加剂(%) 木钙	CJ-4	试验类别
$R_{90}150^{\#}$	三	0.52	89	86	85	521	0.25	475	632	475	0.15	0.02	室内试验
$R_{90}200^{\#}$	二	0.48	108	113	112	673	0.34	661	661	456	0.15	0.02	
$R_{90}150^{\#}$	三	0.52	89	85.6	85.6	594	0.28	456	608		0.15	0.02	现场试验
$R_{90}200^{\#}$	二	0.46	106	103.5	126.5	645	0.32	682	682		0.15	0.02	

2　试验成果综合分析

2.1　力学强度

从室内试验、机口取样、仓面取样、钻孔芯样几个环节对试件的力学强度试验结果进行对比，结果见表 4。从表 4 可知，现场取样所得的力学强度普遍超强。从各自的统计资料可知，现场取样的均方差偏大，达到 4.4 ~ 4.5 MPa。主要是由于统计样本中含有非试验段的样本，以及试验时砂子的含水率失控等原因造成的。

表 4　不同环节 RCC 平均力学强度(90 d)　　(单位：MPa)

标号	级配	保证强度	室内试验		机口取样		仓面取样		钻孔芯样	
			抗压强度	抗拉强度	抗压强度	抗拉强度	抗压强度	抗拉强度	抗压强度	抗拉强度
$R_{90}150^{\#}$	三	17.4	19.1	1.53	28.8	3.17	31.3	2.99	25.58	3.29
$R_{90}200^{\#}$	二	24.0	27.1	1.97	33.8	3.09	32.9	2.66		

2.2　弹性模量

从室内试验、仓面取样、钻孔芯样等几个环节对试件的弹性模量试验结果进行对比，结果见表 5。从表 5 可以看出，抗拉弹模高于抗压弹模，且随试件的强度提高而增加。

表 5　不同环节 RCC 平均弹性模量(90 d)　　(单位：GPa)

标号	级配	室内试验		仓面取样		钻孔芯样	
		抗压弹模	抗拉弹模	抗压弹模	抗拉弹模	抗压弹模	抗拉弹模
$R_{90}150^{\#}$	三	21.4	23.3	27.8	36.1	18.67	22.4
$R_{90}200^{\#}$	二	31.9	34.1	31.1	37.2		

2.3　极限拉伸值

从室内试验、仓面取样、钻孔芯样等几个环节的试件极限拉伸试验结果对比(见表 6)可以看出，不同环节试件的极限拉伸值均达到或超过设计要求。

表 6　不同环节 RCC 平均极限拉伸值(90 d)

标号	级配	室内试验	仓面取样	钻孔芯样
$R_{90}150^{\#}$	三	0.62×10^{-4}	0.72×10^{-4}	0.65×10^{-4}
$R_{90}200^{\#}$	二	0.74×10^{-4}	1.06×10^{-4}	

2.4　自生体积变形

从室内试验和仪器埋设进行的原型观测得出 RCC 的自生体积变形情况如表 7 所示。室内试验的结果最终均呈收缩变形，原型观测其变形有膨胀也有收缩，说明原型可能受介质温度、湿度、干缩等因素的影响，但其趋势呈收缩性变形，反映出胶凝材料的防裂性能不好。

表 7　RCC 自生体积变形

标　号	级　配	室内试验(>300 d)	原型观测(>400 d)
$R_{90}150^{\#}$	三	-38×10^{-6}	-72.19×10^{-6}、32.2×10^{-6}
$R_{90}200^{\#}$	二	-27×10^{-6}	54.87×10^{-6}、14.4×10^{-6}

2.5　RCC 的抗冻性

从室内试验结果可知，二级配 RCC 的抗冻能力大于 D75，三级配 RCC 的抗冻能力大于 D50，均满足设计要求。

2.6　RCC 的抗渗性

从室内试验的结果可知，二级配 RCC 试件的抗渗标号大于 S6，三级配 RCC 试件的抗渗标号大于 S4，说明 RCC 本体能够满足防渗要求。从钻孔芯样试验结果可知，三级配的 RCC 芯样抗渗标号大于 S8，超过设计要求。虽未能从二级配 RCC 中取出芯样，但可由此推断，在正常情况下，二级配 RCC 的抗渗性能更高。

在三级配 RCC(非防渗体)上布置了两个钻孔进行压水试验，测得两孔平均渗透系数分别为 9.81×10^{-5}、1.12×10^{-5} cm/s。通过芯样观察和压水试验的成果分析发现，在 52～56 m 高程区间的施工质量较差，获得的芯样层间缝较明显，因而该区间的渗漏系数比较大，分别为 3.46×10^{-4}、1.01×10^{-4} cm/s。若剔除该部位的数值，则两孔的平均渗透系数分别为 3.61×10^{-5}、4.27×10^{-5} cm/s，而实际测得的两孔的个别孔段的渗透系数已分别达到 6.22×10^{-6}、8.43×10^{-6} cm/s。从埋设在试验段的不同层间缝面上的三组渗压计的测值可知，经过一个汛期后，渗压计并未受水压，说明试验段临水面的二级配 RCC 防渗体无渗水发生。

2.7　RCC 拌和

通过 RCC 拌和的投料顺序试验，选定投料顺序为：小石→中石→水泥→粉煤灰→水→外加剂→砂→大石，拌和时间为 150 s。

2.8　RCC 运输、摊铺、碾压

本工程可采用自卸汽车直接入仓的运输方式，但需注意搞好汽车入仓前轮胎的冲洗和脱水。

现场试验中，采用山东产 D80 推土机平仓。该机械显得较笨重且不稳定，操作控制较困难，影响施工质量，造成个别层面存在缺陷。坝体实际施工中采用了日本小松牌推土机，摊铺厚度为 34 cm。

通过试验段碾压试验，认为 BW–200 或 BW–202 等振动碾均适用于碾压厚度为 30 cm 的 RCC 碾压层的碾压，一般先无振碾压 2 遍，再有振碾压 6 ~ 8 遍即能达到要求。具体碾压遍数应根据气温、湿度、RCC 料的 *VC* 值而定。*VC* 值直接影响到 RCC 碾压的密实性，设计要求按 *VC*=(10 ± 5) s 控制。由于砂子的含水量严重失控，致使 *VC* 值波动很大，从而影响到 RCC 的施工质量，这是在坝体施工中应注意的。通过试验选定 *VC* 值在 6 ~ 10 s 为宜，并根据气候条件进行动态调控。

2.9 造缝

通过对初拟的 4 种造缝方式的对比试验，选定在每碾压层内用人工打钢钎成孔并灌干砂的方式造诱导缝。通过测缝计观测，成缝效果良好。

2.10 止水的埋设

通过对比试验，选定在止水片周围的 RCC 洒素水泥浆并振捣密实的止水埋设方式。通过对预埋在止水附近的渗压计的观测，说明这种方法埋设的止水，其质量是可靠的。

(1) 异种混凝土结合。通过先常态后碾压和先碾压后常态两种方式的对比试验，由于其他原因，虽未能按设计要求进行钻孔取样，但从预埋的测缝计观测结果可以判断，该结合面没有张开的迹象。

(2) 施工层面处理。首先，除对各升程的顶面应进行冲毛、铺砂浆处理外，同时对各升程的不同碾压层，根据不同的间隔时间而采取不同的处理措施。在第一升程内对碾压层面暴露时间为 6、8、10、12、72 h 进行试验，在第二升程内对碾压层面暴露时间为初凝后 1、16、24 h 及终凝等进行试验。其结论为：初凝前且表面料未干燥的连续上升的层面，可不作处理；对初凝前但 RCC 表面料已干燥或发白的层面，应有雾化保湿措施；对初凝后、终凝前能继续上升的层面，需先铺砂浆再铺料；终凝后的碾压层面，应冲毛或刷毛后再铺砂浆。然后，拟定 5 种工况进行原位抗剪试验，即工况 1 为三级配 RCC 连续上升、层面不处理；工况 2 为三级配 RCC 初凝后终凝前、层面铺砂浆；工况 3 为二级配 RCC 初凝后终凝前、层面间歇 3 d、层面铺砂浆；工况 4 为二级配 RCC 层面间歇 3 d、层面铺砂浆；工况 5 为 RCC 层面间歇 3 d、层面铺砂浆。除工况 5 的抗剪断摩擦系数 f' 稍微偏小外，其余的 f' 抗剪断凝聚力 c' 均达到或超过设计要求。与国内外其他工程相比，其值仍属较大(见表 8)。说明本试验所采用的 RCC 配合比合理，施工质量好，层面处理方法得当。另外，从钻孔取样结果看，芯样获得率为 96.59%，最长芯样为 2.56 m(钻机套管最大可取芯长度为 3.0 m)，正常情况下的芯样长度一般可达 1 m 以上，也证明 RCC 试验的施工质量是好的。

表 8 不同工程 RCC 原位抗剪的 f' 、c'

工程名称	工况 1		工况 2		工况 3		工况 4		工况 5	
	f'	c'(MPa)	f'	c'(MPa)	f'	c'(MPa)	f'	c'(MPa)	f'	c'(MPa)
高坝洲	1.70	1.58	1.22	1.78	1.98	1.89	1.44	1.56	0.92	2.28
三　峡	1.36	1.19	1.16	1.23	1.20	1.35	1.82	0.80	1.25	1.14

3 结语

(1) 采用的 RCC 配合比基本合理。采用该配合比生产的 RCC 拌和料，不仅各项力学性能指标均达到或超过设计要求，而且具备较好的可碾性；由于二级配 RCC 超强较多，该配合比尚有优化的余地；为保证 RCC 强度的均匀性，应严格控制原材料的各项指标及衡量精度。

(2) 采用的 RCC 施工工艺可行。通过各种方案优化选定的一系列施工工艺是可行的，进度上、质量上均能满足设计要求。同时还应进一步研究防渗体的施工工艺及层面处理措施。

(3) 为二期 RCC 坝体施工提供依据。通过对本次现场试验资料的分析，认为高坝洲二期坝体溢流堰顶以下部位采用全断面 RCC 结构型式是可行的，只要保证施工质量，则坝体的防渗能力及层间结合效果能满足设计要求。现高坝洲工程已蓄水近 3 年，观测表明，按照上述施工配合比及施工工艺施工的二期 RCC 坝体，质量状况良好。

（原载《水力发电》2002 年第 3 期）

高坝洲水利枢纽工程地质研究

徐瑞春　黄中平　段建肖

1　地质勘察工作研究程度

高坝洲水利枢纽的前期地质勘察工作始于 1957 年，经历了三个完整勘察阶段的系统工作，即规划选点阶段、初步设计阶段(前期坝址选择、后期选定坝址的初步设计)、技术设计阶段。目前正全面开展施工期的地质工作。

历时近 40 年勘察研究查明和解决与工程有关的所有重大的地质问题有：

(1) 勘探比较了 3 条坝线，上Ⅱ线、上Ⅲ线及其中间的上补线。通过综合比较并与设计部门共同研究，认为上Ⅲ线(选定的坝轴线)为好。

(2) 查明了右岸地下水低水位区的分布及其形成原因，并查明了整个坝址区的天然状态下的渗流场。提交了坝区地下水等压线图。为确定坝址渗漏与坝址防渗帷幕的选择提供了重要的依据。

(3) 基本完成了坝址防渗的线路比较。选择的结果认为右岸以走下线上移 80 m 方案为好，坝基与左岸按常规走直线布置方案。

(4) 查出坝基岩体中有 110 层剪切带，并进行了分类，明确了对建筑物稳定起控制作用或有重要影响的有 19 层，并查清了它们的空间分布，提交了剪切带顶板等高线图。

(5) 查明了左岸坝肩与左侧河床分布的早更新世形成的岩溶角砾岩的空间分布、工程地质特性。研究结果认为，完全可以作为建坝岩体并可对左岸边坡的稳定起重要的支撑作用。

(6) 查明了各主要建筑物的工程地质条件。

(7) 通过多年的天然建筑材料的勘探与研究，第一期混凝土骨料用坝前的石门滩料场的天然骨料；第二期工程混凝土用长江云池料场的骨料。土料用曾家岗和洞沐渔、城池口三个料场的。

2 环境地质

2.1 地壳稳定性与地震

2.1.1 区域构造背景及地壳稳定性

库坝区在大地构造单元属扬子准地台中部的上扬子台褶带中的黔江隆褶束的东缘。库坝区位于长江中下游东西向构造带的西段，长阳复背斜东展末端的南翼。主要经历了前震旦系的晋宁运动、侏罗纪末的燕山运动和老第三纪末的喜山运动。分别决定了结晶基底、盖层和晚近期构造变形特点。本区盖层构造主要定型于侏罗纪末的燕山运动。

在长阳复式背斜形成的同时，本区及其外围的天阳坪和近东西向的渔洋关等压性断裂形成，与其相配套的北北西向仙女山断裂、松园坪断裂、远安断裂等和北北东向的新华断裂、九湾溪断裂等扭性断裂相继生成。上述断裂形成菱形格子状构造。库坝区就位于仙女山、松园坪、天阳坪断裂所挟持的三角形地块中。

近几年来跨上述断裂的形变测量，其形变速率多在 0.1 mm/a 左右，表明这些断裂活动微弱，能量积累不高。但沿断裂仍时有微震发生，如 1961 年宜都潘家湾 Ms=4.9 级地震，发生在都镇湾南端与天阳坪断裂深部交会处，影响到坝区为 5 度，也是坝址区历史上遭受到的最大影响烈度。1991 年 4 月 17 日 16 时 4 分发生庄溪 Ms=4.1 级地震与都镇湾断裂有关，到坝区无反映。

2.1.2 坝区基本地震烈度及地震参数

1987～1988 年，湖北省地震局、湖南省地震办公室联合对该工程的地震基本烈度进行了复核并经国家地震烈度评定委员会审查同意，认为“坝址区不具备发生 6 度地震背景，而外围地震带对坝址的影响小于 6 度，因此高坝洲水利枢纽工程地震基本烈度取 6 度为宜”。

1990 年第三代地震烈度区划图编制过程中对基本烈度有新的定义域：基本烈度为 50 年内超越概率 10%时的对应的烈度值，坝址区属 6 度区。经地震危险性分析计算，得出坝址区不同超越概率条件下地震烈度与加速度值，见表 1。

表 1 坝址区 50 年内超越概率所对应的烈度和加速度峰值

50 年内超越概率	地震烈度(度)	加速度峰值(Gal)
0.63	4.8	20
0.10	5.7	42
0.05	6.0	54
0.02	6.3	74
0.01	6.5	90
0.005	6.7	110

2.2 水库诱发地震

据初步统计库内出露的灰岩，约占整个基岩出露面积的 70%，其中寒武系黑石沟组、三游洞组、奥陶系南津关组、红花园组岩溶化的地层分布广泛。库内无较大断裂分布，坝址附近北东向断层较发育，但规模较小，无活动性断层。上述基本条件表明，高坝洲水库蓄水后，诱发地震的可能性不大，但岩溶型水库地震的可能性是存在的，震级不会太大，与同类条件相比，一般不会超过 3 级，考虑其叠加作用对坝址影响很小。

2.3 水库库岸稳定性

水库岸坡稳定性总体上较好，但个别库段也残留有少数的滑坡等，经航片解译和实际调查，库区范围内有四处相对较大的滑坡或崩塌体。

(1) 林家嘴滑坡(含后缘的危岩体)。距坝址 9 km，为松散堆积之滑坡，体积 15 万 ~ 20 万 m^3。分布高程 46 ~ 90 m，滑体地面坡度 40° ~ 45°。后缘岩层产状较紊乱，岩体破碎，岸剪裂隙发育。水库蓄水后，滑坡体大部分在库水位线以下，并处于多弯河段，如果失稳对环境可能有一定的影响。

(2) 鸡公岩崩塌堆积体滑坡。距坝址 35 km，分布高程 68 ~ 250 m。组成物质为崩积黏土夹灰岩块石和巨石，结构松散。体积达 170 万 ~ 222 万 m^3。堆积体近期尚有活动。水库蓄水后，堆积体部分被淹，有可能导致局部失稳，今后应重点观测。

(3) 果秀岩崩塌体。位于长阳县城对岸，距坝址 42 km，崩塌堆积体分布高程 70 ~ 150 m，体积 30 万 ~ 50 万 m^3。由巨大的灰岩块石夹黏土组成，表层大部分已被泥钙质胶结，未被胶结的部分呈松散状。目前处于相对稳定状态。蓄水后，这里常年抬高水位约 10 m，堆积体坡脚被淹，在库水长期浸泡下，不能排除坡脚失稳牵动上部变形。

(4) 三里店滑坡。距坝址 44 km，滑坡后缘高程 120 m，前缘伸向江边，总方量约 3 000 m^3。由黏土夹灰岩碎块石崩坡积物组成，结构松散，规模较小。

3 坝址地质条件

3.1 河谷地貌

坝址位于清江下游低山丘陵区，为一宽缓的左缓(视顺向坡)右陡(视逆向坡)的不对称的河谷，两岸高程为 120 ~ 200 m，河床地面高程 39 ~ 42 m，枯水期宽 120 m，水深 1 ~ 3 m，洪水期宽 350 m。坝址河床部位分布有高坝洲河漫滩，长约 500 m，宽 20 ~ 250 m，由砂、卵砾石层组成。河床无明显基岩深槽，河床基岩面两侧稍低(高程 31 ~ 35 m)，中部稍高(高程 37 ~ 38 m)。

3.2 地层岩性

坝址出露的地层主要是寒武系中统上峰尖组、黑石沟组、上统三游洞组碳酸盐岩、碎屑岩类。第四系早更新世时期形成的岩溶角砾岩等。

3.2.1 寒武系

上峰尖组($\in_2^2$)分三段，其中与大坝建基岩体有关的为第三段，共分 9 层，其岩性为：薄层及中厚层含泥质微晶白云岩夹极薄层泥页岩、硅质岩、少量砂砾屑亮晶白云岩。

黑石沟组($\in_2^3$)共分两段六层，岩性为中厚、厚层泥微晶白云岩、灰岩夹薄层、极薄层泥质微晶白云岩、粒砂质微晶白云岩，少量鲕状亮晶灰岩和硅质岩。

三游洞组($\in_3$)共分三段，岩性为厚层、巨厚层泥微晶灰岩、砂状灰岩夹泥晶、内碎屑亮晶白云岩。

3.2.2 第四系早更新世

岩溶角砾岩由块径大小不一的灰岩、白云岩、泥质白云岩、砂岩等块石杂乱堆积又为方解石胶结而成。该岩体由三部分组成，即块石角砾、方解石、空洞。坝址地层展布见图 1。

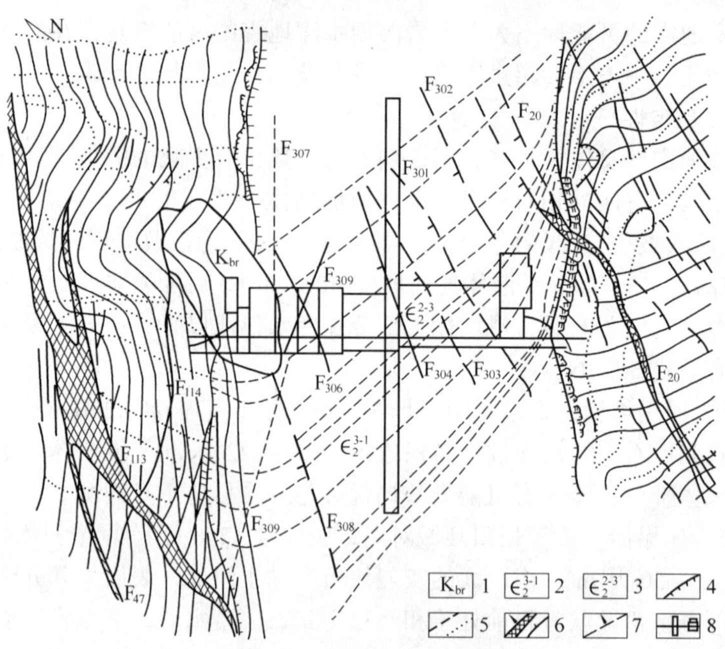

图 1　高坝洲水利枢纽坝址地质

1. 岩溶角砾岩　2. 中寒武统上峰尖组第三段　3. 中寒武统黑石沟组第一段

4. 不整合界线　5. 地层界线　6. 断层　7. 推测断层　8. 建筑物轮廓线

3.3　地质构造

坝址区位于长阳复背斜东翼南端中的次级褶皱桂竹园向斜的北翼，岩层走向 280° ~ 290°，倾向 SW(倾上游偏右岸)，倾角一般为 30° ~ 35°，陡者可达 40° ~ 45°。

坝址区主要构造形迹为断层、裂隙、剪切带等。

(1)断层。以 NE20° ~ 40°组最为发育，长一般 1 ~ 2 km，最长达 4 km，宽数米至十余米，最宽 30 余米。次为 NE50° ~ 70°组，长数十至百余米，宽 0.5 ~ 2 m，最宽达 5 m。坝址区绝大部分断层倾向 NW，倾角 50° ~ 80°，均为方解石或方解石胶结的角砾岩充填(如 F_{51}、F_{114}、F_{20}、F_{10} 及 F_{302}、F_{304} 等)。

(2)裂隙。坝址区基岩构造裂隙较发育，最发育的是 NE23° ~ 32°(分布于右岸)和 NE50° ~ 70°(分布于左岸)，其次是少量的 NW290° ~ 320°。前者以倾向 NW 为主，后者倾向 NE。倾角陡达 50° ~ 90°，宽一般为 3 ~ 8 cm，最宽 40 cm，长一般为 10 ~ 30 m，少量只有几米，均为方解石充填，且胶结良好。

坝址区所见构造裂隙均为高倾角张性裂隙，其发育间距一般为 0.4 ~ 1.5 m，线密度达 5 ~ 8 条/m，最大线裂隙率 3.2% ~ 5%，面裂隙率为 9.94%。

(3)层间剪切带。层状岩体在褶皱构造变形过程中，多沿地层中的软弱岩层发生层间错动，并形成密集的缓倾角裂隙或劈理，部分挤压破碎呈碎片、鳞片或粉片，部分沿层面脱开后期为方解石充填。

3.4　岩溶

本区岩溶地貌表现为溶丘洼池，洼地底部堆积厚度不大的极松散土层，并发育有落水洞和小型漏斗，受清江多次下切侵蚀作用影响，还发育溶蚀干谷和小型槽谷及岩溶通道古岩溶洞穴。

4 主要工程地质水文地质问题

4.1 层间剪切带

坝基中共发育的 110 余层剪切带，以岩性为基础，以剪切破坏程度为依据，以泥化程度为标准，并便于设计使用为原则，将其划分为 2 个大类、5 个亚类。其中性状最差的为Ⅰ类中的 19 层剪切带。

4.2 岩溶角砾岩

坝址左岸分布有一个体积近 1 000 万 m^3 的角砾岩，形成于早更新时期(绝对年龄测定 80 万年左右)，未经过大的构造变动，无层理无裂隙，是典型的块状岩体，岩体的完整性好。变形模量 7 ~ 8 GPa，声波测试 V_p=4 000 m/s。方解石的抗压强度为 20 ~ 40 MPa，岩体质量经综合研究属良好。

经多年勘探研究，岩溶角砾岩主要由三部分组成，即块石角砾、方解石和空洞，其比例为 51%、42%、7%，见图 2。由于该岩体中存在较多的洞穴空洞，压水试验一般透水性较大，与该岩体中多发育溶孔、溶洞是相一致的，必须做好防渗帷幕。

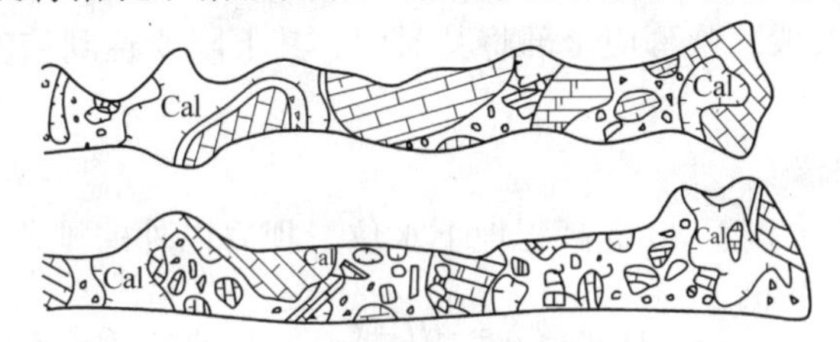

图 2 3 号平硐岩溶角砾岩素描

1. 灰岩 2. 白云岩 3. 灰质白云岩 4. 方解石
5. 晶洞 6. 原岩角砾 7. 原岩块体

4.3 岩溶渗漏

通过多年地下水动态观测、地下水运移跟踪试验、电模拟试验、K 剖面及坝区岩溶发育特征的综合分析，最终确定坝区岩溶渗漏场，见图 3。

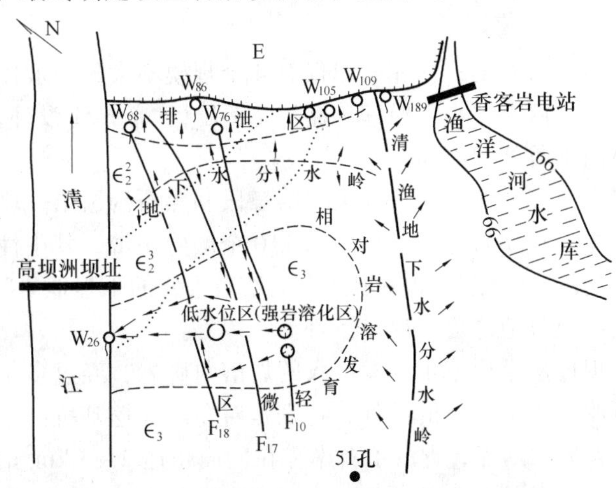

图 3 高坝洲水库岩溶渗漏场示意

库成之后，洞沐渔低水位区将成为一个地下湖，成为坝址右岸外渗的主要供水源，经NE向断层和裂隙、溶隙等全断面的向北侧低丘区渗漏。左岸库水主要是沿NE向断层向下游渗漏。坝基的主要渗漏途径则为岩溶角砾岩。

5　防渗帷幕

经过多年的勘探研究，最后选定封堵右岸低水位区走原下线上移 80 m 的方案，坝基与左岸为直线方案，帷幕总长 2 896 m，帷幕封闭面积约 14 万 m^2。

5.1　坝基防渗

(1) 坝基岩主要为上峰尖组第三段（$\in_2^{2-3}$）和黑石沟组第一段（$\in_2^{3-1}$）的地层，主要岩性为白云岩、灰质白云岩夹有灰岩、含泥质白云岩和大量的泥灰岩、泥质白云岩、灰质页岩等厚互层，岩溶不发育，为相对隔水层，防渗标准可按裂隙性岩体考虑，帷幕深度按下列原则确定。①幕深下限至单位吸水量 $\omega \leqslant 0.01$ L/(min · m · m)；②最小深度：$h=H/3+C$，h 为幕深(m)；H 为水头(m)；C 为常数(取 35 m)；③深入控制稳定性的剪切带以下 1 ~ 2 m。

(2) 岩溶角砾岩分布段，帷幕应全部将其封闭，其下限要达到–70 m 左右的高程，帷幕形成有一定的难度。

5.2　两岸坝肩以外的防渗

两岸帷幕的端点均接高于 80 m 高程地下水位。坝肩以外的帷幕长度必须满足下式：

$$S = \frac{1}{3}H + C$$

式中：S 为坝端以外的帷幕长度，m；H 为水头，m；C 为经验值，m，$H<100$ m 时，C=8 ~ 23 m；$H>100$ m 时，C=15 ~ 45 m。

在满足上述条件以外的帷幕原则上不全封，即在右岸低水位区主要是封闭顺河向断层带及岩溶化较高的地层分布段。尽管线路较长，面积较大，但不与大坝施工相干扰，只要提前进行施工，是一定能顺利完成的。

6　结论

库坝区基本地震烈度为 6 度；水库两岸仅有 4 个规模不大的滑坡体，库坝区无重大的潜在地质灾害体；除右岸何家坪小型铅锌矿储量 1.5 万 t 大部被淹没外，无其他矿产分布；水库封闭条件好，无向临谷外渗之虑。

坝基岩体为多层面，多剪切带的上峰尖组第三段和黑石沟组第一段薄层—中厚层泥晶微晶白云岩、灰岩为主，建坝岩体中共揭示出 110 余层剪切带，其中性状差对大坝稳定起控制作用或有重要影响的有 19 层，是高坝洲水电站最重要的工程地质问题之一。设计单位在大坝稳定分析方面已充分地考虑了这一条件。

第四纪以来，在坝址左岸形成了规模巨大的岩溶角砾岩，经过多年的研究，不仅可以作为坝基岩体，并可改善坝基岩体的条件，特别是对左岸深挖基坑高边坡的稳定起重要的支撑作用；又经多年大量的勘探，查清了右岸存在的面积达 2 ~ 3 km^2 的低水位区，并构成了右岸大面积的绕坝渗漏条件，为此，专门设置右岸的防渗帷幕是非常必要的。

目前一期主体工程基坑已开挖成型，底层混凝土已基本浇筑完毕，所揭示的情况几乎与勘察成果完全一致，仅基坑涌水地质预测值稍有偏大，其他断层、剪切带、岩溶角砾岩的分布性状均与地质预测相一致。

（原载《人民长江》1997 年第 9 期）

高坝洲水利枢纽水库渗漏封闭条件的论证

徐瑞春

高坝洲工程岩溶水库外漏问题的研究经水系关系与区域地质资料相结合，最终明确了两个向邻谷渗漏的途径，一个由清江自身流态变化形成的河间地块的外漏途径，即：①清长分水岭；②清渔分水岭；③坝址左岸土地岭河间地块(见图 1)。高坝洲水库鄢家沱以上，水库与邻谷相距数十公里，两岸山体雄厚，又有隔水层或相对隔水层的阻隔，封闭条件好，不存在水库渗漏。鄢家沱至坝址段，清江流态多变，河曲发育，东侧距长江 7.5 ~ 10 km，南侧距渔洋河 3.7 ~ 6.7 km，还有清江左岸形成的土地岭河间地块宽 3 km，都有岩溶化地层伸到邻谷或坝下游。现就上述可能外漏地段的封闭条件进行论证。

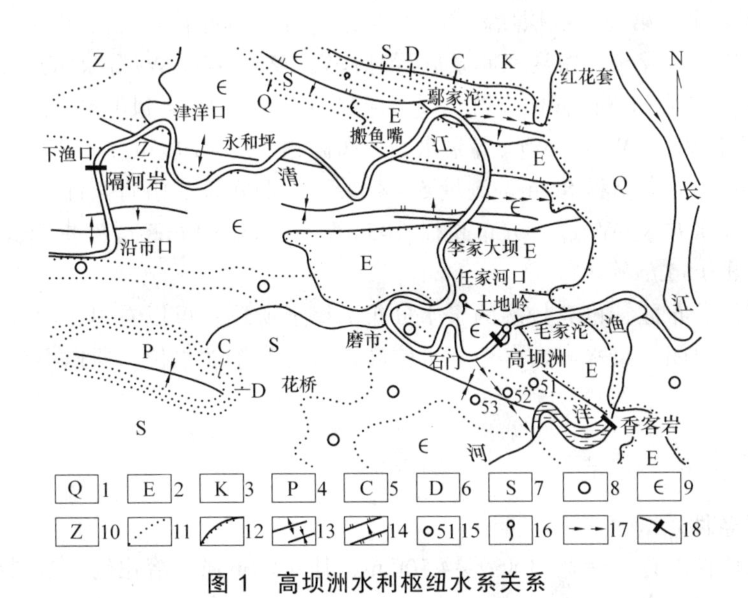

图 1　高坝洲水利枢纽水系关系

1. 第四系　2. 第三系　3. 白垩系　4. 二叠系　5. 石炭系　6. 泥盆系　7. 志留系　8. 奥陶系　9. 寒武系　10. 震旦系　11. 地层界线　12. 不整合界线　13. 背、向斜　14. 正、逆断层　15. 泉水及编号 16. 钻孔及编号　17. 水库渗漏方向　18. 大坝位置

1　清长分水岭

1.1　地形地质条件

清江自鄢家沱(或营盘垴)至任家河口河段，长约 9.8 km，流向近南北与东侧的长江近于平行。分水岭宽 7.5 ~ 10 km，高坝洲水库形成后，水位与长江水位差可达 40 余米，分水岭的东侧为开阔的长江河岸平原，宽 4 ~ 5.5km，由砂砾石及黏土层组成。长江河岸平原

以西为红层、古生代的灰岩、页岩组成的低山丘陵区，宽度 4 ~ 6 km。地形分水岭脊线靠近清江侧，距清江 1 000 ~ 2 600 m。最高点 402 m(大宋山)，最低点 90.2 m(官界头渡槽)。库内、外侧 80 m 等高线相距一般为 3 500 ~ 5 000 m，分水岭脊线两侧分别有 3 对冲沟背向延伸。库内侧的石灰冲和流向长江的白凤溪，两沟头 80 m 等高线相距 4 000 m；胥家冲与花庙子冲，两沟头 80 m 等高线相距 1 800 m；李家大坝冲沟和宋山冲沟两沟头 80 m 等高线相距 2 600 m，可以看出清长分水岭不算雄厚，特别是三对相背延伸的冲沟尾部处分水岭较单薄。

1.2 封闭条件的论证

清长分水岭地段，主要由长阳复式背斜的北翼地层组成。岩层走向与分水岭脊线近于垂直。根据其地层岩性分布的特点又可分为 4 段。

李家大坝至任家河口段长 3 750 m，石灰冲至胥家冲段长 1 500 m，均为第三系方家河组与分水岭组地层组成，其岩性为砾岩、砂岩和粉砂岩不等厚互层状。为裂隙性岩体，属相对隔水层，不存在岩溶渗漏问题。

鄢家沱(营盘垴)至石灰冲段长约 1 500 m，主要由三游洞组灰岩组成。胥家冲至李家大坝段长约 3 000 m，主要由黑石沟组和上峰尖组灰岩夹泥灰岩组成。上述两段灰岩分布区，灰岩顺走向越过分水岭脊线，而可能发生岩溶外渗问题。但在分水岭东侧(即长江侧) 90 m 高程以下，全被第三系红层所覆盖。构成红层在库外超伏外包封闭型。沿灰岩与红层交界带又广布岩溶裂隙泉。如聂家冲泉群(包括 W_4、W_5、W_6、W_7 等泉水)，分布高程 80 ~ 93 m，涌水量 0.05 ~ 5 L/s；青山泉群(W_{179})流量 0.5 L/s，高程 110 m，泉处一片沼泽。青山泉群周围尚有 W_{191}、W_{177}、W_{178} 等泉水，分布高程 181 ~ 190 m，流量 0.02 ~ 0.5 L/s；胥家龙洞泉(W_{177})，分布高程 82 m，流量 5 ~ 8 L/s，为洞穴泉。沿胥家冲断层一线，还多处出现溶隙泉；凉水井泉(W_{109})，分布高程 105 m，流量 0.8 L/s；石灰冲泉(W_{109})，分布高程 100 m，流量 0.5 L/s 等。

此外在灰岩分布区，也有较多的泉水分布。综上所述，可以看出，清长分水岭，不仅外围有红层超伏封闭，泉水丰富，地下水位高程也远高于库水位，所以不会沿清长分水岭发生水库渗漏。

2 清渔分水岭

2.1 地形地质条件

清渔分水岭在库首一带宽 3 850 ~ 4 500 m，其间广布强岩溶化的三游洞组灰岩和奥陶系灰岩。地形分水岭脊线靠渔洋河侧，距渔洋河 750 ~ 1 500 m，脊线总体走向 NE 向。分水岭脊线上的最高点 270.3 m(麒麟山)。分水岭西侧距清江 2 400 ~ 3 750 m。

2.2 封闭条件的论证

2.2.1 河间地块的地质结构

两河间的地块，总体走向 NE，桂竹园向斜贯穿其间。向斜轴沿叶凹池、汪家台、桂竹园、猫子洞一线展布，走向 280° ~ 290°，与河间地块走向斜交(交角 50° ~ 70°)。所以，河间地块构造封闭条件差，在构造上是敞口的，岩层走向沟通清渔两河(见图 2)。清渔分水岭的可能渗漏地段，主要指桂竹园向斜轴部一带，并主要指的是北翼岩溶化地层分布区，几乎横跨两河。分布于两河间的强岩溶化地层有寒武系三游洞组灰岩、奥陶系南津关组灰岩和红花园组灰岩。在地形分水岭脊线清江侧，发育有洞沐渔洞穴群与 W_{26} 地下通道系统；渔洋河侧，有淹水淌洞穴群与响水洞地下通道系统，可以看出，清渔分水岭明显地存在着可能渗漏的地质宏观条件。

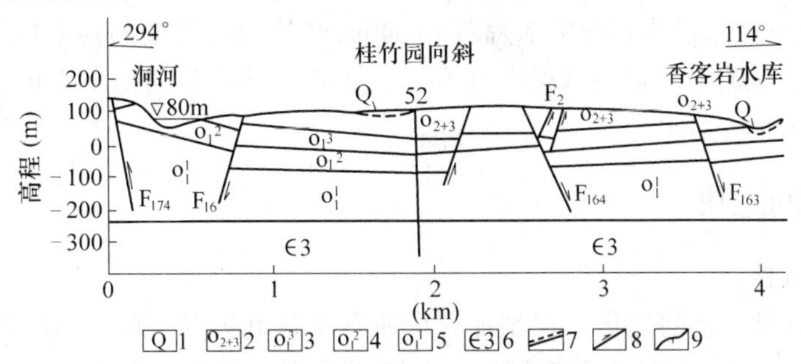

图 2　高坝洲水利枢纽右岸分水岭地质剖面

1. 第四系　2. 奥陶系中上统泥灰岩与灰岩　3. 奥陶系下统红花园组灰岩
4. 奥陶系下统分乡组灰岩与页岩互层　5. 奥陶系下统南津关组灰岩、底部灰岩与页岩互层
6. 寒武系上统三游洞组灰岩　7. 地层界线　8. 断层及编号　9. 钻孔及编号

2.2.2　封闭条件的论证

鉴于上述的原因，在以往的勘测过程中一直认为，清渔分水岭的渗漏，是一个很大的疑点而被搁置下来。20 世纪 70 年代中期，宜都市在渔洋河下游兴建香客岩水库，正常高水位 66 m，比高坝洲坝址河水位(枯水期)高 24 m，比坝址河床基岩面(高程 37 ~ 39 m)高 27 ~ 29 m，运行多年，香客岩水库未发生任何外漏现象，当然也就未向清江渗漏，这就提供了一个极为重要的信息，高坝洲蓄水至 80 m 高程，向渔洋河漏水只能出现在 66 m 高程以上。为此，曾设想过高坝洲水库(66 m 高程以上)发生向渔洋河大量漏水，有两个补救方案：增加香客岩电站的装机，或是加高香客岩的坝高，使之两个水库的库水相平衡，总之，香客岩水库的建设对高坝洲水库的形成作了一个实地大型的试验。

1985 年底开始对清渔分水岭进行了深孔勘探。勘探线的布置原则基本垂直(桂竹园)向斜轴(见图 3)，并布置在地形分水岭脊线的清江侧。勘探钻孔自 1986 年至 1987 年底相继完成，每个钻孔均分两层水位进行长期观测，内管水位代表三游洞灰岩中的地下水位，外管代表南津关组灰岩中的地下水位。2 年多来长期观测采集的水位资料表明，无论是内

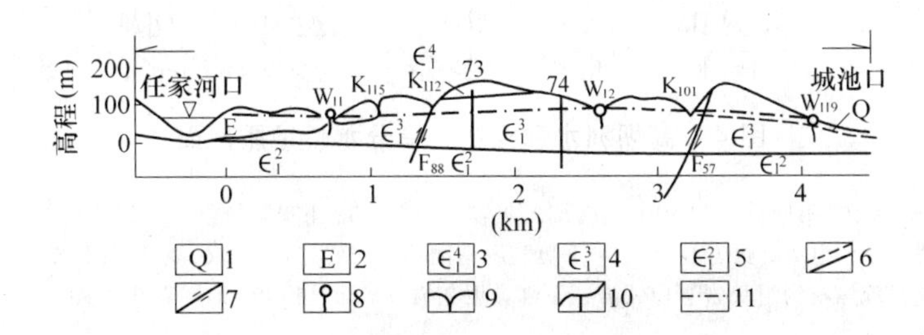

图 3　高坝洲水利枢纽左岸分水岭地质剖面

1. 第四系　2. 第三系红层　3. 寒武系下统平善坝组页岩　4. 寒武系下统石龙洞组灰岩
5. 寒武系下统石牌组页岩　6. 地层界线　7. 断层及编号　8. 泉水点及编号
9. 洞穴编号　10. 钻孔及编号　11. 地下水位线

管还是外管水位均高于正常蓄水位，并且勘探线(孔)又都布置在地形分水岭脊线的清江侧(距脊线 250 ~ 500 m)，说明真正的地下水位分水岭的高程还将高于目前所采集到的值。

又据泉水调查和动态观测，三游洞灰岩在与红层交界一线出露的泉水有 W_{109}(关门石泉水)高程 82.2 m；W_{189}(黄家湾泉水)高程 104 m，经长期动态观测其流量为 0.6 ~ 8.3 L/s(最大超过 76 L/s)。说明沿清渔分水岭一线存在高于正常蓄水位的地下水位。所以高坝洲水库形成后不会向渔洋河漏水。

3　土地岭河间地块

3.1　地形地质条件

由于清江自身流态的变化，在坝址左岸使石龙洞组灰岩，自库内的任家河口经土地岭(地形最高 196.1 m)在坝址下游的城池口一带再次进入清江，致使强岩溶化的石龙洞组灰岩横越河间地块，库内、外 80 m 等高线相距 2 400 m，成为库水可能外渗的途径(见图 1)。

3.2　封闭条件的论证

3.2.1　地质结构

土地岭河间地块位于长阳复背斜的南翼，地层排列比较整齐，岩层走向 280° ~ 300°，倾 SW，倾角 28° ~ 30°。出露的地层由老至新：石牌组页岩、石龙洞组灰岩、平善坝组灰岩与页岩互层、红溪组灰岩、上峰尖组灰岩、泥灰岩互层夹大量的薄层泥灰岩或白云质、泥质灰岩，其中岩溶化强烈的地层是石龙洞组灰岩、红溪组灰岩和上峰尖组第二段灰岩，后两者由于厚度较薄，大部被 F_{51} 断层错开已无构成统一渗漏通道的可能，石龙洞组灰岩厚度大(厚 200 m)，岩溶发育，成为土地岭河间地块可能外渗的主要途径(见图 4)。

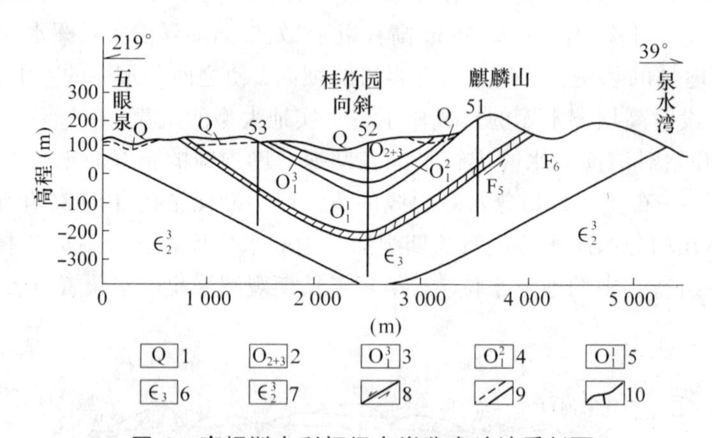

图 4　高坝洲水利枢纽右岸分水岭地质剖面

1. 第四系　2. 中上奥陶统泥灰岩与灰岩　3. 下奥陶统红花园组灰岩
4. 下奥陶统分乡组灰、页岩互层　5. 下奥陶统南津关组灰岩与页岩　6. 寒武系上统三游洞组灰岩
7. 中寒武统黑石沟组灰岩、白云岩、下部夹泥灰岩　8. 断层　9. 地层界线　10. 钻孔及编号

3.2.2　封闭条件的论证

石龙洞组灰岩，在土地岭河间地块出露宽度 300 ~ 500 m，出露面积 90 余万 m^2(近 1 km^2)。地形分水岭最高点偏西侧。裸露之石龙洞组灰岩呈溶蚀地貌，小型溶蚀洼地、溶槽发育，共发现大小岩溶洞穴 12 个，多为小型落水洞，其中规模稍大的有 K_{111}(深 10 余

m)、K_{104}(深 6~7m)、K_{101}(深 20 余 m)、KW_{117}等。上述的洞穴分布在分水岭脊线两侧一带。在东侧径流区还多见泉水，如 W_{47}(高程 110 m)、W_{45}(高程 122.15 m)、W_{12}(高程 90 m)、KW_{118}(高程 74.97 m)，其中以 KW_{118}(龙井泉)、W_{12}长年有水不干，其流量分别为 1 L/s、0.2 L/s。在其两端近河床处西侧有 W_{11}(高程 62.6 m)、KW_{117}(高程 67.96 m)和东侧有 KW_{119}(高程 53.09 m)、W_{16}(高程 41.23 m)。经连通试验，在河间地块东侧黄家天坑(K_{101})投放示剂在 KW_{119}接收到，其通道坡降仅 1%，分水岭脊线上的 73#孔投放示剂在河间地块的西侧 W_{11}接收到，其通道坡降 2.1%；按坡降计算河间地块两侧的通道是贯穿的，交点在 82 m 高程左右。又据钻孔长期观测所采集的地下水位值看，地下水分水岭应在地形分水岭东侧 600 m 处的 74#孔一带、74#孔东侧 600 m 处的 KW_{118}泉水高程 74.79 m，74#孔西侧约 600 m 处的 73#孔地下水高程为 76.63 m。按此计算，74#孔两侧地下水坡降分别为 3.6%~4%，很接近，因而可以认为 74#孔的地下水位为真水位，并可代表地下水分水岭的高程。为证实当石龙洞组灰岩向 SW 倾伏后水位是否降低，又在 73#孔、74#孔以南打了 71#孔和 72#孔，其地下水均无明显降低的趋势(71#孔最低水位高程 100 m，72#孔最低水位高程 81.8 m)。上述资料表明，土地岭河间地块存在高于库水位的地下水分水岭，不会发生危害性的水库渗漏。

又参照隔河岩枢纽罗家坳河间地块所确定的地质模型，土地岭河间地块与清渔分水岭均在 80 m 高程以下分别存在非岩溶化的岩块，不会发生管道渗漏。

(原载《人民长江》1997 年第 9 期)

高坝洲水利枢纽反调节库容研究及效益分析

安有贵　李文俊　陈永生

高坝洲水利枢纽是隔河岩电站的反调节梯级电站，其主要任务是：将隔河岩电站由于担负系统调峰而产生的不均匀甚至间隙性的发电流量，通过水库调节变得较为均匀稳定，以满足库区和下游河道通航的要求；同时开发利用隔河岩至高坝洲 50 km 天然河道的水力资源。

上游修建大型水利枢纽，下游修建反调节梯级电站的开发方式，已广泛应用于大中型河流开发中。在我国除清江外，已建的有资水柘溪和马迹塘梯级水电站，沅水五强溪和凌津滩梯级水电站，正在建设中的长江三峡和已建成的葛洲坝梯级水电站等。而反调节梯级所需反调节库容应如何计算确定，反调节效益应如何计算分析，在梯级电站设计中研究的不是太多，具体方法也不十分明确和规范化。现将高坝洲水利枢纽在设计过程中有关反调节库容和反调节效益的计算分析情况介绍如下，与同行们共同商榷。

1　反调节库容的计算分析

根据清江梯级开发方案及其具体条件，影响高坝洲枢纽反调节库容大小的因素有：

(1)上游梯级水电站(近期有隔河岩，远景还有水布垭)枯水期调节流量的大小；

(2)隔河岩水电站近期和远景枯水期在系统中的调峰运行方式；

(3)隔河岩电站与系统中葛洲坝等水电站补偿调节运行情况；

(4)高坝洲枢纽下游 12 km 河道的整治、航道最小流量及其变率要求。

现将影响因素分析研究如下。

1.1 下游 12 km 河道治理与通航流量要求

高坝洲水利枢纽修建后，为满足 300 t 级船队通航要求，下游 12 km 天然河道仍需进行整治。根据湖北省交通厅提供的“清江航运规划报告”，需对河道内 8 个险滩进行疏浚，开挖一条底坡 0.2‰的航道，并要求电站最小发电流量不小于 120 m^3/s，电站可适当调峰运行，经不稳定流计算，该段航道最小水深为 2 m、日最大水位变幅为 2.19 m、小时水位最大变幅 0.54 m、断面最大流速 2.08 m/s，满足通航要求。

为此，高坝洲电站拟定两种运行方式。

方式 1：枯水期一天中电站均匀放水发电，将隔河岩电站一天内不均匀发电流量，通过高坝洲反调节水库的调节使其均匀下泄。此种调节方式，枢纽以下河道日内流量稳定，对下游航运最有利。高坝洲电站在系统中带基荷，高坝洲所需反调节库容最大。此种调度方式，电站只有发电效益，无调峰能力，于电站发电运行不利。

方式 2：高坝洲电站与隔河岩电站大体上同步调峰运行，最小发电流量不小于 120 m^3/s，且其发电流量的变率与变幅满足下游河道的通航要求。此种调度方式，电站不仅具有发电效益，且有一定程度的调整效益，电站具有调峰能力。此种调度方式对电站有利。

1.2 各运行调度方式所需反调节库容的研究

1.2.1 高坝洲与隔河岩两电站联合运行情况

两电站联合运行时，高坝洲水库的日入库流量受隔河岩水库对径流的调节作用和电站日发电出力过程的影响。通过隔河岩水库的径流调节计算，电站枯水期发电保证出力为 187 MW，调节流量 208 m^3/s。枯水期电站担负系统峰荷，为电力系统主要调峰电站。根据隔河岩枢纽修改初步设计报告，枯水期电站一天发电运行 16 h，其中主要发电时间只有 5 h。根据电力系统电力电量平衡可以求得隔河岩电站日出力过程。

枯水期隔河岩电站发电出力 187 MW 时，发电流量受库水位的影响：库水位高时，发电流量较小；库水位低时，发电流量较大。对高坝洲枢纽所需反调节库容来说，起控制作用的是隔河岩水库死水位 160 m 时的发电流量及其分配过程。根据系统负荷周内变化情况，隔河岩电站的月调节系数取值 1.2，电站最大负荷日发电出力为 224 MW，水库死水位时相应日平均发电流量为 333 m^3/s，日发电总水量 2 877 万 m^3。表 1 列出了隔—高联合运行，隔河岩库水位 200 m 和 160 m，高坝洲电站为同步调峰发电和均匀发电两种运行方式，并考虑 120 m^3/s 航运基流要求后，高坝洲水库所需反调节库容分别为 696 万～803 万 m^3 和 904 万～1 203 万 m^3。

1.2.2 高坝洲与隔河岩和水布垭电站联合运行情况

3 个梯级联合运行时(见图 1)，清江来水经水布垭和隔河岩两水库调节后，枯水期高坝洲水库入流有所增加，水库日入流过程仍受隔河岩电站日调峰过程的影响。通过梯级水库联合运行调度径流调节计算，枯水期隔河岩电站平均发电出力提高到 287 MW，相应调节流量为 303 m^3/s。通过系统电力电量平衡，可求得隔河岩电站在系统中日调峰出力过程。

枯水期隔河岩电站出力 287 MW 时，发电流量同样随库水位不同而有所变化，并以梯

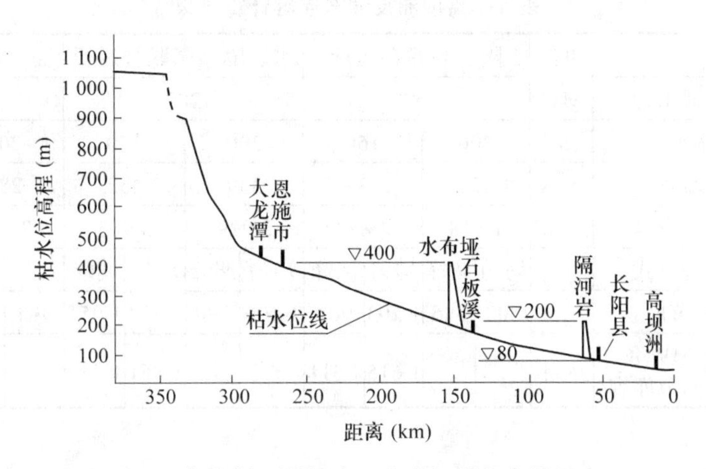

图 1　高坝洲、隔河岩、水布垭梯级电站示意

级水库联合运行死水位 170 m 时为最大。在考虑电站月调节系数后，最大负荷日隔河岩电站日均发电流量为 452 m^3/s，相应日发电用水量为 3 905 万 m^3。

高坝洲电站的发电运行方式同上，为同步调峰发电和均匀发电两种方式，并考虑 120 m^3/s 航运基流的要求。3 个梯级联合运行，隔河岩库水位 200 m 和 170 m 时高坝洲水库所需反调节库容，经计算分别为 790 万 ~ 1 100 万 m^3 和 1 051 万 ~ 1 472 万 m^3。

1.2.3　隔河岩与葛洲坝水电站补偿调节运行

葛洲坝为径流式水电站，发电出力直接受天然来水量的影响，年内变化很大；隔河岩电站具有年调节库容，通过水库调蓄作用，可以改变径流的年内分配过程，以适应系统的用电需要。两电站直线相距约 40 km，同时投入华中电网运行，属同一网局调度，两电站相互补偿调节是完全可能和易于实现的。

清江来水每年 4 ~ 9 月最大，占全年总水量的 76%，10 月以后来水量较枯，水库供水，并持续到次年 4 月。长江来水集中在 6 ~ 10 月，占全年总水量的 73%。葛洲坝为低水头径流式水电站，发电出力受来水量和水头的影响；枯水期，由于来水量小，水量不足，发电出力较小；汛期水量虽然很大，但水头较小，受到水轮机预想出力的限制，电站的发电出力也不是最大的。每年 5 ~ 6 月和 10 ~ 11 月，长江由枯水期过渡到汛期和由汛期过渡到枯水期的过渡时段内，长江来水量适中，葛洲坝电站发电水头高达 20 多 m，发电机出力不受水轮机预想出力的限制，出力最大，可达电站装机容量 2 715 MW。两电站补偿调节时，汛期由于隔河岩电站出力较大,可以补偿葛洲坝由于机组出力受阻所减少的部分不足出力；10 ~ 11 月由于葛洲坝出力大，隔河岩电站减少发电出力，水库充分控蓄水量，维持水库在正常蓄水位运行；12 月份水库供水，加大发电出力，至次年 4 月将水库放至死水位，以便 5 月清江汛期开始时控蓄洪水。通过补偿调节计算，隔河岩电站在无水布垭枢纽情况下保证出力可提高到 240 MW。

依据上述方法计算,隔河岩与葛洲坝水电站补偿调节运行,隔河岩库水位 200 m 和 160 m 高坝洲电站同步调峰发电和均匀发电两方式，考虑 120 m^3/s 航运基流要求后，高坝洲水库所需反调节库容分别为 753 万 ~ 994 万 m^3 和 1 140 万 ~ 1 498 万 m^3。

各运行方式计算结果见表 1。

表 1　高坝洲反调节库容计算结果

项　目	单位	隔、高联合运行				水、隔、高联合运行				隔、葛补偿调节运行			
隔河岩电站保证出力	MW	187				287				240			
隔河岩水库库水位	m	200		160		200		170		200		160	
隔河岩最大负荷日的平均发电流量及水量	m^3/s	222		333		339		452		283		424	
	万 m^3	1 918		2 877		2 929		3 905		2 445		3 663	
高坝洲电站运行方式		均匀	调峰	均匀	调峰	均匀	调峰	均匀	调峰	均匀	调峰	均匀	调峰
高坝洲所需反调节库容	万 m^3	803	696	1 203	904	1 100	790	1 472	1 051	994	753	1 498	1 140
隔河岩电站加 150 MW 备用容量时所需的反调节库容	万 m^3			1 615	1 311			1 861	1 439			1 740	1 384

1.2.4　综合分析

高坝洲水电站的运行方式，以与隔河岩电站同步调峰运行为宜，一则该运行方式可以满足库区及下游河道的通航要求，一则可为电力系统提供十分紧缺的调峰电源，同时也可提高高坝洲电站的发电效益。

通过上述研究，在考虑与隔河岩电站单独、与水布垭电站联合以及与葛洲坝电站补偿调节等 3 种运行方式时，考虑隔河岩电站在电力系统中的日调峰运行及其出力过程，考虑高坝洲下游河道整治后的通航要求及电站运行方式后，高坝洲水库所需反调节库容约 1 500 万 m^3，考虑隔河岩电站 150 MW 备用容量后，所需反调节库容约 1 900 万 m^3，可以基本满足水库运行调度的需要。若进一步考虑水布垭、隔河岩梯级水库与三峡、葛洲坝等系统内水电站群的补偿调节，考虑系统负荷进一步发展，隔河岩电站日调峰运行仅 4 ~ 5 h 情况，高坝洲水库所需反调节库容将达 2 600 万 ~ 2 800 万 m^3。

综上所述，高坝洲水库反调节库容 1 900 万 m^3 时能满足梯级水库运行调节的需要。若考虑系统水电站群的补偿调节，考虑系统负荷进一步发展，并考虑某些不可预测因素以及留有较大富裕度，高坝洲水库反调节库容以 3 000 万 m^3 为宜。

2　反调节效益分析

高坝洲枢纽不仅具有发电和航运效益，而且作为隔河岩枢纽的反调节梯级，同时具有完善和提高隔河岩枢纽经济效益的能力。从运行关系看，高坝洲枢纽是一个整体工程的两个组成部分，只有在其建成后，隔河岩枢纽才能充分发挥发电和航运效益。也就是说，与单独运行相比，隔河岩枢纽增加的效益，就是高坝洲枢纽的反调节效益。

在高坝洲枢纽修建以前，为满足隔河岩枢纽下游沿江两岸的工农业和城镇生活用水需要，隔河岩枢纽必须泄放 60 m^3/s 基荷流量；为恢复隔河岩枢纽修建以前清江干流的通航状况，隔河岩枢纽必须泄放满足航运需要的 100 m^3/s 最小通航流量。在高坝洲枢纽修建后，水库回水至隔河岩坝下，库区 50 km 已为渠化河道，沿江两岸的供水和航运问题得到了根本解决，隔河岩枢纽下游不再存在最小下泄流量的要求，从而增加了电站的调峰电量；同时小流量低出力运行也降低了机组的出力系数，增加了单位电能耗水量。

高坝洲枢纽的反调节效益体现在有、无高坝洲枢纽时隔河岩电站发电效益的不同情况(见表 2)，其具体计算方法如下：

表 2　有无高坝洲枢纽时隔河岩电站发电效益差值　（单位：亿 kW·h）

分期	枯水期			丰水期			全年		
运行状况	有高坝洲	无高坝洲		有高坝洲	无高坝洲		有高坝洲	无高坝洲	
		60 m^3/s	100 m^3/s		60 m^3/s	100 m^3/s		60 m^3/s	100 m^3/s
总电量	8.74	7.73	8.10	21.66	20.96	21.27	30.40	28.69	29.37
分时电量峰时电量	8.21	6.07	5.34	11.32	10.05	9.82	19.53	16.12	15.16
腰时电量	0.47	1.05	1.55	7.76	8.06	8.09	8.23	9.11	9.64
谷时电量	0.06	0.61	1.12	2.58	2.85	3.36	2.64	3.46	4.48
折算成平均电量	14.99	12.11	11.75	24.21	22.75	22.63	39.20	34.86	34.38
有无高坝洲平均电量差值		2.88	3.24		1.46	1.58		4.34	4.82

无高坝洲枢纽时，根据电力系统负荷电源安排，通过电力电量平衡确定隔河岩电站枯水期、丰水期各级出力时在系统中的工作位置，然后按分时电价计算方法，计算峰、腰和谷时电量，并按相应的折算系数折算成平均电量。此外，无高坝洲枢纽时，按供水或航运要求必须泄放最小基荷流量，由于出力系统减小，耗水量增加，因而引起发电量损失。

高坝洲枢纽修建后，由于调峰能力增加，隔河岩电站在系统负荷图上的工作位置发生了变化，依据上述方法同样计算隔河岩电站丰水期、枯水期的峰、腰、谷时电量，并按分期分时的电量效益倍比系数折算成平均电量。统计全年平均电量的差值，即为高坝洲枢纽的反调节效益。

计算中关于时段的划分：丰水期为每年的 5～10 月，电量效益倍比系数为 0.9；枯水期为每年的 11 月～次年 4 月，电量效益倍比系数为 1.1。负荷的时段划分为：峰荷为每日的 7:00～11:00 和 19:00～22:00，共计 7 h，电量效益倍比系数为 1.6；腰荷为 11:00～19:00 和 22:00～24:00，共计 10 h，电量效益倍比系数为 1.0；谷荷为 0:00～7:00，共计 7 h，电量效益倍比系数为 0.4；无高坝洲枢纽隔河岩电站按基荷流量发电时，根据初期实际运行资料统计，出力系数平均只有 3.12，正常情况发电出力系数为 8.5。根据隔河岩电站长系列出力统计，无基荷运行时多年平均电量为 30.4 亿 kW·h，其中枯水期为 8.74 亿 kW·h，丰水期为 21.66 亿 kW·h；带基荷流量 60 m^3/s 运行时，枯水期发电量为 7.73 亿 kW·h，丰水期为 20.96 亿 kW·h，分别减少发电量 1.01 亿 kW·h 和 0.7 亿 kW·h；带基荷流量 100 m^3/s 运行时，枯水期发电量为 8.1 亿 kW·h，丰水期为 21.27 亿 kW·h，分别减少发电量 0.64 亿 kW·h 和 0.39 亿 kW·h。具体计算结果见表 2。

从表 2 中可知，隔河岩电站下泄 60 m^3/s 基荷流量与高坝洲枢纽修建后无基荷运行时全年平均电量差值为 4.34 亿 kW·h；下泄 100 m^3/s 基荷流量与无基荷运行时全年平均电量差值为 4.82 亿 kW·h。

高坝洲水利枢纽修建后，隔河岩枢纽的运行状况得到根本改善，调峰能力和灵活性大大加强，并可与华中电网中的其他径流式电站进行补偿调节；隔河岩库区的航运可直接通到长江，社会效益明显加大。另一方面，根据水法规定，若无高坝洲枢纽反调节，隔河岩枢纽应下泄 100 m^3/s 基荷流量，以满足航运及工农业等各方面要求；有高坝洲枢纽后，在不计增加的航运等其他效益情况下，按分时计价办法，隔河岩电站相当于每年增加平均电量 4.82 亿 kW·h，这是高坝洲枢纽基本的反调节效益。

以上所述的反调节库容研究，是确定反调节梯级正常蓄水位的基本依据；而反调节效益分析，是合理进行反调节枢纽项目可行性评估的条件。通过对高坝洲枢纽的分析，这两方面工作是有章可循的，但要充分分析反调节库容涉及到的区间流量、发电运行方式影响等因素和航运方面的反调节效益，须进行深一步的研究。

（原载《人民长江》1997 年第 9 期）

高坝洲砂石混凝土系统若干问题研究与处理

杨丹汉

1　工程简况

高坝洲水利枢纽工程混凝土总量 100.23 万 m^3，其中枢纽工程 95.1 万 m^3，临建工程混凝土及混凝土施工损耗 5.13 万 m^3。依据枢纽布置和地形、地质、水文特点及导流方式，工程分二期施工。一期先围左河床，在围堰内完成电站厂房、深孔坝段的施工。二期围右河床，完成通航建筑物、右岸表孔坝段等坝体的施工。主要施工企业集中布置在左岸，两岸交通依靠在坝址下游约 1 km 的郑家冲公路桥联系。由于坝址附近清江及长江河床天然砂石料贮量丰富，质量符合混凝土骨料规范要求，故选用天然砂石料作为工程混凝土砂石料源。经综合比较，距坝址上游右岸约 3 km 的清江石门滩料场及离清江河口最近的长江云池天然骨料料场作为工程选定料场。石门滩料场因受二期围堰截流水位影响，只能在二期围堰截流前开采，故按二期围堰截流时间将混凝土总量划分为两部分，截流前一期混凝土骨料需要量由石门滩骨料场供应，二期混凝土骨料需要量由云池料场供应。一期混凝土总量为 60.93 万 m^3，二期混凝土总量为 39.30 万 m^3。根据承担混凝土量及混凝土级配特点，经平衡计算，石门滩料场小石、砂含率偏低，需对 20 mm 以上砾石进行破碎加工，云池料场砂料含率较高，砂料有剩余，但中小石含量偏低，仍需通过破碎处理工艺进行骨料平衡。根据施工总体布局及工程特点，整个工程设砂石混凝土加工系统一个。砂石、混凝土系统紧邻布置，设置在坝下游左岸距坝轴线 1 110 ~ 1 440 m 范围内，系统生产规模依混凝土高峰月强度 7.47 万 m^3 确定。

2　砂石、混凝土生产系统工艺设计及其特点

由于工程自身特点，高坝洲工程仅设置一座砂石、混凝土系统，因而系统规模依混凝土强度规模属大型天然骨料加工系统，在整个高坝洲工程施工中地位十分重要。而石门滩料场与云池料场在石质、各级骨料含率、开采条件等条件质量指标上差异较大，而且料场内不同采区骨料级配相差较大，此外混凝土工程中既有常规混凝土，又有碾压混凝土、低温混凝土，因而系统生产工艺必须具备良好的适应性才能满足工程的多种不同的施工需要。针对以上特点，设计上除对料源选择与组合加工工艺、设备配置等项目进行多方案常规化比选外，还对天然骨料制砂，筛分楼规模，加工工艺适应性，粗、细骨料质量控制等关键技术，根据工程特点并结合国内外多个工程的经验进行了工艺设计的改良，在一定程度上突破了传统的天然骨料加工工艺的束缚。实践表明，设计工艺达到了预定目的。现将砂石

加工系统工艺及其特点分述如下。

在砂石混凝土加工系统规划中，根据工程混凝土生产需要，结合多种加工工艺——料源平衡计算和工程施工特点，在工艺设计上确定了半成品堆场容积尽量扩大；粗碎、预筛分系统适应料场骨料级配不均、开采强度大、运输来料不均；筛分分级处理能力不仅要满足石门滩、云池料场及其一、二期工程混凝土强度的不同，还要考虑一期为补充砂不足而开采含砂率在50%以上的长江天然料场的可能性；中、细碎在工艺上除满足工艺平衡要求外，并要求既能适应破碎坚硬的天然卵石，又能根据需要进行必要的相互支援，以满足加工系统适应多种工况的要求和减少设备备用数量，提高系统可靠性；针对国内外多个工程天然骨料人工制砂成本过高、加工十分困难的经验教训，加强了制砂工艺设计。在工艺上确保人工制砂合理、可行，具有较好的综合技经指标；在质量控制上则重点考虑超逊径控制、冲洗骨料特别是细骨料的脱水等。在总体工艺设计上除满足工程需要和实现以上工艺要求外，整个系统工艺设计协调一致，工艺环节衔接合理，配合得当，在布置上还必须能适应狭小的系统布置区域。

经多种工艺方案设计确定工艺方案如图 1 所示。毛料堆场容积较大，总容积达 9.6 万 m^3，充分满足汛期混凝土浇筑最高年份备料及系统均衡生产要求；粗碎车间及预筛分车间

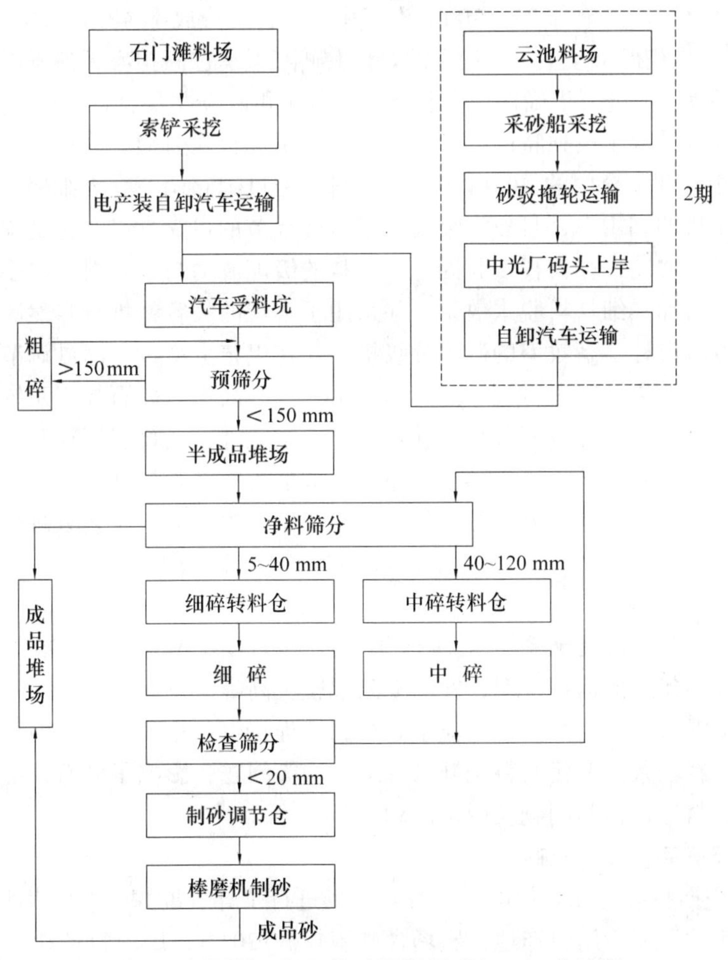

图 1　高坝洲工程天然砂石料开采加工工艺流程

处理能力考虑 40%～50%的扩大系数，以满足天然的料超径石（＞150 mm）上岸毛料含率变动大、汽车运输强度不均的实际工况；筛分车间以含砂率 60%混合料作为控制处理能力主要影响因素，以满足系统多种工况下的分级要求；同时也加强了超逊径的控制；中、细碎工艺是系统具备调整天然骨料级配以满足水工混凝土骨料级配要求的主要加工措施。本系统中承担为棒磨机制砂提供小石原料的重要任务，因而在设备选型、配置、工艺上必须结合制砂工艺统筹考虑。石门滩天然砾石质地坚硬，抗压强度 160～240 MPa，磨圆度好，多圆状，国内外多个工程实践表明，用这种砾石制砂成本高，出砂率低，机械损耗大，如采用隔河岩工程在砂石加工系统中的 MBZ2100×3600 型棒磨机制砂（砾石品质与石门滩料场砾石相近，同为清江河床砾石），出砂率为 7～12 t/h，制砂成本高达 60～80 元/t（1989 年价）。日本 3 个大型水电站在直接采用砾石制砂工艺中也面临成本过高的问题。针对以上情况，经多方案比较，确定采取制砂原状砾石均进行强力破坏工艺，通过破坏砾石圆度，利用强大外力对砾石内部节理发育及夹层等薄弱层面进行强制冲击，由此改善制砂原料品质。为此，在工艺上对全部制砂原料选用强力型细碎破碎机进行预处理，并增设检查筛分将符合要求的原料分出入制砂料仓待用。实践证明，该工艺获得了较满意的效果。即使在承包商利用旧设备，并改变原设计破碎机型号（该型号针对该制砂工艺）的不利情况下，棒磨机生产率仍提高了 2 倍，达到单台 25～30 t/h 生产率，综合生产成本 40 元/t 左右（按 1989 年可比成本计）。该工艺获得了业主、承包商的好评，解除了承包商担心天然砾石采用棒磨机生产砂成本高的顾虑。为进一步确保中、细碎的可靠性和适应性及设备利用率，设计上对中、细碎设备选型配置采取了较独特的处理，即细碎选用 2 台强力型、大进料口的细碎机，其中 1 台备用。中碎调节仓内的 40～120 mm 原料可通过细碎调节仓入细碎机进行破碎，这不仅提高了备用机的利用率，且较大地提高了破碎环节的可靠性与工艺适应性。

混凝土质量的波动，很大程度起因于粗骨料的级配波动与细骨料含水率的变化，其中后者更为重要。为加强细骨料脱水效果，除采用了常规的大容量堆场自然脱水外，我们还利用美国技术专项设计了高效率的砂水分级机，并在工艺上增设了净砂调节堆场，以进一步改善细骨料脱水效果。较之常规天然骨料加工系统，高坝洲砂石加工系统除设有筛分系统、成品和半成品堆场、各级调节转料仓、预筛分系统外，还设置了粗碎、中碎、细碎、制砂 4 级破碎工艺，并增设了检查筛分、净砂调节堆场等工艺设施，工艺上亦较之传统工艺有所突破，因而是目前国内外天然骨料加工系统中规模较大、工艺处理较完整的。

3 若干问题的研究与处理

高坝洲工程砂石、混凝土系统于 1996 年 7 月 15 日动工兴建，至 1997 年 1 月 18 日全面建成投产。经半年多的运行证明，在初期的混凝土高峰浇筑时段里，砂石混凝土生产系统满足了工程的混凝土浇筑需要，适应了高坝洲工程特点，达到了设计的预期目的。然而在此期间，由于料场条件变化及料场开采管理方法等问题，影响了砂石系统的正常运行，并由此带来细骨料质量控制问题及脱水问题。

3.1 料场变化及开采管理的影响

1992 年对一期料源清江石门滩天然骨料料场进行了详查勘探，结果表明，石门滩料场粗骨料是较理想的混凝土用料产地，料场含砂率较低（20%），属中粒径砂，细度模数 2.7。但实际砂石系统筛分处理后的成品砂的细度模数均为 1.8～2.2，明显偏细。经现场调查、勘探及综合分析得知，该料场开采采取定点、单机作业，开采点设在滩尾，沿滩边靠河侧逆河流方向采挖，开采河滩 1～1.5 m 的表层，而未采用开采天然骨料的常规做法，即在同一时间里根据混凝土粗细骨料级配要求，结合料场骨料分布特点进行河滩的上、中、下各部分搭配开采，且垂直于河滩进行横向全断面开挖的方式。勘探表明，1992 年详查勘探后至 1996 年底的 4 年时间里，由于上游隔河岩大坝的建成造成水位经常性变化，致使石门滩料场新覆盖了 1～1.5 m，该覆盖层筛后砂的细度模数恰在 1.7～2.1 之间。此外当地民用开采过多，也是影响砂质量的重要因素。后经调整开采方法，采取各部位搭配开采、全断面采挖后，砂细度模数接近 2.7，基本满足了水工混凝土对细骨料的技术要求。

3.2　细骨料细度模数的工艺调整

由于成品堆场半成品堆场中，已堆存了大量的细度模数为 2.0 左右的细砂及业主为确保一期工程混凝土生产用砂，因此，拟考虑外购砂作为备用方案，为满足工程的新情况与新要求，需对原工艺设计作局部调整：即将外来砂及细度模数偏低砂与棒磨机生产出的调整砂按比例掺和。为此，将现有成品砂堆场，通过中隔墙划分为粗砂堆和细(外采)砂堆，通过廊道内的可无级调整给料量的自同步惯性振动给料机将两种细骨料按比例掺和，目前该方案正在实施中。

3.3　细骨料脱水

大体积混凝土特别是碾压混凝土的质量波动缘于细骨料含水率的变化。水工混凝土施工规范要求，砂含水率应控制在 6%以内，而经筛洗后的砂含水率往往高达 14%～17%。目前国内外水利枢纽工程砂石加工厂大都采取延长砂料堆存时间(5～7 d)的方法自然脱水。这样每个砂石系统须设置容积达数万立方米的成品砂堆场。为此在原初步设计工艺方案中，高坝洲工程砂石系统设置 3.2 万 m^3 的 3 级砂堆场，按 1 仓使用、1 仓脱水、1 仓堆存的原则，在砂堆场满仓情况下(满仓时间 2～3 d)脱水到 6%需 5～7 d。由于混凝土浇筑强度变化大，加上施工企业管理调度等方面的原因，高峰期常发生因砂仓放空而直接使用从筛分楼刚生产的高含水率的砂，搅拌混凝土的含水率在 3%～16%之间波动，由此引起拌制混凝土质量不稳定。特别是碾压混凝土和低温混凝土对含水率要求严格，甚至会造成停产的后果，隔河岩、岩滩、二滩等工程均因此而影响混凝土的施工。贫配合比混凝土测试表明，当含水率波动达 2%时，其水灰比相差 0.05%左右，混凝土的强度波动达 2.5～4.7 MPa。

采取快速、合理的新技术解决细骨料脱水问题是水电大坝工程亟待解决的问题，初步研究在高坝洲砂石系统中增设专用脱水筛工艺上是可行的。

(原载《人民长江》1997 年第 9 期)

高坝洲水利枢纽下游航道通航水流条件试验研究

毛新仪

1　工程概况及通航运行条件

高坝洲枢纽是清江开发的最后一个梯级，上距清江隔河岩电站 50 km，是隔河岩电站的反调节电站，担负着系统供电调峰及改善下游通航供水条件的任务。

电站为河床式，厂房布置在左岸，泄洪深孔在电厂右侧，用厂、闸导墙分隔，通航建筑物布置在右岸，溢流表孔在通航建筑物左边。深孔和表孔之间设中导墙，施工期间兼作纵向围堰，桩号 15+170 上游部分为永久建筑物，桩号 15+170 ~ 15+270 为可拆除部分。

通航建筑物由垂直升船机、上游浮式导航堤和下游墩板式隔流堤组成，堤顶高程为 50.3 m，共设 26 个墩板，墩的断面尺寸为 9 m × 6 m，墩间距为 15 m。下游航道底高程为 37.7 m。口门以上航道宽为 40 m。原导航堤堤头段（口门处 2 个墩板）向左偏斜，与航道中心线成 15°。口门以下航道宽为 60 m。

上游通航水位为 78 ~ 80 m，通航运行最大流量 2 000 m^3/s，由深孔、电厂联合泄流，此时的下游通航上限水位为 49.3 m，下限水位为 44.95 m。通航运行最小流量为 120 m^3/s，这时的下游水位为 39.7 m，由电厂单独泄流。

试验研究工作在 1 : 100 的枢纽整体模型上进行，由于流量 Q=2 000 m^3/s，上游水位 $h_{上}$=80 m，下游水位 $h_{下}$=44.95 m，运行时，口门区的水流条件最差，所以用 2 000 m^3/s 作为试验控制流量，用其他组次作为验证。模型试验主要是观测口门区的流态、流速等并采取措施使其符合通航标准。

通航标准是：口门区内最大纵向流速值 $v_{纵\,max}$≤1.5 m/s；最大横向流速值 $v_{横\,max}$≤0.25 m/s；最大回流流速值 $v_{回\,max}$≤0.4 m/s；水面波动值 Z≤（0.3 ~ 0.4）m，并不得出现危及船只航行安全的“泡”和“漩”等不利流态。

下游口门区，是指导航堤堤头以下 180 m 范围内、航道中心线以左 20 m 至右岸的水域。

2　原堤头布置方案的试验成果

“原堤头布置方案”是指堤头、航道及口门的布置为原设计布置，河床地形则经过整治开挖，降低了河床高程的布置方案。

2.1　流态

当航道左侧的深孔、电厂下泄水流时，水流由左向右斜流。由深孔下泄的水流经中导墙尾部扩散后，沿导航堤流动，水流受堤头影响向左挑起，加大了水流进入航道的角度，在口门处形成回流，另一部分水流直接向右偏斜进入航道，形成了另一回流。由于下泄水流进入航道的流量及偏斜的角度不同，使口门区出现“8”字形的回流区（见图 1）。

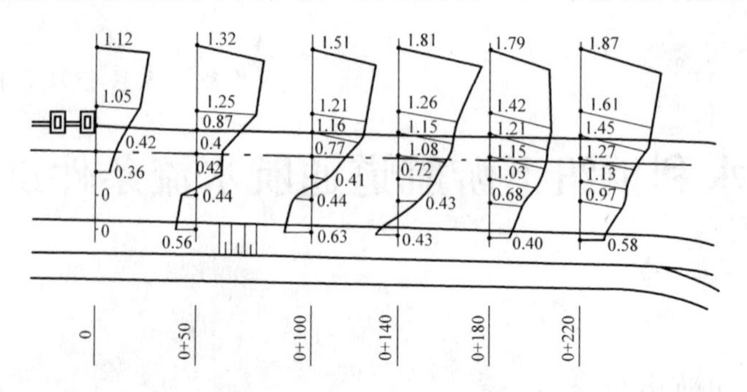

图 1　原布置方案下游口门区流态（Q=2 000 m^3/s）

通航流量 2000 m^3/s 时整个口门区几乎全是回流，且水流紊乱，回流区长 280 m、宽 60 m。这种流态不能满足通航要求。

2.2　口门区的流速分布

模型试验中测量了口门区各测点的表面流速值 v 和流速方向 α，并根据 v、α 计算各测点的纵、横向流速。

测量结果表明，原堤头布置方案因堤头与航道中心线成 15°夹角，沿导航堤左侧流动的水流向左挑起，以较大的角度进入航道，使整个口门区都出现回流，且很多测点处的回流流速值都大于允许值 0.4 m/s。在 2 000 m^3/s 流量时，最大的回流流速 $v_{回\ max}$=0.91 m/s，出现在口门以下 140 m 的右岸水边处。流速最大偏角为向右 20°。最大横向流速 $v_{横\ max}$=0.4 m/s，大于其允许值 0.25 m/s；最大纵向流速 $v_{纵\ max}$=1.61 m/s，大于其允许值 1.5 m/s。所以，原导航堤布置方案不仅口门区的流态紊乱，且流速也不能满足通航运行标准。

3　改善下游口门区通航水流条件的措施

3.1　改善流态的措施

因枢纽布置及运行条件所限，由深孔、电厂下泄的水流，必然向右偏斜流入航道，所以完全消除航道口门区的回流是比较困难的，只能采取适当的措施尽量减小回流流速和回流范围，使口门区的流速、流态不妨碍船只航行，具体修改措施如下：

(1) 为减小水流进入航道的偏斜角度，堤头方向修改为与航道中心线平行，并成直线布置。堤头方向改变后，口门宽度相应束窄，航道宽度也由原来的 60 m 缩窄为 40 m。

(2) 口门处的闸墩原为 9 m × 6 m 的长方形，使口门处的水流紊乱。现将该闸墩的下游一半改为用 1/4 圆和 1/4 椭圆相联的光滑曲线，使水流能平顺地沿着闸墩轮廓曲线进入航道。

(3) 对口门以左高程在 40 m 以上的部分地形进行整治，使其成为 40 m 高程的平台，以免水流在口门处受该地形影响。

3.2　减小下游口门区流速的措施

下游口门区纵、横向流速超过允许值的原因是口门区的过水断面小或口门区过流量大。其解决办法有两种：一是增大过水面积，试验中采用了“降低河床高程”的整治方案；二是减小口门区过流量，试验中采用了“开槽分流”的整治方案。下游口门区的模型实测流速资料表明，这两种试验方案均可使口门区的纵、横向流速值减小到符合通航标准。但因“降低河床高程”的整治方案开挖面积大，挖方量约为“开槽分流”方案的 2 ~ 3 倍，所以设计采纳了“开槽分流”的整治方案。

“开槽分流”的整治方案，是在深孔、电厂所处的河道左侧开一河槽，槽底宽约 60 m，底高程为 40 m。在试验研究过程中发现，如果只在左侧河道开槽，河槽宽度从 60 m 加宽到 100 m，仍不能起到分流作用，还需运用中导墙(原纵向围堰)引导水流进入河槽。位于深孔右侧的中导墙桩号 15+170 ~ 15+270 部分属可拆除部分，拆除高程不同，相应的水流河势也不同。所以中导墙拆除部分必须保留适当的高度，才能使航道口门区表面流态满足通航要求。模型试验中比较了 39、42、43 m 和 45 m 四种拆除高程，结果表明，中导墙的拆除高程为 43 m 时，能有效地改善水流分布，满足河势要求，因此它是“开槽分流”整治方案不可缺少的组成部分。

4 最终方案的通航水流条件

4.1 各试验方案的通航水流条件的比较

为改善下游口门区的通航水流条件，对影响口门区流速流态的主要因素，进行了 20 多种不同方案的比较试验。最大通航流量情况下几种典型方案的试验数值如表 1 所示。

表 1 各试验方案下游口门区通航水流条件比较

试验方案	$v_{纵max}$(m/s) / 测点位置	$v_{横max}$(m/s) / 测点位置	$v_{回max}$(m/s) / 测点位置	Z_{max}(m/s) / 测点位置
原堤头布置	1.62 / 0+180,左20	0.4 / 0+180,左10	0.91 / 0+140,右水边	0.4 / 0+100,左20
降低河床高程修改堤头布置，原地形修改堤头布置	1.82 / 0+180,左20	0.32 / 0+140,左20	0.45 / 0+100,右水边	未 测
降低河床高程修改堤头布置	1.66 / 0+180,左20	0.14 / 0+180,左20	0.65 / 0+150,右水边	0.41 / 0+50,左20
开槽分流	1.39 / 0+180,左20	0.27 / 0+180,左20	0.63 / 0+100,右水边	0.44 / 0,左20

从表 1 中可以看出，原堤头布置虽已降低河床高程，加大了过流断面，回流流速值仍太大（$v_{回max}$=0.91 m/s），口门区流态差，回流范围大，纵、横向流速的最大值均已超过允许值。

原地形情况下，堤头布置虽经修改，航道中心线以左 10、20 m 的纵向流速值均大于 1.5 m/s，航道中心线以左 20 m 的横向流速值也大于 0.25 m/s。这样的情况发生在深孔、电厂联合泄流运行条件下，且以最大通航运行流量 2 000 m^3/s 时最为严重。此时最大纵向流速值 $v_{纵max}$=1.82 m/s，最大横向流速值 $v_{横max}$=0.32 m/s，最大回流流速值 $v_{回max}$=0.45 m/s。

堤头布置修改后，采用降低河床高程或“开槽分流”的试验方案，航道口门区水流的各项指标均基本满足通航要求。综合比较的结果，认为“开槽分流”的方案比较适合通航运行。

4.2 推荐方案通航水流条件

最终推荐方案主要是将向左布置的折线堤头改为平行于航道中心线的直线形式；地形整治方式为“开槽分流”，即将左岸开一底高程为 40 m、宽度约为 60 m 的河槽，从电厂下游高程为 40 m 等高线处直延伸到下游 40 m 等高线，并利用表孔和深孔间的中导墙对水流的导向作用，中导墙可拆除部分(桩号 15+170 ~ 15+270)的墙顶保留高程为 43 m。

最终推荐方案的流态见图 2，从图中可以看出，由深孔和电厂下泄的水流顺直地进入航道，形成单一的回流区。下泄流量为 2 000 m^3/s 时，回流区宽 20 ~ 30 m，长 180 m，出现在口门以下的右侧水域。口门区没有出现泡或漩之类的流态，水面波动最大值为 0.44 m，比允许值仅大 0.04 m。

推荐方案的流速最大值见表 1，下游口门区的流速分布见图 3。从这些资料中看出，下泄流量为 2 000 m^3/s 时，航道口门区最大纵向流速值 $v_{纵max}$=1.39 m/s＜1.5 m/s(纵向流速允许值)；最大横向流速值 $v_{横max}$=0.27 m/s，稍大于 0.25 m/s 允许值；最大回流流速值 $v_{回max}$=0.63 m/s＞0.4 m/s(回流流速允许值)。虽然口门以下 50、100、140 m 三个断面的右岸水边测得的回流流速值大于 0.4 m/s，但仍认为该方案基本满足通航要求，因为船只可以不沿右岸水边航行，从而不受影响。

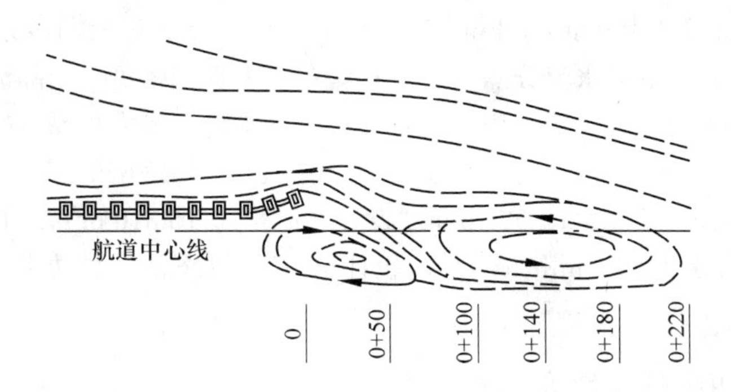

图 2　修改后下游口门区流态（Q =2 000 m^3/s）

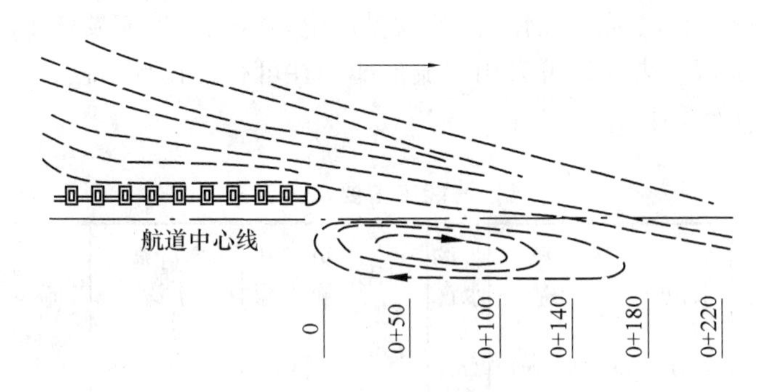

图 3　最终方案下游口门区流速分布

（Q =2 000 m^3/s　$h_{上}$= 80.0 m　$h_{下}$ = 44.95 m）

5　结语

高坝洲水利枢纽下游航道口门区通航水流条件的研究，是对改善通航水流条件的多种措施和整治方案采用水工模型进行比较试验，综合分析试验成果，提出的综合治理方案(最后推荐方案)包括：调整导航堤堤头布置，改善了口门区流态，减小了回流范围和回流流速值；采用“开槽分流”并配合拆除部分中导墙，减小了口门区的纵、横向流速，使航道口门区的各项水力指标均能达到安全通航标准。该方案已为设计所采用。

（原载《人民长江》1997 年第 9 期）

高坝洲水利枢纽泄洪消能试验研究

毛新仪　金宝芬

1　泄洪建筑物布置及泄洪条件

高坝洲枢纽泄洪建筑物布置在河床中部，由 6 孔溢流表孔、3 孔泄洪深孔组成。表孔布置在河道右侧。每孔净宽 14 m，闸墩厚 4.2 m，堰顶高程 62 m，堰面曲线方程为 $x^{1.85}=2H_d^{0.85}y$，设计水头 H_d=17 m，故 $y=0.045x^{1.85}$。深孔布置在河道左侧，每孔宽 9 m，闸墩厚度 7.6 m。孔口尺寸为 9 m×9.4 m，进口底板高程 45 m，底板曲线方程 $y=0.007x^2$，坝下游用中导墙将深表孔下泄水流分隔。表孔右侧布置垂直升船机，用隔流堤分隔表孔、航道水流。深孔左侧为河床式厂房，用厂、闸导墙分隔水流。最大坝高 57 m。

泄洪标准按千年一遇校核，百年一遇设计。校核总流量 22 670 m³/s，上游水位 82.9 m，下游高尾水位 58.4 m，低尾水位 57.55 m。设计总泄量为 16 810 m³/s，上游水位 78.5 m，下游高、低尾水位分别为 55.8 m 和 55.15 m。设计、校核条件下泄洪总功率分别为 3 850 MW、5 600 MW。

2 消能型式的初步试验研究

在设计、校核条件下深孔、表孔泄水的有关水力特性参数计算结果如表 1 所示，从表 1 中可以看出，枢纽具有较深的尾水，能够满足产生戽流流态所需要的下限水深 h_{2k} 和上限水深 h_{2w}，所以认为深、表孔均可采用戽流消能。在可行性设计阶段，比较了消力戽和戽式池两种消能型式(图 1 中 a_1、a_2、b_1、b_2)。

表 1 消能工主要水力要素

泄水建筑物	总泄量 Q (m³/s)	上游水位 $H_上$ (m)	下游水位 $H_下$ (m)	入池单宽流量 q (m³/(s·m))	收缩水深 h_1 (m)	佛氏数 Fr_1	第二共轭水深 h_2 (m)	实际尾水深 $h_下$ (m)	淹没度 σ	下限水深 h_{2k} (m)	上限水深 h_{2w} (m)
表孔	22 670	82.9	58.4/57.55	144.52	5.66	3.43	24.74	25.9/25.05	1.05/1.01	27.02	45.64
深孔	22 670	82.9	58.4/57.55	112.0	4.55	3.68	21.54	24.4/23.55	1.13/1.09	23.44	40.53
表孔	16 810	78.5	55.8/55.15	100.26	4.21	3.71	20.08	23.3/22.65	1.16/1.13	21.87	37.92
深孔	16 810	78.5	55.8/55.15	105.6	4.46	3.58	20.68	21.8/21.15	1.05/1.02	22.35	38.29

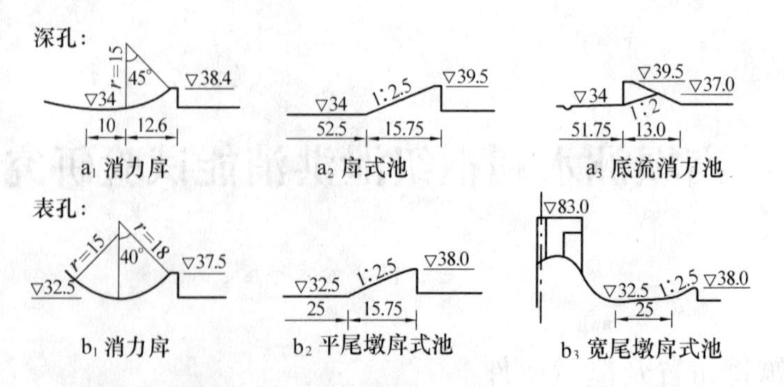

图 1 深孔、表孔消能工型式比较（单位：m）

试验结果表明，各泄洪运行条件均能在戽斗或戽池内产生稳定的戽流。消力戽产生典型的“三滚一浪”的戽流流态；戽池有水平段，池长加长，出戽的涌浪降低，涌浪后的漩滚消失，流态呈现“二滚一浪”。断面模型的试验资料表明，消力戽和戽池两种试验方案的下游冲刷深度相差不大，深孔最大冲深 9.5 m，表孔最大冲深 17 m 左右。整体模型试验中，表孔左侧中导墙脚的最大淘刷深度竟达 20 m。戽坎上的水面波动值 Z_{max}=5.77 m。消力戽方案的水面波动传播得比较远，在坝轴线下游 400 m 处，水面波动值还有 3 m 左右。所以，虽然消力戽和戽式池都能产生戽流流态，但消能效果却不佳，其根本原因在于高坝洲枢纽深孔、表孔泄流均属大单宽流量、低佛氏数消能。采用消力戽或戽式池消能工的水流特点是：水跃末端垂线上流速分布不均匀，底部流速大；池内水流紊动式强度小，消能效果差；跃后有行进波，使得出池水流从底部到表面作不规则周期性的摆动，水面波动比较大。为解决上述问题，提高消能效果，多采用“联合消能工”或加设“辅助消能工”的改善措施。

3　消能工的优化

3.1　深孔消能工的优化

试验比较了相同池长、池底高程的戽式池和底流消力池方案，形式见图 1 中 a_2、a_3。消力池加设了雷伯克齿坎，将这两种试验方案的试验成果列于表 2。可以看出，底流消力池与戽式池相比，其出池的坎顶底部流速、垂线流速分布不均匀系数、坎上水位波动值和冲刷深度均较低，说明加设雷伯克齿坎的消力池具有良好的消能效果。

经多次优化雷伯克齿坎高、低坎的设置高程及齿槽间距调整深孔出口以下的平面布置后，使深孔出流均衡，下游冲刷程度左、右相当。优化后的深孔剖面形式见图 2。

表 2　深孔消能工消能效果的比较

消能工型式	枢纽总泄量 Q(m³/s)	上游水位 $H_{上}$(m)	下游水位 $H_{下}$(m)	佛氏数 Fr_1	入池单宽流量 q (m³/(s·m))	坎上底部流速 $V_{底}$(m/s)	重线流速分布不均匀系数 α	坎上水深 $h_{坎}$(m)	坎上水位波动值 Z_{max}(m)	冲深 (m)
戽式池	22 670	82.0	57.55	3.68	112.0	10.4	1.9	18	5.77	9.5
	16 810	78.5	55.15	3.58	105.6	10.0	1.5	16	4.60	9.5
底流消力池	22 670	82.9	57.55	3.68	112.0	3.14	0.86	17	3.58	6.6
	16 810	78.5	55.15	3.58	105.6	3.59	0.99	16	3.10	6.2

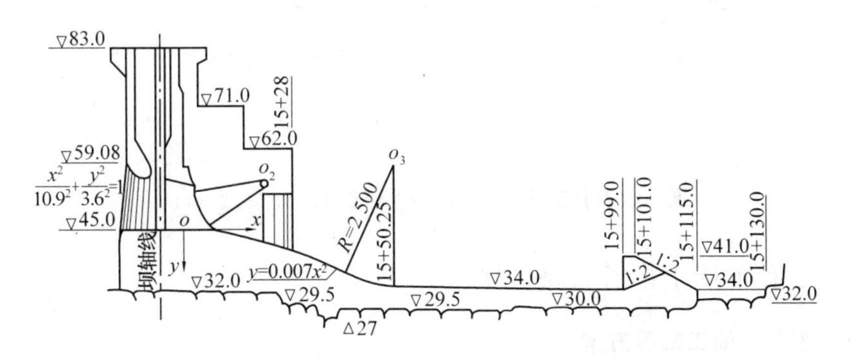

图 2　深孔剖面（单位：桩号、高程 m；尺寸 cm）

3.2 表孔消能工的优化

在初步试验的基础上，着重比较了平尾墩戽式池和宽尾墩戽式池（图 1 中 b_2 和 b_3）的消能效果。将试验结果列于表 3。从表 3 可看出，宽尾墩戽式池与平尾墩戽式池相比，出坎底部流速、坎顶断面流速分布不均匀系数及坎上水深均较小，波动值减小 1.5 m 左右，下游冲刷深度减小 3 ~ 8 m，显然宽尾墩的消能效果比平尾墩要好。

表 3　表孔平尾墩、宽尾墩戽式池消能效果的比较

消能工型式	枢纽总泄量 Q (m^3/s)	上游水位 $H_上$ (m)	下游水位 $H_下$ (m)	入戽单宽流量 q ($m^3/(s \cdot m)$)	佛氏数 Fr_1	坎上底部流速 $V_底$ (m/s)	垂线流速分布不均匀系数 α	下游河床最大冲深 (m)	坎上水深 $h_坎$ (m)	坎下水深 $h_坎$ (m)	坎上水位波动值 Z_{max} (m)
平尾墩	22 670	82.9	57.55	144.52	3.43	14.54	2.06	17.0	21.5	4.79	–9.74
戽式池	16 810	78.5	55.15	100.26	3.71	13.70	1.77	10.0	18.8	3.79	–2.69
宽尾墩	22 670	82.9	57.55	144.52	3.43	12.80	1.62	9.0	18.0	3.17	–4.87
戽式池	16 810	78.5	55.15	100.26	3.71	11.90	1.54	7.2	15.5	1.91	4.13

对表孔宽尾墩戽式池还进行了以下几项修改：

(1) 为加强宽尾墩对水流的纵向扩散作用，将闸孔收缩比由 0.6 修改为 0.5；

(2) 为充分利用池长，尽量缩短堰下收缩水流长度，将宽尾墩的体型修改成丫口形；

(3) 为减小开挖量和改善大坝的受力情况，将池底高程由 32.5 m 抬高到 34.0 m，尾坎高程也相应地抬高 1.5 m；

(4) 为改善水流出戽池的流态及流速分布，将池长由原来的 40.87 m 加长至 60.245 m；

(5) 为减小中导墙墙脚的淘刷，在表孔下游保留了二期横向围堰高程 40 m 以下部分，以破坏导墙所产生的旁侧回流场。

优化后的表孔消能工的剖面形式及宽尾墩形状见图 3。

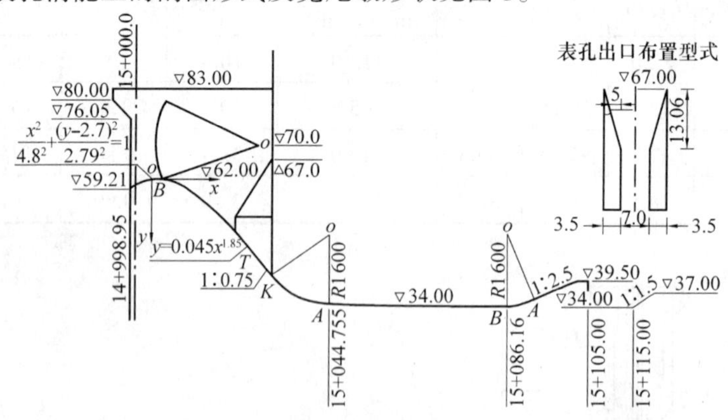

图 3　表孔剖面（单位：桩号、高程 m；尺寸 cm）

4　深孔、表孔消能工推荐方案的消能效果

4.1　深孔、表孔消能工推荐方案

深孔消能工推荐方案为底流消力池。池底高程 34.0 m，池长 64.75 m，池尾设雷伯克

齿坎，高坎顶高程 41 m，中间高坎中心线与池中心线重合，低坎顶高程 38 m，与高坎相间布置，坎间距 4 m，高坎顶宽 2 m，低坎前坡及高、低坎后坡坡度均为 1∶2。尾坎后设 15 m 护固段(见图 2)。为了使平面布置左右对称，将深孔坝段加宽了 3 m，闸墩厚度从原来的 8 m 减为 7.6 m。

表孔消能工推荐方案为宽尾墩戽式池。闸孔收缩比为 0.5，宽尾墩体型为 15°的上丫口形。戽式池底板高程 34.0 m，戽坎坡度 1∶2.5，坎顶高程 39.5 m，池长 60.245 m(见图 3)。下游二期横向围堰保留高程 40 m，围堰轴线在坝轴线下游 180 m。

4.2 消能效果

4.2.1 深孔泄洪消能效果

深孔选用了具有雷伯克齿坎的消力池后，消力池的各项消能水力指标都有明显的改善。

(1)消力池内产生稳定的水跃漩滚。跃头比戽池内的戽跃漩滚前移 5~10 m。池内水深增加，坎顶水面平稳，坎上水面波动值比戽池的波动值下降 2 m 左右。下游水位波动值(坎后 200 m)也降低 1.5 m 左右。

(2)坎顶断面流速分布均匀，底部流速较低。在设计、校核条件下，消力池与戽池相比，坎顶流速下降 6.5 m/s，系数 α 的值下降 0.5~1.0。说明出池水流比能下降，消能更为充分。

(3)由于设置了雷伯克齿坎，使尾坎后的主流浮于表面，其下为一反向的漩滚，同时齿槽中射出的急流与此反向漩滚发生撞击而起着消能作用，使深孔下游河床冲刷减轻，与戽池相比，最大冲坑深度减小了 6 m。

4.2.2 表孔消能工的消能效果

表孔采用宽尾墩戽式池联合消能工，经优化后，消能效果改善。

(1)因宽尾墩的作用，堰上水流以收缩射流进入戽池，在池内产生稳定完全的三元戽跃漩滚。水流掺气充分，紊动强烈，在戽池内消杀大量能量。在相同条件下，宽尾墩戽池中三元戽流比平尾墩戽式池池内的二元戽流消能率显著提高。

(2)出池流速大为降低，坎顶流速从 12~13 m/s 降至 7.5~8.5 m/s。垂线流速分布不均匀系数从 1.64~1.54 降至 1.52~0.97。坎上涌浪高度下降 2 m 左右，坎上水深则降低 3.5 m。表孔消能工经过优化以后，戽池内外水面衔接平稳，出戽流速分布较均匀，水流中余能较少，消能更为充分。

(3)宽尾墩改为上丫口形，改善了收缩射流入池的水流条件，加长戽池，使出池水流流态得以改善，表现在坎上时均压力值显著提高，由优化前的-4.87×9.8 kPa 增大为 15×9.8 kPa，沿水流方向的压力梯度变小。

(4)表孔下游河床的冲刷减弱，相同条件下冲坑深度比原方案浅 3~8 m。中导墙墙脚的最大淘刷坑底高程从 16.6 m 抬高到 23.8 m。

总之，经过优化后的深孔、表孔消能工作为最后推荐方案，具有良好的消能效果。

5 结语

高坝洲枢纽泄洪建筑物的消能工经过优化，推荐方案适应大单宽流量低佛氏数消能。与单一的戽式消能工相比，水流消能更加充分，下游冲刷减轻。与单一消力池相比，池长较短，节省工程量。该方案已为设计采用。

试验研究成果表明，将宽尾墩和戽式池联合运用，为解决大单宽流量、低佛氏数消能问题开辟了新的途径。

（原载《人民长江》1997年第9期）

高坝洲水利枢纽坝基渗流控制

周和清　杨启贵

高坝洲水利枢纽位于清江下游，大坝为混凝土重力坝，坝基及两岸为具溶蚀性的白云质灰岩和灰质白云岩。为控制库水外漏、降低坝基扬压力、防止泥化剪切带渗流破坏，设置了线路总长达2 800余m的防渗帷幕和必要的坝基排水。渗控工程是保证工程正常运行的地下屏障，是枢纽的重要组成部分。

1　岩体渗透特性

1.1　地层的渗透特性

坝址区出露的地层主要为古生界寒武系中统上峰尖组、黑石沟组和上统三游洞组碳酸盐岩及碎屑岩，岩层走向280°～290°，倾向上游偏右岸(SW)，倾角30°～35°。另在左岸坝基分布有性状独特的岩溶角砾岩。地层的渗透性受岩性、地质构造及岩溶发育程度控制，强透水岩层内存在弱透水区域，弱透水层内亦存在强透水区域，岩层的透水性差异很大。上峰尖组及黑石沟组第一段岩溶发育微弱，可视为弱透水或相对不透水岩层，但剪切带及构造裂隙非常发育；黑石沟组第二段和三游洞组顺河向断层及岩溶十分发育，属中强透水岩层；岩溶角砾岩为古岩溶充填物，透水性强。

1.2　断层的渗透特性

坝址区顺河向断层发育，断层多为张扭性，顺断层溶蚀严重，地表多呈溶沟、溶槽状，地下多呈脉状缝隙或岩溶洞缝。断层直接或与岩溶通道及强岩溶发育带相接连通水库，在坝址下游较低高程出露。

1.3　岩溶的渗透特性

岩溶通道、古岩溶及顺断层发育的岩溶洞缝对水库渗漏有较大的影响。右岸三游洞组岩层中发育的Ⅴ#岩溶通道，走向大致垂直清江，横切并沟通F_{10}、F_{15}、F_{16}、F_{17}、F_{18}、F_{20}等顺河向长大断层，与水库具备连通条件。受岩溶影响，右岸形成一个垂直河向宽约1.5 km、顺河向长约2 km的低地下水位区，地下水位高程60～75 m。左岸F_{51}断层岩溶特别发育，在上游侧与水库相通，下游侧通过Ⅲ#岩溶通道与清江沟通。同时，左侧坝基分布的岩溶角砾岩(古岩溶)为典型的岩溶化岩体，空洞率约7%，其渗透特性差异较大。

1.4　层间剪切带的渗透特性

在坝基持力岩层发育的层间剪切带，局部轻微溶蚀，透水性不大。其部分为黏土充填，充填物允许渗透破坏比降较低，仅为8～10，在排水及渗水出逸点，产生渗透破坏的可能性较大。

2　渗流控制措施及其布置

2.1　渗流控制的必要性

坝基岩层透水性总体较小；右岸偏上游区域分布有强透水岩层，右岸偏下游区域虽然分布有相对不透水岩层，但由于顺河向断层的贯穿切割，使右岸存在库水外漏问题；左岸岩石为上峰尖组相对不透水层，由于岩溶强烈发育的 F_{51} 等断层的存在，使左岸亦存在库水外漏问题，但外漏途径相对清楚，断层间的岩体不存在渗漏通道。由此可见，应在坝址两岸采取渗流控制措施，以保证水库的正常蓄水和长期安全运行。

大坝坝基由于有降低扬压力的需要，必须布置渗流控制措施，并保证坝基持力层层间剪切带的渗透稳定。

根据地质条件和建筑物的要求，提出渗流控制设置的主要原则如下：①截断岩溶发育的顺河向长大断层和岩溶角砾岩段的岩溶渗漏通道，延长渗漏路径，有效地控制基岩渗漏量。②降低坝基扬压力，提高坝基稳定性，满足大坝稳定要求。③降低坝基渗透水力比降，控制剪切带和断层的渗透比降在允许范围以内。

2.2　渗流控制方案

根据渗流控制要求及岩体渗透特性，大坝基础渗控比较过水平铺盖辅以垂直灌浆帷幕，并与坝基排水相结合的方案和全线垂直灌浆帷幕与坝基排水相结合的方案。由于水平铺盖可靠性难以保证且节约投资不明显，故选定全线灌浆帷幕与坝基排水相结合的渗控方案。

大坝两岸则设置灌浆帷幕，以有效截断顺河向长大断层的渗漏通道及防止坝肩一定范围内的绕坝渗流，在左右岸远河地段，充分利用断层间岩体的相对不透水特性(天然帷幕)，修建不连续的灌浆帷幕。

2.3　两岸防渗线路

布置两岸防渗线路时，线路走向及长度主要受岩层分布及透水性大小、岩溶渗漏通道位置、施工条件等因素控制。

左岸岩层分布单一，F_{51} 断层以左岩溶不发育，防渗线路顺坝轴线方向延伸穿过 F_{51} 断层即可满足防渗要求。

右岸地形较为复杂，渗漏范围大，不同位置岩层的透水性差异较大，为此，比较过 4 条代表性的防渗线路。

(1)上防渗线：向上游经过强透水岩层后，与Ⅴ#岩溶通道接近垂直穿过，再接高于水库正常蓄水位的天然地下水位区域。

(2)小分水岭防渗线：向下游沿地下水分水岭接高于水库正常蓄水位的天然地下水位区域。

(3)下防渗线：向下游避开强透水岩层，进入郑家冲岩溶干谷并顺其走向接高于水库正常蓄水位的天然地下水位区域。

(4)优化防渗线：优化下防渗线，避开郑家冲岩溶干谷谷底，顺其上游侧山坡布置灌浆平洞，在平洞内进行防渗帷幕灌浆，避免征地及移民。

右岸防渗线路的选择，随着勘测设计工作的进一步深入而明确，最终选定下防渗线优化线路。该线路的主要优点在于灌浆帷幕可靠性好、施工干扰小，减少大量征地及移民，运行维护方便。

左岸防渗线路长 455 m，右岸防渗线路全长约 1 950 m。

2.4 防渗标准

根据各部位基岩的渗透特性及建筑物对渗流控制要求的差别，不同的部位确定了相应的防渗标准：坝基防渗要求相对较高，且泥化类剪切带存在渗透稳定问题，确定防渗标准为透水率 $q\leqslant 1$ Lu；两岸由于渗径较长，幕体作用水头减小，防渗标准确定为透水率 $q\leqslant 3\sim 5$ Lu。

2.5 防渗下限

除岩溶角砾岩的渗透特性沿垂直方向差异较小外，其他岩体随着深度的增加，岩溶发育程度逐渐变弱，透水性逐步减小。故拟定防渗下限的确定原则如下：

(1)层状岩层部位深入到基岩透水率小于相应防渗标准的透水率界限以下 5～10 m。

(2)坝基防渗灌浆的深度 $h\geqslant H/3+C$(其中 H 为坝高，C 为常数)。

(3)岩溶角砾岩部位，深入到其下的上峰尖组相对不透水岩层顶面以下 5～10 m。

(4)岩溶发育区域，深入到岩溶相对发育下限。

(5)右岸近河段深入到岸坡层间剪切带以下。

(6)顺河向断层展布的局部范围防渗下限适当降低。

按上述原则确定的防渗灌浆孔最大深度 110 m，最小深度 24 m。

2.6 坝基排水

排水是降低坝基扬压力的重要措施。在下游水深较大的深孔、表孔及纵向围堰坝段，除在坝基上游侧于帷幕后布置主排水外，另在坝基下游侧布置一排辅助排水。排水孔穿过泥化剪切带时，孔壁出逸比降大于泥化剪切带的允许渗透比降，需专门采取保护措施，防止产生危害性渗透破坏。

3 防渗灌浆的试验论证

岩溶角砾岩和岩溶洞缝的灌浆成幕问题，是渗控工程中能否采用灌浆帷幕的关键性技术问题，为此，专门进行了现场灌浆试验，试验分岩溶角砾岩试区和 F_{20} 断层试区两处。灌浆方法为“小口径钻孔孔口封闭高压灌浆法”。岩溶角砾岩试区布置三排灌浆孔，孔距 2～2.5 m，灌注纯水泥浆液；F_{20} 断层试区布置二排灌浆孔，孔距 2～2.5 m，大漏量孔段灌注粉煤灰水泥浆液，小漏量孔段灌注纯水泥浆液。

试验同时进行了检验灌浆幕体防渗性能、耐久性能、力学性能的测试，以及幕体结石的微观物化检测。试验结果表明，岩溶角砾岩及断层溶蚀带采用“小口径钻孔孔口封闭高压灌浆法”施工及布置两排灌浆孔、局部三排灌浆孔，最大压力采用 4～5 MPa 修建防渗帷幕在技术上可靠、经济上可行，形成的防渗幕体透水率 $q<1$ Lu，可极限承受 350 m 的水头作用，允许渗透比降大于 100。

4 结语

(1)大坝两岸的防渗线路选择，必须综合考虑技术保障、施工环境、征地移民等多种因素，科学决策。在高坝洲工程布置灌浆平洞，在洞内进行防渗灌浆，与在地表直接钻孔灌浆相比，技术上更有保障，社会及经济效益更明显。

(2)根据基岩的渗透特性和不同部位对基岩渗流控制要求的不同，在同一工程，分部位确定不同的防渗标准是合理的。

(3)采用“小口径钻孔孔口封闭高压灌浆法”，不仅能在一般地层用于帷幕灌浆，而且用于岩溶角砾岩及岩溶洞缝灌浆帷幕是可行的、可靠的。

(4)渗控工程属隐蔽性工程，必须实行动态设计，结合进一步的地质资料和施工实践，及时调整修改设计，取得更佳的经济效益和技术保障。对此需要建设设计和施工单位建立与此相配套的运作机制。

（原载《人民长江》1997年第9期）

高坝洲电站厂房、深孔坝段接缝灌浆、宽槽回填及温控措施研究

邓银启　姜手虞

1　概述

高坝洲水电站厂房机组坝段($6^{\#}\sim8^{\#}$坝段)顺流向分进口段、主机段和尾水段三部分。主机段和进口段建基面高差大，为改善结构受力条件，在厂房主机段与进口段之间高程19.0～28.93 m设置了纵缝，每个坝段分为上、下两个灌区，共六个灌区，灌区总面积785 m^2；高程28.93～38.93 m设置了宽槽，宽槽宽1.2 m，内壁有键槽。

泄洪深孔坝段($9^{\#}\sim11^{\#}$坝段)高程66.0 m以下分上、下块施工，66.0 m以上并仓浇筑。上、下块之间高程32.0～43.7 m设置了纵缝，$9^{\#}$坝段分为上、下两个灌区，$10^{\#}$、$11^{\#}$坝段各设一个灌区，共四个灌区，灌区总面积804 m^2；高程43.7～66.0 m设置了宽槽，宽槽宽1.2 m，内壁有键槽。

2　接缝灌浆和宽槽回填的条件

接缝灌浆(宽槽回填)必须满足的主要条件：①灌区(宽槽)两侧的混凝土龄期不少于两个月且混凝土温度必须达到设计规定的灌浆温度(回填温度)；②接缝灌浆和宽槽回填必须安排在12月至次年3月较冷季节进行。

3　接缝灌浆、宽槽回填和机组发电、二期截流的关系

(1)宽槽回填必须在接缝灌浆完成之后才能开始施工。

(2)只有完成宽槽回填，实现厂房进口段与主机段联合挡水，才能如期进行二期截流。

(3)厂房坝段回填宽槽后，才能进行浇蜗壳顶板、发电机层混凝土施工及厂房封顶，然后进行厂房装修和机组安装。

4　工期安排

按投标网络计划，高坝洲二期工程截流安排在1998年10月26日进行；1999年7月

26日第一台机组发电。为满足二期截流及为首台机组发电创造条件，1998年2月份完成接缝灌浆，1998年3月份完成宽槽回填。

厂房坝段进口段和主机段在1997年12月底浇至高程38.93 m以上；泄洪深孔坝段在1997年12月底浇至高程66.0 m以上。

5　高温季节混凝土温度控制

高坝洲工程一期大坝基础约束区混凝土浇筑，安排在1997年的4～9月施工，正遇高温季节。强约束区的混凝土温控要求严格，混凝土浇筑温度 20 ℃；弱约束区混凝土浇筑温度 22℃；约束区部位的混凝土必须进行初期通水冷却。

约束区混凝土温度控制措施主要有：减少混凝土发热量、降低混凝土的出机温度、加快入仓速度、混凝土浇筑后通水冷却四方面。

减少混凝土发热量：其一，选用水化热较低的水泥(荆门水泥厂生产的大坝水泥)；其二，选用优良的减水剂和选择合理的配合比，使单位混凝土中水泥用量降低，减少混凝土发热量。

降低混凝土出机温度与浇筑温度：通过骨料吹冷风预冷，加冰、加冷水拌和，可使混凝土出机口温度在夏季降低至 15 ℃；同时浇筑仓内采取防晒、隔热、人工喷雾降温等措施，减少混凝土温度回升。制冷系统布置了制冷容量为 200×10^4 kal/h 制冷楼一座，采用先进的螺杆式压缩机，并设有生产片冰、冷水、冷风的设备。可生产–7℃冷风8万 m^3/h，–5～–8 ℃片冰45 t/d、8 ℃冷水40 m^3/h，使骨料从初温降至6 ℃左右，使混凝土的浇筑温度满足设计要求。

坝体通冷却水进行初期冷却，加速混凝土内部热量的散发。深孔坝段和厂房坝段的基础约束区混凝土都是在1997年夏季高温时段浇筑的，一般层厚1.5～2.0 m，层间布置冷却水管，水管垂直于流向布置，间距2.0～2.5 m，混凝土覆盖后即开始通10～12 ℃冷却水，通水流量18 L/min，每两天变换一次水流方向，持续时间10～14天。为配合混凝土初期冷却，在一期基坑内布置两台制冷水机组，专门生产10～12 ℃冷却水。

通过以上温度控制措施的到位，降低了混凝土的最高温度，保证了约束区混凝土的施工质量，使混凝土施工在夏季持续进行。深孔坝段从1997年4月1日开始混凝土浇筑，当年12月22日全部施工至高程66.0 m；厂房坝段进口段和主机段从1997年4月下旬开始施工，1997年底浇至高程38.93 m。

6　接缝灌浆

接缝灌浆要求接缝两侧混凝土温度必须达到灌浆温度 13℃±1℃，缝面张开度＞0.5 mm(若缝宽小于0.5 mm，应做细缝特殊处理)，灌区情况通畅、封闭情况良好等条件下进行。深孔坝段混凝土浇筑至高程66.0 m、厂房坝段进口段和主机段浇至高程38.93 m后即通 8～12℃河水进行后期冷却，经过通水冷却、反复闷温，坝体温度均达到灌浆要求，最低12.2℃，最高13.5℃。通水进行灌区检查：深孔坝段4个灌区22个进回浆管和排气孔，只有1个备用进浆管道不通，灌区封闭情况较好；厂房坝段6个灌区，进、回、排55个管口，有少量排气孔不通的，重新补打排气孔，1#、3#机组上、下灌区相互串漏，合并为一个灌区，同时进行灌浆。接缝灌浆开始前，先做好预习性压水检查，取得管道通畅和封闭情况，由业主、设计、监理和施工单位质检部门共同分析资料，签发开灌证。深孔坝段灌区通畅，封闭情况较好，按设计和规范要求逐区灌注，经过 9 h 顺利结束灌浆，各项质量指标全部达到优良标准。厂房坝段由于不具备联灌条件，采取成熟一个灌注一个的办法，1#、3#机组上、下灌区相互串通，采用联灌办法，先从下区进浆，当上区各个管口出浆时全部关闭，待下区排气管放浆比重达到 1.5 g/cm^3 时，上区进浆管开始进浆，两个灌区同时灌注时分别控制各区排气管压力和浆液浓度，直至达到设计标准。深孔坝段接缝灌浆于 1998 年元月 21 日完成，厂房坝段于 1998 年 2 月 28 日结束，后布置检查孔取芯进行效果检查，芯样缝面可见水泥结石，黏结良好；压水漏水率很小；说明灌注效果较好。

7 宽槽回填

厂房坝段和深孔坝段宽槽回填在宽槽上、下侧混凝土温度冷却至 12 ℃ ± 1 ℃后进行。混凝土层厚 4.0 ~ 6.0 m，深孔坝段共分 5 层，厂房坝段共分 2 层。宽槽回填前，对老混凝土面进行人工凿毛、风砂枪扫毛，钢筋除去灰浆、绑扎焊接，仓面冲洗干净，上、下老混凝土壁面刷浓水泥浆。混凝土由拌和楼供料，自卸汽车运输，入仓手段采用高架门机，卧罐下料，经漏斗或滑槽入仓，人工平仓振捣。深孔坝段宽槽于 1998 年 3 月 14 日回填完成；厂房坝段宽槽于 1998 年 3 月底回填完成。

（原载《清江高坝洲水电站工程科技文稿选编》，2004 年 5 月）

景家桥承载力复核计算

秦道先

1 说明

(1) 景家桥位于高坝洲水电站对外交通干道后—高公路上，设计标准为汽车—20 级，验算标准为挂车—100 级。建于 1993 年 10 月。

景家桥为单跨桥，跨度 8.6 m。上部结构为简支的 T 形梁板式结构，整体布筋、整体现浇。下部结构由桥墩和后桥台组成。桥墩为利用 1981 ~ 1984 年间所建桥墩，经凿毛加高形成，新旧桥墩设计标准相同。后桥台与桥墩浇筑成一整体。

(2) 变压器运输车组。变压器重 91.2 t。单体平板挂车轴线数 6 线，轴列数 2 列，挂车自重 30 t，承载为 120 t，车宽 3.63 m，车长 10.45 m。

牵引车为威廉姆 TG300 型，总重 55.2 t，宽度 3.55 m，长度 9.27 m。牵引车与挂车连杆长 2.7 m。

(3) 承载力校核方法。荷载分恒荷载和活载两部分，活载应分别计算牵引车活载和挂车活载，取其大者做为计算荷载。

验算内容分行车道板和 T 形主梁两部分。因两侧桥墩经底板连接成一整体，后桥台与桥墩也连接为一整体，均为钢筋混凝土结构，且后桥台长 6.35 m，结构整体性好，可靠性高，所以桥墩的承载力不做验算。

2　行车道板承载力

2.1　基本情况

(1)行车道板尺寸 4.3 m × 2 m，长宽比 4.3/2＞2，则行车道板按单向板计算，计算跨径 2 m。

(2)活荷载横向分布为：①牵引车双后轴单边车轮处于板跨中为板的最不利位置；②挂车车轮处于板跨中为板的最不利位置。

(3)荷载组合。由恒载与挂车(或牵引车)活载组成的验算组合，不计人群荷载、冲击力和离心力(水平)，弯矩和剪力取恒载与活载产生的弯矩和剪力除以*1.25。(在进行验算组合计算时，钢筋和混凝土的应力可以提高 25%，以考虑荷载不是经常出现，且梁有较大的安全度允许超载)

(4)计算公式。因主梁抗扭能力指标板厚与肋高之比 $t/h = 0.2/0.7 > \dfrac{1}{4}$，则行车道板跨中弯矩 $M = +0.7M_o$，支点弯矩 $M = -0.7\ M_o$，其中 $M_o = (M_{op} + M_{oq})/1.25$，$M_{op}$ 为简支跨中每米宽的活载弯矩，M_{oq} 为跨中每米宽恒载弯距。

$$M_{op} = \frac{p}{a}\left(\frac{L}{4} - \frac{b}{8}\right)$$

$$M_{oq} = \frac{1}{8}qL^2$$

式中：a 为板的荷载有效分布宽度；b 为垂直于行车方向的荷载分布宽度；q 为 1 m 板宽每延米的重量。

2.2　牵引车产生的弯矩

(1)每米板宽的恒载。桥面铺装层和板体钢筋混凝土的容重分别为 2.3 t/m³ 和 2.5 t/m³，则

$$q = \frac{0.2 + 0.3}{2} \times 2.5 + 0.1 \times 2.3 = 0.855\ \text{(t/m)}$$

$$M_{oq} = \frac{1}{8}qL^2 = \frac{1}{8} \times 0.855 \times 4 = 0.427\ 5\ \text{(t·m)}$$

(2)每米板宽活载弯矩。

①荷载分布宽度：车轮接触桥面长度 a_2=0.2 m，宽度 b_2=0.5 m (参照挂车 100 级)。则荷载分布到行车道板的长度 a_1 和宽度 b_1 分别为：

$a_1 = a_2 + 2H = 0.2 + 2 \times 0.1 = 0.4$ (m)

$b_1 = b_2 + 2H = 0.5 + 2 \times 0.1 = 0.7$ (m)

其中 H 为桥面铺装层厚度。

②共同承受活载的板宽 a：前后两轮间距 d=1.625 m，则

$$a = a_1 + d + \frac{2}{3} = 0.4 + 1.625 + \frac{2}{3} = 2.692\ \text{(m)}$$

③每米板宽活载的弯矩：TG300 牵引车压重 26 000 kg 时，双后轴重 2 × 14 922 kg。

④活载弯距为

$$M_{op}=\frac{p}{a}(\frac{L}{4}-\frac{b_1}{8})=\frac{14.922}{2.692}\times(\frac{2}{4}-\frac{0.7}{8})=2.287\ (\text{t·m})$$

(3)每米板宽跨中设计弯距。

$$M=0.7M_o=0.7(M_{op}+M_{oq})/1.25=0.7\times(2.287+0.427\,5)/1.25=1.52\ (\text{t·m})$$

(4)每米板宽支点设计弯距为–1.52t·m。

2.3 挂车产生的弯距

(1)每米板宽恒载弯距 M_{oq}=0.427 5 t·m。

(2)每米板宽活载弯距。

①荷载分布宽度：单体平板挂车 3.63 m 宽，单排两轴四对车轮，其中单侧两对车轮处于板跨中。则 a_2=0.2 m，b_2=0.5×2=1(m)

$a_1=a_2+2H=0.2+2\times0.1=0.4$(m)

$b_1=b_2+2H+0.30=1+2\times0.1+0.30=1.5$(m)

②共同承受活载的板宽 a：行车道板 4.3 m 范围内共有三排车轮布置在板中。前后轮间矩 1.6 m，$d=2\times1.6=3.2$ m，$a=a_1+d+\frac{L}{3}=0.4+3.2+\frac{2}{3}=4.267(\text{m})$。

③每米板宽活载的弯距：挂车自重 30 t，变压器运输重 91.2 t，单排轮压 $p'=\frac{1}{6}(91.2+30)=20.2(\text{t})$，板内活载 $p=3\times\frac{1}{2}p'=3\times\frac{1}{2}\times20.2=30.3(\text{t})$，则

$$M_{op}=\frac{p}{a}(\frac{L}{4}-\frac{b_1}{8})=\frac{30.3}{4.267}\times(\frac{2}{4}-\frac{1.5}{8})=2.219\ (\text{t·m})$$

(3)每米板宽跨中设计弯矩：

$M=0.7M_o=0.7(M_{op}+M_{oq})/1.25=0.7\times(2.219+0.422\,5)/1.25=1.479$ (t·m)

(4)每米板宽支点设计弯矩为–1.479 t·m。

2.4 行车道板配筋计算

(1)跨中配筋计算。截面尺寸 100 cm×20 cm，混凝土标号 250 号，R_w=180 kg/cm^2，钢筋取Ⅰ级钢筋，$Rg=Rg'$=2 400 kg/cm^2，安全系数 K 取 1.40。

牵引车产生的弯矩大于挂车产生的弯矩，取牵引车产生的弯矩计算，弯矩为 1.52 t·m。

按双筋截面配筋。

1 m 板宽板上部已配受压钢筋 4Φ12，Ag'=4.52 cm^2

$$a=c+\frac{d}{2}=2.5+\frac{1.6}{2}=3.3\ (\text{cm})$$

h_0=20–3.3=16.7(cm)

$M_{p2}=Ag'Rg'(h_0-a')$=4.52×2 400×(16.7–3.1)=147 533 (kg·cm)

$M_{p1}=KM-M_{p2}=1.4\times1.52\times10^5-147\,533=65\,267$(kg·cm)

$$A_0=\frac{M_{P1}}{bh_0^2R_w}=\frac{65\,267}{100\times10.7^2\times180}=0.013$$

查表得 α=0.013 1

则 $x=\alpha h_0=0.013\,1\times16.7=0.217<2a'=7$(cm)

则受压钢筋应力达到 Rg'，按式 $KM=AgRg(h_0-a')$ 计算拉钢筋

$$Ag=\frac{KM}{Rg(h_0-a')}=\frac{1.4\times1.52\times10^5}{2\,400\times(16.7-3.1)}=6.52\ (\mathrm{cm}^2)$$

需配受拉筋 $Ag\geqslant6.52\ \mathrm{cm}^2$，实配 4Φ16，$Ag=8.04\ \mathrm{cm}^2$，满足设计要求。

(2) 支点配筋计算。截面尺寸 100 cm × 30 cm，其余同上。

$$a=c+\frac{d}{2}=2.5+\frac{1.2}{2}=3.1\ (\mathrm{cm})$$

$h_0=30-3.1=26.9\ (\mathrm{cm})$

$M_{p2}=Ag'Rg'(h_0-a')=8.04\times2\,400\times(26.9-3.3)=455\,386\ (\mathrm{kg\cdot cm})$

$M_{p1}=KM-M_{p2}=1.4\times1.52\times10^5-455\,386=-242\,586\ (\mathrm{kg\cdot cm})<0$

则不计受压钢筋作用。

按式 $KM=AgRg(h_0-a')$ 计算受拉钢筋

$$Ag=\frac{KM}{Rg(h_0-a')}=\frac{1.4\times1.52\times10^5}{2\,400\times(26.9-3.3)}=3.76\ (\mathrm{cm}^2)$$

需配受拉钢筋截面积 $Ag\geqslant3.76\ \mathrm{cm}^2$，实配 4Φ16，$Ag=4.52\ \mathrm{cm}^2$，满足要求。

3　主梁的承载力

3.1　基本情况

(1) 活载横向分布。桥宽 11.8 m，桥跨度 8.6 m，宽跨比为 1.37，大于 0.5，则活载横向分布采用杠杆原理分布法。因车组应尽量居桥中行驶，则最不利位置是靠桥边的一列车轮行驶在经 2#主梁上，5 根主梁从左到右或从右到左依次编号。所以只需校核 2#主梁的承载力。

2#梁弯矩横向影响线如图 1 所示。

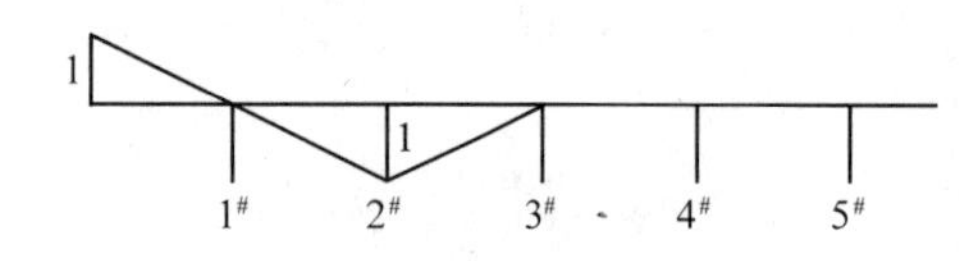

图 1　2#梁弯矩横向影响线

(2) 活载纵向分布。活载纵向弯矩最不利位置是最重的车轮布置在跨中，剪力最不利位置是最重的车轮布置在支点。

(3) 荷载组合。同行车道板。

3.2　牵引车在 T 梁内产生的内力

(1) 恒载内力计算。

主梁重量 $q_1=(2\times0.25+0.28\times0.65)\times2.5=1.705\ (\mathrm{t/m})$

桥面铺装重量 $q_2=2\times0.1\times2.3=0.46\ (\mathrm{t/m})$

横隔梁平摊在每根主梁全长上

$q_3=0.2\times0.45\times0.86\times8\times2\times2.5/(8.6\times5)=0.072\ (\mathrm{t/m})$

人行道和栏杆重量平摊给各主梁

$q_4=(0.15+0.4)\times1.15\times2.5/5+(5.64\times2.3+0.755\,2)/(22\times5)=0.441\ (\mathrm{t/m})$

则全部恒载 q 为

$q=q_1+q_2+q_3+q_4=1.705+0.46+0.072+0.441=2.678\ (\mathrm{t/m})$

则恒载产生的跨中弯矩为

$M_{恒}=\frac{1}{8}qL^2=\frac{1}{8}\times 2.678\times 8.6^2=24.76\,(\text{t·m})$

恒载产生的支座剪力为

$Q_{恒}=\frac{1}{2}qL=\frac{1}{2}\times 2.678\times 8.6=11.52\,(\text{t})$

(2)活载的内力计算。

①横向分布：因牵引车两列车轮宽度为 2.35 m，当一列车轮位于 2#T 形梁时，按杠杆原理分布法，另一列车轮位于影响线之外，所以另一列车轮产生的内力对于 2#梁的影响不计。

②纵向分布：最大弯矩时，牵引车双后轮中前排后轮处于梁跨中，后排后轮处于跨中一侧，双前轮中后排前轮处于跨内，并排前轮处于跨外，此时挂车也处于跨外。最大剪力时，后排后轮处于支点，其余车轮处于跨内。

③跨中弯距：牵引车双排后轮重量 P 均为 14.922 t，双排前轮重量 P' 均为 12.678 t。梁受力如图 2 所示。则跨中弯矩为

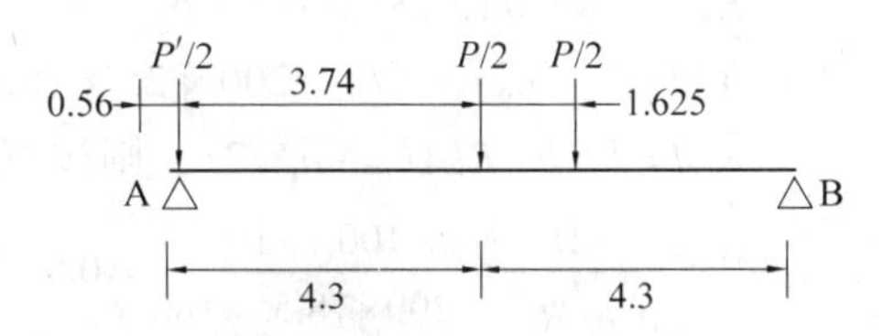

图 2　跨中弯矩计算简图（单位：m）

$M_{活}=R_B\times 4.3-(P/2)\times 1.625$

其中 $R_B=[\frac{P'}{2}\times 0.56+\frac{P}{2}\times 4.3+\frac{P}{2}\times(4.3+1.625)]/8.6=\frac{0.56}{2\times 8.6}P'+\frac{10.225}{2\times 8.6}P$

则 $M_{活}=0.14\,P'+1.744P=0.14\times 12.678+1.744\times 14.922=27.8\,(\text{t·m})$

④支座剪力：梁受力如图 3 所示。

$Q_{活}=R_B-P/2$

其中 $R_B=(\frac{P}{2}\times 8.6\times\frac{P}{2}\times 6.975+\frac{P}{2}\times 3.235+\frac{P'}{2}\times 1.61)/8.6=0.905\,5P+0.281\,7P'$

则 $Q_{活}=0.405\,5P+0.281\,7P'\;=9.622\,(\text{t})$

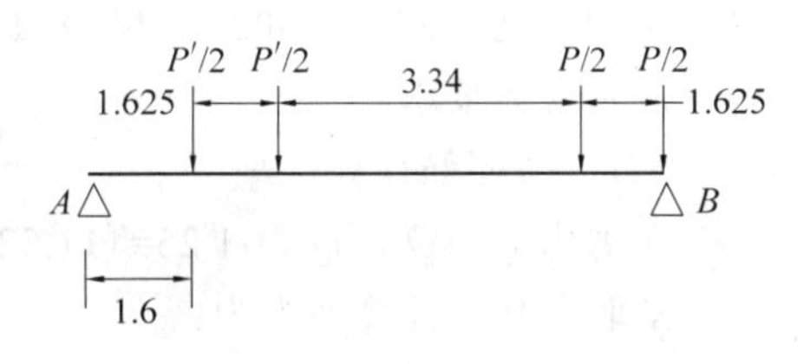

图 3　支座剪力计算简图（单位：m）

3.3　挂车在 T 梁内产生的内力

(1)恒载同前。$M_{恒}=24.76$ t · m，$Q_{恒}=11.52$ t。

(2)活载内力计算。

①横向分布。采用等代均布荷载法求最大弯矩和最大剪力，最不利位置是单侧两列车轮位于梁上，荷载分布宽度 1.3*M*。

②纵向分布：六排车轮全部位于梁内，荷载分布长度 8.6*M*。

③跨中弯矩：梁上荷载(91.2+30)/2=60.6 t，线荷载 $q=60.6/8.6=7.047$ (t/m)，跨中弯矩

$M_{活}=\frac{1}{8}qL^2=\frac{1}{8}\times 7.047\times 8.6^2=65.15\,(\text{t·m})$

④支座剪力：$Q_{活}=\frac{1}{2}qL=\frac{1}{2}\times 7.047\times 8.6=30.3\,(\text{t})$

3.4　梁的配筋计算

(1)跨中配筋计算。挂车在梁内产生的内力大于牵引车在梁内产生的内力，取挂车产生的内力计算。

弯距 $M=(M_{恒}+M_{活})/1.25=(24.76+65.15)/1.25=71.928$(t·m)

混凝土标号 250#，$R_W=180$ kg/cm²，Ⅱ级钢筋，$Rg=Rg'=3\,400$ kg/cm²，K 取 1.4。

因弯矩较大，估计受拉钢筋有四排。

$a=c+(d+e+d'+e+d''+e+d''')/2=2.5+(2.8+3+2.2+3+2.2+3+1.8)/2=11.5$(cm)

$h_0=90-a=90-11.5=78.5$(cm)

翼缘计算宽度 $b_i'=b+s_0=2$(m)

鉴别 T 梁受力所属情况，按下式计算：

$KM \leqslant b_i'\ h_i'\ R_W(h_0-\dfrac{h_i'}{2})$时按矩形截面计算，否则接 T 形截面计算。

$KM=1.4\times 71.928=100.7$(t·m)

$b_i'\ h_i'\ R_W(h_0-h_i'/2)=200\times 25\times 180\times(78.5-25/2)=594$(t·m)

$KM<b_i'\ h_i'\ R_W(h_0-h_i'/2)$，则按宽度为 2 m 的矩形梁计算配筋。

$$A_0=\frac{KM}{b_i' h_0' R_W}=\frac{100.7\times 10^5}{200\times 78.5^2\times 180}=0.045\,4$$

$$\alpha=1-\sqrt{1-2A_0}=0.046\,5$$

$$\alpha=\alpha\frac{R_W}{Rg}=0.046\,5\times\frac{180}{3\,400}=0.246\%$$

$Ag=\mu b_i'\ h_0=0.246\%\times 200\times 78.5=38.65$(cm²)

实配钢筋：2Φ8、6Φ22、2Φ18 $Ag=12.32+22.81+5.09=40.22$ cm² > 38.65 cm²。

满足受力要求。

(2)抗剪配筋计算。

①剪力 $Q=(Q_{恒}+Q_{活})/1.25=(11.52+30.3)/1.25=33.46$(t)

K 取 1.45，计算剪力为：

$KQ=1.45\times 33.46=48.51$(t)

②验算截面尺寸：

$b\times h_0=28\times 78.5$ cm，$h_f/b=60/28=2.14<4$

按下式验算：

$0.3bh_0R_a=0.3\times 28\times 18.5\times 145=95.60>KQ$

故截面尺寸合适。

③抗剪钢筋计算。因 $0.07bh_0R_a=22.31$ t $<KQ$，箍筋用量需经计算确定。

在全梁配置箍筋双支 Φ8@25，$A_k=2\times 0.503=1.006$(cm²)

$$u_K=\frac{A_k}{b\times s}=\frac{1.006}{28\times 25}=0.144\%$$

$$u_{K\min}=1.5\times\frac{R_a}{Rg}\%=1.5\times\frac{145}{2\,400}\%=0.091\%<u_K$$

满足下限条件。

$$Q_{kh}=0.076bh_0R_a+1.5\frac{A_k}{5}Rgh_0=22.310+1.5\times\frac{1.006}{25}\times 2\,400\times 78.5/1\,000=33.68\text{(t)}$$

支点处 $Q_{kh}<KQ$，需加配弯起钢筋。

该第一排弯起筋面积为 A_{W1}，α=45°，则

$$A_{W1}=\frac{(KQ-Q_{kh})\times 1000}{0.8\times Rg\sin\alpha}=\frac{(48.51-33.68)\times 1000}{0.8\times 2\,400\times 0.707}=10.92\ (\text{cm}^2)$$

由支座承担负弯矩弯起筋截面积 $A_W\geqslant 10.92\ \text{cm}^2$，实际弯起 4Φ18，$A_W$=10.18 cm^2，不能满足要求。

假定安全系数为 1.41，则

$$A_{W1}=\frac{(KQ-Q_{kh})\times 1000}{0.8\times Rg\sin\alpha}=\frac{(47.18-33.68)\times 1000}{0.8\times 2\,400\times 0.707}=9.94(\text{cm}^2)<10.08\ \text{cm}^2$$

可以满足要求，安全系数 K=1.41。

因实际弯起筋范围较大，其他弯起筋不再验算，全梁抗剪要求可以满足。

4　结论

4.1　行车道板

行车道板尺寸为 4.3 m×2 m，因其长度比大于 2，则按单向板计算内力。

经计算，牵引车产生的跨中和支点弯矩大于挂车产生的弯矩，配筋按牵引车产生的弯矩计算。

跨中和支点应配钢筋截面积 Ag=3.76 cm^2，实际 Ag=4.52 cm^2，满足要求。

4.2　主梁

在进行主梁内力计算时，荷载横向分布按杠杆原理分布法进行计算，内力计算结果偏于保守。

在进行主梁(T 形梁)配筋计算时，挂车产生的内力大于牵引车产生的内力，配筋按挂车产生的内力计算。

(1)安全系数为 1.4 时，梁跨中，应配受拉筋截面积 38.65 cm^2，实配钢筋面积 40.22 cm^2，满足要求。

(2)在进行 T 梁抗剪计算时，安全系数为 1.45 时，应配弯起筋截面积 10.92 cm^2，实配 10.18 cm^2，不满足要求。

安全系数为 1.41 时，应配弯起筋截面积 9.94 cm^2，实配 10.18 cm^2，满足要求。

因梁的安全度较大，可以认为 T 梁满足抗剪要求。

4.3　变压器运输建议

(1)车组应居桥中行驶，便于全桥共同承担荷载。

(2)车组过桥时应缓慢驶过，避免对桥产生冲击力和水平离心力。

(3)车组过桥时禁止过多人员站在桥上。

（原载《清江高坝洲水电站工程科技文稿选编》，2004 年 5 月）

升船机工程 NL14 施工期结构计算

梁存绍

升船机 90 m 高程机房底板下游外悬 5.0 m 段采用托架和桁架相结合的支撑系统进行施工。由于托架和桁架的设计与现场施工相脱节，致使桁架的部分节点和杆件需横穿 NL14 和 NL15，刚好与梁内的钢筋交叉，设计单位不准许截断钢筋，因此只有寻求其他处理途径。建设、设计、施工、监理和万能杆件制造厂商经过反复磋商，达成了以下共识：①NL14（也包括 NL15）分两层浇注，NL14 第一层浇至 87.2 m（NL15 第一层浇至 87.6 m 高程），然后在其上浇注至 90 m 高程。第二层浇注时，考虑已浇注好并已达到混凝土龄期（28 天）的第一层承受施工荷载。②在浇注第一层混凝土之前，埋设钢板，混凝土浇完达到 70%的强度后，进行桁架安装。凡需横穿 NL14（或 NL15）的杆件，焊接在已预埋好的钢板上，通过埋件把荷载传至梁上。③由杆件制造厂商的技术负责人提交各横穿杆件的内力计算资料，由施工单位（清江施工局高坝洲项目部）对 NL14（NL15）的第一层进行内力和配筋计算，验算其是否满足结构要求，并由建设单位审查认定。

1 计算总说明

1.1 计算目的及要求

升船机 90 m 高程机房底板下游外悬 5.0 m 段采用托架和撑架相结合的支撑系统进行施工，由于托架和撑架的部分节点和杆件穿过 NL14 和 NL15，须截断部分钢筋；另一方面，NL14 和 NL15 需分层浇注，NL14 第一层浇注至顶面高程 87.2 m，NL15 第一层浇注至顶面高程为 87.6 m，然后在其上浇注至 90 m 高程，分层浇注时，考虑让已浇注好的第一层来承受施工荷载，因此需对 NL14 和 NL15 的第一层进行内力和配筋计算，验算其是否满足结构要求。

1.2 依据资料

混凝土容重 25 kN/m^3，混凝土强度等级 C25，混凝土轴心抗压设计值 f_0=12.5 N/mm^2。

Ⅱ级钢筋 f_y=310 N/mm^2

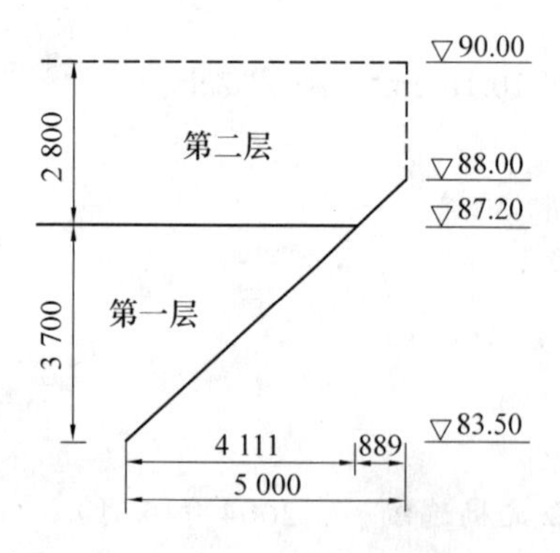

图 1 NL14 结构尺寸图
（单位：高程 m；尺寸 cm）

结构重要性系数：r_0=1.0

设计状况系数：短暂状况（施工工况）φ=0.95

荷载分项系数：r_a=1.05，r_Q=1.2

结构系数：r_d=1.20

竖向支座端尺寸 800 mm × 3 700 mm，支座端截面高 h=3 700 mm，取 a=50 mm，h_0=3 650 mm；侧向支座端尺寸 3 700 mm × 800 mm，支座端截面高 h=800 mm，取 a=50 mm，h_0=750 mm。

万能杆件的布置及内力见图 1。

1.3 计算原则及假定

NL14 第一层浇注顶面比 NL15 要低，且 NL15 承受的施工荷载比 NL14 要小，因此只需对 NL14 第一层进行结构计算，再根据其结果对 NL15 进行配筋。NL14 第一层浇注至高程 87.2 m，万能杆件的预埋件一起埋入第一层的混凝土内，万能杆件承受的力通过预埋件传递给 NL14 第一层已浇注部分；浇注第二层时，第二层的施工荷载直接作用在 NL14 第一层上，其余施工荷载通过万能杆件传递给 NL14 第一层上，通过对施工期 NL14 第一层已浇部分最不利荷载组合下的结构计算，为分层浇注施工方案提供支撑性文件。

2　内力计算

2.1　NL14 荷载计算

NL14 第一层承受的自重包括第一层和第二层的重量，实际为整梁的自重，分为两部分：

均布荷载：$p_1' = r_a \cdot r_c \cdot h_1 = 1.05 \times 25 \times 2 \times 0.8 = 42$ (kN/m)

三角形荷载最大值：$p_2 = r_a \cdot r_c \cdot h_2 = 1.05 \times 25 \times 4.5 \times 0.8 = 94.5$ (kN/m)

施工荷载:$q_1 = r_Q \cdot q = 1.2 \times 5 \times 0.8 = 4.8$ (kN/m)　$p_1 = p_1' + q_1 = 46.8$ (kN/m)

2.2　内力计算

NL14 第一层高程为 87.2 m，在浇注第二层时，第一层要承受施工荷载的作用，为了其安全性，将已浇注的第一层分为两部分，由于第Ⅱ部分为单薄尖角结构，无法承受荷载，浇注第二层时，这一部分不能受力，且浇注这一部分的模板不能拆，浇注这一部分以上的第二层时,施工荷载应全部传递给万能杆件搭成的撑架上,NL14 第一层实际受力部位为第Ⅰ部分。第Ⅰ部分的水平长度为 3.311m。NL14 第一层受力部位分区图见图 2。

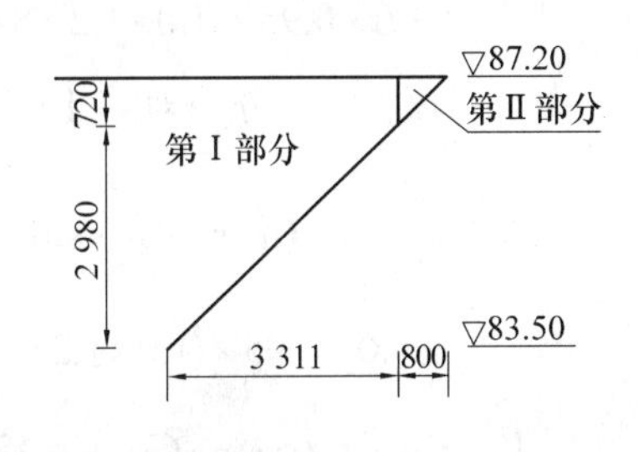

图 2　NL14 第一层受力部位分区图

(单位：高程 m；尺寸 cm)

(1) 首先计算均布荷载作用在第Ⅰ部分上支座端产生的内力：

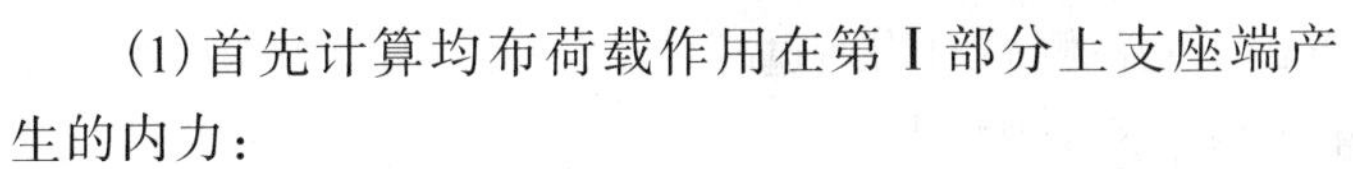

$$M_1 = r_0 \cdot \varphi \cdot (\alpha \cdot p_1 \cdot l^2) = 1.0 \times 0.95 \times (\frac{1}{2} \times 46.8 \times 5^2) = 555.75 \text{ (kN/m)}$$

$$V_1 = r_0 \cdot \varphi \cdot (\alpha \cdot p_1 \cdot l) = 1.0 \times 0.95 \times (46.8 \times 5) = 222.30 \text{ (kN)}$$

(2) 计算三角形荷载作用在第Ⅰ部分上支座端产生的内力：

$$M_2 = r_0 \cdot \varphi \cdot (\alpha \cdot p_2 \cdot l^2) = 1.0 \times 0.95 \times (\frac{1}{6} \times 94.5 \times 5^2) = 374.06 \text{ (kN/m)}$$

$$V_2 = r_0 \cdot \varphi \cdot (\alpha \cdot p_2 \cdot l) = 1.0 \times 0.95 \times (\frac{1}{2} \times 94.5 \times 5) = 224.44 \text{ (kN)}$$

(3) 均布荷载作用在离支座端 1 m、2 m 处的内力 (l' =4 m，l'' =3m)：

$$V_3 = r_0 \cdot \varphi \cdot (\alpha \cdot p_1 \cdot l) = 1.0 \times 0.95 \times (46.8 \times 4) = 177.84 \text{ (kN)}$$

$$V_4=r_0\cdot\varphi\cdot(\alpha\cdot p_1\cdot l'')=1.0\times0.95\times(46.8\times3)=133.38\ (\text{kN})$$

(4)三角形荷载作用在离支座端 1 m、2 m 处的内力：

$$V_5=r_0\cdot\varphi\cdot(\alpha\cdot p_2\cdot l')=1.0\times0.95\times(\frac{1}{2}\times75.6\times4)=143.64\ (\text{kN})$$

$$V_6=r_0\cdot\varphi\cdot(\alpha\cdot p_2\cdot l'')=1.0\times0.95\times(\frac{1}{2}\times56.7\times3)=80.80\ (\text{kN})$$

下面计算万能杆件作用在第Ⅰ部分上的力顺杆件轴线方向的轴向力，杆件 G10 分力和 G11 分力对支座竖向产生弯矩：杆件 G2 和 G3 的轴向力为 0；杆件 G5、G8、G6 分力、G7 分力、G9 分力、G10 分力和 G11 分力对第Ⅰ部分产生侧向受弯作用；杆件 G1、G4、G6 分力、G7 分力对第Ⅰ部分产生偏心受拉作用；杆件 G9 分力产生偏心受压作用。

(5)杆件 G10 分力对第Ⅰ部分支座端产生的内力：

$$M_{10}^{V}=r_0\cdot\varphi\cdot(\alpha\cdot r_Q\cdot G_{10}\cdot\sin39.81^\circ\cdot l)$$

$$=1.0\times0.95\times(1.0\times1.2\times84.6\times9.8\times\sin39.81^\circ\times2.0)=1\,210.25\ (\text{kN·m})$$

$$V_{10}^{V}=r_0\cdot\varphi\cdot(\alpha\cdot r_Q\cdot G_{10}\cdot\sin39.81^\circ)$$

$$=1.0\times0.95\times(1.0\times1.2\times84.6\times9.8\times\sin39.81^\circ)=605.13\ (\text{kN})$$

(6)杆件 G11 分力对第Ⅰ部分支座端产生的内力：

$$M_{11}^{V}=r_0\cdot\varphi\cdot(\alpha\cdot r_Q\cdot G_{11}\cdot\sin45^\circ\cdot l)$$

$$=1.0\times0.95\times(1.0\times1.2\times30.70\times9.8\times\sin45^\circ\times2.0)=485.05\ (\text{kN·m})$$

$$V_{11}^{V}=r_0\cdot\varphi\cdot(\alpha\cdot r_Q\cdot G_{11}\cdot\sin45^\circ)$$

$$=1.0\times0.95\times(1.0\times1.2\times30.7\times9.8\times\sin45^\circ)=242.52\ (\text{kN})$$

(7)支座端侧向压力：作用在 NL14 上各侧向力均通过杆件 G5、G8 轴线与 NL14 中心线的交点，因此可将各力投影到杆件 G5、G8 轴线上。

$$G_5=r_Q\cdot G_5=1.2\times19.1\times9.8=224.62\ (\text{kN})$$

$$G_6^{Y}=r_Q\cdot G_6\cdot\cos39.81^\circ=1.2\times22.2\times9.8\times\cos39.81^\circ=200.55\ (\text{kN})$$

$$G_7^{Y}=r_Q\cdot G_7\cdot\cos45^\circ=1.2\times4.7\times9.8\times\cos45^\circ=39.08\ (\text{kN})$$

$$G_8=r_Q\cdot G_8=1.2\times0.6\times9.8=7.06\ (\text{kN})$$

$$G_9^{Y}=r_Q\cdot G_9\cdot\cos45^\circ=1.2\times(-3.0)\times9.8\times\cos45^\circ=-24.95\ (\text{kN})$$

$$G_{10}^{H}=r_Q\cdot G_{10}\cdot\cos39.81^\circ=1.2\times84.6\times9.8\times\cos39.81^\circ=764.25\ (\text{kN})$$

$G_{11}^{H}=r_Q\cdot G_{11}\cdot\cos 45°=1.2\times 30.7\times 9.8\times\cos 45°=255.29\ (\text{kN})$

各力对 NL14 支座端产生的侧向合剪力为(取顺 G5 轴力同向为正)：

$$V_{侧}=r_0\cdot\varphi\cdot(G_5+G_6^Y+G_{10}^H-G_7^Y-G_8-G_9^Y-G_{11}^H)$$
$$=1.0\times 0.95\times(224.62+200.55+764.25-39.08-7.06-255.29+24.95)=867.29\ (\text{kN})$$

对 NL14 支座端产生的侧向合弯矩为

$$M_{侧}=r_0\cdot\varphi\cdot(G_5+G_6^Y+G_{10}^H-G_7^Y-G_8-G_9^Y-G_{11}^H)\cdot l$$
$$=1.0\times 0.95\times 867.29\times 2.0=1\,647.85\ (\text{kN·m})$$

(8)偏心受拉各力的设计值：

$$N_1=r_Q\cdot G_1=1.2\times 16.9\times 9.8=198.74\ (\text{kN})$$

$$N_4=r_Q\cdot G_4=1.2\times 30.1\times 9.8=353.98\ (\text{kN})$$

$$N_6^X=r_Q\cdot G_6\cdot\sin 39.81°=1.2\times 22.2\times 9.8\times\sin 39.81°=167.15\ (\text{kN})$$

$$N_7^X=r_Q\cdot G_7\cdot\sin 45°=1.2\times 4.7\times 9.8\times\sin 45°=39.08\ (\text{kN})$$

$$N_8^X=r_Q\cdot G_8\cdot\cos 45°=1.2\times(-3.0)\times 9.8\times\cos 45°=-24.96\ (\text{kN})$$

轴力 N_4、N_6^X、N_7^X、N_9^X 位于同一轴线上，其合力为

N_2=353.98+167.15+39.08–24.96=535.25(kN)

3 配筋计算

3.1 计算方法一(按悬臂梁计算)

首先对支座端竖向正截面的抗弯和抗剪进行配筋计算，然后对支座端侧向正截面的抗弯和抗剪进行配筋计算，最后计算偏心受拉。

3.1.1 竖向正截面抗弯计算

a=50 mm，h_0=3 700 – 50=3 650(mm)

支座端竖向正截面的合弯矩为

$$M=M_1+M_2+M_{10}^V+M_{11}^V$$
$$=555.75+374.06+1\,210.25+485.05=2\,625.11\ (\text{kN·m})$$

$$\alpha_0=\frac{r_d\cdot M}{f\cdot b\cdot h_0^2}=\frac{1.2\times 2\,625.11\times 10^6}{12.5\times 800\times 3\,650^2}=0.023\,6$$

$$\zeta=1-\sqrt{1-2\alpha_0}=1-\sqrt{1-2\times 0.023\,6}=0.023\,9<\zeta_b=0.544$$

$$\rho=\frac{\zeta \cdot f_0}{f_y}=\frac{0.0239\times 12.5}{310}\times 100\%=0.10\%<\rho_{\min}=0.15\%$$

因此按最小配筋率进行配筋

$A_s=\rho_{\min}bh_0=0.15\%\times 800\times 3\ 650=4\ 380\,(\mathrm{mm}^2)$

实配钢筋为 8Φ28，实配钢筋面积为 $A_s=4\ 926\ \mathrm{mm}^2$。

3.1.2 竖向正截面抗剪计算

(1) 支座端处。

竖向支座端正截面承受的剪力为

$$r_d\cdot V=r_d\cdot(V_1+V_2+V_{10}^V+V_{11}^V)$$

$$=1.2\times(222.3+224.44+605.13+242.52)=1\ 553.27\,(\mathrm{kN})$$

支座端处混凝土本身能承受的剪力为

$V_0=0.07f_0\cdot b\cdot h_0=0.07\times 12.5\times 800\times 3650=2\ 555\,(\mathrm{kN})$

$V_0>r_d\cdot V$

说明支座端处混凝土本身能承受抗剪，按构造要求配置箍筋Φ16@200 mm，与 NL14 侧面钢筋相焊接。

(2) 离支座端 1 m 处。

离支座端 1 m 处正截面承受的剪力为

$$r_d\cdot V=r_d\cdot(V_3+V_5+V_{10}^V+V_{11}^V)$$

$$=1.2\times(177.84+143.64+605.13+242.52)=1\ 402.96\,(\mathrm{kN})$$

离支座端 1 m 处混凝土本身能承受的剪力为

$V_0=0.07f_0\cdot b\cdot h_0=0.07\times 12.5\times 800\times 2\ 750=1925(\mathrm{kN})$

$V_0>r_d\cdot V$

说明离支座端 1 m 处混凝土本身能承受抗剪，按构造要求配置箍筋Φ16@200 mm，与 NL14 侧面钢筋相焊接。

(3) 离支座端 2 m 处。

离支座端 2 m 处正截面承受的剪力为

$$r_d\cdot V=r_d\cdot(V_4+V_6+V_{10}^V+V_{11}^V)$$

$$=1.2\times(133.38+80.80+605.13+242.52)=1\ 274.20\,(\mathrm{kN})$$

离支座端 2m 处混凝土本身能承受的剪力为

$V_0=0.07f_0\cdot b\cdot h_0=0.07\times 12.5\times 800\times 1\ 850=1\ 295(\mathrm{kN})$

$V_0>r_d\cdot V$

说明离支座端 2 m 处混凝土本身能承受抗剪，按构造要求配置箍筋Φ16@200 mm，与 NL14 侧面钢筋相焊接。

3.1.3 侧向正截面抗弯计算

a=50 mm，b=3 700 mm，h_0=800 − 50=750 (mm)

支座端侧向正截面的合弯矩为：M=1 647.85 (kN·m)

$$\alpha_0=\frac{r_d\cdot M}{f_0\cdot b\cdot h_0^2}=\frac{1.2\times1647.85\times10^6}{12.5\times3\,700\times750^2}=0.076$$

$$\zeta=1-\sqrt{1-2\alpha_0}=1-\sqrt{1-2\times0.076}=0.07913<\zeta_b=0.544$$

$$\rho=\frac{\zeta\cdot f_0}{f_y}=\frac{0.07913\times12.5}{310}\times100\%=0.32\%>\rho_{\min}=0.15\%$$

$$A=\frac{\zeta\cdot f_0\cdot b\cdot h_0}{f_y}=\frac{0.07913\times12.5\times3\,700\times750}{310}=8\ 854\ (\text{mm}^2)$$

侧向支座端已配钢筋有 4Φ25 和 15Φ25，共计 19Φ25，实配钢筋面积为 A_s=9 327.1 mm²，能满足抗弯要求，不需另外在侧面增设抗弯钢筋。

3.1.4　侧向正截面抗剪计算

(1) 支座端处。

竖向支座端正截面承受的合剪力为

$r_d\cdot V$=1.2×867.29=1 040.75 (kN)

支座端处混凝土本身能承受的剪力为

$V_a=0.07f_0\cdot b\cdot h_0$=0.07×12.5×3 700×750=2 428 (kN)

$V_a>r_d\cdot V$

说明支座端处混凝土本身能承受抗剪。

(2) 离支座端 2 m 处。

离支座端 2 m 处正截面承受的合剪力为

$r_d\cdot V$=1.2×867.29=1 040.75 (kN)

支座端处混凝土本身能承受的剪力为

$V_a=0.07f_0\cdot b\cdot h_0$=0.07×12.5×1 900×750=1 247 (kN)

$V_a>r_d\cdot V$

说明离支座端 2 m 混凝土本身能承受抗剪。

3.1.5　偏心受拉

作用力均为 NL14 支座端截面之间，因此为小偏心受拉 (见图 3)。

(1) 作用力 N_1。

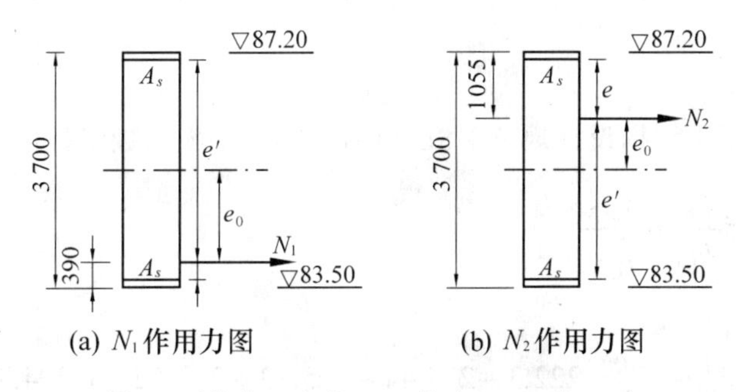

(a) N_1 作用力图　　(b) N_2 作用力图

图 3　(单位：高程 m；尺寸 mm；力 kN)

$$e_0=\frac{3\,700}{2}-390=1460\ (\text{mm})$$

$$e'=\frac{h}{2}-a'+e_0=\frac{3\,700}{2}-50+1460=3\,260\ (\text{mm})$$

$$e=\frac{h}{2}-a-e_0=\frac{3\,700}{2}-50-1460=340\ (\text{mm})$$

所需的钢筋面积：

$$A_s\geqslant\frac{r_d\cdot N_1\cdot e'}{f_y\cdot(h_0-a')}=\frac{1.2\times198.74\times1\,000\times3\,260}{310\times(3\,650-50)}=697\ (\text{mm}^2)$$

$$A_s'\geqslant\frac{r_d\cdot N_1\cdot e}{f_y\cdot(h_0-a')}=\frac{1.2\times198.74\times1\,000\times340}{310\times(3\,650-50)}=73\ (\text{mm}^2)$$

(2)作用力 N_2

$$e_0=\frac{3\,700}{2}-1\,055=795\ (\text{mm})$$

$$e'=\frac{h}{2}-a'+e_0=\frac{3\,700}{2}-50+795=2\,595\ (\text{mm})$$

$$e=\frac{h}{2}-a+e_0=\frac{3\,700}{2}-50+795=1\,005\ (\text{mm})$$

所需的钢筋面积：

$$A_s\geqslant\frac{r_d\cdot N_2\cdot e'}{f_y\cdot(h_0-a')}=\frac{1.2\times535.25\times1\ 000\times2\ 595}{310\times(3\,650-50)}=1\ 494\ (\text{mm}^2)$$

$$A_s'\geqslant\frac{r_d\cdot N_2\cdot e}{f_y\cdot(h_0-a')}=\frac{1.2\times535.25\times1\ 000\times1\ 005}{310\times(3\,650-50)}=578\ (\text{mm}^2)$$

综合 N_1 和 N_2 对支座端的偏心抗拉计算，可得：

支座端上部所需的抗拉钢筋面积 $A_s\geqslant73+1\ 494=1\ 567\ (\text{mm}^2)$

支座端下部所需的抗拉钢筋面积 $A_s\geqslant697+578=1\ 275\ (\text{mm}^2)$

支座端上部增配 4Φ28（A_s=2 463 mm^2）；下部由于已配钢筋 16Φ25，因此下部不需再增配钢筋。

3.1.6　裂缝控制验算

根据《水工混凝土结构设计规范》SL/T191—96，牛腿的裂缝控制应满足：

$$F_{VS}\leqslant\beta\cdot(1-0.5\frac{F_{hs}}{F_{VS}})\cdot\frac{f_{lk}\cdot b\cdot h_0}{0.5+\dfrac{a}{h_0}}$$

$$F_{VS}=V_1+V_2+V_{10}^V+V_{11}^V=222.3+224.44+605.13+242.52=1\ 294.39\ (\text{kN})$$

$F'_{VS}=V_1+V_2=222.3+224.44=446.74\,(\text{kN})\qquad a'=3\ 311/2\,(\text{mm})$

$F''_{VS}=V_{10}^V+V_{11}^V=605.13+242.52=847.65\,(\text{kN})\qquad a''=2\ 000\,(\text{mm})$

由于两个竖向力的作用点不在同一位置，下面近似计算 a：

$$a=(F'_{VS}\times a'+F''_{VS}\times a'')/(F'_{VS}+F''_{VS})$$

$$=(446.74\times 3\ 311/2+847.65\times 2\ 000)/(446.7+847.65)$$

$$=1\ 881\,(\text{mm})$$

$$1294.39\leqslant 0.7\times(1-0.5\times\frac{535.25}{1\ 294.39})\times\frac{1.75\times 800\times 3\ 650}{0.5+\dfrac{1\ 881}{3\ 650}}$$

$$=2\ 795\,(\text{kN})$$

因此满足牛腿裂缝控制要求。

3.2 计算方法二（按牛腿计算）

牛腿裂缝控制要求见 3.1.6。

竖向正截面钢筋计算：

a=50 mm，h_0=3 700 – 50=3 650（mm）

根据《水工混凝土结构设计规范》SL/T191—96，独立牛腿由承受竖向力所需的受拉钢筋和承受水平拉力所需的锚筋组成的受力钢筋的总截面面积 A_s 应按下列公式计算：

$$A_s\geqslant r_d\left(\frac{F_v a}{0.85f_y h_0}+1.2\frac{F_h}{f_y}\right)$$

$$=1.2\times\left(\frac{(446.74\times 3.311/2+847.65\times 2.0)\times 10^6}{0.85\times 310\times 3650}+1.2\times\frac{535.25\times 10^6}{310}\right)$$

$$=5\ 524\,(\text{mm}^2)$$

实配受拉钢筋第一排为 8Φ28（A_s=4 926 mm^2），第二排为 2Φ28（A_s=1 232 mm^2）；由于牛腿的剪跨比 $a/h_0\geqslant 0.3$，应设置弯起钢筋 A_{sb}，在第二排设置弯起钢筋 6Φ28（A_s=3 695 mm^2）。

4 计算成果及分析

通过上述分析与计算可知，第一层浇注至高程 87.2 m 后，利用其作为工作平台再浇注上一层，按不同的计算方法计算所得结果，取最大配筋进行配筋，需在高程 87.2 m 顶面配置 16Φ28 的钢筋，适当设置部分箍筋便能满足结构要求，因此该施工方案可行。

图 4 为局部修改示意图。

（原载《清江高坝洲水电站工程科技文稿选编》，2004 年 5 月）

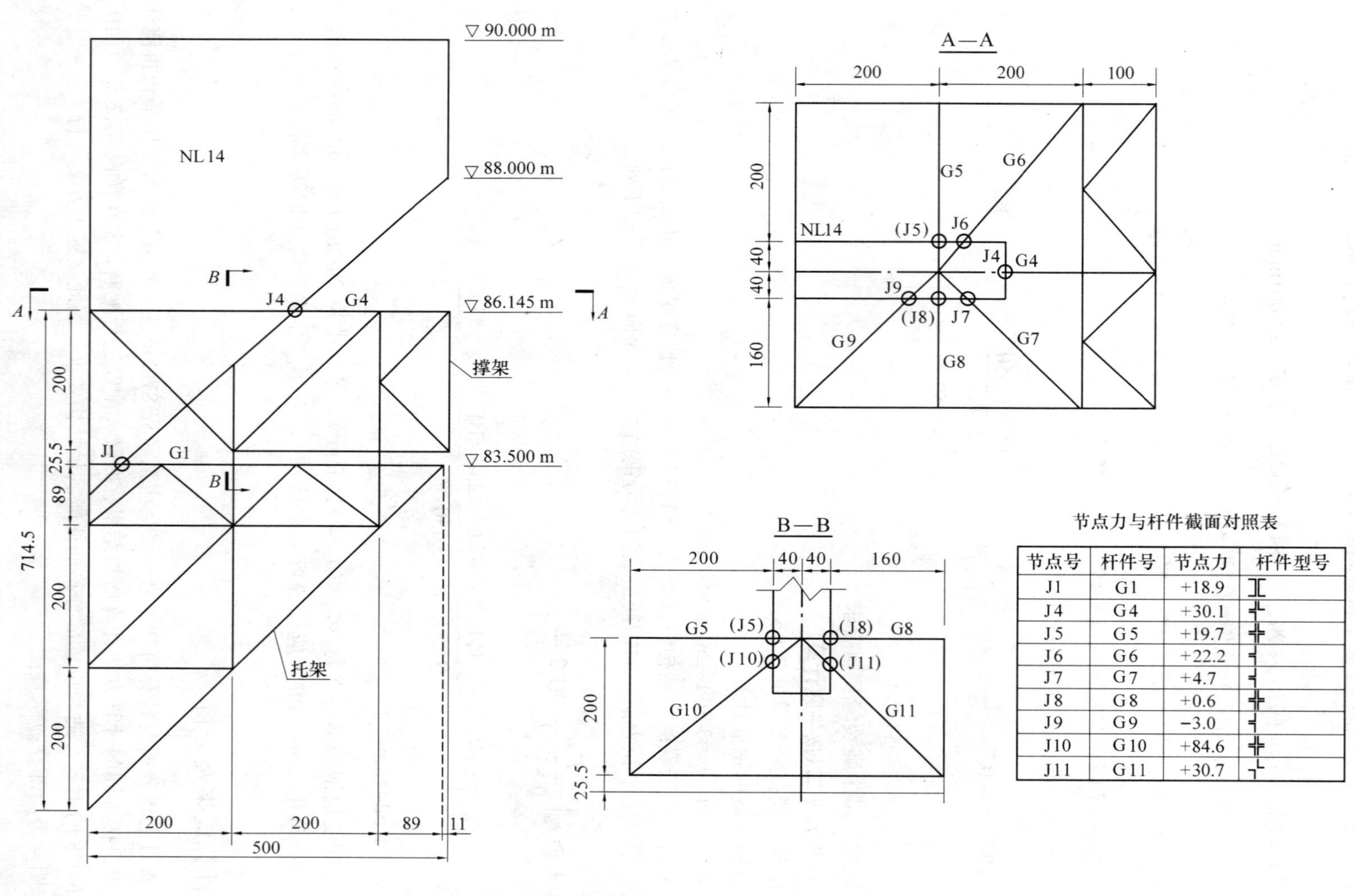

节点力与杆件截面对照表

节点号	杆件号	节点力	杆件型号
J1	G1	+18.9	
J4	G4	+30.1	
J5	G5	+19.7	
J6	G6	+22.2	
J7	G7	+4.7	
J8	G8	+0.6	
J9	G9	−3.0	
J10	G10	+84.6	
J11	G11	+30.7	

图 4　局部修改示意图（单位：cm）

高坝洲升船机主机室 630 kN/2 × 100 kN 桥机主梁吊装时的水平力及混凝土柱强度计算

刘定华　赵传明　梁存绍

高坝洲升船机主机室 630 kN/2 × 100 kN 检修桥机布置在主机室塔柱上，用于机室内各类设备的安装和检修，桥机顺流向布设在塔柱 101.05 m 高程处的混凝土轨道梁上。

根据工地实际情况，为简化施工程序和节约工程投资，经反复研究，并征得建设单位同意，决定利用主机室两侧混凝土主柱作吊点，吊装主梁和其他机械、电气设备(见图 1、图 2)。

此方案能否成立的关键在于：主梁吊装的任何工况下，混凝土结构的内力和变形都必须满足设计要求。为此，根据起吊过程中不同位置的受力状态，计算出最大的水平拉力。在此基础上，对混凝土结构进行了复核计算。

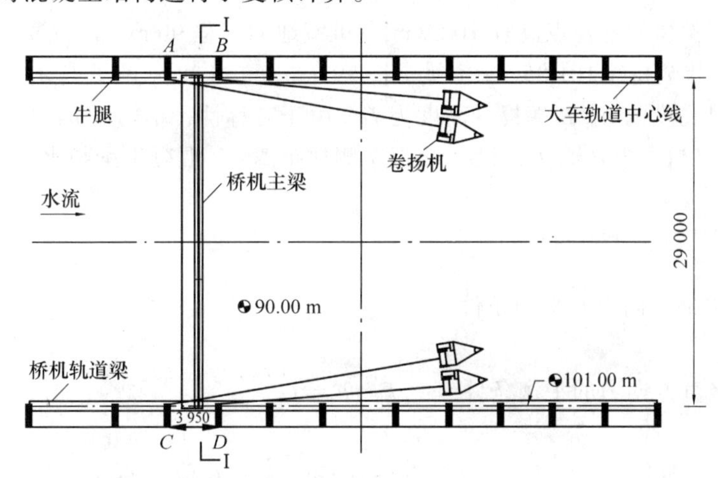

图 1　主梁吊装平面布置图(单位：高程 m；尺寸 mm)

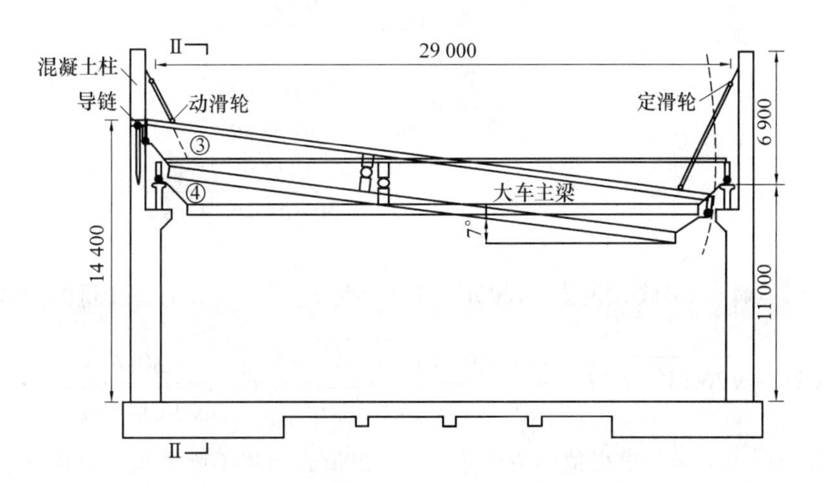

图 2　主梁安装就位示意图(单位：mm)

1 主梁起吊时，水平拉力计算

吊装时受力状态见图 3。

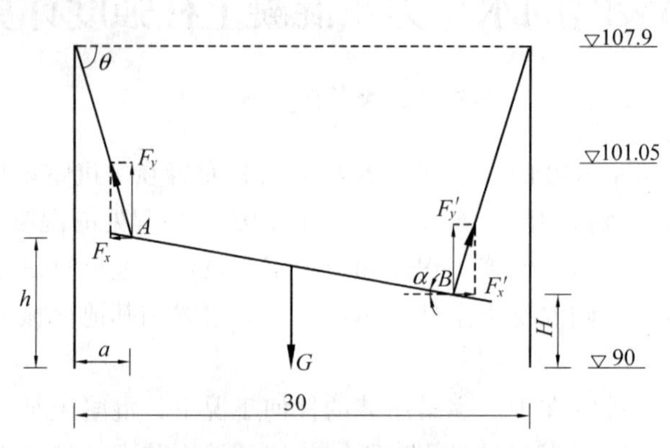

图 3 主梁吊装受力状态示意图（单位：m）

已知顶部钢丝绳的悬挂点高程 107.9 m,主机室地面高程 90 m，两混凝土柱相距 30 m，混凝土梁要求吊装至高程 101.05 m，主梁全长 29.6 m，重约 28 t，两吊点 A、B 间距 26.14 m。

设 A 端提升高度为 h，B 端提升高度为 H，由于对称性，不妨设 $h \geqslant H$，h 和 H 的取值范围均为[0，11.05]，令 $u=h-H$，设 A 端距左侧柱距离 a，混凝土梁与水平面夹角为α，则 $\cos\alpha=\dfrac{\sqrt{26.14^2-u^2}}{26.14}$

混凝土梁水平方向力的平衡条件 $F_x'=F_x$ (1)

混凝土梁竖直方向力的平衡条件 $F_y'+F_y=G$ (2)

B 点力矩平衡条件 $u\,F'_{y\,x}+13.07G\cos\alpha=26.14F_y\cos\alpha$ (3)

又 $$\frac{F_y}{F_x}=\tan\theta=\frac{17.9-h}{a} \tag{4}$$

$$\frac{F_y'}{F_x'}=\frac{17.9-H}{30-a-26.14\cos\alpha} \tag{5}$$

由（1）、（2）、（5）式得到 $$\frac{G-F_y}{F_x}=\frac{17.9-H}{30-a-26.14\cos\alpha} \tag{6}$$

联立（3）、（4）、（6）式，消去 F_y 和 a，可以得到 F_x 以 h 和 u 为自变量的隐式表达式

$$14\times\left(30-\sqrt{26.14^2-u^2}\right)-\frac{28\times(17.9-h)\sqrt{26.14^2-u^2}}{uF_x+14\sqrt{26.14^2-u^2}}F_x-\frac{30uF_x}{\sqrt{26.14^2-u^2}}=0 \tag{7}$$

式(7)可利用多无函数求极值的方法求 F_x 的极值，但将不胜繁琐，这里列表进行了计算。

考虑到现场施工时，$u=h-H$ 不至很大(u 小于或等于 5)，当 $u^2 \ll 26.14^2$ 时，式(7)近似表达为

$$F_x = \frac{27.02}{17.9-h}$$

上式中，随 h 增大，F_x 单调递增，当 h=11.05 时，F_x 取极值 3.95 t(同时，3. 95 是表 1 中的最大值)。

表 1 水平拉力 F_x 计算表

h	u			
	0	3	4	5
0	1.51	—	—	—
1	1.6	—	—	—
2	1.7	—	—	—
3	1.81	1.72	—	—
4	1.94	1.83	1.83	—
5	2.09	1.96	1.95	1.95
6	2.27	2.1	2.09	2.09
7	2.48	2.27	2.26	2.25
8	2.73	2.47	2.44	2.43
9	3.03	2.7	2.66	2.63
10	3.42	2.99	2.93	2.89
11.05	3.95	3.37	3.28	3.22

2 主机房 63 t 桥机安装混凝土柱(Z_3)强度计算

桥机主梁吊装时 L_{50}、L_{51}、Z_3 柱的受力分析：

桥机主梁采用四台卷扬机抬吊，左、右两侧各有两个吊点，每个吊点一根钢丝绳，钢丝绳的另一端布置在 Z_3 柱柱顶 107.9 m 高程处。钢丝绳在 Z_3 柱顶的绕法为：在 Z_3 柱顶的上、下游侧各绕 L_{50}、L_{51} 一道。

2.1 L_{50}、L_{51} 的受力分析

L_{50}(40 cm × 60 cm)、L_{51}(40 cm × 80 cm)所承受的荷载主要为剪力，假定荷载由截面较小的外侧梁 L_{50} 独立承受，则 L_{50} 所受的最大剪力为：

$Q_{剪}=r_G G + r_Q F = 1.05 \times 0.4 \times 0.6 \times 3.95 \times 2.6/2 + 1.2 \times 3.95 = 6.03$ (t)

(静载系数 r_G=1.05，动静系数 r_Q=1.2，混凝土容重 2.6 t/m^3)

不考虑梁内钢筋的抗剪作用，仅考虑素混凝土的抗剪作用，则抗剪力 V_c 为：

$V_c=0.07 f_c \cdot b \cdot h_o = 0.07 \times 15 \times 400 \times 565$ N=24.21 (t)

取 f_c =15 N/mm^2，h_0=600 − 35=565 (mm)

$V_c > r_d Q_{剪} = 1.2 \times 6.03 = 7.24$ (t) (r_d 为结构系数，r_d=1.2)

故 L_{50}、L_{51} 满足抗剪要求。

2.2 Z_3柱的受力分析

Z_3 柱顶沿 Y 轴所受的最大水平力为 F=3.95 t

2.2.1 计算高程 99.8 m 处截面

2.2.1.1 抗弯计算

F 产生的弯矩 $M_1=r_Q\cdot r_o\cdot\psi\cdot F\cdot L_1$

$=1.2\times1.0\times0.95\times3.95\times(107.9-99.8)$

$=36.47$ (t·m)

（动载系数 $r_Q=1.2$，结构重要性系数 $r_o=1$，设计状况系数 $\psi=0.95$）

计算 M_{U1}：$h_o=1\,000-35-40=925$ (mm)

$A_s=7\Phi36+7\Phi32=7\,121+5\,630=12\,751$ (mm^2)

则 $\delta=(f_y\cdot A_s)/(f_c\cdot b\cdot h_o)$

$=(310\times12\,751)/(15\times800\times925)$

$=0.356<\delta_b=0.544$

查表 $\alpha_s=0.293$

$M_{U1}=\alpha_s\cdot f_c\cdot b\cdot h_o^2=0.293\times15\times800\times925^2$ (N · mm)

$=307$ t · m $>r_m\cdot M_1=43.76$ t · m

（r_m 为结构系数，$r_m=1.2$）

2.2.1.2 抗裂计算

弹模比 $\alpha_E=E_s/E_c=2\times10^5/(3\times10^4)=6.67$

换算截面重心至受压压力缘距离 y_o

$y_o=(bh^2/2+\alpha_s\cdot A_s\cdot h_o)/(bh+\alpha_E\cdot A_s)$

$=(800\times1\,000^2/2+6.67\times12\,751\times925)/(800\times1\,000+6.67\times12\,751)$

$=540$ (mm)

换算截面对其重心轴的惯性矩 I_o

$I_o=by_o^3/3+b(h-y_o)^3/3+\alpha_E\cdot A_s(h_o-y_o)^2$

$=800\times540^3/3+800\times(1\,000-540)^3/3+6.67\times12\,751\times(925-540)^2$

$=8.06\times10^{10}$ (mm^4)

截面抵抗矩的塑性系数 r_m（查表 $r_{m1}=1.55$）

$r_m=(0.7+300/h)r_{m1}=1.55$

对荷载效应短期组合

$M_s=r_o\cdot F\cdot L_o\cdot r_Q\cdot\psi$

$=1\times3.95\times8.1\times1.2\times0.95=36.47$ (t·m)

取 $a_{ct}=0.85$ $f_{tk}=2.0$N/m^2

$r_o a_{ct} f_{tk} W_o=r_m a_{ct} f_{tk} I_o/(h-y_o)$

$=1.55\times0.85\times2\times8.06\times10^{10}/(1\,000-540)$ (N · mm)

$=47.14$ t · m $>M_s=36.47$ t · m

故不会产生裂缝。

2.2.1.3 拱度计算

$I_x=bh^3/12=800\times1\,000^3/12=6.7\times10^{10}$ (mm^4)

$f_1=FL_o^3/(3EI_x)=3.95\times9.8\times10^3\times(8.1\times10^3)^3/(3\times3\times10^4\times6.7\times10^{10})$

$=3.41$ (mm)

2.2.2　计算高程 90m 处的截面

2.2.2.1　抗弯计算

F 产生的弯矩 $M_2=r_Q \cdot r_o \cdot \psi \cdot F \cdot L_2$

$=1.2\times1\times0.95\times3.95\times(107.9-90)$

$=80.6\,(t\cdot m)$

计算 M_{U2}：$h_o=1\,600-35-40=1\,525\,(mm)$

$A_s=12\,751mm^2$

则 $\delta=(f_y \cdot A_s)/(f_c \cdot b \cdot h_o)=(310\times12\,751)/(15\times800\times1\,525)$

$=0.216<\delta_b=0.544$

查表 $\alpha_s=0.193$

$M_{U2}=\alpha_s \cdot f_c \cdot b \cdot h_o^2=0.193\times15\times800\times1\,525^2\,(N \cdot mm)$

$=549.01\,t \cdot m>r_m \cdot M_2=1.2\times80.6=96.72\,(t\cdot m)$

2.2.2.2　抗裂计算

$\alpha_E=E_s/E_c=2\times10^5/(3\times10^4)=6.67$

$y_o=(bh^2/2+\alpha_s \cdot A_s \cdot h_o)/(bh+\alpha_E \cdot A_s)$

$=(800\times1\,600^2/2+6.67\times12\,751\times1\,525)/(800\times1\,600+6.67\times12\,751)$

$=842\,(mm)$

$I_o=by_o^3/3+b(h-y_o)^3/3+\alpha_E \cdot A_s(h_o-y_o)^2$

$=800\times842^3/3+800\times(1\,600-842)^3/3+6.67\times12\,751\times(1\,525-842)^2$

$=3.147\times10^{11}\,(mm^4)$

$r_m=(0.7+300/h)\,r_{ml}=(0.7+300/1\,600)\times1.55=1.38$

$M_s=r_o \cdot F \cdot L_2 \cdot r_Q \cdot \psi$

$=1\times3.95\times1.2\times0.95\times17.9=80.6\,(t\cdot m)$

取 $\alpha_{ct}=0.85$　$f_{tk}=2.0N/mm^2$

$r_m\alpha_{ct}f_{tk}W_o=r_m\alpha_{ct}f_{tk}I_o/(h-y_o)$

$=1.38\times0.85\times2\times3.147\times10^{11}/(1\,600-842)\,(N \cdot mm)$

$=99.39\,t \cdot m>80.6\,t \cdot m$

故不会产生裂缝。

2.2.2.3　挠度计算

$I_x=bh^3/12=800\times1\,600^3/12=2.73\times10^{11}(mm^4)$

$f_2=FL_2^3/(3EI_x)=3.95\times9.8\times10^3\times(17.9\times10^3)^3/(3\times3\times10^4\times2.73\times10^{11})$

$=9.04\,(mm)$

（原载《清江高坝洲水电站工程科技文稿选编》，2004 年 5 月）

高坝洲水电站大坝抗滑稳定分析

任正兰　金　蕾　万学军

高坝洲水电站枢纽工程主要由挡水和泄水建筑物、电站厂房以及升船机组成。大坝为混凝土实体重力坝，坝顶高程 83 m，最大坝高 57 m，坝轴线全长 439.5 m。高坝洲水电站大坝的深层抗滑稳定分析，设计阶段采用 SDJ21—1978《混凝土重力坝设计规范》(以下简称《原规范》)定值法计算原则和方法。竣工验收阶段又采用 DL5108—1999《混凝土重力坝设计规范》(以下简称《新规范》)概率极限状态设计原则，以分项系数极限状态设计表达式代替单一安全系数极限平衡表达式分析计算，并与《原规范》进行了对比分析，全面评价大坝抗滑稳定的安全性。

1　工程地质条件

建坝地层为寒武系上峰尖组、岩溶角砾岩及黑石沟组，岩性为白云岩夹灰岩、砂岩互层，岩体质量为Ⅲ级或Ⅱ级，其物理力学指标均能满足建坝要求。基础内存在着断层、裂隙、层间剪切带及顺层溶蚀地质缺陷，其中层间剪切带较为密集，剪切带一般沿层面发育，其构造面与坝轴线斜交，倾向上游偏右岸，以第Ⅰ类剪切带中的$Ⅰ_1$和$Ⅰ_2$两个亚类较差，$Ⅰ_1$类为泥化型剪切带，$Ⅰ_2$类为劈理揉皱型剪切带。

从坝基开挖情况来看，以表孔溢流坝段基础地质构造较为复杂，埋藏多条缓倾角剪切带，性状较差的有 259#、263#、300-1#及 300#等。本文以表孔溢流坝段为代表，对大坝抗滑稳定进行分析。表孔溢流坝段基本剖面及主要剪切带的分布见图 1 。

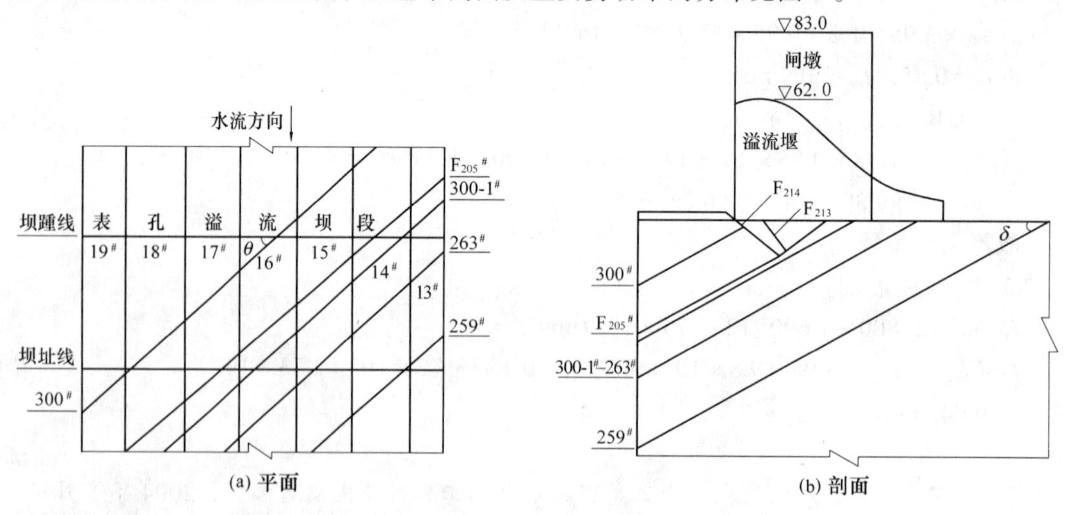

图 1　表孔坝段坝基剖面及主要剪切带分布

2　表孔溢流坝段的抗滑稳定分析

2.1　剪切带的物理力学性能

坝基内剪切带构造面一般沿层面发育，与坝轴线斜交，交角 19°~39°倾向上游，倾角约

32°。剪切带259#、263#、300-1#及300#的产状、材料性能标准值及力学参数见表1。

表1　剪切带产状、材料性能标准值及力学参数

剪切带	类型	产状		《新规范》材料性能标准值		《原规范》力学参数	
		与坝轴线交角(°)	真倾角(°)	f_d'	C_d'（MPa）	f_d'	C_d'（MPa）
259#	I_1类(A1型)	35	32	0.18	0.04	0.2	0
263#	I_2类(A2型)	35	32	0.25	0.064	0.25	0
300-1#	I_1类(A1型)	35	32	0.18	0.04	0.2	0
300#	I_2类(A2型)	35	32	0.25	0.064	0.25	0

2.2　抗滑稳定分析的理论基础

高坝洲水电站大坝的深层抗滑稳定分析，采用了两种计算理论，一是《原规范》定值法计算原则和方法，二是《新规范》概率极限状态设计原则，现分述如下。

2.2.1　定值法计算原则和方法

抗滑稳定分析中常用的刚体极限平衡法，用单一的安全系数来衡量大坝的安全性。本工程采用抗剪强度公式计算，把滑动面看成一种接触面而不是胶结面，不计剪切带的凝聚力，将其作为一种安全储备。凝聚力愈大，安全储备愈高。针对高坝洲水电站大坝基岩剪切带产状，计算抗滑稳定安全系数K，K按下式计算：

$$K = f_d'(\sum G\cos\delta' + P\sin\delta' - \sum U)/(\sum P\cos\delta' - \sum G\sin\delta') \tag{1}$$

$$\delta' = \arctan(\tan\delta \cdot \cos\theta) \tag{2}$$

式中：$\sum G$为作用于滑动面以上的力在铅直方向投影的代数和；$\sum P$为作用于滑动面以上的力在水平方向投影的代数和；$\sum U$为作用于滑动面上的扬压力之和；K为按抗剪强度公式计算的抗滑稳定安全系数；δ'为滑动面的视倾角；δ为滑动面的真倾角；θ为滑动面在水平面上与坝轴线的交角。

2.2.2　概率极限状态设计原则

概率极限状态设计原则，仍采用抗滑稳定分析中常用的刚体极限平衡法，但是以分项系数极限状态设计表达式代替单一安全系数极限平衡表达式分析计算。其极限状态设计表达式为：

$$\gamma_0\psi S(\cdot) \leqslant R(\cdot)/\gamma_d \tag{3}$$

$$S(\cdot) = \sum P_d \tag{4}$$

$$R(\cdot) = \{(\sum W_R + G_d)(f_d'\cos\delta + \sin\delta) - f_d'U_d + C_d'A_d + 0.5C_R'A_R\}/(\cos\delta - f_d'\sin\delta) \tag{5}$$

式中：γ_0为结构重要性系数，本工程取1.0；Ψ为设计状态系数，对应于持久状态、偶然状态，分别取1.0、0.85；γ_d为结构系数，取1.2；$S(\cdot)$为作用效应函数；$R(\cdot)$为结构及构件抗力函数；$\sum P_d$为剪切带以上全部切向作用力之和；$\sum W_R$为坝基面上法向作用力之和；

G_d 为剪切带上岩石重量；U_d 为剪切带底面扬压力；A_d 为剪切带面积；A_R 为基础右侧面面积；f'_d为剪切带抗剪断摩擦系数；C'_d 为剪切带抗剪断黏聚力；C'_R 为基础抗剪断黏聚力。以上 $\sum P_d$、$\sum W_R$、G_d 及 U_d 均取作用的设计值(为作用的标准值乘以分项系数)；而 f'_d、C'_d、C'_R 均取材料性能的设计值(为材料性能的标准值除以分项系数)。

2.3 抗滑稳定分析

采用定值法计算的安全系数，其控制标准比照软基上建坝的要求适当提高，本工程对基本荷载组合取 $K \geqslant 1.3$，这个控制标准与葛洲坝工程深层剪切带抗滑稳定的安全控制标准是相同的，采用概率极限状态计算，应满足式(3)的要求。

由于坝基内剪切带构造面倾向上游偏右岸，因此滑动控制部位在坝址附近。现对表孔溢流坝段主要剪切带各取一控制性的坝段进行抗滑稳定分析，两种方法的计算结果见表 2。计算结果表明：①按《原规范》定值法计算剪切带的抗滑稳定安全系数均满足要求。②按《新规范》概率极限状态计算，当不计基础侧面抗力时，除剪切带 300#以外，均不满足抗力大于作用效应的要求，究其原因，主要是《新规范》要求过严。③由于基础内断裂不甚发育、侧向面比较密实，且合力作用方向指向右侧，因此计入右侧面抗力是合适的。当计入 50%右侧面抗力后，也满足抗力大于作用效应的要求。

表 2 表孔溢流坝段抗滑稳定计算的结果

剪切带	坝段	作用效应(kN)	《新规范》		《原规范》
			抗力(kN)		K
			不计侧面抗力	计 50%右侧面抗力	
259#	14	493 460	425 620	528 460	1.72
263#	16	456 250	445 900	533 550	1.97
300-1#	18	468 000	410 010	495 000	1.74
300#	18	293 040	643 580		4.61

注：表中作用效应为 $\gamma_0 \Psi S(\cdot)$；抗力为 $R(\cdot)/\gamma_d$。

2.4 三维有限元法抗滑稳定分析

高坝洲水电站大坝属大(2)型工程，且表孔溢流坝段地质条件比较复杂，因此其抗滑稳定计算除采用刚体极限平衡法外，还采用三维有限元法验证。

2.4.1 计算模型

深层抗滑稳定的计算模型范围：建基面取平均高程 32.5 m；上游沿坝踵铅直下切至底部；坝趾下游取 50 m，约为 1.2 倍坝底宽；建基面以下取 79.1 m，约为 1.57 倍坝高。上述模型可以把主要剪切带 259#、263#、300-1#及 300#等包含在其中。计算模型既可以分坝段取出，也可按整体模型计算，分坝段模型可以与整体模型进行抗滑稳定的分析和比较。

模型的约束条件：下游、左、右岸及底面均为法向约束；上游面为自由面。

2.4.2 计算理论

采用《新规范》概率极限状态的理论计算，可将上述式(3)、式(4)、式(5)，改为下式表示：

$$F_s \leqslant f_n' F_n + C'_d A_d \tag{6}$$

2.4.3　计算结果

取单个坝段模型计算，由于模型基础两侧是用法向链杆约束的，未考虑坝段间的剪力，同时，上游面作为自由面，全水压力作用计算，因此有部分坝段不满足式(6)的要求。整体模型计算时，虽然仍将上游面作为自由面，全水压力作用计算，但由于考虑了各坝段之间的共同作用，计算结果满足式(6)的要求。在计算模型偏于保守的条件下，采用整体模型的计算结果是比较符合实际的，结果见表 3。可见，经三维有限元法抗滑稳定复核，其结论与刚体极限平衡法计算结果基本一致。

表 3　整体模型的计算结果

剪切带	法向力 F_n(MN)	切向力 F_s(MN)	m
259#	5 270	660	1.14
263#	3 810	1 310	1.08
300-1#	3 170	1 470	1.52
300#	2 862	1 569	2.06

（原载《水力发电》2002 年第 3 期）

高坝洲工程基坑岩溶漏水通道堵漏灌浆技术

姚春雷　姜手虞　周和清　褚恩杰　罗福海

1　堵漏工程概述

清江高坝洲水电站建筑物基础为薄层泥质、白云质灰岩，岩层层间泥化剪切带较发育，部分剪切带及断裂构造溶蚀严重。在施工过程中，一期工程围堰基坑内沿深孔导墙(兼纵向围堰中段)导 4 ~ 导 5 基础层间溶蚀面形成了漏水通道，在基坑内底孔消力池护坦范围发现两处集中涌水点，两处涌水点初期观测到的涌水量分别为 5 L/s 和 25 L/s，后期涌水量估算超过 50 L/s；二期围堰基坑内缓倾角小断层溶蚀面形成了更大的漏水通道，在基坑内表孔 15# ~ 16#坝段基础范围内出现多处带状分布的大漏量涌水点，总涌水量达 80 ~ 100 L/s。

对这类高流速、管道型岩溶漏水通道的堵漏处理通常采用可控制凝固时间的化学浆材，但其价格昂贵、污染环境、影响施工人员健康。此外，地下水流特性不易掌握，化学浆材的胶凝时间难以控制，当地下水流速太大时，亦需采取措施控制流速，否则，化学浆材不能产生胶凝反应。

一期工程施工过程中对导 4 ~ 导 5 基础漏水通道的堵漏处理进行了长达近一年的摸索，研究分析了采用各种灌浆材料及灌浆方法进行处理的可行性，以及相应的水流控制措施，最终采取引管、闸阀控制渗漏水流速，采用水泥灌浆方法处理好该漏水通道。

二期工程表孔 15# ~ 16#坝段漏水通道出现后，直接采用了一期工程导 4 ~ 导 5 漏水通道的堵漏经验和水流控制及水泥灌浆技术，一次处理成功，基本上没有耽误原定的工期。

2　岩溶漏水状况

2.1　一期基坑溶蚀剪切带漏水通道

深孔导墙(兼纵向围堰中段)基础为寒武系中统上峰尖组薄层及中厚层含泥质白云岩，岩层走向 280°～290°，倾向 SW(上游偏右岸)，倾角一般为 30°～35°。导 4～导 5 附近基岩中分布有多条溶蚀剪切带，并形成漏水通道，在导 4～导 5 右侧泄洪深孔消力池内形成 W_1 和 W_{1-1} 两处大漏量集中涌水点。导 4～导 5 和消力池开挖高程为 32 m 左右，外江水位枯水期为 42 m 高程左右，汛期达 55～56 m。经分析，漏水通道主要顺两层产状与岩层产状一致的溶蚀剪切带形成，两层剪切带垂直间距 4～5 m。

两处涌水点在清江枯水位初期观测到的涌水量分别为 5 L/s 和 25 L/s，涌水量随外江水位升高明显增大，经过 1997 年汛期高水位变化对漏水通道的脉冲冲淘，汛后漏水量明显变大，在清江枯水位使测算涌水量超过 50 L/s。根据连通试验，漏水通道内水流流速为 0.2～0.3 m/s。

2.2　二期基坑缓倾角小断层溶蚀漏水通道

以二期基坑编号 300#剪切带为界，右上侧为黑石沟组第一段灰、浅灰色中厚层灰岩和白云质灰岩，左下侧为上峰尖组薄层及中厚层含泥质白云岩。岩体中发育有 300#、300-4#、300-3#、300-8#、300-9#、300-2#、300-1#七条剪切带，及 F_{205}、F_{213}、F_{214}、F_{215} 四条断层，具溶蚀性，尤其是 F_{213}、F_{214}、300-4#与 F_{205} 交接部位溶蚀强烈，在 15#～16#坝段基础内形成了 8 个条带形分布的涌水点及 3 个消水点。总涌水量达 80～100 L/s，单点涌水量最大达 20～25L/s。

F_{213}、F_{214}、F_{215} 断层反倾，在 15#～17#坝段形成一楔形体。

3　导 4～导 5 溶蚀剪切带漏水通道堵漏方案与措施

3.1　堵漏的必要性

导 4～导 5 漏水通道的存在，加大了基坑的抽水量，影响消力池护坦浇筑与施工，严重影响施工进度。另一方面，地下涌水的长期冲蚀，恶化基岩结构，影响消力池护坦板抗浮稳定和导 4～导 5 的抗滑、抗倾稳定，给消力池及导墙的安全运行留下隐患，必须对漏水通道进行先堵漏后加固处理。

3.2　导 4～导 5 堵漏方案研究与摸索

1997 年 5 月，在纵向围堰导 4～导 5 左侧深孔消力池范围发现两处涌水点，为确保纵向围堰安全及消力池护坦浇筑质量，减小基坑抽水量，必须对导 4～导 5 基础进行防渗灌浆处理。灌浆孔布置在导 4～导 5 右侧，孔口高程 46 m，灌浆孔底高程穿过溶蚀带以下 2 m，分三序施工，并从一序孔中选取一定的灌浆孔为先导孔，确定溶蚀剪切带的分布范围及溶蚀规模。

施工单位于 1997 年 6 月 8 日开始灌浆施工，后因汛期来临，移至高程 57 m 的导墙顶部继续施工。先期施工的 18#、22#、26#孔与两个涌水点串通，从孔内电视录像揭示，上述三孔分别于高程 15.2、20 m 和 27 m 遇溶蚀剪切带。由于涌水流速大，灌入的水泥及水泥砂浆不能凝固，浆液被高速水流稀释带走。为封堵渗漏通道，灌浆过程中采取向孔内投粗砂、小石子，注细骨料混凝土以及在水泥浆中加入速凝剂等措施均未奏效，这次处理共灌注水泥 97 t、细砂 45 t、氯化钙 130 kg。

经分析论证，认为按原定堵漏灌浆方案不能有效控制渗漏水的流速，堵漏灌浆难以取得成功，必须采取有效措施控制流速。进行了井点抽水和封闭涌水点控制渗漏水流速的研究，针对护坦混凝土浇筑和堵漏灌浆的程序，比较了“先浇后灌”和“先灌后浇”方案。“先灌后浇”方案灌浆封堵岩溶渗漏通道难度很大，需实施井点抽水。由于溶蚀剪切带范围较小，渗漏途径短，难以在处理范围以外实施井点抽排水措施，而且井点抽水控制渗漏流速难度较大。经综合比较，选定“先浇后灌”方案。

“先浇后灌”方案是在涌水点埋设可控制漏水量的引水管，对护坦建基面的渗水裂隙进行嵌缝堵漏，确保护坦板混凝土在无水条件下浇筑，然后进行护坦的锚桩施工。堵漏灌浆时逐渐关闭引水管，降低渗漏水流速。由于基坑内外的水头差达十多米，需要采取有效措施防止关闭引水管进行堵漏灌浆时护坦混凝土板产生抬动破坏，为此，考虑了护坦板增加压重的后备措施。同时，还应防止因灌浆堵塞护坦建基面的排水系统。

3.3 岩溶渗漏水控制措施和水泥堵漏灌浆实施

3.3.1 引管排水与嵌缝堵漏

涌水点 W_{1-1}、W_1 分别用ϕ150 mm、ϕ273 mm 钢管嵌入建基面以下 50 ~ 100 cm，采用棉纱和水玻璃水泥砂浆嵌管，确保埋管周边无渗水，将集中涌水引至临时集水坑。在引管出口安装控制阀和压力表，并预留进、回浆管。对建基面的渗水点进行嵌缝处理，确保护坦混凝土在无水条件下浇筑。

3.3.2 混凝土浇筑及锚桩施工

护坦混凝土分两层浇筑，堵漏灌浆前先浇底层混凝土，并预留护坦建基面纵横排水沟。混凝土达至设计龄期后，进行锚桩施工，对不涌水锚桩孔直接进行锚桩施工，对与溶蚀剪切带串通的涌水锚桩孔，待埋设抬动观测装置和进行引水管关闭试验后，通过控制引水管闸阀进行堵漏灌浆，灌至不再漏水后再安装锚筋。

3.3.3 抬动观测装置

为防止消力池护坦产生抬动破坏，根据溶蚀剪切带的产状和分布范围，在消力池护坦已浇混凝土上布置 5 个抬动观测孔（点），并选取两根锚桩安装钢筋计，监测锚桩的变形。抬动观测孔深入到溶蚀剪切带以下 2 m，钻孔穿过溶蚀带有涌水时，用水玻璃—水泥浆液封堵，再继续钻进。护坦板抬动变形按不超过 200 μm 控制。

3.3.4 关闭试验及涌水锚桩注浆压力

为防止完全关闭引水管及涌水锚桩灌浆引起护坦抬动，进行了引水管关闭试验。首先关闭 W_{1-1}，各抬动观测点均未观测到抬动变形值；再逐渐关闭 W_1，稳定 20 min，观测引水管压力和抬动变形。当引水管压力达 0.06 MPa 时，各抬动观测点均观测到了不同程度的抬动变形，其中一点最大抬动变形值达 120 μm，并且随着压力的升高，抬动变形值增加较快。

通过引水管关闭试验，认为控制锚桩孔灌浆压力不超过 0.06 MPa，不需采取增加压重的措施，对下一步导墙右侧的堵漏灌浆，只要加强抬动观测和锚桩受力监测，亦不需采取增加压重措施。

3.3.5 堵漏灌浆

堵漏灌浆分两次进行，第一次结合导墙左侧护坦涌水锚桩孔及增布的灌浆孔进行溶蚀剪切带出露范围的堵漏灌浆，第二次是导墙右侧灌浆充填溶蚀剪切带渗漏通道。

涌水锚桩孔灌浆时，关闭 W_{1-1} 并控制 W_1 开度，浆液中掺加速凝剂，采取间歇、复灌处理至不再涌水，再安放锚筋。灌浆顺序为先边缘区后主流区，将水挤向主通道方向。经多个锚桩孔灌浆，W_1 及 W_{1-1} 被封堵。为防止下一步堵漏灌浆对护坦产生有害变形，更好地控制浆液，对连通性较好的一个涌水锚桩孔采取引管排水，并在护坦范围以外自导墙左侧向导墙基础钻了两个排水孔，两孔涌水量均较大，对一孔引管至临时集水坑，另一孔向上引接管至高程 42.4 m，接近外江水位。

导墙右侧第二次堵漏灌浆是在以上工作结束后开始的，在导墙右侧利用两个与左侧引水管相通的钻孔（13#、15#）分两次实施堵漏灌浆。13#孔通过控制引水管的开度，灌至不进浆，但引水管继续出水，未能完全封堵溶蚀剪切带；15#孔灌浆开始时，引水管处于开放状态，灌浆串通达到一定浓度后，逐渐关闭引水管，控制浆液的流速。当灌浆孔回浆管回浆后，间歇性开启引水管排出稀浆；当引水管排出浆液浓度接近进浆浓度时，引水管保持一定的开度，连续灌浆直到引水管出浆量逐渐变小、浆液变浓，最后流出小流量清水，继续灌注至引水管不出水，至 0.15 MPa 的压力下停止吸浆为止。连续灌浆历时 12 h，灌注水泥 37.4 t，细砂 13.4 t。

3.3.6 灌浆成果分析和溶蚀剪切带封堵效果检查

在上述两孔的堵漏灌浆结束后，在导墙右侧继续进行加密灌浆，加密后，灌浆孔最终孔距 1.5 m。加密孔灌浆吸浆量均较小。据统计分析，13#和 15#孔注入量之和占总注入量的 95%，附近的后序施工孔的注入水泥量均较小。Ⅲ序孔压水试验表明，单位透水率均小于 5 Lu。导墙右侧灌浆工作结束后，在导墙左侧护坦范围内布置了两个检查孔，钻孔芯样中取出水泥结石，检查孔均不涌水，压水透水率小于 5 Lu，说明堵漏灌浆取得了预期效果。在 1998 年特大洪水期间，右侧导流明渠水位达 55 m 高程且长期不退，消力池内未出现渗水现象。

4 15# ~ 16#坝段缓倾角断层溶蚀漏水通道堵漏灌浆

15# ~ 16#坝段的渗漏通道将直接影响坝体混凝土的浇筑及坝基固结灌浆、帷幕灌浆的正常运行，危及大坝的安全，影响水库蓄水，必须对其进行妥善处理。

15# ~ 16#坝段缓倾角小断层溶蚀漏水通道揭露后，直接采用导 4 ~ 导 5 堵漏灌浆的技术措施，控制渗漏水流速，灌注水泥砂浆和水泥浆，主要措施如下：

在 15# ~ 16#坝段基础混凝土浇筑前，对溶蚀通道各涌水点进行嵌缝、引管、埋管，对漏水量大的两个涌水点引管并安装闸阀。同时，在漏水通道上游开挖截水井，安装 3 台水泵抽水，降低渗漏水头及渗漏水流速，减小涌水量。灌浆前安装抬动观测装置，确保灌浆对坝体混凝土不产生抬动变形。堵漏灌浆顺序为自下游逐步向上游进行，灌浆压力 0.1 ~ 0.2 MPa，灌注浆液为 0.5 : 1 的水泥浆和水泥砂浆，并掺加适量速凝剂。堵漏灌浆时，根据各涌水点灌浆情况开启或关闭引水管阀门。采用上述措施后，一次成功灌浆封堵了岩溶漏水通道。经后续锚杆、固结灌浆和帷幕灌浆的施工检验，该部位堵漏灌浆效果显著。

5 结语

高坝洲工程导 4 ~ 导 5 及 15# ~ 16#坝段缓倾角断层溶蚀漏水通道采用水泥灌浆进行堵漏，降低了工程投资，取得了良好的防渗堵漏效果，避免了化学灌浆的环境污染，满足环保要求，为下一步建筑物基础防渗加固处理创造了有利条件。

通过高坝洲工程岩溶漏水通道的堵漏灌浆实践，有以下两点体会：

(1) 岩溶漏水通道对工程有危害需堵漏时，首先应查明其发育规模及分布范围，不可盲目实施堵漏灌浆。

(2) 高流速、管道型岩溶漏水通道，采取引管控制出口流量，结合在合适位置进行井点抽排水，根据实际情况制定灌浆程序，能有效降低水流流速，采用水泥灌浆可取得满意的效果。

(原载《水力发电》2002 年第 3 期)

高坝洲水利枢纽岩溶渗漏研究与工程检验

徐瑞春　王正波

1　岩溶发育规律研究

高坝洲坝址区及水库区属鄂西山地东缘的低山丘陵区，寒武系中、上统碳酸岩盐厚度大、分布广，利于岩溶发育，由于碎屑岩、泥质岩相间分布和构造破坏程度不同，形成特有的岩溶特征。

1.1　岩溶类型

(1) 溶沟、溶槽。主要沿断层、裂隙溶蚀而成，多分布于较缓的山坡或山顶上，长一般为 5 ~ 10 m，宽一般为 1 ~ 2 m，最宽为 5 ~ 8 m，最窄仅 0.2 ~ 0.5 m，发育深度一般为 0.4 ~ 1.0 m，最深可达 5 ~ 8 m，多有黏土夹碎石充填。

(2) 溶蚀干谷。分布于清江两岸，谷内无常年水流，谷口以悬崖或陡坡与现代河床相接，如左岸的邓子岩、李家湾，右岸的洞沐渔、王家冲、郑家冲等。谷底一般平坦开阔，谷坡较平缓，谷长一般为 0.5 ~ 1.5 km，底宽一般为 50 ~ 100 m。干谷两岸为浑圆的溶丘，谷底高程一般为 80 ~ 90 m 或 110 ~ 130 m，谷底与两岸的高差一般为 30 ~ 50 m。谷底发育有溶蚀洼地或落水洞，常年覆盖有松散的第四系堆积物。

(3) 溶蚀洼地。多分布于山间垭口或岩溶干谷中，呈近圆形、椭圆形、蝶形或长条形，底部堆积厚度不等的黏土夹碎石。部分洼地中见有落水洞如 K_{301}、K_{288}、K_{226} 等，成为地表水渗入地下的主要通道，如洞沐渔洼地范围内的大气降水经 K_{301} 渗入地下，径流排泄至 W_{26}，构成 $V^{\#}$岩溶通道。

(4) 水平溶洞。呈水平或近水平状，库坝区规模较大的溶洞有 K_{310}、K_{201}、KW_{117}、响水洞等，库区有仙人洞、道士洞等，库尾有隔河岩坝区的 K_{2}、K_{40}、KW_{501}、KW_{502} 等。分布高程与河流阶地有明显的同步关系。洞口小者不足 1 m，大者可达 4 m，长一般为 3 ~ 12 m，个别可达百余米。洞内多有砂砾、粉质黏土、灰华等沉积物。

(5) 落水洞。分布于溶蚀洼地、岩溶干谷的底部或边缘，少量出露于山坡或垭口。深一般十余米，最深可达百余米。部分洞口被第四系堆积物覆盖，洞底多有粉质黏土、碎块石或灰岩，少量还见有地下水。洞底一般落于某一阶地台面上。

(6) 溶孔、溶隙。溶孔直径一般为 1.0 ~ 1.5 cm，深一般为 1 ~ 2 cm，多被方解石充填；

溶隙多沿裂隙或层面发育，多被黏土或灰岩充填，发育深度一般在地下十几米至几十米，最低可达–40 m。

(7) 岩溶通道。库坝区均有展布。其中，库区内发育 9 条，多沿石龙洞组、三游洞组灰岩强烈溶蚀形成；近坝地段发育 6 条，多沿断裂形成。

(8) 古岩溶洞穴。坝址区左、右岸边均有发育，已被后期崩塌块石充填。

1.2　岩溶发育规律

1.2.1　*岩溶发育的控制因素*

(1) 构造的控制作用。断裂构造不仅提供了地面径流的入渗条件和地下径流的通道，也决定着岩溶发育的方向。断层密度越大、岩体越破碎，岩溶越发育。如 12#坝段建基面上发育的 K_1 即是沿 F_{205} 缓倾角断层形成的。两岸沿高倾角断层形成大量的落水洞，并沿其形成岩溶通道。

(2) 岩层结构对岩溶发育的影响。岩层可溶性及其分布决定了岩溶发育的类型、数量和规模。上峰尖组地层由于泥质成分含量较高，且泥质白云岩与含泥质白云岩交互分布，严重限制了岩溶的发育，少有岩溶现象，仅在 $\in_2^{2-3-5}$ 下部浅灰色薄层状致密白云岩表面发育一溶槽。而石龙洞组、黑石沟组、三游洞组地层由于灰质成分含量高，层又厚，因而岩溶相对较发育。

(3) 水动力条件的控制作用。水动力条件的差异造成了区内岩溶发育的不均一性。岩溶角砾岩发育的岩溶洞穴（如 Kbr_3），明显与岸边地下水强烈活动有关。而分水岭地段，由于地表水入渗条件差，岩溶不发育。

1.2.2　*坝址区岩溶发育深度*

坝址区河床部位钻孔揭露的岩溶洞穴，洞径一般为 0.3 ~ 0.7 m 最大可达 3 ~ 7 m。局部沿方解石脉发育针状溶孔、晶孔或晶洞；分布高程一般为 78 ~ 94 m 和 10 ~ 35 m，最高 110 ~ 130 m，最低达–75 m；洞穴中多充填黏土夹碎石。统计结果表明，地下岩溶洞穴主要发育于断裂构造中，黑石沟组第一段和上峰尖组第三段的线溶蚀率仅分别为 4%、3%。

根据上述资料，结合两岸钻孔、平洞开挖和电磁波资料，确定坝区岩溶的发育下限为：左、右岸断层及其影响部位为 0 m 高程，断层间的层状岩体地段为 30 m 高程；河床部位为–36 m 高程；岩溶角砾岩地段为–80 m 高程。

1.2.3　*区域岩溶*

本区处于古湖盆边缘地区，白垩纪时期开始岩溶化作用。据对清江流域多年的研究，岩溶具有多层性特点，并与地壳上升、停顿同步，在河间地块或与邻谷分水岭地段多存在非岩溶化岩块，一般不存在沟通邻谷的岩溶系统。

2　水库封闭条件论证及工程检验

2.1　水库封闭条件论证

经对水系关系与区域地质资料研究，产生水库渗漏的途径有清长分水岭、清渔分水岭和土地岭河间地块。

2.1.1　*清长分水岭*

(1) 地形地质条件。清江自鄢家沱（或营盘垴）至任家河口长约 9.8 km 的河段，与东侧的长江河道近于平行，间距的宽度 7.5 ~ 10 km。高坝洲水库形成后，与长江水位差可达 40 余 m。分水岭东侧为宽 4 ~ 5.5 km 的长江河岸平原，由砂砾石及黏土层组成；西侧为红层、古生代的灰岩、页岩组成的宽 4 ~ 6 km 低山丘陵，最高点(大宋山)高程为 402 m，最低点(官界头渡槽)高程为 99.2 m。库内、外侧 80 m 高程等值线间距一般为 3 500 ~ 5 000 m。

(2)封闭条件的论证分水岭地段主要由长阳复式背斜的北翼地层组成，岩层走向与分水岭脊线近于垂直，分为 4 段；李家大坝至任家河口 3 750 m 的河段和石灰冲至胥家冲长 1 500 m 的河段，均为第三系方家河组与分水岭组地层组成，属相对隔水层或隔水层，不存在岩溶渗漏问题。

鄢家沱(营盘垴)至石灰冲长约 1 500 m 河段和胥家冲至李家大坝长约 3 000 m 河段，主要由三游洞组灰岩、黑石沟组、上峰尖组白云岩夹泥质白云岩组成，但在分水岭东侧(即长江侧)90 m 高程以下，上述岩体全被第三系红层所覆盖，构成了红层在库外超覆的外包封闭条件。沿灰岩与红层交界一带又广布岩溶裂隙泉。如胥家龙洞泉(W_{171})，分布高程最低，也有 82 m，流量 5 ~ 8 L/s。也不会发生水库渗漏。

2.1.2　清渔分水岭

(1)地形地质条件。清渔分水岭在库首一带宽 3 850 ~ 4 500 m，其间广布强岩溶化的三游洞组灰岩和奥陶系灰岩。地形分水岭脊线偏向渔洋河一侧，总体走向 NE，距渔洋河 750 ~ 1 500 m，西距清江 2 400 ~ 3 750 m。分水岭脊线上最高点(麒麟山)的高程为 270.3 m。

(2)封闭条件的论证。桂竹园向斜贯穿河间地块，向斜轴走向 280° ~ 290°，与河间地块走向斜交(交角 50° ~ 70°)。岩层走向沟通清渔两河。向斜轴线部一带是岩溶化的三游洞组灰岩、南津关组灰岩、红花组灰岩分布区。地形分水岭脊线清江侧，发育有洞沐渔洞穴群与 W_{26} 地下通道系统；渔洋河侧，有淹水淌洞穴群与响水洞地下通道系统。由此可以看出，清渔分水岭存在渗漏的地质背景。

1985 年底开始对清渔分水岭进行综合研究。勘探线的布置原则是：基本垂直(桂竹园)向斜轴，并偏向地形分水岭脊线的清江侧。对每个钻孔分两层进行地下水动态监测，内管水位代表三游洞灰岩的地下水位，外管代表南津关组灰岩中的地下水位。经过对两年长期采集水位资料的综合分析，无论是内管或外管水位均高于正常蓄水位。由于布置偏向清江一侧，故真正的地下分水岭水位高程还将高于所采集到的值。又据泉水调查和动态观测，三游洞灰岩在与红层交界一线出露的泉水 W_{109}(关门石泉水)高程为 82.2 m，W_{189}(黄家湾泉水)高程为 104 m，动态流量为 0.6 ~ 8.3 L /s(最大超过 76 L /s)，说明清渔分水岭一线存在高于正常蓄水位的地下水位。

2.1.3　土地岭河间地块

(1)地形地貌。由于清江自身的流态变化，分布于坝址上游左岸的石龙洞组灰岩，自库内的任家河口经土地岭(地形最高点高程 196.1 m)在坝下城池口一带再次出露，库内、外 80 m 等高线相距 2 400 m，成为库水可能外渗的途径。

(2)封闭条件论证。石龙洞组灰岩在土地岭河间地块出露的宽度为 300 ~ 500 m，面积 90 余万 m^2 (近 1 km^2)。地形分水岭最高点偏西侧。裸露的灰岩区溶蚀地貌发育，共发现大小岩溶洞穴 12 个，另小型溶蚀洼地、溶槽也很发育。在河间地块东侧黄家天坑(K_{101})投放的示踪剂，于 KW_{119} 接收到，坡降仅 1%；在分水岭脊线上 $73^{\#}$孔头投放的示踪剂，于西侧的 W_{11} 接收到，坡降约 2.1%。按坡降计算，河间地块两侧的通道是贯穿的，交点约在 82 m

高程。据钻孔长期观测所采集的地下水位值看，地下水分水岭应在地形分水岭东侧 600 m 处的 74#孔（地下水位最低值 98.32 m，1998 年 2 月 5 日）一带。东侧 600 m 处的 KW_{118} 泉水高程 74.49 m，西侧约 600 m 处的 73#孔地下水高程为 76.63 m，按此计算，74#孔两侧地下水坡降分别为 3.6%、4%，很接近。因而可以认为 74#孔的地下水位为真水位，并可代表地下水分水岭的高程。上述资料表明，土地岭河间地块存在高于库水位的地下水分水岭，不会发生危害性的库水渗漏。

2.2　工程检验

工程运行一年后，地质部门在 2000 年 3 月中旬，对可能产生渗漏的清长、清渔分水岭和土地岭河间地块进行了详细调查，重点通过对分水岭外侧地下水露头点——泉点的涌水量的变化特征进行分析，判定是否存在渗漏。

(1) 清长分水岭。透水岩体与第三系红层覆盖交接处分布的胥家冲龙洞泉（W_{171}）、凉水井泉（W_{169}）和清山泉群（W_{179}），其分布高程依次为 82.0、105.0、110 m。经三角堰实测流量依次为 0.8 ~ 1.0、7.5 ~ 8.0 L/s 和 2 ~ 3 L/s，与水库蓄水前动态监测结果基本一致，清长分水岭尚未发生库水外渗。

(2) 清渔分水岭。经三角堰实测，渔洋河侧泉点 W_{109} 的涌水量为 2 ~ 3 L/s，与水库蓄水前基本一致，因此清渔分水岭尚未发生库水外渗。

(3) 土地岭河间地块。分布于东侧（库外）的 KW_{119}、KW_{118} 的涌水量经实测和水库蓄水前没有变化，W_{13} 由于位于建设公司小区内已被填埋而无法观测，也说明该河间地块尚未发生库水外渗。

3　绕坝渗漏论证与工程检验

3.1　渗漏形成的基本地质条件

(1) 岩层及其透水性。坝址两岸地层为上峰尖组第三段（$\in_2^{2-3}$）弱透水岩体（相对隔水层），中等透水的黑石沟组第一段（$\in_2^{3-1}$）地层及较强透水的黑石沟组第二段（$\in_2^{3-2}$）、三游洞（$\in_3^1$）地层。其中左坝肩为弱透水的岩溶角砾岩（kbr）。

(2) NE 向断层及其水文地质特性。坝址区两岸发育大量走向 20° ~ 40°的张扭性断层、左岸代表性断层有 F_{114}、F_{113}、F_{51}，右岸代表性断层有 F_{18}、F_{17}、F_{16}、F_{15}、F_{10}、F_5 等。宽度数米至十几米，断层带内为方解石充填。沿断层带一般具较强烈的溶蚀，因而形成汇流低槽。

(3) 地下水天然渗流场。经多年地下水动态监测、追踪试验、电模拟试验及 K 剖面分析，概化出如下的岩溶渗漏场：

右岸地下水位，南起洞沐渔沟南，北至毛家沱、关门碑一线约 3 km² 的范围内普遍较低，地下水位高程一般为 40 ~ 70 m。其中在郑家冲沟偏北侧存在一横向地下分水岭，地下水位高程 65 ~ 70 m。其南侧为地下水沿 NE 向断层及 NW 向裂隙向清江径流并形成Ⅴ号岩溶系统，北侧地下水沿 NE 向断层向 N 侧径流受第三系红层阻隔后出露地表形成泉群；左岸库水在甘溪沟直接补给 F_{51} 等断层，并沿其向下游，经Ⅲ号岩溶通道排向清江，成为左岸绕坝渗漏的通道。

3.2 绕坝渗漏预测

多年来泉水涌水量动态监测结果表明，右岸排泄区的最大涌水量为 0.5 m^3/s，左岸排泄区的最大量为 0.1 m^3/s，若考虑 10%的观测误差，则分别为 0.55、0.11 m^3/s。

3.2.1 顺北东向断裂的渗漏量

渗漏量选用下式计算：

$$Q = \mu C \times s \times \sqrt{2gH}$$

式中：H 为蓄水后渗漏水头差，m；s 为岩溶通道出口面积，m^2；g 为重力加速度，m/s^2；Q 为渗漏量，m^3/s。

由于 s、$\sqrt{2g}$、μC 为定值，令 $A_0 = \mu C \times s \times \sqrt{2g}$，$A_0$ 可由长期观测资料确定，且 $A_0 = Q_0/\sqrt{H_0}$，$Q = A_0\sqrt{(H/H_0)}$

蓄水前补给区渗流水头取 70 m，蓄水后取正常蓄水位 80 m，根据蓄水前的排泄量，分别求得蓄水后左、右岸的排泄量为 0.707 m^3/s 和 0.141 m^3/s，合计排泄量 0.848 m^3/s。减去天然排泄量 0.66 m^3/s，此类型渗漏量为 0.188 m^3/s。

3.2.2 裂隙岩体的渗漏量

渗透系数按 $K=40\omega$ 确定，透水底界定为 0 m 高程，求得裂隙岩体的渗漏量为 0.036 m^3/s。因此，总的渗漏量为 0.188+0.036＝0.224（m^3/s）。

3.3 三维渗流场复核

3.3.1 基本参数

天然河水位取 43.0 m，水库正常蓄水位取 80 m，基本渗透性参数见表 1。

表 1 基本渗透性参数

介质名称	容重 (kN/m^3)	渗透系数 (cm/s)	位置
$\in_2^{2\text{-}3}$、$\in_2^{3\text{-}1}$	25	3.0×10^{-4} 1.0×10^{-4}	河床高程 0 m、两岸 30 m 以上
$\in_2^{3\text{-}2}$	25	1.0×10^{-3} 3.0×10^{-4}	30 m 高程以上 30 m 高程以上
$\in_3^{1}$	25	1.0×10^{-4} 3.0×10^{-4}	30 m 高程以上 30 m 高程以上
kbr	23	4.2×10^{-3}	
del	20	6.0×10^{-4}	
F_{20}、F_{10}、F_{15}、F_{16}、F_{51}	22	1.0×10^{-2} 3.0×10^{-4}	0 m 高程以上 0 m 高程以上
F_{18}	22	1.0×10^{-2} 3.0×10^{-4}	30 m 高程以上 30 m 高程以上
F_{17}、F_5	22	4.2×10^{-3} 3.0×10^{-4}	30 m 高程以上 30 m 高程以上
防渗帷幕	25	1.0×10^{-5}	
混凝土	25	1.0×10^{-8}	

3.3.2 模型建立

(1)几何模型。根据坝区水文地质条件，在以下范围内进行三维有限元模拟：右岸由岸边向山内延伸 1 500 m；左岸由岸边向山内延伸 600 m；大坝上下游方向延伸 1 500 m；铅直方向由–76.0 m 至 100.0 m 高程。

(2)数学模型。选用三维稳定流基本微分方程进行模拟：

$$k_x \frac{\partial^2 H}{\partial^2 x} + k_y \frac{\partial^2 H}{\partial^2 y} + k_z \frac{\partial^2 H}{\partial^2 z} = 0$$

式中：H为测压管水头；k_x、k_y、k_z分别代表 x、y、z 方向的渗透系数。

3.3.3 计算工况

工况 1，分析坝区天然状态下的三维渗流场；工况 2，分析坝区设帷幕、正常蓄水情况下的三维渗流场；工况 3，分析不设防渗帷幕正常蓄水情况下的坝区三维渗流场。

3.3.4 渗流场分析

河床水位取 43.0 m，两岸远端边界处地下水位取 85.0 m，两者呈渐变过渡。天然工况下，右岸渗漏量计算成果见表 2，正常蓄水工况渗漏量计算成果见表 3，正常蓄水工况渗透坡降和渗透流速成果见表 4。无帷幕、正常蓄水工况下渗漏量计算成果见表 5，部分渗透坡降和渗透流速计算成果见表 6。

表 2 天然工况下右岸渗漏量计算成果 (单位：m^3/s)

项目	上游河岸	下游河岸	毛家沱沟	合计
渗漏量		0.009 7	0.019 5	0.029 2

表 3 正常蓄水工况渗漏量计算成果 (单位：m^3/s)

项目	左岸	河床	右岸	毛家沱沟	合计
渗漏量	0.009 2	0.009 3	0.014 8	0.016 3	0.049 6

表 4 正常蓄水工况渗透坡降和渗透流速成果

项目	左岸	坝基	右岸	
			近河岸	远河岸
测压管水头(m)	68.8	71.37	69.75	65.70
顺河渗透坡降	1.644 3	2.347 3	2.101 0	1.704 0
横河渗透坡降	0.000 4	0.001 6	2.415 4	0.184 9
铅直渗透坡降	0.002 8	0.092 1	0.008 8	0.000 4
顺河渗透流速	2.130 0	3.223 6	0.378 2	10.623 6
横河渗透流速	0.960 9	0.006 6	4.538 7	8.840 0
铅直渗透流速	0.569 3	1.062 0	1.062 1	0.487 5

注：渗透流速单位为 10^{-5} cm/s。

表 5　无帷幕、正常蓄水工况渗漏量计算成果　（单位：m^3/s）

项目	左岸	河床	右岸	毛家沱沟	合计
渗漏量	0.057 2	0.092 2	0.040 0	0.027 9	0.217 3

表 6　部分渗透坡降和渗透流速计算成果

项目	左岸	坝基	右岸	
			近河岸	远河岸
测压管水头(m)	68.8	71.37	69.75	65.70
顺河渗透坡降	1.644 3	2.347 3	2.101 0	1.704 0
横河渗透坡降	0.000 4	0.001 6	2.415 4	0.184 9
铅直渗透坡降	0.002 8	0.092 1	0.008 8	0.000 4
顺河渗透流速	2.130 0	10.623 6	3.223 6	0.378 2
横河渗透流速	0.960 9	0.006 6	4.538 7	8.840 0
铅直渗透流速	0.569 3	1.062 0	1.062 1	0.487 5

注：渗透流速单位为 10^{-5}cm/s。

3.4　工程检验

3.4.1　水库蓄水前

(1)左岸地下水位。枯水期一般在 50～70 m，最低仅 42.0 m 左右；汛期一般在 45～78 m，最高可达 90.0 m 左右。

(2)右岸地下水位。枯水期库内(横向地下水分水岭以西)一般在 60～70 m，在Ⅴ#岩溶通道出口最低，仅 42～44 m；汛期一般在 68～85 m，在Ⅴ#岩溶通道出口最低，在 51～55 m。枯水期库外(横向地下小分水岭以东)一般在 55～60 m，最高 76 m 左右；汛期一般在 68～75 m，最高 80 m 左右。

3.4.2　水库蓄水后

(1)左岸地下水位。库内、库外水位均有所抬高，一般均高于 80 m，其原因如下：①幕后钻孔距帷幕线较近；②帷幕灌浆后，浆液沿裂隙运移形成一比较宽厚的分水岭。

(2)右岸地下水位。库内(帷幕线以西)枯水期一般在 76～78 m，与库水基本保持一致，表明库水与地下水存在明显的水力联系，验证了勘测期右岸在水库蓄水后将形成“地下湖”结论。在 24#、23#~16#孔一线(F_{16}与 F_{17}所围限的裂隙岩体区)地下水位偏高且变幅较小，从而验证了右岸地下水位沿断层管道式径流的特征；汛期一般在 80 m 左右，反映了地下水位随降水而变化的规律；枯水期库外(帷幕线以东)一般在 75～85 m，比帷幕形成前有所提高，但东侧排泄区毛家沱冲沟内的排泄点 W_{86}、W_{74}、W_{75}的涌水量经调查与水库蓄水前没有变化，表明库水没有发生外渗。水位抬高的原因可能是：由于小分水岭位于郑家冲冲沟东侧，右岸帷幕形成后，地下水排泄通道受阻导致地下水位高程由原来的 65～70 m 提高到 80 m(相当于新的分水岭高程)左右。

综上所述，经帷幕封堵后，两岸没有出现明显的绕坝渗漏。

4　结论

(1)清长、清渔分水岭和土地岭河间地块没有发生岩溶渗漏。

(2)无帷幕正常蓄水工况下的绕坝渗漏量，解析计算结果与有限元计算结果一致。

(3)采用“天然幕”与“人工幕”联合帷幕型式，成功地解决了绕坝渗漏问题。

(原载《水力发电》2002 年第 3 期)

钢岔管展开图的数解法

吴启煌

在水利水电和其他工程建设中，经常使用钢管。钢岔管的展开，是工程设计的一个重要课题。岔管展开一般运用图解法，即通过绘图直接在图形上量出其轮廓尺寸。使用这种方法，采用的比例越小，结果的误差越大。为了避免这一缺点，笔者推导数值解析法的计算公式，建立几何变量之间的函数关系，并举出应用实例。

1　主管及支管均为圆形管

1.1　公式推导

主管中径为 D, 支管中径为 d, 主管与支管的交角为 θ，且满足 $0<\theta\leqslant 90°$（见图 1）。主管素线长为 $m(\phi)$，支管素线长为 $n(\phi)$。M 点与过两管中心线的平面 $abcfghed$ 的距离为 h_{ϕ}或 h_{φ}，必定满足下述条件：

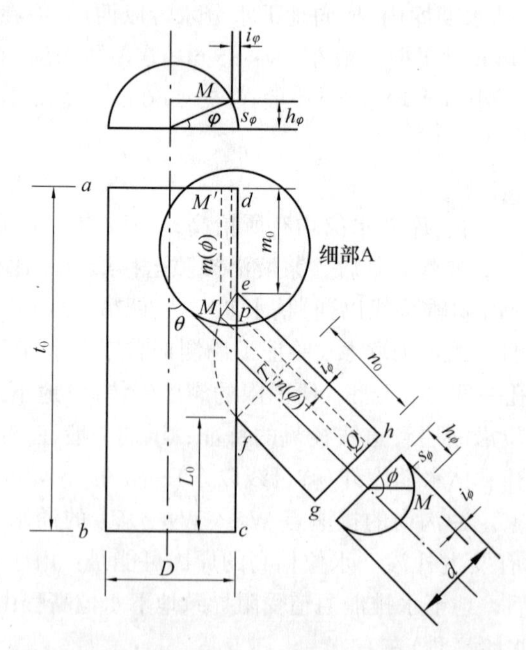

图 1　主管和支管均为圆形管交叉的计算简图

$$h_\phi = h_\varphi, h_\phi = \frac{d}{2}\cdot\sin\phi$$

$$h_\varphi = \frac{D}{2}\cdot\sin\varphi, \sin\varphi = \frac{d}{D}\sin\phi$$

$$\cos\varphi = \frac{\sqrt{D^2 - d^2\sin^2\phi}}{D}, i_\phi = \frac{d}{2}\cdot(1-\cos\phi)$$

$$i_\varphi = \frac{D}{2} - \frac{\sqrt{D^2 - d^2\sin^2\phi}}{2}, \varphi = \arcsin\left(\frac{d}{D}\sin\phi\right)$$

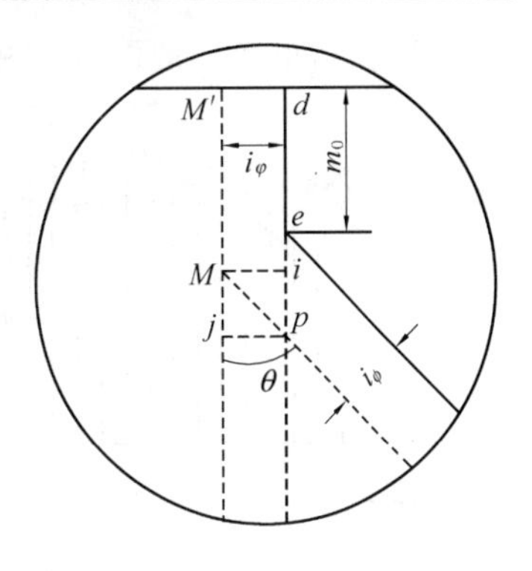

图 2　细部 A

对应ϕ的弧长 $S_\phi = \frac{d}{2}\cdot\phi\cdot\frac{\pi}{180}$，对应$\varphi$的弧长 $S_\varphi = \frac{\pi D}{360}\arcsin(\frac{d}{D}\sin\phi)$。

在图 2 中，$m(\phi) = MM' = dp - ip = de + ep - ip = m_0 + \frac{i_\phi}{\sin\theta} - i_\varphi\cot\theta = m_0 + \frac{d}{2}\cdot(1-\cos\phi)\csc\theta - \left(\frac{D}{2} - \frac{1}{2}\cdot\sqrt{D^2 - d^2\sin^2\phi}\right)\cot\theta$。

$$n(\phi) = MQ = PQ + MP = n_0 + \frac{d - i_\phi}{\tan\theta} + i_\varphi\csc\theta$$

$$= n_0 + d\cot\theta - \frac{d}{2}(1-\cos\phi)\cot\theta + \left(\frac{D}{2} - \frac{1}{2}\sqrt{D^2 - d^2\sin^2\phi}\right)\csc\theta$$

$$t_0 = m_0 + l_0 + \frac{d}{\sin\theta}$$

在主管与支管的交角为θ时 $0<\theta\leqslant 90°$，在支管上沿反时针方向(见图 1)给出任意一ϕ值就可求出主管素线长 $m(\phi)$、支管素线长 $n(\phi)$及与 $m(\phi)$对应的主管弧线长 S_φ。

1.2　实例

某水电站的发电输水管的主管中径 D=202 cm，支管中径 d=142cm，交角θ=45°，m_0=30cm，n_0=50cm，L_0=30cm。在图 1 中，将平面 $abcfghed$ 作为计算的起始面(即ϕ = 0°)进行计算。由于对称关系，只需计算 0°~180°的值。对于任意的ϕ列表求出 S_ϕ、S_φ、$m(\phi)$、$n(\phi)$，结果见表 1。

表 1　S_ϕ、S_φ、$m(\phi)$、$n(\phi)$计算表

ϕ	0°	15°	30°	45°	60°	75°	90°	105°	120°	135°	150°	165°	180°
$\sin\phi$	0	0.259	0.500	0.707	0.866	0.966	1.000	0.966	0.866	0.707	0.500	0.259	0
$\cos\phi$	1.000	0.966	0.866	0.707	0.500	0.259	0	−0.259	−0.500	−0.707	−0.866	−0.966	−1.000
S_ϕ	0	18.6	37.2	55.7	74.3	92.9	111.5	130.0	148.6	167.2	185.8	204.4	222.9
φ	0	10.49	20.58	29.80	37.50	42.70	44.67	42.70	37.50	29.80	20.58	10.49	0
S_φ	0	18.49	36.28	52.53	66.10	75.27	78.74	75.27	66.10	52.53	36.28	18.49	0
$m(\phi)$	30.00	31.70	37.00	46.06	59.33	77.55	101.23	129.55	159.73	188.02	210.91	225.70	230.80
$n(\phi)$	192.00	191.76	191.59	190.09	186.01	177.36	162.24	140.58	115.01	89.69	68.62	54.77	50.00

计算结果可绘成图 3、图 4。

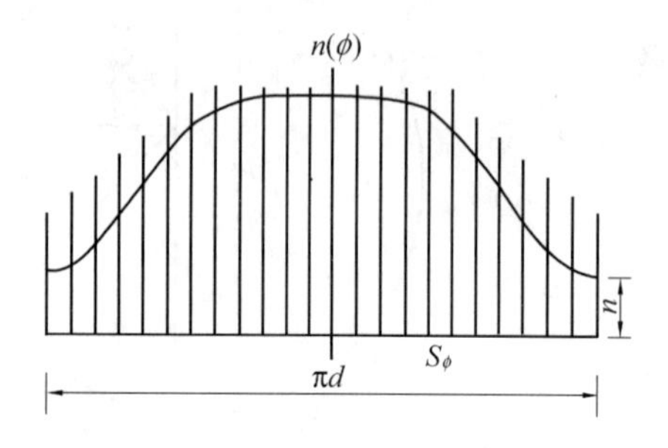

图 3　支管展开图

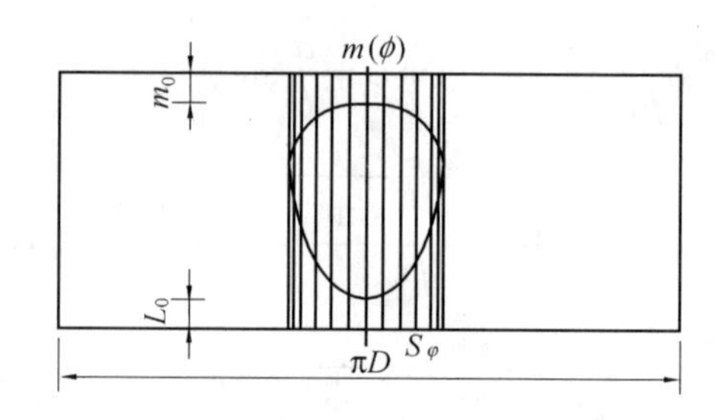

图 4　主管展开图

2　主管为圆管、支管为圆锥管

2.1　圆锥素线的几何特征

在图 5 中，令

$\angle MO'Q=\phi$，$\angle IOJ=2\alpha$，$\angle O'OM=\beta_\phi$，$\angle POQ=2\gamma_\phi$，$O'Q= O'J=d/2$

则 $\tan\alpha=\dfrac{d}{2L}$　　$\alpha=\arctan(\dfrac{d}{2L})$

$$\tan\beta_\phi=\frac{O'M}{OO'}=\frac{\frac{d}{2}\cdot|\cos\phi|}{L}=\frac{d}{2L}|\cos\phi|$$

$$\beta_\phi=\arctan\left(\frac{d}{2L}\cdot|\cos\phi|\right)$$

依三垂线定理：$OM\perp MQ$

$$OM=\sqrt{L^2+(\frac{d}{2}\cos\phi)^2}\qquad MQ=\frac{d}{2}\cdot\sin\phi$$

$$\tan\gamma_\phi=\frac{MQ}{OM}=\frac{\frac{d}{2}\cdot\sin\phi}{\sqrt{L^2+(\frac{d}{2}\cdot\cos\phi)^2}}$$

$$\gamma_\phi=\arctan\left(\frac{\frac{d}{2}\cdot\sin\phi}{\sqrt{L^2+(\frac{d}{2}\cdot\cos\phi)^2}}\right)$$

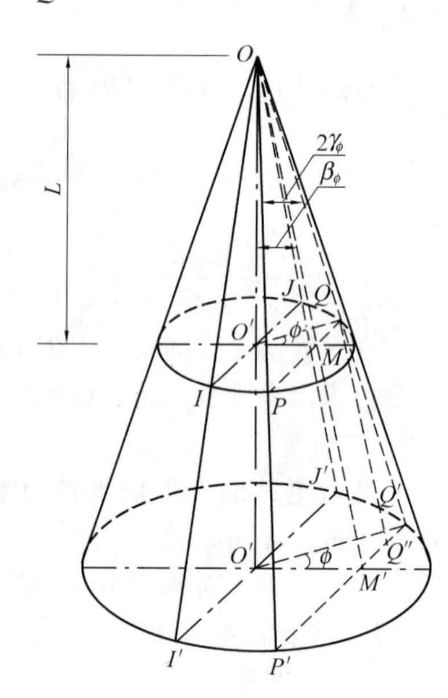

图 5　圆锥管圆锥素线几何特征

2.2　建立交点的方程式并求解

如图 6 所示，如果用一个通过圆锥顶点 O，与铅直面 $ii'jj'$（$ii'jj'$为一矩形，i、j 为前面两点，$i'j'$为后面两点）交角为θ_ϕ(或者θ'_ϕ)，并与平面 $abcd$ 正交的平面去截钢岔管（$\theta_\phi=\theta-\beta_\phi$

或者 $\theta'_\phi=\theta+\beta_\phi$），与主管的交线为椭圆，其短轴为 D，短半径为 $\dfrac{D}{2}$，长轴为 $\dfrac{D}{\sin\theta_\phi}$，长半径为 $\dfrac{D}{2}/\sin\theta_\phi$，与岔管（锥管）的交线为两条直线，两直线的夹角为 $2\gamma_\phi$，主管与支管的两个交点可以通过解联立方程式求得。为此，建立以 O'' 为原点的直角坐标系。

$$\frac{x^2}{\left(\frac{D}{2}\Big/\sin\theta_\phi\right)^2}+\frac{y^2}{\left(\frac{D}{2}\right)^2}=1 \tag{1}$$

$$y=-\tan\gamma_\phi\cdot x+L_\phi\cdot\tan\gamma_\phi \tag{2}$$

联立解式（1）、式（2），得出一个一元二次方程：

$$\sin^2\theta_\phi x^2+(L_\phi\tan\gamma_\phi-\tan\gamma_\phi\cdot x)^2=\left(\frac{D}{2}\right)^2$$

$$(\sin^2\theta_\phi+\tan^2\gamma_\phi)\ x^2-2L_\phi\tan^2\gamma_\phi\cdot x+L_\phi{}^2\tan^2\gamma_\phi-\frac{D^2}{4}=0$$

可由此求得 x 为：

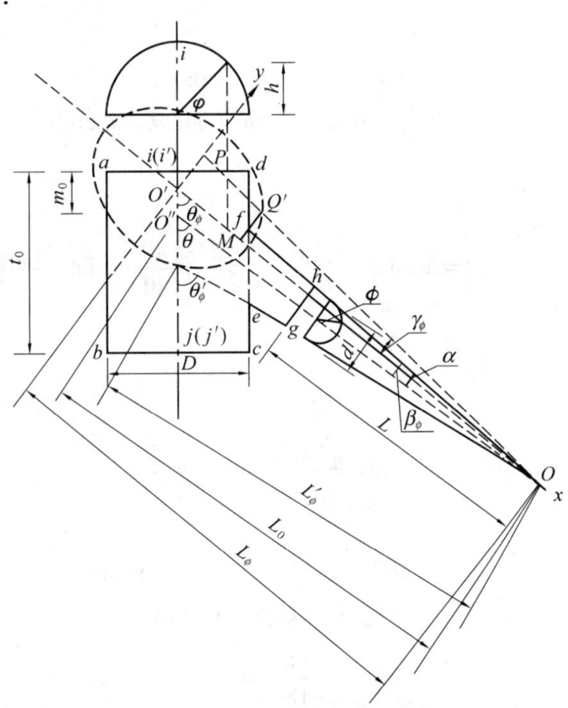

图 6　主管为圆管、支管为圆锥管交叉的计算简图

$$x=\frac{2L_\phi\tan^2\gamma_\phi+\sqrt{4L_\phi^2\tan^4\gamma_\phi-4(\sin^2\theta_\phi+\tan^2\gamma_\phi)(L_\phi^2\tan^2\gamma_\phi-\frac{D^2}{4})}}{2(\sin^2\theta_\phi+\tan^2\gamma_\phi)}$$

将上式代入式(2)，即可求出 y 值。

另外，由图 6 可知，在△$OO'O''$中，依正弦定理可求得：

$$\frac{L_\phi}{\sin(180-\theta)}=\frac{L_0}{\sin\theta_\phi},L_\phi=L_0\frac{\sin\theta}{\sin\theta_\phi};$$

$$\frac{O'O''}{\sin\beta_\phi}=\frac{L_0}{\sin\theta_\phi},O'O''=L_0\frac{\sin\beta_\phi}{\sin\theta_\phi}$$

在△$OO'f$ 中，

$$\frac{O'f}{\sin\beta_\phi}=\frac{L_0}{\sin(180-\theta'_\phi)},O'f=L_0\cdot\frac{\sin\beta_\phi}{\sin\theta'_\phi}$$

$$\frac{L'_\phi}{\sin\theta}=\frac{L_0}{\sin(180-\theta'_\phi)},L'_\phi=L_0\cdot\frac{\sin\theta}{\sin\theta'_\phi}$$

2.3 求算 $m(\phi)$、$n(\phi)$ 及 S_φ

由交点 M 的坐标 x_m、y_m，可求得主管素线长 $m(\phi)$、支管素线长 $n(\phi)$ 及主管对应的 S_φ。

当 $\theta_\phi=\theta-\beta_\phi$ 时，

$$\begin{aligned}m(\phi)&=m_0-O'O''+x_m\cos\theta_\phi\\&=m_0-L_0\sin\beta_\phi/\sin\theta_\phi+x_m\cos\theta_\phi\end{aligned}\tag{3}$$

当 $\theta'_\phi=\theta+\beta_\phi$ 时，

$$\begin{aligned}m(\phi)&=m_0-O'f+x_m\cos\theta'_\phi\\&=m_0+L_0 sin\beta_\phi/\sin\theta'_\phi+x_m\cos\theta'_\phi\end{aligned}\tag{4}$$

在主管上，$h_\varphi=y_m$，$\sin\varphi=\dfrac{2y_m}{D}$

$$\varphi=\arcsin\left(\frac{2y_m}{D}\right),\ S_\varphi=\frac{D}{2}\cdot\frac{\pi}{180}\arcsin\left(\frac{2y_m}{D}\right)\tag{5}$$

从式(2)可得 $\tan\gamma_\phi=\dfrac{y_m}{L_\phi-x}$

在图 5△$OM'Q'$中，

$$M'Q'=y_m,OM'=\frac{M'Q'}{\tan\gamma_\phi}=\frac{y_m}{\dfrac{y_m}{L_\phi-x}}=L_\phi-x$$

$$\begin{aligned}n(\phi)&=QQ'=(OM'\cdot\cos\beta_\phi-L)\sec\alpha\\&=[(L_\phi-x)\cos\beta_\phi-L]\cdot\sec\alpha\end{aligned}\tag{6}$$

$$S_\phi=\frac{d}{2}\cdot\frac{\pi}{180}\cdot\phi\tag{7}$$

通过分析，运用解析法求作圆柱与圆锥相贯时的展开图在理论上是完全可行的。当在支管端面上按反时针方向任取一个 ϕ 值时，则对应的主管素线长 $m(\phi)$、支管素线长 $n(\phi)$ 以及 S_ϕ、S_φ 都可以表达为 ϕ 的函数，即可求解。

2.4 实例

某水电站发电输水管的主管为圆管，$D=202$ cm；支管为圆锥管，端面 $d=77$ cm。并已知$\theta=53°$，$L_0=635$ cm，$L=415$ cm，$m_0=60$ cm，$t_0=250$ cm。

在图 6 中，将平面 *OgecbadfhO* 作计算的起始面(即$\phi=0°$)进行计算。由于对称关系，只需计算 0°～180°的值，列表(见表 2)求出$m(\phi)$、$n(\phi)$、S_ϕ、S_φ。依计算结果绘图，见图 7、图 8。

表 2　S_ϕ、S_φ、$m(\phi)$、$n(\phi)$计算表

ϕ	0°	15°	30°	45°	60°	75°	90°	105°	120°	135°	150°	165°	180°
$\lvert\cos\phi\rvert$	1.000	0.966	0.866	0.707	0.500	0.259	0	0.259	0.500	0.707	0.866	0.966	1.000
$\sin\phi$	0	0.259	0.500	0.707	0.866	0.966	1.000	0.966	0.866	0.707	0.500	0.259	0
S_ϕ	0	10.08	20.16	30.24	40.32	50.40	60.48	70.56	80.63	90.71	100.79	110.87	120.95
$\tan\gamma_\phi$	0	0.023 9	0.046 2	0.065 4	0.080 3	0.089 6	0.092 8	0.089 6	0.080 3	0.065 4	0.046 2	0.023 9	0
L_ϕ(或L'_ϕ)	685.32	683.47	677.99	669.04	658.61	646.85	634.71	623.78	613.96	606.62	600.87	597.33	595.93
x_m	136.49	134.96	130.72	124.69	118.46	113.49	110.80	110.61	112.12	114.51	116.67	118.19	118.68
y_m	0	13.11	25.28	35.60	43.37	47.79	48.62	45.98	40.30	32.18	22.37	11.45	0
$m(\phi)$	72.57	74.22	78.89	86.63	97.31	110.96	126.70	142.20	158.31	172.43	182.72	189.12	191.26
$n(\phi)$	132.03	131.88	131.08	128.70	125.91	118.71	109.38	98.44	86.66	76.35	67.94	62.49	60.45
S_φ	0	13.15	25.55	36.38	44.83	49.78	50.73	47.73	41.45	32.75	22.55	11.47	0

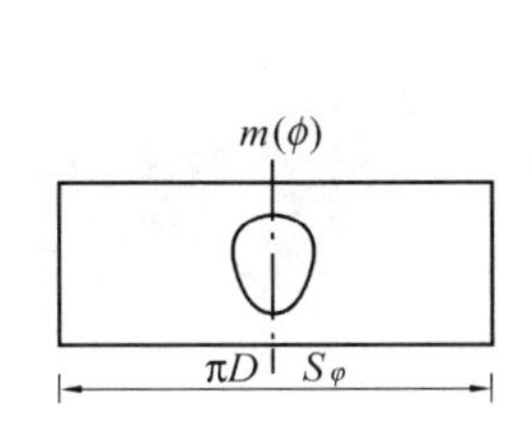

图 7　主管展开图

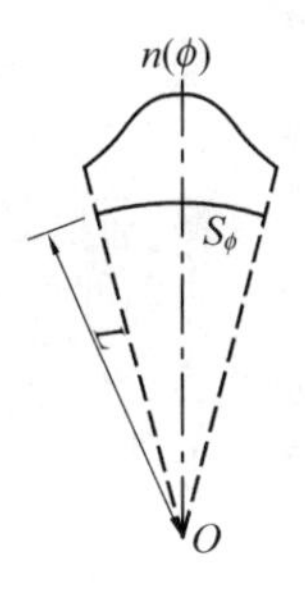

图 8　岔管展开图

3　结语

数解法的公式已在工程上得到应用。公式虽然比较复杂，但把它编成程序上机运算，既快捷，又准确。

（原载《湖北水力发电》2003 年第 2 期）

Ⅳ　工程施工

高坝洲水电站二期工程截流施工

王　欣

1　工程概况与导流布置

高坝洲水电站是隔河岩水电站的反调节水库，坝址距上游隔河岩水电站 50 km，距清江河口宜都市 12 km。工程由混凝土重力坝、电站厂房和通航建筑物组成。水库正常蓄水位 80 m，校核洪水水位 82.90 m，总库容 4.863 亿 m^3，坝顶高程 83 m，最大坝高 57 m，坝顶全长 439.5 m，河床式厂房内装 3 台机组，总装机 25.2 万 kW，年发电量 8.98 亿 kW·h；泄洪建筑物由坝体的 3 个 9 m×9.4 m(宽×高)的深孔和 6 个 14 m×18 m 的表孔组成，深孔进口底板高程 45 m，表孔进口底板高程 62 m，通航建筑物为 300 t 单驳一级垂直升船机。

根据坝址水文特征和地形条件，工程分两期施工，一期围左岸，二期围右岸。一期围堰于 1996 年 10 月 26 日截流，一期工程的泄洪深孔和厂房坝段经过两年的紧张施工，已竣工验收，具备进行二期截流的施工条件。二期施工利用一期竣工的泄洪深孔导流，汛期大洪水时允许基坑过水，二期截流工程按计划于 1998 年 10 月 26 日已顺利完成。

2　二期截流施工组织设计

2.1　截流特点

高坝洲二期截流由于导流的深孔底板高程 45 m，高出河床底部约 10 m，使截流的分流条件差，自然形成较大落差。龙口合龙时，上游隔河岩采取关机控泄措施，截流流量仅受隔河岩与高坝洲区间来水控制。

截流时坝址下游水位可能受长江水位顶托的影响，水位顶托变幅在 0～3 m 之间。

右岸主河槽龙口段经 1997 年汛期洪水的冲刷，河床高程从 40 m 已冲至 35 m 左右。

2.2　截流时段选择

为了能在 1999 年 5 月坝体碾压混凝土浇筑到 62 m 实现坝体挡水提前发电，二期截流宜汛后尽早进行，考虑隔河岩的调节作用，为早截流创造了条件。二期截流合龙时间安排在 1998 年 10 月 26 日，经高坝洲工程建设公司批准，截流各项准备工作以此时间为控制进度。

2.3　截流设计流量

截流流量仅考虑隔—高区间来水量，经长江水利委员会水文局计算，隔—高区间集水面积 1 220 km^2，经过对 1951～1985 年共 35 年径流系列资料的分析，认为二期截流时段内出现流量 100 m^3/s 左右的概率较大，经业主同意按流量 100 m^3/s 进行设计，以流量 328 m^3/s 的水力指标作为截流困难时段后备措施的依据。

2.4　截流的分流建筑物

一期工程完建的泄洪深孔作为二期截流的分流建筑物，深孔底板高程 45 m，截流时上游水位高于 45 m 时才开始分流，在不考虑长江水位顶托的情况下，截流流量 100 m^3/s 时，相应截流落差约 3 m。在考虑长江水位顶托的情况下，截流流量 100 m^3/s 时，相应截流落差在 0.73 ~ 3.0 m。下游土石围堰防渗平台尾随上游戗堤进占，不承担截流落差，填料为砂卵石及石渣。

2.5 截流戗堤布置与龙口位置

截流戗堤作为上游土石围堰的一部分，布置在围堰的下游侧，兼作排水棱体，以利于堰体的稳定和减少截流时对堰体地基覆盖层的冲刷，同时可避免合龙过程中大块石流入防渗墙范围给防渗墙造孔增加难度。

龙口宽度选择 50 m，主要是控制左、右岸非龙口堤头流速小于 4 m/s，落差小于 1.0 m，以减轻裹头的保护难度。

龙口位置选择在覆盖层较薄的主流区，即导流明渠低渠段。明渠原高程 40 m 的低渠段已冲刷至高程 35 ~ 36 m，宽度约 50 m，覆盖层厚度 3 ~ 5 m。龙口段长 50 m，左岸非龙口段长 95.5 m，右岸非龙口段长 18.2 m。左岸非龙口段长度大，可利用一期围堰拆除料先期进占并开始填筑防渗墙施工平台，还可利用左岸布置备料基地。

2.6 进度安排

二期上、下游土石围堰填筑总工程量约 28.19 万 m^3，截流前填筑 5.0 万 m^3，备料 20 万 m^3，其余填料拟利用二期基坑开挖料。其控制性进度安排为：①1998 年 9 月底前，完成右岸截流和围堰施工道路及备料堆存，完成石料开采和混凝土预制块预制；②10 月 20 日前，完成左岸截流基地填筑及备料堆存，同时完成截流戗堤左岸进占 65.5 m，右岸进占 18.2 m；完成一期围堰拆除并通过二期截流前验收；③10 月 20 ~ 25 日截流戗堤左端再进占 30 m，形成龙口 50 m；④10 月 26 日截流龙口合龙。

2.7 截流备料及布置

截流抛投料主要是砂卵石(石渣)、中石、大石及混凝土块体，其粒径及抗冲流速见表 1。

截流备料场布置在左右岸各一处，即左岸截流基地与右岸洞沐渔料场。抛投材料中石渣备用量为设计用量的 1.4 倍，大、中石备用量为设计用量的 1.5 倍。左岸截流基地共备料 10.5 万 m^3，混凝土四面体 120 块；右岸洞沐渔料场备料共 9.5 万 m^3，混凝土四面体 120 块。石渣来源于一期围堰拆除料，块石主要来源于一期围堰拆除料，不足部分在毕笠山进行开采；混凝土预制块在现场进行预制。

表 1 块石类别与抗冲流速

块石类别	石渣	中石	大石	特大石
块石粒径(cm)	20 ~ 30	40 ~ 70	80 ~ 108	130 ~ 160
块石重量(kg)	13 ~ 40	90 ~ 470	710 ~ 1 700	3 000 ~ 6 000
抗冲流速(m/s)	2.0 ~ 2.5	3.0 ~ 4.0	4.3 ~ 5.0	5.5 ~ 6.0

2.8 截流主要机械设备及布置

截流龙口段进占施工时，左右岸戗堤单向堤头进占强度为 410 m^3/h，左岸截流基地、右岸洞沐渔料场、下游围堰共布置 4 m^3 电铲 4 台，4 m^3、6.9 m^3 装载机 3 台，反铲 2 台，各类自卸汽车 T20、T32、40 t 等共 58 台，D90、D45 推土机共 5 台。

3 截流施工

(1)1998 年长江发生特大洪水，坝址水位居高不下，至 9 月上旬才开始进行一期土石围堰有限度拆除，拆除料运至左、右岸备料场，在 10 月 20 日前完成了备料的准备工作。

(2) 截流戗堤两岸非龙口段进占。从 1998 年 10 月 1 日起上游隔河岩电站控制下泄流量，从而为左岸截流基地和两岸戗堤预进占创造了有利条件，非龙口段进占分为两个阶段进行：第一阶段：10 月 20 日前两岸非龙口段预进占，束窄口门宽度至 80 m。第二阶段：10 月 20～25 日，形成龙口宽度 50 m。

(3) 龙口进占抛投材料。龙口进占抛投材料为石渣料、中石、大块石及混凝土大块体，合龙最困难的时段在龙口宽度 25 m 左右。三角形过水断面底高程 39～40 m，此时需抛投特大石及部分混凝土四面体，龙口抛投工程量为：石渣 11 900 m^3，中石 2 690 m^3，大石 1 200 m^3，混凝土大块体 240 块。截流最困难时，把 2～3 个混凝土大块体用钢丝绳串接后用大马力推土机依次推入水中。

(4) 龙口截流进占。龙口合龙采用两岸同时抛投进占方式，为便于控制进占的抛投料，设计根据流量 100 m^3/s，下游顶托水位 42 m 的口门流速、落差等水力学指标将龙口分为三个区段，如图 1 所示。

1 区段：口门宽 30～50 m，底孔未分流，龙口泄量 100 m^3/s，落差 0.03～0.75 m，口门平均流速 0.59～3.70 m/s，采用大块石及中石从上游进占形成上挑角，用石渣料尾随进占。

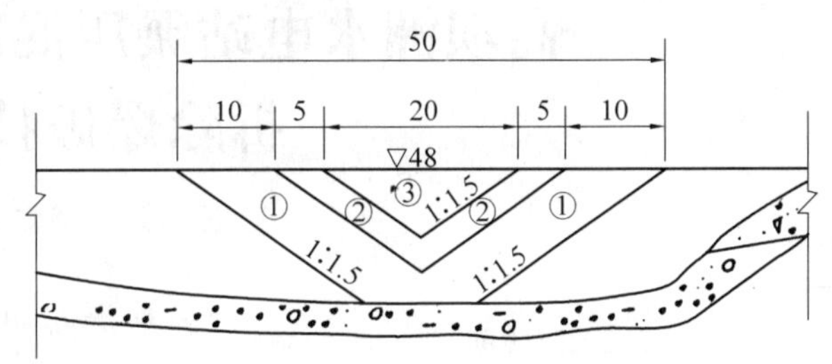

图 1　龙口进占分区图(单位：m)

2 区段：口门宽 20～30 m，底孔开始分流，龙口泄量 78～100 m^3/s，落差 0.75～3.42 m，口门平均流速 3.70～4.40 m/s，采用混凝土四面体，大块石从上、下游进占形成挑角，中部采用中石，石渣料尾随进占。

3 区段：口门宽 0～20 m，为最后合龙区段，口门泄量 0～70 m^3/s，落差 3.42～4.44 m，口门平均流速 0～4.12 m/s，采用混凝土四面体、大块石从上、下游进占形成挑角，中部采用中石、石渣料尾随进占。

高坝洲二期截流龙口进占在 1998 年 10 月 25 日下午完成 1 区段进占，龙口宽度束窄至 30 m，10 月 26 日 10～11 时龙口合龙，顺利完成截流工程。

4　结语

高坝洲工程为水电大(二)型工程。二期截流受上游隔河岩水电站关机控泄和导流深孔底板高程的制约，致使龙口水流落差大、流量小，加之下游水位受长江水位的顶托，给一期下游围堰的拆除造成困难，表 2 列出了国内外部分工程大落差、小流量立堵截流的实例。由表可以看出高坝洲工程截流流速大，落差大，其难度不亚于国内外几个著名工程。高坝洲工程在二期截流抛投量大、抛投强度高的情况下按计划顺利完成了截流，其成功之处是精心周密地做好了截流的设计与施工准备工作，调动了足够的机械设备，做到组织落实，正确指挥。

高坝洲二期截流的成功经验对今后类似河流上进行截流具有一定的参考价值。

表 2　国内外小流量大落差立堵截流工程实例

工程名称	年份	河　流	截流方式	龙口宽（m）	实际流量（m^3/s）	最大落差（m）	最大流速（m^3/s）
英古里	1965	英古里河	立堵	40	100	2.3	
托克托克里	1966	纳伦河	立堵	10	130	7.18	12（表）
白山	1976	第二松花江	立堵	18	126	1.48	4.8
隔河岩	1987	清江	立堵	50	210	2.7	2.7
龙羊峡	1979	黄河	立堵	27.6	170	1.4	3
高坝洲	1998	清江	立堵	30	136	2.61	5.2

（原载《清江高坝洲水电站工程科技文稿选编》，2004 年 5 月）

高坝洲水电站碾压混凝土纵向围堰拆除爆破技术

吴启煌　刘定华

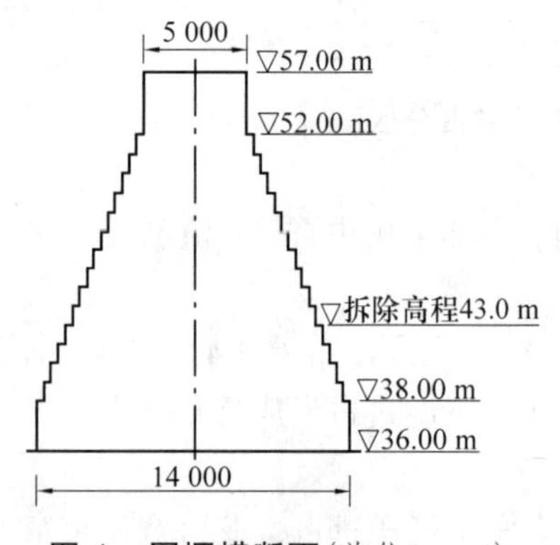

图 1　围堰横断面（单位：mm）

高坝洲水电站纵向围堰下纵段（桩号 15+170～15+270）长 100 m，堰顶高程 57 m，顶宽 5 m，最大堰高 21 m，堰体呈梯形，52.0 m 高程以下两侧为斜面，坡度 1∶0.3（见图 1）。施工时，斜边分为若干小台阶，每一台阶高 0.9 m，宽 0.3 m。按枢纽布置及水工设计要求，纵向围堰下纵段拆除至 43.0 m 高程。

1　围堰拆除的复杂性

高坝洲水电站纵向碾压混凝土围堰拆除工作比较复杂，这是由下列特定的周边环境和技术要求所决定的。

(1) 拆除体与永久建筑物直接相连。

(2) 周围重要建筑物多，距离近。纵堰右侧为二期基坑，拆除阶段，表孔消力池、升船机机室混凝土以及二期坝基帷幕灌浆还正在紧张施工，要求爆破时质点振动速度小于安全控制标准。

(3) 纵向围堰左侧为泄洪深孔，为了使爆渣不致影响泄洪，要求将绝大部分爆渣抛至右侧。

(4) 为了装载和运输的方便，爆渣块径不能过大。纵向围堰的“金包银”结构（外层 0.5～1.0 m 为常态混凝土，内部为碾压混凝土）给外层块径控制带来了很大困难。

(5) 纵堰下纵段拆除的时间，按网络计划的要求只能安排在 2000 年 3 月上旬至 5 月下旬之间，工期很紧，拆除工程量较大（近 1 万 m^3）。

2 生产性试验

根据工程的实际，经建设、设计与施工单位多次商量后确定，该围堰下纵段分两层拆除。上层高程为 50.0 m ~ 57.0 m，下层高程为 43.0 m ~ 50.0 m。上层拆除分段进行。由于下层拆除后不久，二期基坑就要进水，所以下层必须一次爆破。

为了选择合理的爆破参数和综合运用多种爆破技术，建设单位委托湖北省科技咨询服务中心在上层爆破中进行生产性试验。

上层的爆破采用边设计、边试验的方法进行。分为四个区，第一区长 15.0 m，第二区长 29.3 m，第三区长 39.0 m，第四区长 16.7 m。第一区的钻爆参数按理论计算与经验拟定，以后各区的爆破参数按前区爆破效果进行不断修正和完善。

上层 1 ~ 3 区炮孔爆破参数及爆破网络设计见表 1。

表 1 上层分区爆破参数及爆破网络设计

分区	几何参数		主炮孔爆破参数					爆破网络设计
	桩号	长度(m)	孔距(m)	抵抗线(排距)(m)	孔深(m)	单位体积耗药量(kg/m^3)	最大一段药量(kg)	
1	15+270~15+255	15.0	2	1.2 ~ 1.3	6.5	0.3 ~ 0.37	24	采用斜向起爆方式，主炮孔由下游至上游朝向右侧逐排起爆
2	15+255 ~ 15+225.7	29.3	1.5	1.2 ~ 1.3	7.0	0.42	25	采用非电孔间微差爆破网络，网络中除两条干线的起爆雷管为电雷管外，其他均为非电毫秒雷管
3	15+225.7 ~ 15+186.7	39.0	1.5	1.2 ~ 1.3	7.0	0.55	25	采用非电孔间微差爆破网络，网络中除两条干线的起爆雷管为电雷管外，其他均为非电毫秒雷管

注：第四区的爆破参数及爆破网络设计与第三区相同。

3 下层拆除爆破

通过上层爆破拆除试验，取得安全可靠、破碎效果好、经济合理的设计方案和爆破技术。

3.1 采用倾斜深孔

采用 4 排孔深 6.3 ~ 6.5 m 朝右侧的倾斜孔，保证近 90%的石渣抛向右侧。倾斜孔与常规的垂直孔相比，沿炮孔全长所受抗力均匀，因而爆块较均匀，底部残埂少，爆堆抛掷方向及形状易于控制，并且有利于提高装载机械生产效率(图 2 为钻孔布置图)。

3.2 合理选定单位耗药量和采用轴向间隔装药技术

本工程为获得不同破碎与抛掷效果，倾向右侧的炮孔单位耗药量取 0.59 kg/m^3(最大为 0.63 kg/m^3)，倾向左侧的炮孔单位耗药量控制在 0.4 kg/m^3 以内。在第一排主炮孔与临空面间布置一排孔距 1.5 m、孔深 1.5 m 的手风钻炮孔，以减小前沿顶部的大块。采用耦合间断装药结构，因药量沿炮孔分布较均匀，故爆块均匀，大块率低，获得了较好的破碎效果。

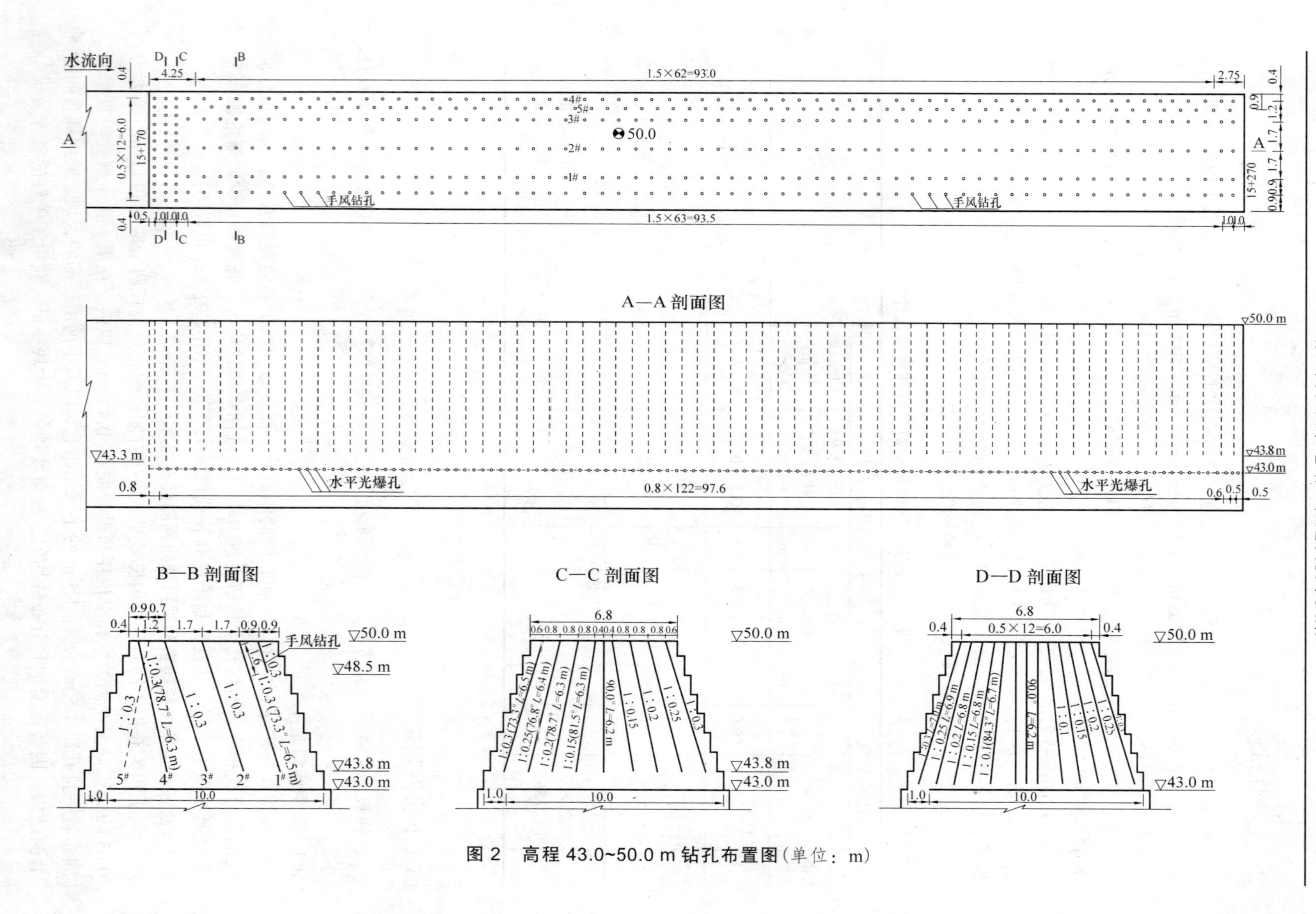

图 2 高程 43.0~50.0 m 钻孔布置图（单位：m）

3.3 复式多干线并串联非电塑料导爆管起爆技术

采用中心掏槽两孔一段的对称起爆方式。为了保证爆破网络安全可靠，严格控制水平光面爆孔与其上部主炮孔的起爆时间间隔，并采用复式多干线并串联非电塑料导爆管起爆网络，起爆网络抗外电场干扰能力强，能满足准爆、齐爆、安全的要求，大大缓解了爆破对下部混凝土的破坏和对周围建筑物的影响。

3.4 毫秒微差爆破技术

采用毫秒微差爆破技术，增加临空面，增加爆破作用的峰压时间，加强了爆破效果。梯段爆破主要爆破参数：孔距 1.5 m；排距斜孔 1.2 ~ 1.8 m，倾角 73° ~ 79°；孔深 6.3 ~ 6.5 m；堵长 0.9 ~ 1.4 m；单位耗药量 0.4 ~ 0.63 kg/m^3；装药结构为前四排采用耦合间隔装药结构，ϕ70 mm 药包，第 5 排孔采用小直径（ϕ32 mm）均匀分散装药。

水平光面爆破主要爆破参数：孔距 0.8 m；抵抗线 0.8 m；孔深 10 m；装药结构为 ϕ32 mm 药卷均匀分布，最大单段药量 26 kg。

为了确保爆破区邻近建筑物和机电设备的安全，建设公司委托湖北省科技咨询服务中心水利水电爆破分部进行纵堰拆除爆破安全监测及声波检测工作。动态监测能反映爆破振动的影响程度，其监测成果为控制爆破规模，完善爆破设计，指导爆破施工提出可靠依据，混凝土爆前爆后进行声波检测，检查爆破对保留混凝土的影响深度，为围堰工程质量评定提供依据。

国内外普遍采用质点振动速度作为衡量爆破是否安全的标准，由于问题的复杂性，本工程项目参照其他类似工程，分别拟定了各部位质点振动安全控制标准（见表 2）。从表 2 中可以看出，实测质点振动速度都在安全控制标准之内。

表 2　爆破振动安全控制标准及动态监测数据的比较

序号	监测部位	最大质点振动速度安全控制标准（cm/s）	实际监测部位	实测质点振动速度（cm/s）
一	大坝混凝土			
1	浇筑 0 ~ 3 d 的混凝土	1.5 ~ 2		
2	浇筑 3 ~ 7 d 的混凝土	2 ~ 5		
3	浇筑 7 ~ 28 d 的混凝土	5 ~ 7	表孔坝段中隔墩	1.07
4	浇筑 28 d 以上的混凝土	7 ~ 15		
二	灌浆帷幕	1.2	12#坝段灌浆廊道	0.21
三	发电机组（含中控室、主变）	0.9	2#机单元控制室	0.29
四	开关站设备	0.9	2#机尾水平台	0.17

下层爆破拆除根据上层爆破试验获得的质点振动衰减经验公式控制最大一段药量，避免爆破能量过多地转化为公害能量。

4 爆破效果及技术经济效益

2000 年 5 月 25 日，进行了下层拆除爆破，爆破效果很好，95%的爆渣抛掷到右侧基坑。与常规垂直爆破相比，抛掷至右侧的爆渣大幅度增加，从而节省了左侧深孔消力池水下清渣量，爆渣块度控制较好，避免了二次爆破，共计节省投资约 12.6 万元。

围堰成功拆除后，改善了深孔水力学条件，降低了发电尾水，有利于增加发电效益。

动态安全监测成果表明，2#机组单元控制室，12#坝段灌浆廊道等部位的质点振动速度均小于安全控制标准；声波检测表明，高程 43 m 处垂直影响深度仅为 0.1 ~ 0.3 m；宏观调查的情况也很好，所调查部位均未出现爆破裂隙。这充分说明，拆除爆破达到了预期要求，有害效应得到了有效控制，周围建筑物处于安全状态。

（原载《湖北水力发电》2003 年第 3 期）

RCC 筑坝技术在高坝洲工程中的应用

吴启煌

高坝洲水利枢纽是湖北清江梯级开发的最下一级工程，是隔河岩枢纽的反调节水库。

高坝洲工程正常蓄水位 80 m，总库容 4.863 亿 m^3,大坝全长 439.5 m，坝顶高程 83 m，最大坝高 57 m。左岸布置河床式电站，装机 3 台，总容量 252 MW，年发电量 8.98 亿 kW·h。泄洪建筑物有 3 个 9 m × 9.4 m 深孔和 6 个 14 m × 18 m 表孔。通航建筑物为 300 t 级垂直升船机。根据水文特点和工程施工的实际情况，采用分期导流方式，一期先围左河床，施工电站和深孔。二期围右河床，施工表孔和通航建筑物。二期坝体采用 RCC（碾压混凝土）施工，在一个枯水期抢到高程 60.5 ~ 62 m，汛期坝体过水，并采用坝体临时挡水发电。

二期表孔坝段前缘长 116.5 m，建基面高程 29.5 ~ 33 m，堰顶高程 62 m。除垫层、溢流面、闸墩及溢洪堰高程 59 m 以上部位采用常态混凝土外，坝体均采用全断面碾压混凝土。升船机挡水坝段和右岸非溢流坝段前缘长度 72 m，混凝土垫层以上、高程 62 m 以下采用碾压混凝土结构型式。二期工程高程 62 m 以下混凝土工程量 12.88 万 m^3，其中常态混凝土 3.14 万 m^3，碾压混凝土 9.14 万 m^3。

1　设计方案的优化

在初步设计阶段，二期大坝的设计方案是：二期工程截流后，在上、下游低土石围堰的保护下，进行二期上、下游 RCC 过水围堰的施工。然后在上、下游 RCC 过水围堰的保护下，进行二期基坑开挖，浇筑常规混凝土坝体。二期截流后的第一个汛期，基坑过水。汛后，抽干基坑，继续浇筑坝体混凝土，年底利用 RCC 过水围堰挡水发电，并将坝体浇筑到坝顶。然后，进行金属结构安装，在二期截流后的第二个汛期前后正常蓄水发电。初步设计审查时，专家们提出了取消二期上游 RCC 过水围堰，坝体直接挡水的意见。初步设计审查后，长江水利委员会设计院受湖北清江高坝洲工程建设公司委托，进行了“清江高坝洲水利枢纽二期工程 RCC 施工方案”专题研究。经研究认为，可以利用 RCC 施工快速的特点，在一个枯水期内完成二期截流，基坑开挖以及坝体高程 62 m 以下部位的混凝土施工。省去上游 RCC 过水围堰，汛后利用坝体临时挡水发电，汛期可继续浇筑两岸的部分闸墩，为汛后从两岸端推进浇筑河床部位的混凝土创造条件，并在二期截流后的第二个汛末（提前一年）下闸正常蓄水发电。

2　施工的难度及相应的工程及技术措施

工期要提前一年，难度很大，相应采取了必要的工程措施和技术措施。

(1)充分发挥隔河岩水库的调蓄作用，保障二期基坑汛前的施工安全。1998 年 10 月 26 日截流合龙，不论采用何种施工方案，坝体高程 62 m 以下部位的混凝土浇筑最快也要到 1999 年 5 月份才能完成。此期间要靠深孔泄流，而深孔的最大泄流能力只有 2 800 m^3/s，因此必须要靠隔河岩水库调蓄。1999 年 4 月下旬，隔河岩水库的入库流量曾达到 5 500 m^3/s，如果没有上游的隔河岩水库，高坝洲二期基坑早就变成一片汪洋了。

(2)二期基坑必须快速开挖。二期截流以后，防渗墙施工用了 40 d 时间。1998 年 12 月 8 日，基坑抽水；12 月中旬，开始开挖。要求 1999 年 1 月底前结束坝基开挖，时间不到两个月，而开挖量却很大，覆盖层土方 12.7 万 m^3，岩石 11.7 万 m^3。再者，二期基坑又邻近混凝土纵向围堰，爆破规模和方式均受到限制。为此进行二期基坑快速施工的专题研究，确定了技术措施及主要的钻爆参数，采用了保护层一次开挖的施工方法，取得良好的效果。1999 年 1 月底，表孔坝段按时完成了建基面的开挖和修整，陆续提供出浇筑仓面。

(3)提前进行 22#坝段的开挖和浇筑，以形成右岸施工主干道。二期基坑十分狭窄，道路布置比较困难。通向上游的施工道路由郑洞公路经上游土石围堰右端并沿该围堰下游坡向左而至基坑，这是碾压混凝土施工的一条主干道。施工道路布置见图 1。这条道路与右岸坝段的施工干扰很大。为此，我们提前对 22#坝段进行开挖，并将坝体浇筑到高程 55 m，形成了右岸施工主干道。

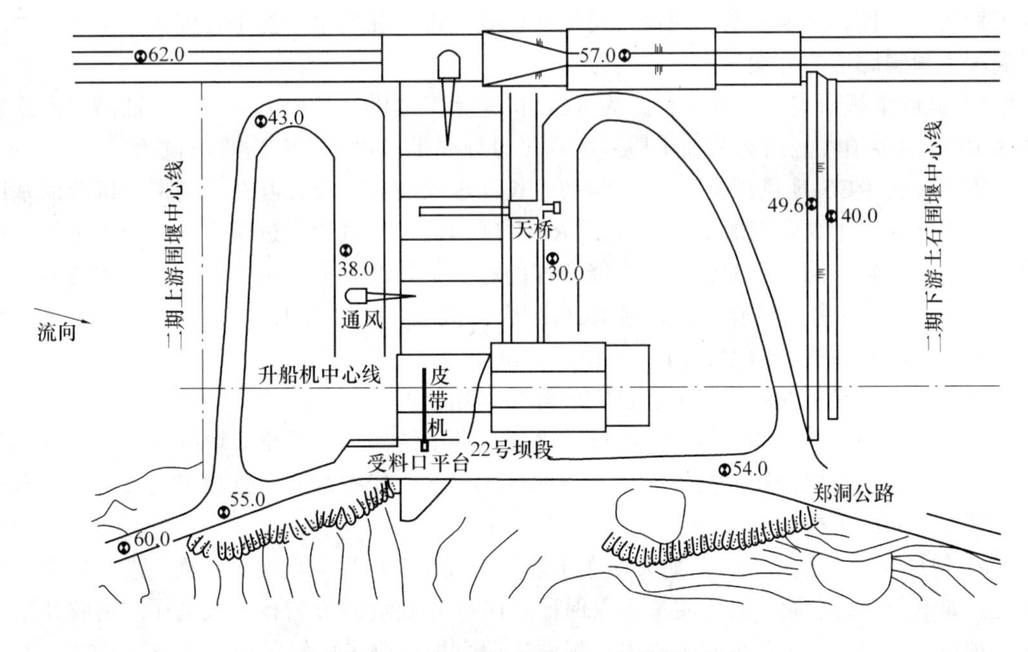

图 1　高程 62.0 m 以下混凝土施工布置图(单位：m)

(4)解决好 RCC 入仓手段问题。由于右岸施工主干道与建基面高差大，RCC 入仓比较困难，经反复研究，采用了皮带机配真空溜槽的入仓方案(皮带机输送系统见图 2)作为辅助入仓手段。该系统的设计生产效率为 300 m^3/h。

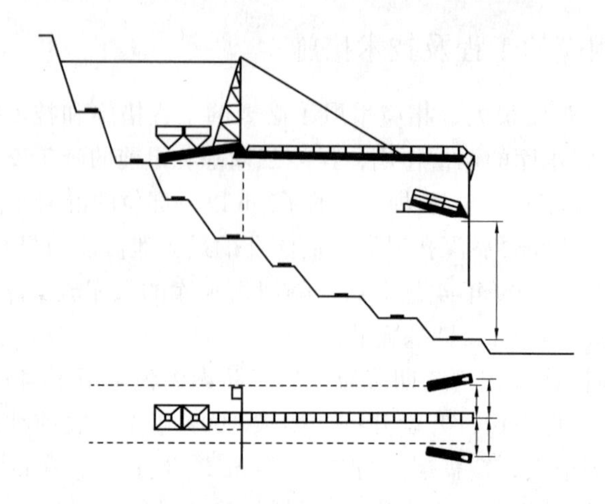

图 2　高坝洲皮带机输送系统布置示意图

(5)解决固结灌浆占用直线工期的问题。按照常规，表孔坝段的固结灌浆需要 15 d 左右的时间，经研究，将固结灌浆改在坝体外(上游侧)和廊道内分别进行(打斜孔)，其施工可不占直线工期。

(6)廊道采用预制。大坝上、下游分别设有基础廊道和排水廊道一条，如果采用现浇方案将占用较长的直线工期，不能实现快速施工。有的专家建议采用类似柳溪坝的施工方法。这种方法虽然有利 RCC 大仓面作业和快速上升，但挖除廊道内的充填料非常麻烦，而工期还要延长，故未采纳。建设公司从加快施工进度和便于渗控工程施工的角度，采用了混凝土预制廊道的方案。

(7)高度重视研究与试验工作，为 RCC 快速施工提供科学依据。为了保证高坝洲二期坝体 RCC 的各项性能指标及施工质量能满足设计要求，进行了三次现场试验。

①第一次 RCC 现场试验。1997 年初，长江水利委员会设计院在先期室内试验的基础上，在碾压混凝土纵向围堰上，进行了 RCC 现场试验。试验通过模拟坝体施工可能出现的工况，最终确定混凝土配合比，选择合理的施工工艺及有关技术参数，为坝体结构及施工设计提供可靠依据。试验项目包括 RCC 配合比试验、RCC 施工工艺试验、*VC* 值、强度、内部仪器埋设及观测、RCC 芯样、原位抗剪试验。

现场试验后确定的施工工艺，已在实际中运用。

②第二次 RCC 现场试验。这次试验结合二期下游碾压混凝土围堰的施工而进行。其主要目的是研究大坝碾压混凝土斜层碾压的施工工艺、变态混凝土掺加工艺及测定多卡模板预埋蛇形筋的抗拔力。

a．斜层碾压工艺试验。二期大坝碾压混凝土施工，如果分成两个仓面，进仓道路难以布置。如不分开，仓面太大，质量难以保证。1998 年建设四方的技术人员在湖南省江垭工程参观后，受到启发。不少同志提出高坝洲二期大坝也应采用斜层碾压法浇筑 RCC。为了验证斜层碾压法的效果，1999 年 1 月，在下游 RCC 围堰施工中，进行了斜层碾压工艺的试验研究。试验的坡度分别为 1∶10、1∶15 和 1∶20，平仓厚度 33~35 cm，压实厚度 30 cm。综合试验资料，并借鉴其他工程的经验，二期大坝碾压混凝土仓面坡度定为 1∶20。

b．变态混凝土的试验研究。由于二期坝体要采用全断面 RCC，所以必须对变态混凝土进行试验研究。在 RCC 围堰周边碾压混凝土拌和物中，灌注一定比例的水泥净浆，使之变成可用振捣器振捣密实的混凝土，称为变态混凝土。变态混凝土试验包括两项内容：一是水泥浆掺量试验；二是强度试验。

先后对水灰比为 1∶0.7、1∶0.8、1∶0.9、1∶1、0.65∶1、0.7∶1、0.75∶1、0.8∶1 几种水泥浆掺量进行试验，其试验结果为：在碾压混凝土拌和物 *VC* 值为 5～8 s，通过灌注 10～15 kg/m 水泥浆，可以使变态混凝土的坍落度为 3～5 cm，满足施工要求(摊铺厚度 34 cm，宽度 50 cm)。

强度试验表明：掺水泥浆水灰比为 1∶0.7、1∶0.8、1∶0.9、1∶1 的变态混凝土 28 d 强度均达到设计强度要求。

c．蛇形筋抗拔力试验。模板工程是制约 RCC 施工速度的关键之一，大坝上游垂直面使用的是多卡模板。模板周转除受气候条件影响外，主要取决于固定多卡模板的预埋蛇形筋的抗拔力。为此，在下游 RCC 围堰施工中，对埋入蛇形筋不同龄期的抗拔力进行试验。试验结果为：当环境温度为 2～5℃，埋入龄期为 60 h 时，在掺浆适量和振捣密实的情况下蛇形筋的抗拔力基本达到 120kN(三峡工程多卡模板抗拔力设计值)。

当环境温度为 4～13℃时，埋入龄期达 34 h 时，蛇形筋抗拔力超过 120 kN。

这项试验为日后的模板工程施工提供了依据。

③第三次现场试验，碾压混凝土筑坝具有快速、经济等特点，但也存在极限拉伸值、抗渗、抗冻等耐久性指标不高等问题。而 WHDF 混凝土增强密实剂，有利于改善 RCC 的各种性能。长江科学院的室内试验证实了 WHDF 的优越性。经建设四方研究决定，在下游 RCC 围堰施工中，进行了掺加 WHDF 型外加剂的现场试验。试验结果表明：a．WHDF 能明显提高 RCC 力学性能、变形性及抗渗性。$R_{90}150^{\#}$及 $R_{90}200^{\#}$的抗渗标号都达到 S17；b．经过对比试验在混凝土性能得到改善的前提下，可以节约胶材 20 kg/m^3。

由于碾压混凝土施工期特别紧张，来不及对混凝土生产系统进行必要的改造，加上有关方面的认识不够统一，故此次试验成果未用于工程实践。

3　坝体混凝土分区

表孔坝段($13^{\#}$～$19^{\#}$)前缘长度 116.5 m，堰顶高程 62 m。上游面为垂直面。垫层混凝土一般浇至高程 35.5 m，混凝土标号为 $R_{90}200^{\#}$($17^{\#}$～$19^{\#}$坝段天然基岩高程 32～33 m，岩石表面较光滑，风化程度有限，经建设、设计、地质、监理等单位共同研究确定，该部位岩体不再下挖，经基础整修和对裂隙性风化进行处理后，直接作为坝体建基面)。高程 35.5～59 m 为 RCC，其中上游防渗层为二级配富胶 RCC，混凝土标号为 $R_{90}200^{\#}$，其厚度为 2.18～4 m；坝体内部强约束区为三级配 RCC，混凝土标号为 $R_{90}200^{\#}$；坝体内部强约束区以外部位混凝土亦为三级配 RCC，混凝土标号为 $R_{90}150^{\#}$。溢流面面层为抗冲耐磨混凝土，标号为 $R_{28}350^{\#}$；在 RCC 与溢流面面层之间设常规混凝土过渡层，标号为 $R_{90}250^{\#}$。另外，闸墩为常规混凝土，其中，闸墩周边混凝土标号为 $R_{90}300^{\#}$，闸墩中部混凝土标号为 $R_{90}250^{\#}$。

升船机挡水坝段($20^{\#}$)宽 25 m，右岸坝段($21^{\#}$～$23^{\#}$)前缘长度为 47 m。$20^{\#}$～$21^{\#}$坝段均在 62 m 高程以下部位全断面采用 RCC。$22^{\#}$坝段 56 m 高程以下及 $23^{\#}$坝段为常规混凝土。垫层一般厚 1.5 m，混凝土标号为 $R_{90}200^{\#}$。垫层混凝土以上部位为 RCC，其中上游防渗层为二级配富胶 RCC，混凝土标号为 $R_{90}200^{\#}$；坝体内部强约束区为三级配 RCC，混凝土标号为 $R_{90}200^{\#}$；坝体内部非强约束部位混凝土亦为三级配 RCC，混凝土标号为 $R_{90}150^{\#}$。

4　碾压混凝土施工

4.1　混凝土原材料

(1)水：拌和用水为清江水，经水厂处理后，各项物理化学指标均符合 SD105—82、SDJ207—82 规范要求。

(2)水泥：采用荆门葛洲坝水泥厂生产的低热 425 号水泥(部分采用中热 525 号水泥)。产品质量经多次检测符合规范要求。

(3)粉煤灰：主要采用松木坪热电厂和荆门热电厂的粉煤灰，品质为Ⅱ级。

(4)外加剂：采用荆州生产的高效缓凝减水剂 UNF-3 和河北石家庄生产的加气剂 DH9。

(5)砂石料：二期大坝所用砂石料取自长江云池料场，经砂石厂筛分后检测，符合设计要求。

4.2　混凝土配合比

混凝土配合比是葛洲坝集团公司试验中心根据设计提出的指标，如混凝土标号、极限拉伸值、抗渗指标、水灰比、级配、水泥标号与品种等，采用本工程使用的天然砂石料和外加剂，进行试验测定得出的，将测定的混凝土配合比报质量监理站，经总监批准后方可使用。

4.3　混凝土浇筑温度

各部位常态混凝土及碾压混凝土浇筑温度分别见表 1、表 2。

表 1　常态混凝土允许浇筑温度　　（单位：℃）

部　位	月　份				
	1 ~ 2	3	4	5	6
强约束区	自然	12	14	16	
弱约束区	自然	12~14	16	18	21
非约束区	自然	14	18~20	22	24
护坦	自然	14	20	20	

表 2　碾压混凝土设计允许入仓温度　　（单位：℃）

部　位	月　份			
	1 ~ 2	3	4	5
强约束区	自然	10 ~ 12	13	
弱约束区	自然	12 ~ 14	14	15
非约束区	自然	14	16	17

4.4　浇筑分层

$13^{\#}$ ~ $20^{\#}$坝段建基面的高程为 32 ~ 33 m，垫层混凝土厚 1.5 m。垫层顶面的高程为

33.5～34.5 m(比设计低 1～2 m)。垫层顶面至高程 37.6 m 分 2 个升程。高程 37.6 m 以上至高程 59 m 分 9 个升程(升程厚度一般为 2.4 m)，进行通仓浇筑(浇筑分层见图 3)。

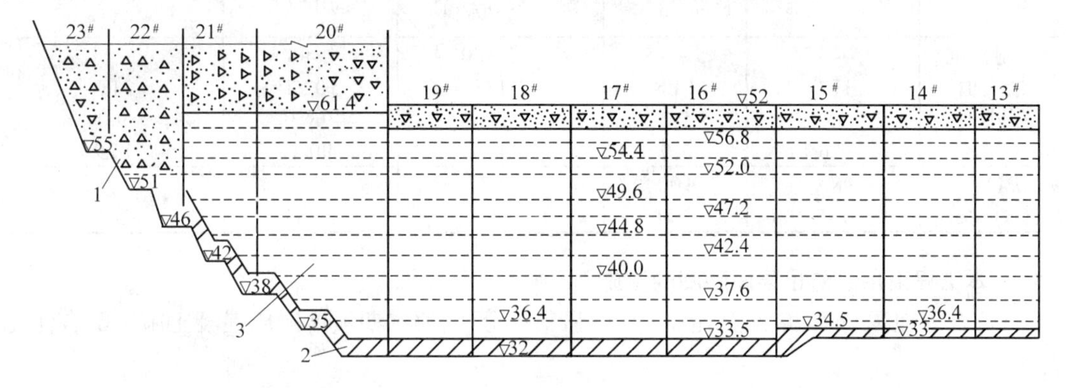

图 3　高坝洲二期坝体碾压混凝土分层图

1—常规混凝土；2—垫层(常规混凝土)；3—碾压混凝土

4.5　混凝土摊铺

每层摊铺厚度 35 cm，压实厚度 30 cm。在模板上划线，由平仓机平仓控制。浇筑时，一般先从 22#坝段的皮带机进料，汽车转料，在 20#～21#坝段平层条带摊铺，并从 19#坝段开始向左采用端进法进行斜层条带铺筑，待 20#～21#坝段达到收仓高程后，停止皮带机进料，改从左侧 13#或 14#坝段上游入仓口用汽车直接入仓进料，由右向左，采用端退法进行斜层条带铺筑，斜层坡度为 1∶20。

4.6　碾压

条带铺筑完成后，用振动碾及时碾压。共 3 台宝马 202 振动碾，沿坝轴线方向碾压。先无振碾压 2 遍，再有振碾压 6～8 遍。

4.7　施工缝面(或层面处理)

施工缝面经冲毛冲洗处理。摊铺前再次冲洗干净后，铺 2～3 cm 厚的砂浆。砂浆用搅拌车运输，坍落度控制在 12～14 cm，卸料后，人工用刮板均匀铺设。大坝上游 4 m 范围为富胶混凝土防渗层，每一碾压层面均铺 2～3 cm 厚的砂浆，以利层间结合。

4.8　永久分缝

坝段永久分缝处，上游设两道止水。一道紫铜片，一道塑料带，下游设一道紫铜片，止水处用沥青板隔缝。中部分缝采取人工打邮票孔做诱导缝，孔距 10～15 cm，孔深 30 cm。然后在孔内灌注干砂。每完成一个碾压层，进行一次诱导缝施工。

4.9　变态混凝土施工

在上游模板周边及止水片、柏油杉板附近，无法用振动碾碾压，均采用变态混凝土。在摊铺后，加 0.7∶1～1∶1 的水泥素浆，再用插入式振捣器振捣密实。

4.10　仓面 *VC* 值、湿容重、压实度及温度测试

混凝土入仓温度测试，每班有专人负责，每 30 min 左右测一次，情况不正常时加密测试。发现超温，立即通知拌和楼采取降温措施。仓面 *VC* 值、湿容重、压实度测试工作，由施工单位试验室专人负责，每碾完一层，立即进行测试。容重达不到要求，则继续碾压，直到合格为止。有关测试成果见表 3。

表 3　二期大坝碾压混凝土现场检测汇总表

项　目	机口 VC(s)	仓面 VC(s)	湿容重(kg/m³)	压实度(%)	混凝土入仓温度(℃)
控制标准	5～15	5～15	≥2 380	≥98	
最大值	17.0	14.8	2 488	102.1	21.3
最小值	3.0	5.0	2 276	93.3	9.0
平均值	7.6	7.9	2 406	99.1	15.2
P(%)	98.9	100	99.8	99	
检测次数	785	269	1 463	1 463	266

4.11　本工程采用的防止层间渗漏的措施

(1) 合理地进行 RCC 配合比设计，增强其抗分离性(二期坝体碾压混凝土施工配合比见表 4)。

表 4　高坝洲二期工程碾压混凝土施工配合比

设计标号	配合比参数							材料用量(kg/m³)									备注
	$W/(C+F)$	$C+F$	C	F	W	F(%)	S(%)	W	C	F	砂 M=2.6	小石	中石	大石	JG4溶液	DH9溶液	
R_{90} 150/3	0.52	172	86	86	89	50	31	89	86	86	663	455	606	455	4.3	1.7	
	0.52	176	88	88	91	50	31	91	88	88	660	453	604	453	7.0	1.8	用 UNF-3 代替 JG4
R_{90} 200/3	0.45	202	111	91	91	45	31	91	111	91	653	448	597	448	5.0	2.0	
	0.45	207	114	93	93	45	31	93	114	93	650	446	594	446	8.3	2.1	用 UNF-3 代替 JG4
R_{90} 200/2	0.48	223	123	100	107	45	35	107	123	100	715	682	682	—	5.6	2.2	
	0.48	227	125	102	109	45	35	109	125	102	712	679	679	—	9.1	2.3	用 UNF-3 代替 JG4

注：①碾压混凝土配合比中的水泥均为中热 525#；②原材料中粗细骨料的用量均为饱和面干状态重量；③UNF-3 的掺量：混凝土为胶凝材料的 0.4%，使用时配制成 10%的溶液；④JG4 的掺量：混凝土为胶凝材料的 0.25%，使用时配制成 10%的溶液；⑤DH9 的掺量：碾压混凝土为胶凝材料的万分之一，使用时配制成 1%的溶液。

(2) 采用较低的 VC，增强其可碾性。

(3) 每升程内，薄层连续上升，RCC 料在卸料后 15 min 内摊铺完，自拌和开始 2 h 内碾压完。

(4) 层面暴露时间以不超过初凝为限。

(5) 对超过层间允许暴露时间但小于或等于 24 h 的冷缝面，在清除干净后铺一层 2~3 cm 厚的强度比 RCC 高一级的砂浆后，立即进行上一层 RCC 的浇筑；对于层间间歇时间超过 24 h 的冷缝面，冲(刷)毛后，铺 2~3 cm 厚的强度比 RCC 高一级的砂浆后，立即进行上一层 RCC 的浇筑。

(6) 在上游二级配 RCC 范围内的各层面铺砂浆。

(7) 日照强、气温高时，采用人工喷雾，降低仓面环境温度，保持层面湿润。

(8) 减少 RCC 料的转运次数，采用自卸车直接入仓为主，真空式皮带机入仓为辅的运输方式。

(9) 对模板边角，水平拉筋等碾压不到的部位注水泥净浆振捣。

(10) 为了增强防渗效果，已在坝体迎水面高程 60.5 m 以下涂抹一层丙乳砂浆防渗涂层。

5　结语

在建设、设计、施工、监理单位的共同努力下，1999 年 5 月中旬，二期坝体碾压混凝土施工圆满完成。采用 RCC 筑坝技术修建高坝洲二期坝体，经济效益是明显的：①提前一年下闸蓄水发电，施工期净增发电量 63 400 万 kW·h；②取消上游 RCC 过水围堰，节约 RCC 9.7 万 m^3,相当于节省静态投资 2 270 万元；③通过工程实践，锻炼了队伍，造就了人才，为清江水电的全面开发积累了新的经验。

（原载《湖北水力发电》2001 年第 1 期）

清江高坝洲水电站 16#、17#坝段坝基楔形体的处理

吴启煌

1　概述

清江高坝洲水电站表孔溢流坝段由 13# ~ 19#坝段组成，前缘总宽度 116.5 m。

表孔溢流坝段坐落于寒武系中统上峰尖组第三段第 9 层及黑石沟组第一段 1 ~ 3 层上，岩体为灰带红色含泥质白云岩、白云岩夹极薄层状泥质白云岩，岩体质量为优质和中等（Ⅱ级和Ⅲ级），可满足建坝要求。基岩内埋藏性状较差的主要剪切带有 300#、300-4#、300-3#、300-9#、300-8#、300-2#、300-1#等，发育的断层计有 F_{205}、F_{213}、F_{214}、F_{215} 等，地质条件比较复杂。尤其是 15# ~ 18#坝段，基础岩溶、断夹层较多且规模较大。16#、17#坝段基础部位由 F_{205}（倾向南西）与 F_{213}、F_{214}、F_{215}（均倾向北东）等缓倾断层交会切割形成楔形体，楔形体斜穿 16#、17#坝段（见图 1、图 2）。由于构造发育，在 300-1#与 300#夹层围限的范围内，沿 F_{205}、F_{213}、F_{214} 形成 8 个泉点和 3 个洞穴消水点（见表 1）。

上游围堰以外的库水为补给源，经 F_{213}、F_{214} 及 300-4#剪切带向下游渗流，由于 F_{213}、F_{214} 与 F_{205} 倾向相反，当地下水流经至 16# ~ 17#坝段时，其交棱线变浅，并形成强烈溶蚀，形成排泄点 W_4。建基岩体开挖后，形成 W_1、W_3、W_5、W_6 点状和 W_7、W_8 线状涌水点，同时沿 F_{213}、F_{214} 形成 KW_1、KW_2、KW_3 三个消水点。

由于楔形体的存在，加上多条断层和剪切带强烈溶蚀，形成 8 个涌水点，总涌水量达 80.9 L/s，对坝基变形和稳定均有不利的影响。对于楔形体的处理，当时有两种意见：一是将其全部挖除，二是采用灌浆和锚固等综合措施予以补强。第一种方式能彻底消除隐患，但开挖量达 1 200 m^3 以上，工程量大，且占施工直线工期较长，开挖爆破还可能损伤周围完整岩石。第二种方式可不占或少占直线工期，有利于二期坝体碾压混凝土按原计划开始施工，并为当年二期坝体的安全度汛创造条件。设计、建设、施工和监理单位，经过反复考虑和审慎研究，采纳了地质方面的建议，最终决定，采用第二种方式进行处理。

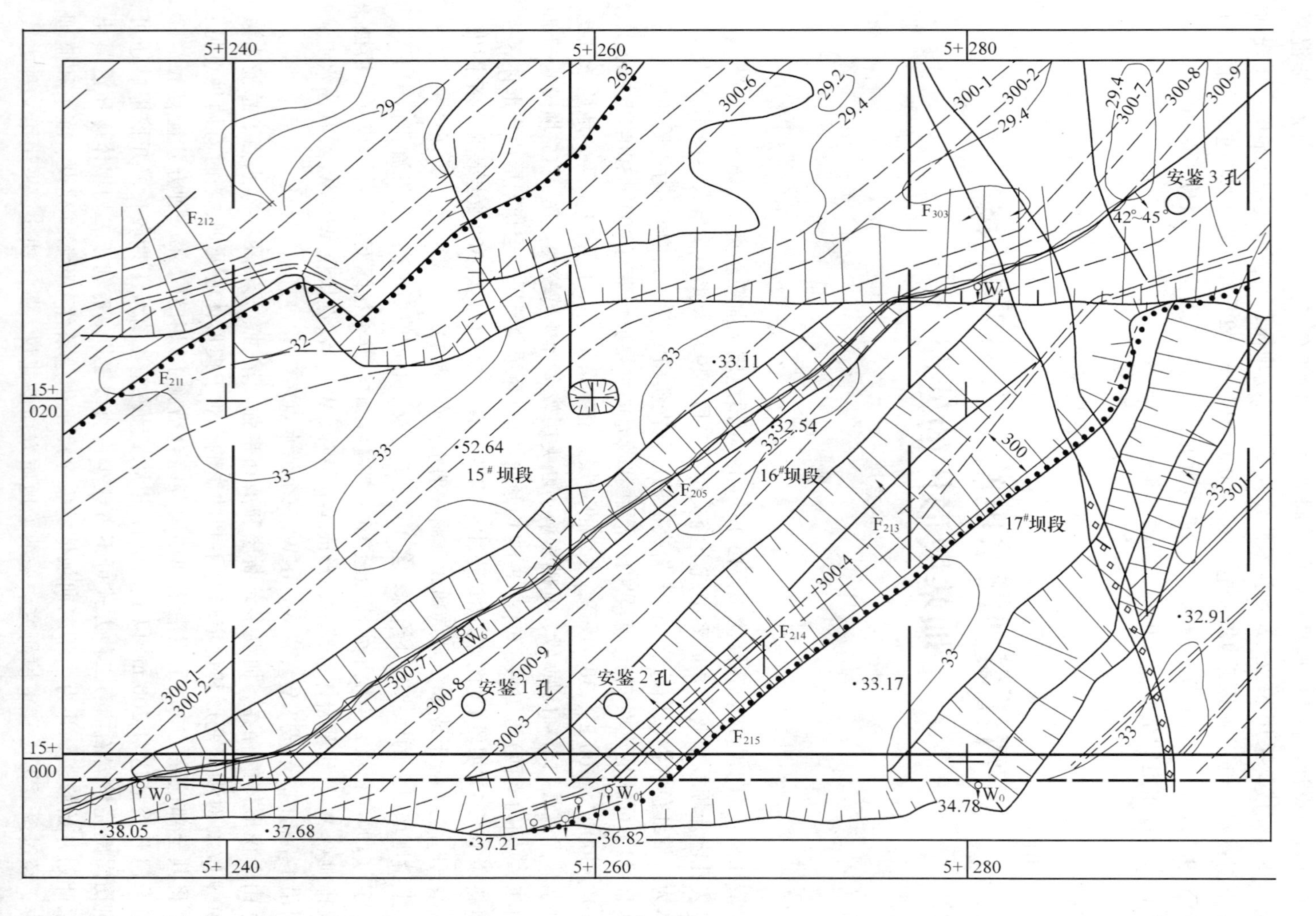

图 1　16#、17#坝段建基面地质图

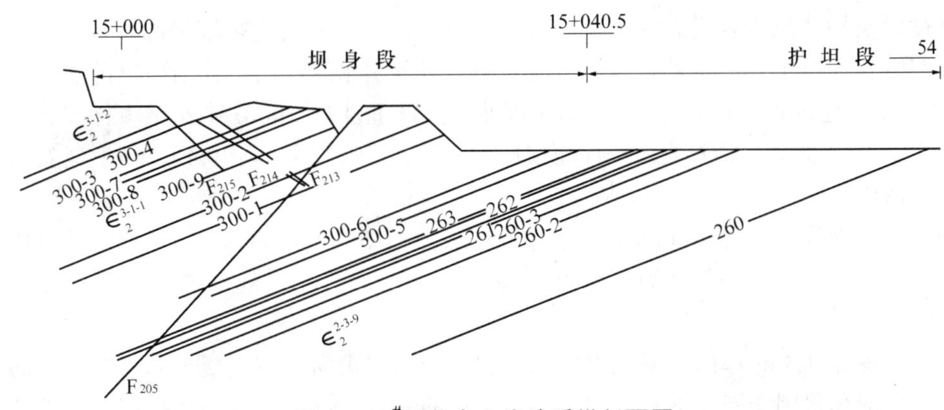

图 2 16#坝段中心线地质纵剖面图

2 处理措施

为了保证建基岩体的完整和坝体稳定，对 16#、17#坝段坝基楔形体采取以下措施进行处理。

表 1 16# ~ 17#坝段涌水点统计

编号	发育部位	成因特征	涌水量(L/s)
W_1	15#坝块	沿 F_{213}	0.5
W_2	14#坝块	沿 F_{205}	0.2
W_3	15#坝块	沿 F_{213}	20.0
W_4	17#坝块	沿 F_{205}	20.0~25.0
W_5	15#坝块	沿 F_{205}	0.2
W_6	15#坝块	沿 F_{205}	5.0
W_7	16#坝块	沿 F_{213}，线状涌水	10.0
W_8	16#坝块	沿 F_{214}，线状涌水	15.0~20.0
KW_1	17#坝块	沿 F_{211}，消水点	
KW_2	17#坝块	沿 F_{213}，消水点	
KW_3	17#坝块	沿 F_{213}，消水点	

2.1 在上游挖截水井

为保证灌浆顺利进行和混凝土浇筑质量，在 15#坝段上游 F_{205} 渗水处抽深槽，开挖形成集水井，安装 3 台水泵抽水降压，集水井开口尺寸 8 m×8 m，井底高程 28.0 m。

2.2 嵌缝、引管

在浇筑混凝土前，对各涌水点，溶蚀通道嵌缝，埋管并引管(管径 91 ~ 110 mm)，对较大的出水点设置闸阀。

2.3 布置跨槽钢筋网

对处理剪切带和断层所形成的坑、槽回填混凝土(兼起堵压渗水、涌水作用)，在其上布设跨槽钢筋网，钢筋直径 32 mm，间距为 20 cm。

2.4 堵漏灌浆

布置回填灌浆系统，灌浆孔深 50 cm，回填灌浆总管管径 37.5 mm，铅直引至高程 34.5 m 以上。待上游截水井投入运行，15# ~ 18#坝段下块混凝土浇至 32.5 m 高程以上，并达到一定强度以及抬动观测装置能正常观测后，采用低压浓浆方式进行堵漏灌浆。

灌浆方式为填压式，灌浆时应根据需要关、启各引水管阀门。孔(管)口的灌浆压力为0.1~0.2 MPa。起始灌浆浆液为 1∶1 的水泥浆，连续灌注达 500 L 未达结束标准，则改用0.6∶1∶1.5 的水泥砂浆灌注。在设计灌浆压力下，引管吸浆量小于 0.4 L/min，延灌 10 min即可结束灌浆。

灌浆最大允许变形为 200 μm，灌浆过程中加强抬动变形观测，当变形值上升过快或接近最大允许变形时，及时降低灌浆压力。

2.5　锚固

在基岩覆盖 1.5 m 厚的混凝土以后，根据实测断层走向，在混凝土面上布置锚筋穿过断层，将楔形体锚固于断层下盘完整岩体上。锚筋直径 36 mm，锚筋根据该部位固结灌浆孔的孔位交错布置，共布置锚筋 34 根(见图 3)。

锚筋孔用 Φ80 mm 钻机造孔。$1^{\#}\sim4^{\#}$锚筋孔基岩内孔深 9 m，锚筋长度 11 m，$5^{\#}\sim34^{\#}$钢筋孔基岩内孔深 9 m，钢筋长度 12 m。钻孔后采用风水轮换冲洗钻孔至回水澄清。在钻孔过程中要注意锚筋孔的漏水和涌水情况，当漏水量较大或有涌水时，应对钻孔先行灌浆堵漏，然后再扫孔。涌水孔的堵漏灌浆可掺加适量速凝剂，并待凝两天。

注浆采用机械注浆，灌浆管距孔底 50 cm，待孔内注浆后再拔出灌浆管。砂浆为 $300^{\#}$水泥砂浆。砂子最大粒径 $d\leqslant2.5$ mm，平均粒径 0.5 ~ 0.7 mm，细度模数 2~2.5。可适当掺入对钢筋无腐蚀作用的速凝剂，以缩短埋设锚筋水泥砂浆的凝固时间。

锚筋施工在基础堵漏灌浆结束 3 天后进行。锚筋施工完毕后，方可进行固结灌浆。

2.6　加强基础固结灌浆

在 F_{205}、F_{213}、F_{214}、F_{215} 断层影响范围内增布固结灌浆孔，灌浆孔孔深 8m，孔排距 3m(见图 3)。

3　楔形体稳定分析

在对楔形体采用排水、堵漏灌浆、布置锚筋锚固、固结灌浆、跨槽布置钢筋网及回填混凝土等处理措施的同时，长江水利委员会设计院又采用刚体极限平衡法对楔形体的抗滑稳定进行了分析计算。

固结灌浆和锚筋锚固等措施的影响，只作为安全储备，在计算中不予考虑。楔形体沿断层 F_{205} 与 F_{214} 的交线方向的抗滑稳定安全系数在基本荷载组合 I 时(正常蓄水位水压、水重+自重+扬压力)K'=4.76；在特殊荷载组合 I 时(校核洪水位水压、水重+自重+扬压力)K'=3.45。计算结果表明：斜穿 $15^{\#}\sim17^{\#}$坝段建基面的楔形体，由于上游坝体压重很大，沿断层交线向下游偏右岸的抗滑稳定满足要求。又由于楔形体嵌入建基面以下，对 $15^{\#}\sim17^{\#}$各坝段建基面的抗滑稳定会产生有利影响。因此，该楔形体是稳定安全的。

4　结构面检查结果及评价

在高坝洲水电站进行竣工安全鉴定前，为查明构成楔形体结构面 F_{213}、F_{214} 及 F_{205} 经灌浆处理后的效果，共布置 3 个钻孔(见图 1，$1^{\#}$、$2^{\#}$检查孔布置在灌浆廊道，$3^{\#}$孔布置在排水廊道)。同时，为检查构成楔形体结构面的深部特征，还对每个钻孔进行了井下电视检查和声波测试检查。

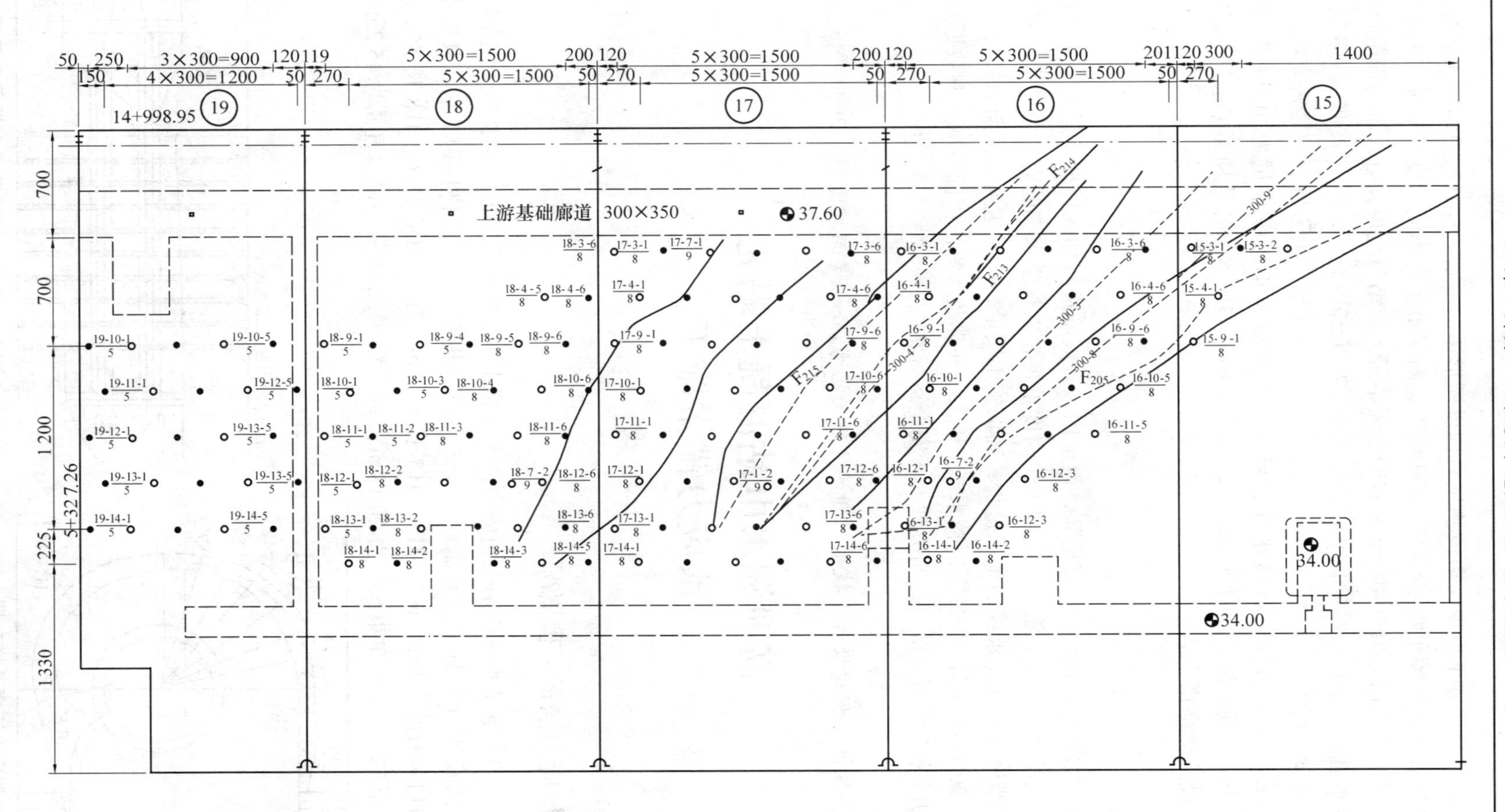

图3　16#、17#楔形体锚固及灌浆图（单位：桩号、高程 m；尺寸 cm）

说明：图中仅表增加的灌浆孔及孔深变化的灌浆孔。

根据岩芯钻探、井下电视、声波测试对构成楔形体的 F_{205}、F_{213}(F_{214})结构面的胶结状态的检查结果表明，缓倾角断层经 1#、2#孔揭露，断层带虽有不同程度的溶蚀，但灌浆效果良好，尤其是 1#孔内充填有 40 cm 左右的水泥结石，胶结与充填良好。结构面附近透水性极小，压水试验的单位吸水量仅 0.001 6 ~ 0.001 7L/(min · m · m)。声波测试结构表明，其波速值超过 3 500 m/s；反倾下游的切割面 F_{213}、F_{214} 断层，为方解石较紧密充填，表明该结构面仅在浅部有溶蚀，其透水性也极小，压水试验单位吸水量为 0.009 1 ~ 0.097 L/(min · m · m)。其声波值超过 4 000 m/s。总之，组成楔形体的各结构面 F_{205}、F_{213}(F_{214})性状良好，楔形体是稳定的。

5　结语

16#、17#坝段坝基楔形体不予挖除，而采用综合措施进行加固处理，虽有一定风险，但由于建设、设计、地质、施工、监理单位高度重视，以科学求实的态度既做了缜密的理论分析，又严格按设计要求控制施工过程，确保施工质量，终于达到了预期的目的。

大坝于 2000 年 4 月 30 日下闸挡水。3 年来，外观及渗流渗压的各项观测数据(包括 300-1#观测井)未见任何异常，说明大坝处于安全运行状态。

(原载《高坝洲工程建设若干技术问题的处理与思考》——吴启煌专辑，2004 年 5 月)

高坝洲水电站混凝土蜗壳预应力锚索施工

邓银启　刘一军

1　蜗壳预应力锚索工程概况

清江高坝洲水电站水轮机蜗壳预应力锚索包括水平环向锚索(以下简称“水平锚索”)和垂直竖向锚索(以下简称“竖向锚索”)，3 台机组共 51 束，每台机组 17 束。其中水平锚索 8 束(H1 ~ H8)，H1、H3、H5、H7 长 51.5 m，H2、H4、H6、H8 长 55.5 m；竖向锚索 9 束(V1 ~ V9)单束长度为 20.18 m。如图 1、图 2 所示。锚索直径为 15.2 mm、

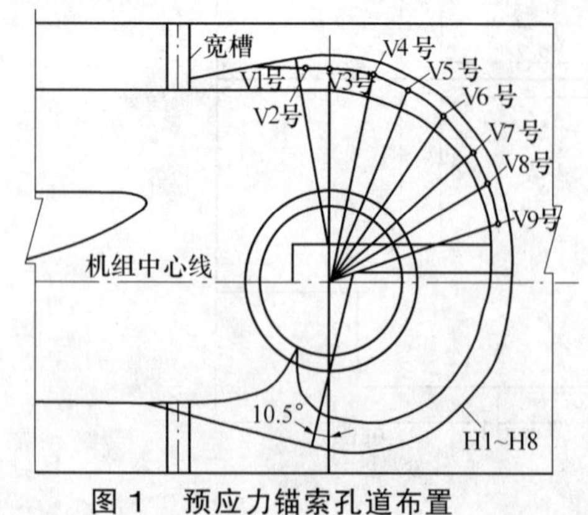

图 1　预应力锚索孔道布置

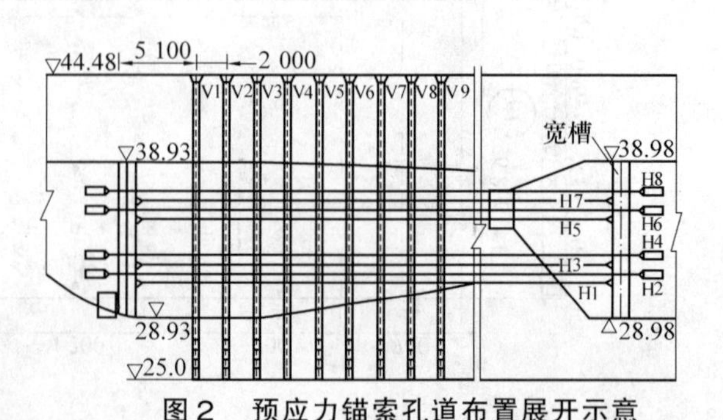

图 2　预应力锚索孔道布置展开示意

极限抗拉强度为 1 860 MPa，高强度低松弛钢绞线 12 根集束,设计张拉为 2 000 kN。工程自 1997 年 9 月开工到 2000 年 3 月完工，历时两年半。

2　水平锚索施工

2.1　锚索造孔

水平锚索孔道造孔采用预埋金属螺旋管(简称波纹管)成孔,这是本工程的难点之一。蜗壳因温控要求,需分层分块浇筑,每台机组的 8 条水平锚索孔道划分为 24 个单元埋设,波纹管容易在水平浇筑单元间出现折点,孔道总体成形困难。采用 3 m^3 或 6 m^3 吊罐入仓，浇筑过程中，波纹管受到混凝土强大的冲击力和挤压力,很容易受损或移位，同时波纹管安装位置又无结构钢筋可供波纹管固定，要达到“埋管孔位正确、畅通顺滑，中心线平面偏差 ± 10 mm，各段圆曲线中心角允许误差 ± 1° ”的设计要求，确实不易。我们查阅资料并结合经验设计了几种支架，经过不断实践不断改进，最后确定为图 3 所示的形式，其优点在于通过轨道筋来保证波纹管顺滑、位置准确并抵抗混凝土对波纹管的上浮力。

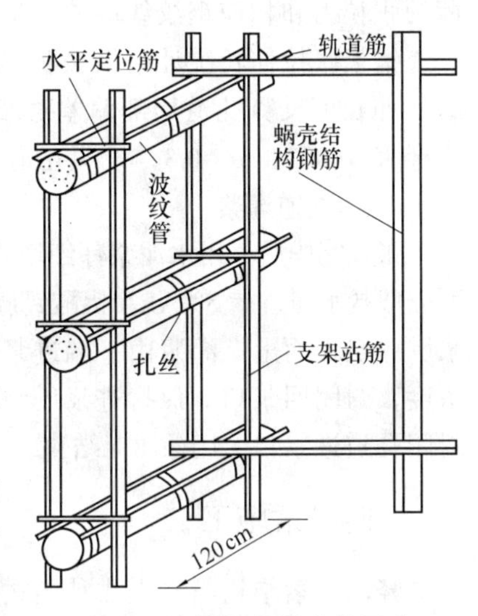

图 3　波纹管支撑定位示意

为避免波纹管受损，波纹管安装安排在结构钢筋和模板施工完成后进行，混凝土浇筑时，在轨道筋上临时铺设木板保护。为防止波纹管漏浆堵孔，浇筑混凝土前应仔细检查波纹管，并在混凝土终凝前用扫孔钢球进行通孔检查。

2.2　锚索安装

穿索前，疏通现场运索道路，清理或隔离污染物，急弯处加设滚筒，避免了锚索在穿索过程中的损伤及污染。

蜗壳流道最宽 16.4 m，进水口流道宽 6.8 m，坡比 1∶1.4，坡高 16.07 m，施工场地狭窄坡陡，加上水平锚索长 50 多 m，人工穿索很困难。施工中利用坝体混凝土浇筑用吊车垂直运输，卷扬机水平牵引，人工辅助安装。蜗壳顶板未形成时，锚索既可从蜗壳上方落下穿索，也可从上游经蜗壳进水口穿索；蜗壳顶板形成后，大坝已经蓄水，锚索穿索从进水口工作闸门槽落下。实践证明，穿索方法安全、高效。正常情况下，穿 1 根锚索需 20 min 左右。穿索成功的关键是：①采用可靠的方式牢固连接锚索与吊车及锚索与卷扬机以保证穿索安全，这里锚索与吊车通过一套锚具(配限位板)连接，锚索与卷扬机通过穿索导向帽连接；②保持吊车与卷扬机的相对同步；③卷扬机正确反应，施工中，在卷扬机的线路上串联了 3 个控制开关，分别放在卷扬机安装位置及孔道两端，保证卷扬机在任何情况下都能立即正确反应。

2.3　锚索张拉锚固

水平锚索张拉分两批进行；先张拉锚固端设在宽槽内的 H1、H3、H5、H7 锚索；待宽槽回填后，再张拉锚固端设在宽槽上游墩壁上的 H2、H4、H6、H8 锚索。

水平锚索张拉采用两端同步张拉工艺，正式张拉前先用 YC20D 千斤顶预紧，同一锚索的钢绞线按其在环形孔道内的平面位置从内侧向外侧逐根进行，预紧力σ_P=0.22 R_Y^H（R_Y^H =1 860 N/mm^2）。锚索张拉按应力σ_P=0.65 R_Y^H 控制，加荷分 700 kN→1 200 kN→1 600 kN→2 000 kN 三级进行，每级稳压 5 min，加荷至设计值后稳压 10 min，再补加至设计荷载后锚固。

锚索两端的千斤顶出力大小不一样，因此不能用"油管三通"来保证两端同步张拉，施工中可让出力小的一方油压上升速度略快，通过报数带领出力大的一方张拉，满足设计要求。锚索加荷过程缓慢、连续、平稳，升荷速率应小于 200 kN/min，同时应认真记录加荷的张拉力和相应钢绞线的伸长值。

锚索张拉伸长统计结果表明：①相同孔长的锚索张拉伸长值比较均匀，说明张拉正常；②从伸长值反算孔道局部偏差对摩擦的影响看，K=0.002，摩擦系数μ =0.2，均小于正常标准K=0.003，μ =0.3，说明孔道质量较好。

2.4　锚索孔道灌浆

张拉完毕后，用水泥浆仔细填塞工作夹片缝隙，24 h 后进行孔道灌浆。浆液采用 525#普通硅酸盐水泥，掺 8%AEA 铝酸钙膨胀剂，0.7‰的 GYA 早强减水剂，水灰比为 0.45∶1。灌浆顺序自下而上。灌浆由一端进浆，另一端排气排浆直至回浆无气泡、回浆浓度等于进浆浓度，封闭回浆口，保持进浆压力 0.3 MPa，屏浆 20 min 直至钢绞线钢丝间无泌水现象，封闭孔道进浆口，闭浆 8 h 结束。

3　竖向锚索施工

竖向锚索结构与岩土锚黏结式预应力锚索相似，下端用压力灌浆方式形成胶结式锚固段，上端单端张拉建立预应力。本工程竖向锚索的内锚段因厂房机电埋件和孔洞布置制约，不能超过 3 m，故采用常规的拉伸内锚结构，不能满足锚固力要求，为此研制了新型压缩式内锚结构，并成功地进行了 1∶1 仿真试验。试验锚索共 18 束，其中 6 束做破坏性拉锚测试，内锚段为 2、2.5 m 和 3 m 的试验索各 2 束。试验结果，破坏拉力均达到 2 600 kN，远大于设计张拉力 2 000 kN。

3.1　孔道管安装

竖向锚索孔道长 18.98 m，选用普通直缝焊管(内径 210 mm)。根据混凝土分层需要，钢管分 9 段接长，每段 1～3 m 不等。管段接头采用对焊。为了防止异物掉入堵塞孔道，每段钢管安装完，管顶临时点焊钢板保护。管顶预留有张拉槽，原设计槽底为混凝土面，不易保证承压面平整与孔道垂直，也不易固定张拉槽模，为此在管顶加焊一块中心留孔与钢管轴线垂直的钢板作为槽底。对于埋管时间长内壁已经锈蚀的钢管，穿索前，用自制圆盘钢丝刷对孔道进行除锈。

3.2　竖向锚索制作、运输和安装

竖向锚索锚固段采用新型压缩式内锚结构，设有止浆环、架线环、锥形钢套管、导帽及钢质灌浆管。压缩式内锚加工工艺复杂，难度大，要求高，在施工现场制作不易控制，其制作需在加工厂内完成。

内锚楔形体成形设计为整体圆台式，由于低松弛钢绞线经稳定化处理后，自然伸直好，弯曲弹性张力大，在短距离内变形困难，使楔形体成形难，在仿真试验中将其改为用螺栓连接的瓦片组合式(见图 4)，并利用简易压床顺利地实现了压缩式锚头的成形。

竖向锚索一期灌浆管为钢管，沿锚索通长布置，为方便安装，钢管分段长度 1～3 m，车丝后在锚索安装现场用接头逐段接长。

内锚段加工成形后，将锚索盘绕在汽车上运至现场。

由于发电机层已形成，锚索无法直接吊入孔内，只能将锚索吊到水轮机层，人工水平运输，锚索尾部与卷扬机相连以控制锚索下降速度。由于竖向锚索较水平锚索复杂，穿索过程中需要接长一期灌浆管以及保护止浆气囊、充气管和回浆管，于是专门加工了 12 孔的扁锚连接锚索与卷扬机，以便穿索时能展开锚索钢绞线方便施工。正常情况下，每索耗时 0.5 h 左右。穿束完毕,将外露钢绞线包裹保护，并临时封堵孔口。

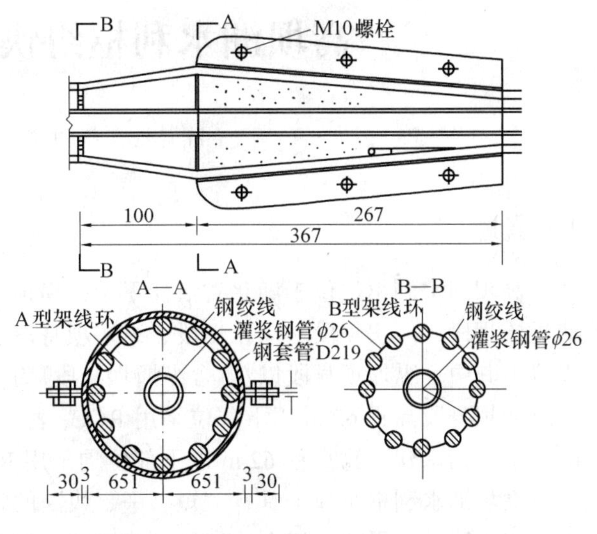

图 4　内锚楔形体结构(单位：mm)

3.3　张拉锚固

待内锚固达到砂浆强度即可张拉锚索。张拉时在孔口设置了两块外垫座以传递应力。为防止活动部件移位，产生偏心增加预应力损失甚至断丝，施工中采用了预埋螺杆定位和预加工定位两项措施。张拉加荷过程和要求与水平锚索类似，3 号机锚索张拉伸长值(700～2 000 kN)见表 1 。

表 1　3#机竖向锚索张拉伸长值　(单位：mm)

锚索	V1	V2	V3	V4	V5	V6	V7	V8	V9
伸长值	70.94	71.70	71.00	70.34	71.50	70.64	71.76	72.08	71.32

4　结语

水轮机混凝土蜗壳采用预应力锚索加固，在国内尚属首例。采用预应力锚索加固与采用钢板衬砌相比有两大优点：①节省了工程投资；②预应力工程施工在混凝土施工期或间歇期完成，完全不占直线工期，大大地加快了进度。对于处于钢蜗壳与混凝土蜗壳临界条件下的蜗壳施工具有推广价值。

水轮机钢筋混凝土蜗壳采用预应力锚索加固是个新事物，施工中，我们有如下体会：

(1)造孔工期占全部工期的 80%～90%，时间长、分段多。需采取可靠的技术措施确保各段接头及其前后孔段位置正确，以保证孔道顺滑。实践证明，我们采用的管道定位支架结构是科学、合理、可靠的。

(2)压缩式内锚头成功地解决了内锚头长度受限制条件的预应力锚索应用问题。根据竖向锚索压缩式内锚段楔形体的瓦片式钢套管最大外形尺寸，竖向孔道内径选取 210 mm，今后将对楔形体的成形工艺做进一步改进，以缩小孔径提高经济效益。

(原载《水力发电》2002 年第 3 期)

高坝洲水利枢纽快速施工措施

陈勇伦　杨树明　曾祥虎

1　概述

高坝洲水利枢纽位于湖北省清江下游，坝顶高程 83 m，装机 252 MW。自左至右为左非溢流坝段、厂房坝段、深孔坝段、纵堰坝身段、表孔坝段、升船机挡水坝段及右非溢流坝段。其中，纵堰坝身段以左(含纵堰坝身段)为一期工程，建筑物属多孔、薄壁结构，仅在纵堰坝身段高程 62 m 以下部位采用 RCC；表孔坝段以右为二期工程,泄水建筑物高程 59 m 以下、挡水建筑物高程 62 m 以下部位均采用 RCC。

高坝洲水利枢纽施工具有“短、平、快”的特点，其工期目标为“三年半发电、四年大坝竣工”。如果按常规方法安排施工进度，将难以实现工期目标，为此，在施工组织设计中，研究采用了一系列的快速施工措施，使高坝洲水利枢纽如期实现了工期目标。

2　快速施工措施

2.1　一期建筑物快速施工

2.1.1　采用 RCC 纵向围堰

一期工程需在高围堰保护下全年施工，宜采用混凝土纵向围堰。该围堰分为上纵段、纵堰坝身段、导墙段及下纵段，上纵段长 179.5 m、高 26 m，纵堰坝身段长 43.5 m、汛前最低浇筑高度 33 m，导墙段长 137 m、最大高度 28 m，下纵段长 100 m、最大高度 24 m，高程 62 m 以下部位混凝土工程量约 14.37 万 m^3。

围堰进度安排，纵向围堰基础开挖最早在 1997 年元月上旬完成，1997 年 4 月底浇筑到堰顶，纵向围堰如果采用常态混凝土，则难以在汛前形成一期高围堰系统。经论证，选用 RCC 纵向围堰，上、下纵采用全断面 RCC，坝身段、下纵导墙段采用“金包银”方案。

2.1.2　厂房下游墙单独上升

高坝洲水电站为河床式，运行期间，进口段、主厂房及尾水段间为整体结构。根据施工进度安排，厂房坝段于 1997 年 4 月开始浇筑混凝土，进口段及尾水段须在 1998 年 10 月底前具备挡水条件，以确保 1999 年 10 月第一台机组发电。如果进口段、主厂房及尾水段均匀上升，其施工进度将受制于主厂房的施工速度而不能按期具备下闸挡水条件，进而影响到其他机组的施工。

为满足进口段、尾水段下闸挡水的要求，采取了在进口段与主机段之间设直缝和宽槽的工程措施，使进口段能够快速单独上升，即自基岩到高程 28.93m 设直缝，高程 28.93m 至高程 38.93 m 设 1.2 m 宽的宽槽。

2.1.3　厂房坝段及深孔坝段提前进行直缝灌浆及宽槽回填

2.1.3.1　厂房坝段提前进行直缝灌浆及宽槽回填

厂房进口段与主厂房间的直缝和宽槽在 1997 年 12 月至 1998 年 1 月形成，此时，进口段仅上升到高程 60 m。存在着如下三个不利于回填宽槽及直缝灌浆的问题：①进口段仍需继续上升，将产生附加拉应力；②直缝及宽槽两侧的混凝土未能灌浆或达到回填温度；③直缝及宽槽两侧的混凝土的龄期过短，自生体积变形尚未完成。

此时，气温渐高，不宜进行直缝灌浆及宽槽回填，但如果推迟到 1998 年至 1999 年的低温季节实施，将带来如下新的问题：①厂房进口段单独挡水，影响厂房进口段的稳定；②影响主厂房机窝施工。因此，要求提前进行直缝灌浆及宽槽回填。

通过计算论证，提出了如下主要措施：①直缝灌浆及宽槽回填在进口段浇至高程 65 m、蜗壳侧墙混凝土浇完 2 个月后进行；②控制混凝土浇筑温度在 8～10℃；③在进口中底板和墩墙预埋冷却水管，进行后期通水冷却；④回填混凝土标号至少比两侧老混凝土高一级，水灰比不大于 0.45；⑤宽槽两侧缝面设置键槽，回填前对缝面进行凿毛处理，并先涂一层水泥浆。

按上述要求提前进行直缝灌浆及宽槽回填，质量达到设计要求，运行状况良好。

2.1.3.2 深孔坝段提前进行直缝灌浆及宽槽回填

深孔坝段包括 9#、10#、11#三个坝段，宽度分别为 20.8、16.6 m 和 16.6 m，底板顺流向长度 47.19 m，底板厚度 13～19 m。如通仓浇筑，浇筑块尺寸偏大，且混凝土在 1997 年 4 月开始浇筑，高温季节尚在浇筑基础约束区，而拌和楼制冷水平难以满足要求。故在底板设纵缝(高程 45 m 以下)，将其分为 22.0 m 和 25.19 m 两块，在闸墩上预留 1.2 m 的宽槽(高程 45.0～66.0 m)，并在高程 66.0 m 处设并缝廊道。

设置纵缝和宽槽后，按现有经验进行施工，难以满足 1998 年 10 月进行二期截流(二期工程工期相当紧)的要求。因此，必须研究提前进行直缝灌浆和宽槽回填的措施。

通过论证，采取了如下综合措施：①调整施工进度，缩短施工工期；②控制混凝土浇筑温度不大于 8～10℃；③在进口底板和墩墙预埋冷却水管，进行后期通水冷却；④回填混凝土标号至少比两侧老混凝土高一级，水灰比不大于 0.45；⑤宽槽两侧缝面设置键槽，回填前对缝面进行凿毛处理，并先涂一层水泥浆。

按上述要求实施后，不仅保证了施工质量，同时争取了工期，为二期工程截流赢得了时间。

2.2 二期建筑物快速施工

高坝洲工程二期坝体原设计为常规混凝土方案，后经专题论证，改用全断面 RCC 坝体，不仅可缩短半年的工期，还可提前一年正常蓄水发电，效益十分巨大。但必须在一个枯水期内，完成二期截流、基坑开挖及全断面 RCC 坝浇筑，只有采取一系列的措施，方能保证工期如期实现。

2.2.1 二期围堰形成及增加二期基坑施工工期

二期围堰原设计方案为：先施工上、下低土石围堰，然后施工上、下游 RCC 过水围堰。其缺点是：围堰过多，不仅不经济，而且在狭小的场地内抢修围堰，将影响到坝体的施工；同时，RCC 坝体在一个枯水期内施工到溢流堰顶，也为省去上游 RCC 围堰创造了条件。

通过模型试验和专题论证，取消了上游 RCC 过水围堰，只需将原上游低土石围堰加到高程 62 m，不仅节约了 RCC 工程量约 9.7 万 m^3，而且可提前开挖基坑。

充分利用上游隔河岩水库的调蓄作用，增加二期基坑施工工期是本工程的一大特点。

首先，利用隔河岩水库的调蓄作用，果断决策，于 1998 年 10 月 26 日成功地进行二期截流；其次，利用隔河岩水库的调蓄作用，可将基坑过水时间推迟一个月，保护二期基坑至 1999 年 5 月底，为二期 RCC 坝体施工争取了必要的工期。

2.2.2 二期建筑物快速施工

高坝洲工程二期基坑开挖工作面小，开挖工程量较大，覆盖层开挖量 8.52 万 m^3，岩石开挖量 7.53 万 m^3，岩石最大开挖厚度 14 m，而直线工期仅 2.5 个月，还受到紧邻混凝土纵向围堰的限制。因而，给二期基坑开挖增加了难度。

为了进行二期基坑快速施工，通过专题研究，采取如下综合措施：①合理安排施工程序和进度，即二期截流前，完成右岸非溢流坝段高程 47 m 以上部位的开挖，坝基外的升船机室部位在坝基开挖完毕后进行开挖；②采用保护层一次爆除技术来提高工效，加快开挖进度；③进行掏槽爆破，创造梯段爆破临空面，以降低其底部的夹制，提高钻爆率；④采取减振措施，以保护纵向围堰和灌浆帷幕的安全。

实施过程中，由于上述技术措施应用得当，保证了二期基坑开挖的如期完成。

2.2.3 二期 RCC 坝体施工

表孔坝段(13# ~ 19#)前缘长度 116.5 m，堰顶高程 62 m。上游面为垂直面，坝体上游设基础廊道、下游设排水廊道。垫层混凝土一般浇至高程 35.5 m；高程 35.5 ~ 59 m 为 RCC，其中上游防渗层为二级配 RCC，坝体内部为三级配 RCC；溢流面面层为抗冲耐磨混凝土，并设常规混凝土过渡层。

升船机挡水坝段(20#)宽 25 m，在高程 76 m 与升船机渡槽相接；右非溢流坝段(21# ~ 23#)前缘长度 47 m。20# ~ 23#坝段均在高程 62 m 以下部位全断面采用 RCC。

13# ~ 23#坝段高程 62 m 以下部位混凝土工程量 13.8 万 m^3，其中 RCC8.8 万 m^3。

二期工程混凝土主要由左岸 $4 \times 3\ m^3$ 拌和楼(该楼配备有制冷系统)供料，混凝土由自卸车运至二期基坑，常态混凝土以布置在表孔坝段下游的天塔入仓为主，辅以履带吊入仓；RCC 以自卸汽车直接入仓为主，辅以施工单位自制的皮带机输送入仓，并由自卸汽车转料。自卸汽车采用“端退法”卸料，每车分两次卸料。

RCC 由推土机平仓，摊铺厚度控制在 34 ~ 36 cm 范围内。在基础廊道顶部以下部位，根据连接廊道的位置，分成若干个仓位，采用“平层铺筑法”；在基础廊道顶部以上部位，则由左端(由自卸汽车直接入仓时)或右端(由皮带机入仓时)向另一端采用“斜层铺筑法”摊铺。采用“斜层铺筑法”摊铺时，为防止坡脚处的骨料被压碎，在此处摊铺成“靴形”，“靴”厚与层厚等厚，“靴”长为 3 ~ 4 倍层厚。

由 BW-202 型振动碾碾压，碾压遍数为无振碾压 2 遍、有振碾压 6 ~ 8 遍。压实厚度为 30 cm，容重按 2 380 kg/m^3 控制。对于模板及钢筋周边难以碾压的部位，洒水泥浆振捣成“改性混凝土”。

坝体不设纵缝。每仓内的横缝设“诱导缝”，诱导缝主要由人工打钢钎、灌干砂造缝。

通过紧张而有序地施工，在 1999 年 5 月上旬完成了表孔坝段高程 59 m、升船机挡水坝段及右岸非溢流坝段高程 62 m 以下部位的 RCC 施工。

3 结语

高坝洲工程具有工期紧、项目多、效益高的特点，由于参建各方坚持了“精心组织、技术先行”的指导方针，把它建成了“短、平、快”的水电模式。这主要得益于先进技术方案的支持。

(1)一期工程中，采用了RCC纵向围堰，尽快形成了一期基坑；电站厂房进口及下游墙单独上升方案的应用，厂房及深孔坝段提前进行直缝灌浆和宽槽回填等方案的实施，均为二期截流创造了条件。

(2)二期工程中，在一个枯水期内完成二期截流、基坑开挖及全断面RCC坝体施工，工期相当紧张。由于采用了隔河岩水库调蓄、保护层一次爆除技术、全断面 RCC 坝体施工等先进施工技术方案，不仅提前一年正常蓄水发电，而且省去了上游 RCC 过水围堰，经济效益十分显著。

（原载《清江高坝洲水电站工程科技文稿选编》，2004年5月）

高坝洲水电站大坝横缝漏水的处理

张桂初　吴良洲

高坝洲水电站大坝为混凝土重力坝，最大坝高 57 m，坝顶高程 83.00 m，坝顶全长439.5 m，共分23个坝段，其中9#～11#坝段为深孔泄流坝段。2000年4月，工程通过蓄水前验收，同年4月30日，水库正式下闸蓄水。2001年初，发现大坝10#～11#坝段与11#～12#坝段闸墩墩尾横缝漏水。建设单位对此很重视，多次召集设计、监理和施工单位人员察看现场，讨论研究检查处理方案。

1　大坝渗漏处理方案的探讨与确定

1.1　渗漏检查与原因分析

2001年3月，设计布置了4个ϕ75 mm斜穿缝面的检查孔，其中检1#、3#在坝顶83 m高程，检2#、4#在墩尾62 m高程平台。5月又做了大量的补充检查及嵌缝工作，并在坝顶83 m高程增加检5#～8#4个检查孔。

斜穿缝面的检1#～4#孔主要检查缝面漏水量大小、涌水压力、缝内水位、缝面连通情况等。检5#～8#孔主要检查混凝土质量情况，止水片埋设质量，建基面岩体与混凝土结合情况以及混凝土裂缝与横缝连通情况。另外，还放下深孔检修门，开启工作弧门，检查了检修门与孤门之间混凝土质量等情况。对两条横缝检查孔注水试验与孔内水位、出水量及连通情况的测试资料见表1。

通过大量的检查工作，初步分析判断：①闸室混凝土无明显混凝土裂缝。②坝体廊道内检查，固结、帷幕防渗效果较好，排水孔出水量较小，小于设计标准，坝体混凝土与基岩胶接是好的。通过基岩层面和裂隙向横缝渗漏的可能性不大。③横缝漏水的原因，极有可能是坝体横缝两道止水片局部破损，导致止水失效或两道止水片附近混凝土浇筑不密实而发生绕渗。

表 1 检查孔测试资料统计

孔号	孔深 (m)	高程 (m)	压力 (MPa)	涌水压力 (MPa)	漏水量 (L/min)	孔内水位 (m)	备 注
检 1	23.07	83		0.13		65 ~ 64.3	11# ~ 12#坝段
检 2	12.13	62		0.13	180	65 ~ 64.3	11# ~ 12#坝段
检 3	23.07	83		0.04		64 ~ 64.3	10# ~ 11#坝段
检 4	12.13	62		0.04	120	64 ~ 64.3	10# ~ 11#坝段
检 5	49.2	83	0.1		0.2 ~ 0.6		仅 34 ~ 44 m 高程为 6.8 L/min
检 6	48.9	83	0.1		0.1 ~ 0.4		仅 34.1 ~ 49.3 m 高程为 1.2 L/min
检 7		83					未施工
检 8		83					未施工
检 9	13	62					穿过缝面失水

1.2 处理方案的提出与选择

通过两个多月的检查摸索和原因分析，提出了以下 5 种处理方案：

(1) 斜穿缝面钻孔化灌方案。该方案是对有外漏的部位进行凿槽贴橡皮，用环氧嵌缝阻浆；利用已有的斜穿缝面的检查孔作为灌浆孔，并在坝顶 83 m 高程和墩尾 62 m 高程平台增加斜穿缝面且高程不同的灌浆孔，灌 DH－814 聚氨酯快速堵漏胶。该方案的优点是采用化学灌浆工艺，操作简便；缺点是全缝面灌注，坝体横缝可能失去伸缩作用，堵漏效果不一定可靠，还可能由于灌浆压力，导致闸墩结构的破坏。

(2) 骑缝化学阻渗塞方案。首先在坝顶止水片下游近处钻垂直骑缝孔，利用已有的嵌缝措施阻水，降低缝面渗流速度，用速凝化灌材料注入骑缝钻孔中，形成阻渗塞止水。该方案优点是只灌钻孔，施工工艺简单；减少通过缝面流失的浆量，处理造价低。缺点是钻孔精度要求较高，一旦发生偏离，则难以保证阻水效果。

(3) 上游横缝水下灌浆。利用水下施工技术，在上游面横缝凿槽嵌缝，粘贴一层防渗材料，并埋设灌浆管，对止水片到上游面的横缝区域灌化学材料，形成一道新的止水带，联合阻止库水进入横缝。

(4) 沥青灌注桩止水。沥青灌注止水法，简单地说就是先将沥青改性加热至 200 ~ 230℃ 使之成为流动状态，用一双层保温管将热沥青送至孔内，形成止水沥青柱。

(5) 放空水库，凿槽嵌缝止水法。该方法是放空水库，在横缝处清淤，对全缝凿槽、嵌缝、表面粘贴防渗材料。

开始处理时，按第 1 方案在 10# ~ 11#坝段横缝实施，并已钻了部分灌浆孔，同时研究第 2 方案。从技术、经济的角度反复比较论证，最后停止第 1 方案施工，改用第 2 方案，即骑缝化学阻渗塞方案。

采用化学阻渗塞方案，首先应确定骑缝位置及孔径。高坝洲水电站大坝每道横缝均设有两道止水片，两道止水片之间的距离为 0.4 m 或 0.6 m。钻孔位置选择有两种，一是选在两道止水片之间，考虑到止水片安装出现偏差或钻孔偏斜，会对止水片造成进一步破损，且由于止水片在垂直面呈折线布置，钻孔无法深入基岩，故未采用此方法；二是选在止水片下游近处，不会伤及止水片。其次是确定孔径，孔径过小，由于混凝土施工中横缝出现左右偏移，不能保证钻孔骑缝效果和阻渗塞的有效厚度；孔径过大，会增加造价。经分析，确定在止水片下游 0.5 m 和 2.0 m 处的横缝上布置ϕ219 mm 垂直骑缝钻孔，骑缝孔布置见图 1。为保证高精度的孔斜率，选定湖南中南岩土工程有限公司。该队伍在三峡工程中负责倒垂孔施工，具有倒垂孔的施工经验。

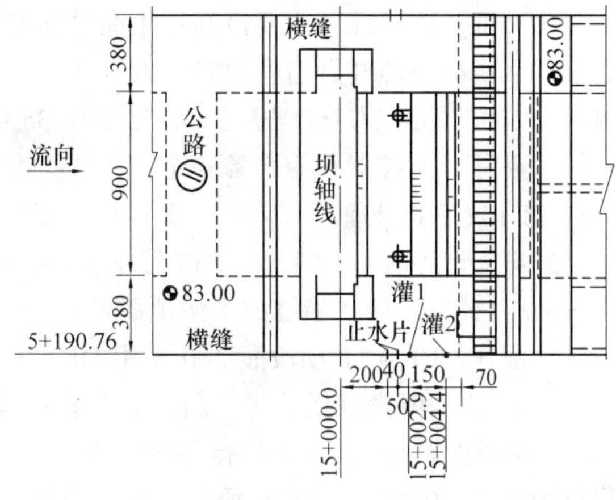

图 1　骑缝孔布置（单位：桩号、高程 m；尺寸 cm）

2　堵漏材料选择与试验

化学阻渗塞应具备 4 个主要性能：①具有膨胀性，保证阻渗塞塞紧塞牢；②能适应伸缩缝反复开合变形，具有一定的弹性和柔韧性；③能在水中快速凝固，不被渗流水冲蚀带走；④固结体的抗渗性能满足设计防渗要求。根据这些要求，显然只有水溶性弹性聚氨酯材料可供选择，其他如水泥、环氧等干缩性材料均不合适。设计单位推荐采用 DH—814 聚氨酯快速堵漏胶基本符合设计提出的上述 4 种主要性能要求，且在葛洲坝工程以及本工程混凝土裂缝处理与堵漏施工中均采用过。该材料主要技术指标见表 2。

表 2　DH—814 聚氨酯堵漏胶技术指标

项　目	指　标
密度（g/cm³）	1.02 ~ 1.10
膨胀度（%）	150 ~ 300
黏结强度（MPa）	＞2（干燥状态与混凝土）
凝胶时间	几十秒 ~ 数十分钟
固结体抗渗性	0.3 MPa，24 h 不渗水

为了减少浆液流失降低造价，改进固结体质量，选取合适的凝胶时间，经过多次现场试验来确定凝胶时间和掺黏土粉试验，试验证明掺 10% ~ 15%的黏土粉后所形成的复合材料，凝胶时间可缩短为 15 ~ 20 min，而且不沉淀、不离析，遇水后还可改善膨胀特性。通过上述试验准备，为堵漏灌浆顺利形成阻渗塞打下了良好基础。

3　钻孔灌浆工艺与施工

3.1　施工工艺

化学阻渗塞是通过普通钻孔灌浆工艺来实现的。其施工工序为：开孔→埋孔口管→钻孔→测斜→打捞孔底残留物→钻孔验收→注水试验→孔内电视→灌浆→检查→封孔等。孔斜率按要求达到孔深的 1‰。11# ~ 12#坝段横缝的灌 1#与灌 2#孔均钻到廊道顶部以上 0.5 m 终孔，孔深 40.5 m，相应高程为 42.5 m，距建基面 10.5 m；10# ~ 11#坝段横缝的灌 1#与灌 2#孔深入基岩 0.7 m，孔深 52.7 m。实际钻孔偏斜率＜0.5‰，最大绝对偏差值仅 2.5 cm。钻孔边缘距横缝最小距离＞5 cm，造孔质量完全满足设计要求。钻孔验收后进行简易注水试验和孔内电视，了解漏水量大小和渗漏位置；根据渗漏量大小确定浆材的凝胶时间和备浆量。

因灌浆孔是骑缝一次造孔，所以灌浆采用全孔自流式注入法，即把灌浆皮管插入孔底，以浆赶水，遇水固化；注浆时随着浆面的上升提升皮管，始终保持皮管出口在浆面以下 2 ~ 4 m，让自由发泡区段与浆面同时上升，从而保证浆柱充填饱灌密实和整体连续。为此，施工中采取了以下几条主要措施：①灌浆前对机械设备进行检查维修保养，并用水试灌，在确定无机械故障和管道畅通时，方可开灌。②灌前做好材料凝胶时间试验工作。测定水温(一般在 16℃左右)、气温(一般在 30～35℃)等；检测黏土粉细度及计算配比；量具、量杯、磅秤、搅拌器具等准备齐全。

3.2 第 1 次灌浆处理

2 条横缝共钻 4 个骑缝孔，造孔进尺 186.4 m。灌浆处理分 2 次进行，第 1 次是在 2001 年 8～9 月分别对两条横缝的下游侧的钻孔(2#)进行灌注。11#～12#坝段灌 2#孔采用 DH-814 纯浆液灌注，10#～11#坝段灌 2#孔采用 DH—814 掺 10%～15%黏土粉灌注。灌浆结束后 15 d，对 11#～12#坝段灌 2#孔打一斜穿灌 2#孔的检查孔(见图 2)，孔径为 168 mm，孔深 20.50 m，相应高程为 62.50 m，进行注水检查，注水率为 116.5 L/min，并对检查孔进行灌浆，浆材中掺入 10%的黏土粉；灌浆结束后 3 d，又对检查孔扫孔，再次做简易注水试验，注水率为 51 L/min，接着进行复灌封孔。同时进行芯样观察，发泡区从上到下呈渐变状态，越下越密实，固化胶结越好，固化体刚性较大，浸水膨胀甚小。

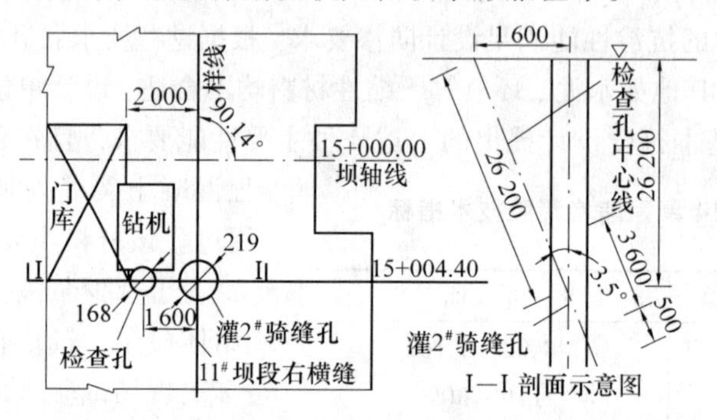

图 2 检查孔(检 1)放样示意(单位：mm)

第 1 次处理 2 个灌 2#孔，灌浆进尺 93.2m，灌入浆材 7 122 kg。11#～12#坝段检 1#孔深 20.50 m，灌入浆材 1 008 kg。灌浆结束 50 d 后，对缝面漏水量进行测定。灌前灌后漏水量检测对照见表 3。

表 3 灌前灌后横缝漏水量对照 (单位：L/min)

灌浆前后	10#～11#坝段缝	11#～12#坝段缝	测试日期
灌前	120	180	5 月 7 日
灌后	7.9	＜1	11 月 9 日

通过注水试验与灌后渗漏量变化观测，发现钻孔注水时，缝面张开，漏水量明显增大，灌浆时也是如此；待注水、灌浆结束若干天后，漏水量开始逐渐减少。其原因可能为：一是坝体恢复弹性变形比较缓慢，缝面逐渐闭合有一时间过程；二是由于库水温度较低，灌浆材料在孔内凝胶固化速度、凝固体膨胀速度较缓慢。渗漏量变化曲线见图 3。

3.3 第 2 次灌浆处理

2002 年 1 月，由于温度下降，坝体、收缩，缝面断开，原缝面渗水量有所增加，11#～12#坝段渗漏量最大达到 43 L/min。据分析，可能是采用的 DH－814 聚氨酯快速堵漏胶刚性较大，弹性不足，遇水膨胀性能较差，阻渗塞不能适应缝的伸缩变形的原因。因此，在

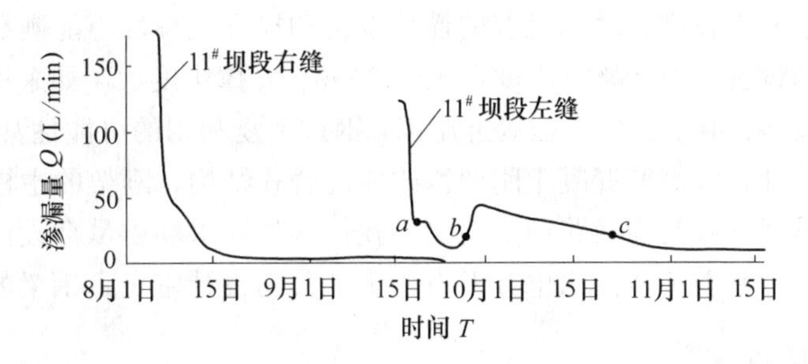

说明：(1)右缝灌浆时间为8月7日，左缝为9月18日；
(2)*ab*段为9月18日简易注水，*bc*段为9月29日~10月24日检1#、灌1#造孔

图3　渗漏量变化曲线

2002年1月3日，对2个坝段灌1#孔改用华东勘测设计研究院生产的LW-Ⅱ型水溶性聚氨酯材料灌注，灌注工艺与原先的基本相同，灌后约10 min，缝面基本停止漏水，取得了良好的堵漏效果。LW-Ⅱ型材料的主要性能见表4。

表4　LW-Ⅱ型材料的主要性能

项　目	指　标
密度(g/cm³)	1.05~1.10
凝胶时间	几分钟至几十分钟可调
黏结强度(MPa)	＞0.7
抗拉强度(MPa)	＞2.1
伸长率(%)	＞130
包水量(倍)	＞20
遇水膨胀倍数(%)	＞100

注：实际灌浆处理时可能需要添加固化剂等助剂，性能指标略有变化。

4　结语

高坝洲水电站10#~12#坝段2条横缝漏水处理工作于2002年3月全部结束，经第1次处理渗漏量由原来的180 L/min减少到1 L/min以下。第2次处理后，已经基本不漏，防渗效果明显，证明选用骑缝化学阻渗塞方案是成功的。采用骑缝孔处理大坝横缝漏水的方法，在其他工程已有先例，但由于高坝洲工程大坝漏水的横缝结构特殊，处理较为复杂，只有采用弹性较好的材料才能达到更好效果，采用LW-Ⅱ型水溶性聚氨酯材料处理大坝伸缩缝的渗漏比DH-814聚氨酯快速堵漏胶更为合适。

(原载《水力发电》2002年第3期)

高坝洲水电站升船机下闸首检修门启闭机轨道钢梁的吊装

吴启煌

1　概述

高坝洲水电站升船机启闭机的轨道架设在两跨实体刚架上，刚架为钢筋混凝土结构，支撑轨道的横梁部分的断面高200 cm，宽160 cm，自重达8 t/m。从施工角度考虑，由于

横梁混凝土浇筑要求较高，现场已有的搅拌设备和提升机械都不能满足其要求，必须重新购置或租用一套设备。加之架空高度在 12～25 m，支撑难度大，如采用钢桁架支撑，其杆件与埋件用材较多，由于土建工程接近尾声，钢材重复利用的可能性甚微。鉴于这种情况，有人建议修改设计，将钢筋混凝土刚架修改成混合式结构，刚架的主柱部分仍为钢筋混凝土结构，其横梁部分修改为两跨简支钢梁。在征得长江水利委员会设计院枢纽处同意后，决定采纳此建议，并委托清江水电开发有限责任公司设计室负责钢梁的设计。

2　设计修改情况

结构型式和材料修改后，结构受力状况发生了根本性的变化，因此在设计中需要考虑一系列问题。包括钢梁的纵向和横向约束，钢梁的温度变位及相应的伸缩，为此采取了以下措施：

(1) 在柱顶设计凹槽，钢梁嵌固在凹槽之中。在凹槽底部和两侧埋设钢板，对钢梁进行纵向和横向约束。

(2) 左跨的右端与右跨的左端设固定支座，其对端为活动支座，以利于钢梁的伸缩。

(3) 在混凝土柱柱顶和柱顶凹槽下方 50 cm 侧面预埋钢板，以便于钢梁的调整。

设计修改后的钢梁见图 1。

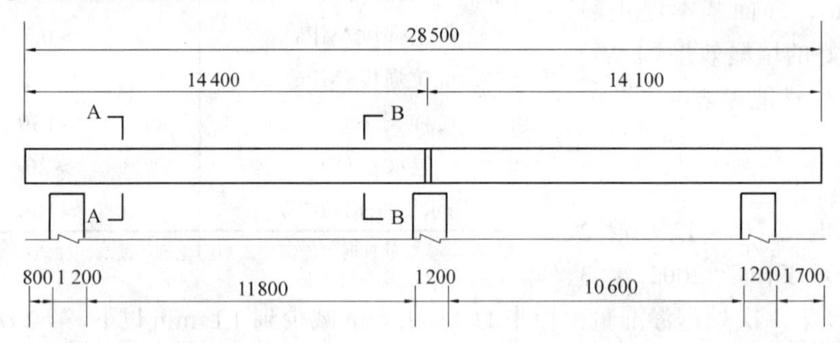

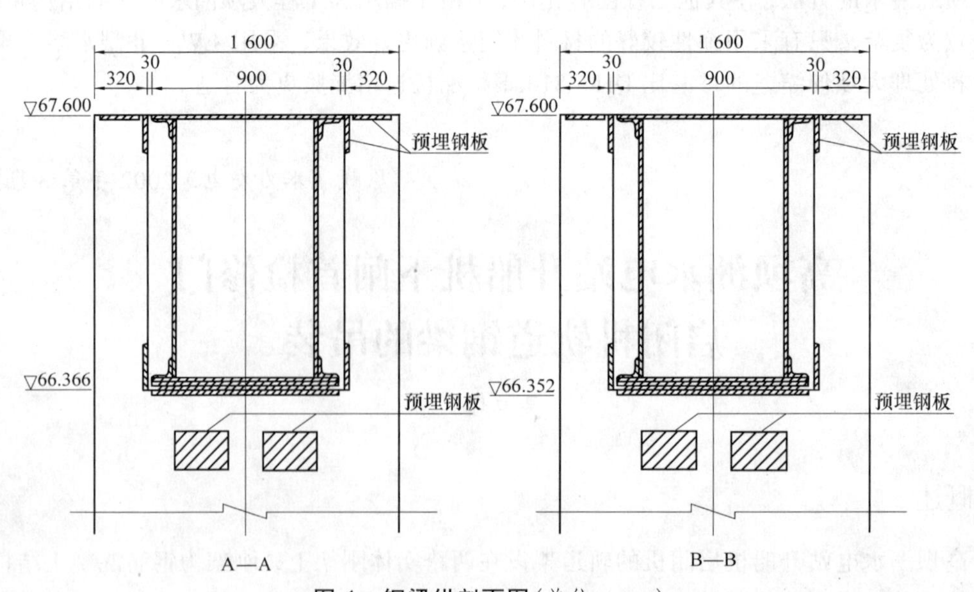

图 1　钢梁纵剖面图（单位：mm）

3　技术上的难点及解决办法

钢梁设计成两跨简支梁，受力状态明确，计算也不复杂，制作和运输都不麻烦，而钢梁的吊装却颇费了一番周折。由于有航槽之隔，左边一跨的吊装成了难点。其困难在于：一是如何将钢梁吊至(或跨航槽平拖至)航槽的左岸；二是如何将钢梁安全吊至柱顶，并调整就位。究竟是自制扒杆，还是采用汽车吊，若采用汽车吊，该设备何以跨过航槽。当然，最省事的方法是将两跨钢梁对接焊成整体，租用 90 t 以上的大型汽车吊，将其吊装就位，然而大型吊车的租金昂贵，经济上很不合算，在技术上，也将留下“杀鸡用牛刀”的笑柄。经过建设、设计、施工、监理单位的反复协商，决定采用“两跨对接、双机抬吊、整体入槽、柱顶平移”的方法吊装钢梁。

4　吊装方案

4.1　吊装设备及其性能参数

吊装设计拟采用一台 25 t 汽车吊与一台 16 t 汽车吊进行抬吊，其性能参数见表 1、表 2。

表 1　25 t 汽车吊性能参数表　（单位：t）

吊臂长度(m) / 作业半径(m)	侧吊与后吊		
	10.4	17.6	24.8
5	18.7	13.5	8
6	14.5	13	8
7	11.4	11.5	7.2

表 2　16 t 汽车吊性能参数表　（单位：t）

吊臂长度(m) / 作业半径(m)	侧吊与后吊		
	9.8	16.9	24
5	12	9.6	6.6
6	10	8	5.6
7	8.3	7	5.0

4.2　吊装步骤

(1)采用一台 16 t 汽车吊将运到现场的钢梁卸车，并按图 5 所示的位置摆放，左跨钢梁架在航槽上方，右跨钢梁置于左跨的延长线上。

(2)利用 16 t 汽车吊将在左、右两跨调整至同一高程、同一轴线，并垫上枕木，进行组对拼装，将两跨钢梁用钢板焊成一体(见图 2)。腹板之间的连接板(A)2 块，其尺寸为 900 mm × 280 mm × 16 mm，翼板之间的连接板(B)4 块，其尺寸亦为 900 mm × 280 mm × 16 mm(钢梁对接焊成一体后，自重 18 t)。

(3)钢梁对接组焊成一体后，25 t 汽车吊进入检修闸门右侧平台。选择最佳作业半径，并控制半径 5 m，出吊杆为 17.6 m，吊载控制在 13 t 以内。采用一台 16 t 汽车吊在钢梁另一端就位，作业半径控制在 5 m 以内，吊杆为 16 m，吊载控制在 9 t 以内。

(4) 双机抬吊将钢梁大部分摆放在 A、B 柱顶的凹槽内，凹槽摆放一个滚动支承架，使钢梁底部平面与支承架滚轮相接触（见图 3）。

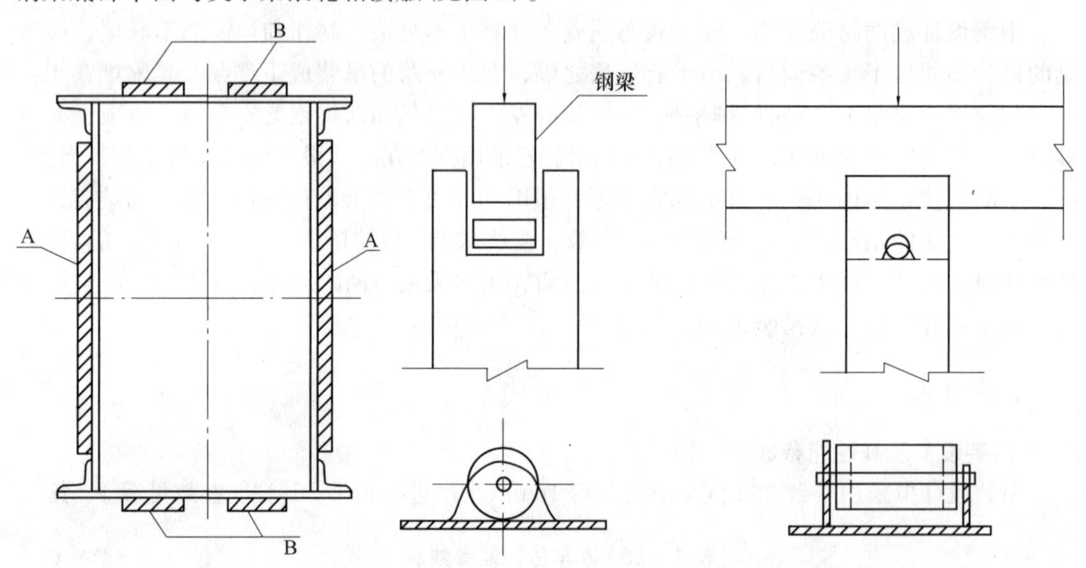

图 2　两跨钢梁之间的连接板　　　　图 3　柱顶凹槽及滚动支承架示意图

(5) 当钢梁摆放在 A、B 点时，25 t 吊车摘掉吊索绳，将吊点设在钢梁尾部（即 16 t 吊设吊点位置），16 t 吊摘除吊索绳，在 C 点方向设一个导向滑车，由 16 t 吊索引，使 A、B 点上钢梁向 C 点位置平移，直至完全到位。25 t 吊始终吊稳钢梁尾部，平抬前送就位（见图 4）。

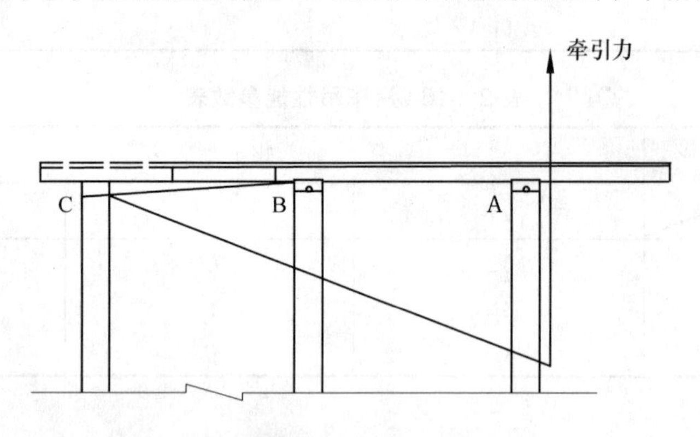

图 4　钢梁在柱顶凹槽内平移示意图

(6) 利用柱顶埋件（或柱侧埋件）设置千斤顶或手动葫芦顶起钢梁，撤出设在凹槽内的滚轮支承架，重新落下钢梁调整就位。

5　吊装作业

钢梁吊装由宜昌华力机械化施工有限责任公司承担。在钢梁吊装前，建设单位对吊装方案的安全性和可靠性进一步进行了研究，提出了几条意见。主要的意见有两条：一是要求将主吊机械由 25 t 汽车吊改为 40 t 汽车吊（其性能参数见表 3）；二是在吊装之前，模拟吊装工况在地面上进行现场试验。

经过协商，吊装单位采纳了建设单位的意见。

表 3　24 t 汽车吊性能参数　（单位：t）

作业半径(m) \ 吊臂长度(m)	侧吊与后吊		
	16.5	22	27
7	16.7	16.5	16
8	13.55	13.3	13
9	11	11	11

5.1　吊装作业过程

5 月 30 日，四根钢梁相继运至现场，5 月 31 日完成两跨钢梁的现场对接和拼焊。6 月 1 日上午，主吊机械 40 t 汽车吊开至现场，在完成准备工作后，开始进行现场试验，并采用简易方法测量钢梁起吊后的变形。主要是考察对接部位(最薄弱部位)在吊装过程中的变形及其影响。由于手段简陋，加上钢梁变形微小，所测变形数据均在 1 cm 之内，模拟试验结果表明，采用双机抬吊是安全的。1 日下午 3 时许，上游侧的钢梁开始起吊，至 5 时 30 分，钢梁就位。2 日上午 8 时，下游侧钢梁开始起吊，至 12 时，钢梁就位。

5.2　吊装作业与吊装方案的区别

当双机抬吊将钢梁大部分摆放在 A、B 柱顶的凹槽内，使钢梁底部平面与支承架滚轮相接触后，并没有按原方案，使 40 t 吊车松钩，将吊点移至钢梁尾部，由 16 t 吊车牵引，使钢梁在滚轮支架上向前方(C 点)平移，而是采用汽车吊吊点后移，扒杆变幅使钢梁缓缓向前平移。具体方法是，当钢梁大部分落于 A、B 柱顶凹槽内的滚轮上后，两台汽车吊都将吊点逐步往后挪，而扒杆却向前伸长一段，斜向吊起钢梁，并使之向前方摆动一段距离，再将钢梁重新落位于滚轮上，如此循环，重复以上动作，使钢梁缓缓向前平移，并接近设计部位(40 t 汽车吊吊点后挪的极限位置在钢梁对接后的几何中心，16 t 汽车吊吊点后挪的极限位置在右端点)。如果钢梁离设计部位小有差距的话，可以采用手动葫芦进行调整。吊装作业见图 5、图 6。

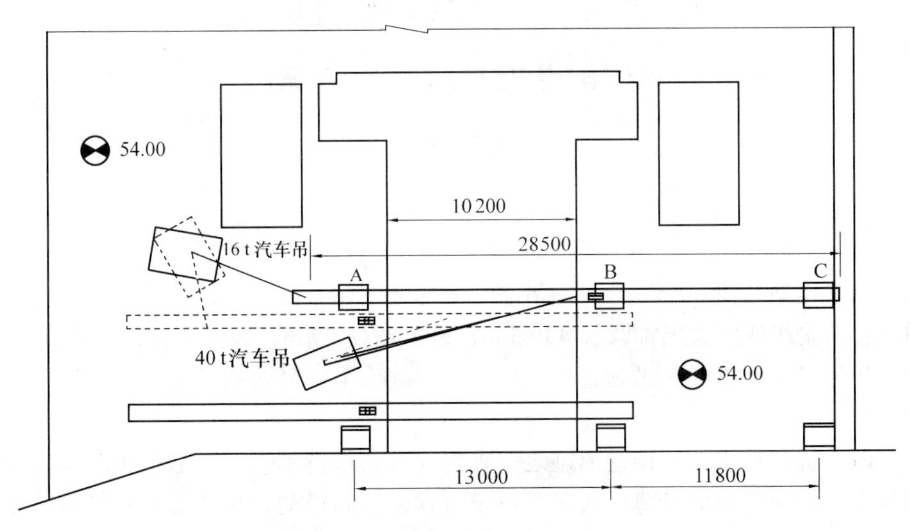

图 5　吊装作业平面布置图(单位：高程 m；尺寸 mm)

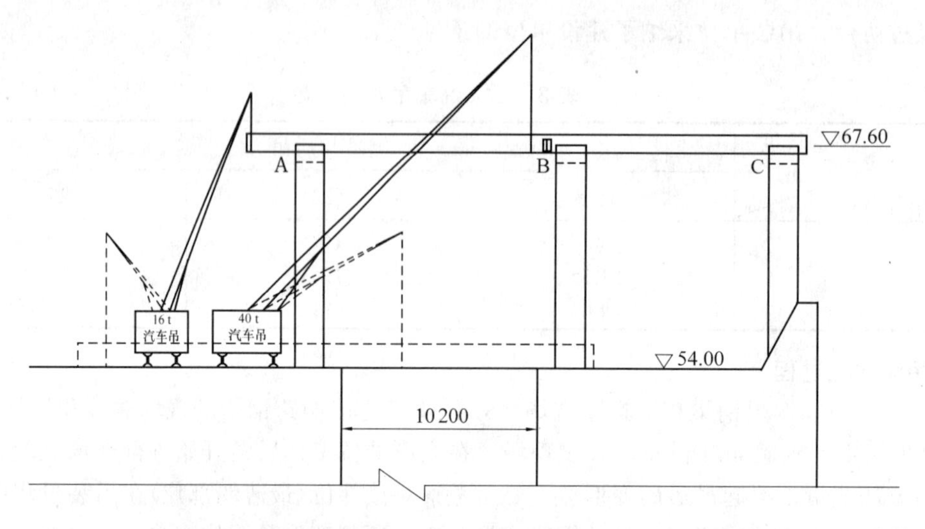

图 6　吊装作业立面图(单位：高程 m；尺寸 mm)

应该指出，采用这种方法是存在一定风险的，但是基于以下四个因素，这种方法仍然是可靠的。一是主吊机械是 40 t 汽车吊，其安全裕度较大；二是钢梁在凹槽的横向约束下，纵向前移不会发生横向的摆动；三是汽车吊每次只将钢梁吊离滚轮，腾空的高度很小，向前窜动的距离较短，冲击力相应较小；四是吊装单位经验丰富，作业人员胆大心细，现场组织工作周到有序。

钢梁的吊装作业迅速、顺利而安全，它说明了一个问题，那就是对技术上的任何难题，只要采取科学的、实事求是的态度，以锲而不舍的精神认真分析研究，总可以找到有效的解决办法。

(原载《清江高坝洲水电站工程科技文稿选编》，2004 年 5 月)

强透水短渗径缓倾角层面渗漏通道的有效堵漏

刘家祥

1　问题的提出

高坝洲水电站是清江干流开发的最下一级梯级电站，由河床式电站厂房、挡(泄)水大坝、通航建筑物组成。大坝轴线长 439.5 m，最大坝高 57 m，装机 3 台，总容量 252 MW，通航建筑物为 300 t 单驳一级垂直升船机。工程施工采用分两期导流方式，一、二期间设纵向围堰。

高坝洲坝址区最重要的构造形迹之一表现为剪切带特别发育，是层状岩体的褶皱构造变动过程中，沿地层中的极薄层状泥质白云岩发生层间错动，从而形成密集的缓倾角裂隙或劈理，部分挤压破碎呈碎片、鳞片或粉末，局部可见肠状揉皱现象，部分则沿层面脱开，后期为方解石充填。部分层间剪切带，由于局部张开后未被方解石很好充填，在地下水的作用下，沿剪切带层面形成较强烈的溶蚀通道。在高坝洲工程施工过程中，由于以上原因而形成的较大层面溶蚀渗漏通道先后有两处：纵向围堰导 4、导 5 渗漏通道和 15#～17#坝段的渗漏通道。

2　通道特性及其影响

以上两处通道都呈短渗径、大漏量、大面积、缓倾角层面渗水特性，并处于主体建筑物基础之下，必须先进行堵漏处理后再采取其他结构处理措施。

2.1　纵向围堰渗漏通道

该通道分布于 RCC 纵向围堰兼大坝深孔与表孔消力池导水墙的导 4、导 5 段基础之下，为沿层间剪切错动溶蚀带形成的强透水层面渗漏通道。在导 4、导 5 两段基础开挖整修过程中，未发现大的溶蚀现象和明显地质缺陷，仅有层状泥质白云岩岩层出露，以一期工程的导流明渠水流为补给源，在桩号 15+106 顺层面溶蚀形成一上升泉和 15+132 处顺裂隙性断层形成的下降泉群，前者涌水量约 5 L/s，后者涌水量约 25 L/s。当时由于 RCC 纵向围堰工期较紧，按照总体安排，RCC 围堰竣工后再在该段进行防渗灌浆处理。在 RCC 开始挡水，一期基坑形成后，在其左侧深孔段消力池护 5-3 和坎 3 开挖建基面上出现 W_1 涌水点，其初期涌水量约 25 L/s，地质上通过连通试验，确定其补给源为右侧导流明渠的江水，并经过对出水点的详细地质分析，确定其径流通道为 243#、246#层间剪切错动溶蚀带。由于当时未能及时处理，随着汛期右侧江水的抬高，沿 244#、245#剪切带发生大量潜蚀，涌水量大增，特别是 1997 年 7 月 16 日洪峰过后，主出水点涌水量达 70～80 L/s，并新增一个主出水点 W_{1-1}，另有许多小的筛状出水点，总涌水量达 110～130 L/s。当明渠水位较高时(水位差由明渠侧最高水位 46 m 高程至护坦侧建基面 29.5 m 高程，水头最高达到 16.5 m)，漏水量及流速更大。

其渗漏通道特征为：层面径流，层面宽 15～20 m；钻孔并孔内电视摄像，层面厚度为 8～15 cm；通道渗径短，仅 30～60 m；多处大漏量散点出水为主，沿层面出露口条带状出水为辅；水头高、流量与流速较大。

该渗漏通道直接影响深孔消力池护坦混凝土浇筑和护坦锚桩灌浆施工质量，并在消力池护坦基岩覆盖混凝土及其锚桩施工后，右侧导流明渠的江水通过溶蚀通道形成的地下水压力，易使护坦基础岩体本身和护坦混凝土与基础岩体间造成抬动破坏。

2.2　大坝 15#～17#坝段基础渗漏通道

大坝 15#～17#坝段基础开挖揭露出 F_{205}、F_{213}、F_{214}、F_{215} 等断层及 300-1#、300-4#、300-9#等剪切带溶蚀较严重，将 15#～17#坝段部分基岩切割形成一楔形体，并在 300#与 300-1#夹层带围限的范围内，沿断层 F_{205}、F_{213}、F_{214} 形成涌水点。其中，F_{205} 断层规模较大，沿其溶蚀成缝，横贯 15#、16#两坝段，全线产生较强烈的溶蚀，在 15#、17#坝段的涌水点的涌水量分别达 5 、20～25 L/s；F_{213} 断面在 15#、16#坝段涌水点的涌水量分别达 20、10 L/s，有时呈线状涌水；F_{214} 断面在 16#坝段呈线状涌水，涌水量达 15～20 L/s。

15#～17#坝段基础涌水主要由于大坝坝基开挖以后，上游围堰外的库水为补给源，并经断层 F_{213}、F_{214} 及夹层 300-1#～300-4#向下游径流，而断层 F_{205} 与断层 F_{213}、F_{214} 倾向相反，形成了交棱线，当地下水径流至16#、17#坝段时，因岩体较强烈的溶蚀形成了出泄点，从而形成了严重的坝基漏水通道。

该通道是大坝基础的较大地质缺陷，直接影响大坝基础防渗、坝基加固以及混凝土施工质量。为保证施工进度，确定保留楔形岩体而采取结构处理措施。

3 渗漏通道的处理

上述两处渗漏通道按照建筑物基础要求，都必须从结构上对岩体进行固结灌浆及锚固处理。而在进行结构处理前，必须先对渗漏通道进行灌浆堵漏处理，才能保证结构处理措施的顺利实施及处理质量。两通道的处理首先是在对纵向围堰岩层层面渗水通道灌浆堵漏成功经验的基础上，对后期出现的15# ~ 17#坝段渗水通道采取不挖除楔形体而进行灌浆堵漏与加固处理措施。

3.1 纵向围堰渗漏通道堵漏处理措施的探索

针对出现的短渗径、缓倾角、沿层面、强透水漏水通道，先后讨论了以下几种处理方案。

(1)沿围堰外侧钻孔灌浆处理。即在围堰外侧布设一排灌浆孔，孔距2.0 m，灌注水泥掺水玻璃浆液，但浆液仅6 s即从出水点流出，堵漏失败。

(2)沿围堰外侧钻孔灌注混凝土处理。即在围堰外侧钻ϕ168 口径钻孔，灌注一级配流动性较好的混凝土，但钻孔很快被堵死。

(3)在围堰顶部钻孔灌浆并投瓜米石处理。即在围堰顶部布设一排ϕ168 钻孔，自流灌注砂浆并投瓜米石进行处理。砂浆仅 3 s 即从出漏点流出，后在出水点处覆盖沙袋以期能够滞留注入的适量砂浆，逐步累积堵漏后再注水泥浆密实，但出水压力过大，达不到阻浆效果；投入瓜米石，根据投入量计算，在孔底与层面接触面极小的面积范围进行了堵塞并发生了堵孔，处理几乎无效。

(4)风动排水、静压灌浆处理。即在围堰外侧钻孔，采取风动抽排水使漏水层面通道成为静压后再灌浆的措施，此方案理论上可行，但处理工艺过于复杂，且费用较高，最后未能实施。

3.2 纵向围堰渗漏通道成功处理措施的基本思路与程序

3.2.1 纵向围堰渗漏通道成功处理措施的基本思路

上述处理措施虽然相继失败，但对通道的特性也得到了全面了解，在结构上对基础岩体有岩层抬动变形控制要求(抬动变形小于200 μm)的前提下，将前述措施进行综合并通过进一步分析研究后，最后决定采取“排水减压、增加盖重、静压灌浆、转化通道”的堵漏思路。

3.2.2 纵向围堰渗漏通道成功处理具体措施与程序

3.2.2.1 钻孔埋管集中引流排水——排水减压

在开挖形成的护坦建基面上，将几个较大出水点埋设引流管，另外在渗漏通道靠近围堰的护坦建基面最下游侧钻一个ϕ168 垂直孔并埋设引流管，同时在该孔附近从围堰内侧上钻一个ϕ168 斜孔与渗漏层面相通，也埋设引流管。将上述引流管水平引至下游专设的临时集水井并安设压力表和控制闸阀。这样，建基面上其他出水点和层面露头的渗水量大为减少并且降低了渗漏压力。

其后，对其他出水点和层面露头用棉絮进行嵌堵。这样，开挖建基面上渗水极少，可以基本上在无水情况下清理建基面、浇筑护坦结构混凝土，以保证工程质量。

3.2.2.2　覆盖护坦结构混凝土并钻孔安设结构锚桩——增加盖重

按照设计要求，先浇筑 1.5 m 厚结构混凝土以增加基岩盖重(上部 0.5 m 厚钢筋混凝土则在堵漏处理以及锚桩全部实施完成后浇筑)；再钻孔安设锚桩及其注浆，以提高基岩抗抬动变形能力。

在锚桩施工过程中，对钻孔过程中有涌水的钻孔，即停止钻进，留作堵漏灌浆孔。同时，根据渗漏层面与上覆盖重混凝土的上下相对位置，造成 2～3 个无涌水锚桩孔，在锚桩施工时一并安设抬动变形观测装置。

3.2.2.3　分区逼近对层面灌浆——静压灌浆转化通道特性

(1)将所有引流管闸阀开度开至最大。

(2)先利用最浅涌水锚桩孔(接近渗水层面出露口处)作为灌浆孔(第一灌浆孔)，安设灌浆装置后，灌注砂浆。开灌水灰比为 1∶1，之后直接灌注 0.5∶1 水泥砂浆。对次深涌水锚桩孔则安设灌浆装置(包括调节固定好阻塞器)，作为第二灌浆孔随时做好灌浆准备，其余涌水锚桩孔类推。

(3)灌浆压力、灌浆量与引流管闸阀以及抬动变形的综合控制。

第一步，先以小压力开灌，再逐步连续升压，至最接近灌浆孔的引流管(第一引流管，其余依距离由近到远依次为第二、第三引流管等)出水变浑时，维持注浆压力不变(压力控制在第一引流管压力表值以内)，适当调减第一引流管的开度，并观测控制抬动变形在 180 μm 左右(适当留有余地)，至出水变清。此时，第一引流管进水点与灌浆孔之间一定区域内处于相对静水状态，利用浆液的自重沉淀固结原理对该区域层面通道实施堵漏处理。在上述过程中，控制岩层抬动变形的要素为渗透水压力与灌浆压力，并以渗透水压力为主。

当进浆量减小时，适度增加灌浆压力，使进浆量恢复到原有水平，扩大浆液扩散范围，同时对先封堵区域的浆液利用压力固结原理，在加大的压力下不断固结密实。此时，注意调节第一引流管的闸阀并进行抬动变形控制。

反复按照以上程序对灌浆量、灌浆压力与引流管闸阀以及抬动变形进行综合控制与调节，直至第一引流管闸阀开度调节至很小(但不为零)，出水由清变浑、由浑变小，最后完全不出水，继续维持一定灌浆压力，并改灌 0.5∶1 水泥——水玻璃浆液约 400 L 后，完成第一灌浆孔的第一个灌浆循环。

此时，第一引流管的进水点与第一灌浆孔之间的层面通道全部被封堵。按照液压传递理论，已封堵区水压力的作用为零，水压力引起的抬动力矩消失，控制该区抬动变形的要素转换为灌浆压力。

第二步，接着进行第一灌浆孔的第二个灌浆循环。在已封堵区控制抬动变形的要素完全转换为灌浆压力的前提下，可继续逐步加大灌浆压力，并始终控制在第二引流管压力表值以内，同时调节第二引流管出水闸阀并观测出水状态，控制灌浆压力以控制抬动变形。

当抬动变形值仍在控制值以内而第二引流管出水变浑时，重复第一步全过程，直至完成第一灌浆孔的第二个灌浆循环后，依次再实施第一灌浆孔的后续灌浆循环。

当抬动变形值接近控制值而第二引流管出水仍没变浑时，维持灌浆压力不变，直至灌浆量减小时，结束第一灌浆孔的第二个灌浆循环。接着改灌第二灌浆孔，重复第一步。依次实施后续灌浆孔的各循环。

第三步，依此类推，直至原开挖建基面上所有引流管全部不出水为止，从而完成了护坦结构以下岩层层面渗漏通道的封堵，并将大范围的层面渗漏通道转化为以围堰内侧在围堰上所钻斜孔为出水点的管道式渗漏通道。

3.2.2.4 管道式渗漏通道的封堵

(1)对围堰内侧所钻斜孔，直接将埋设的引流管上安装的闸阀关闭，即封堵了通道的全部出水。此时，围堰混凝土的自重足够抵抗明渠水头压力而不致造成围堰岩基的抬动破坏。

自此，完成了整个渗漏通道的堵漏处理，即可进行后续工序和项目的正常施工。

(2)汛后，利用枯水期在围堰明渠侧布置灌浆对围堰下部的岩基渗漏层面进行灌浆处理，并进一步进行固结灌浆。

3.3 15#～17#坝段基础渗漏通道处理

在有了纵向围堰层面渗漏通道处理的成功经验后，对大坝15#～17#坝段基础渗漏通道按照类似方法，成功地进行了堵漏处理。

4 堵漏处理的效果与质量

按照上述方法进行堵漏处理并进一步加固后，通过钻孔取芯、压水试验检查，各项指标均满足规范和设计要求，取得了很好的效果，并在实际运行中得到了进一步验证。

(1)大坝16#～17#坝段基岩楔形体经加固处理后，2001年4月，为检验楔形体结构面的处理结果，在坝基灌浆廊道内布设了3个钻孔，利用岩芯直接观察结构面的性状，并采用了声波及井下电视检查。根据岩芯钻探、井下电视、声波测试对构成楔形体的 F_{205}、F_{213}(F_{214})结构面的胶结状态的检查结果如下：

缓倾角断层 F_{205} 经1#、2#孔揭露，断层带虽有不同程度的溶蚀，但灌浆效果良好，尤其是1#孔内充填有40 cm左右的水泥结石，胶结与充填良好。结构面附近透水性极小，压水试验的单位吸水量仅 0.001 6～0.001 7 L/(min · m · m)。声波测试结果表明，其波速值超过3 500 m/s；反倾下游的切割面 F_{213}、F_{214} 断层，为方解石较紧密充填，表明该结构面仅在浅部有溶蚀，其透水性也极小，压水试验的单位吸水量为0.009 1～0.097 L/(min·m·m)，其声波值超过4 000 m/s。

综上所述，组成楔形体的各结构面 F_{205}、F_{213}(F_{214})性状良好。

(2)在16#坝段300-1#剪切带布设了监测竖井，已于2001年2月进行了首次观测，并取得初始地质述描及年度观测成果。至2003年2月，300-1#剪切带共观测12次。观测资料表明，300-1#剪切带观察窗右上角有明显渗水现象，表层因长期处于水淹没状态出现软化、泥化现象外，总体性状没有明显变化。

(原载《清江高坝洲水电站工程科技文稿选编》，2004年5月)

清江高坝洲水电站升船机工程混凝土施工

吴启煌

1　概述

高坝洲水电站通航建筑物为1×300 t单驳的一级升船机。从上游至下游依次为上游引航道及锚地、升船机挡水坝段、钢渡槽、升船机室、下游引航道等，升船机线路总长1 253.3 m(见图1)。

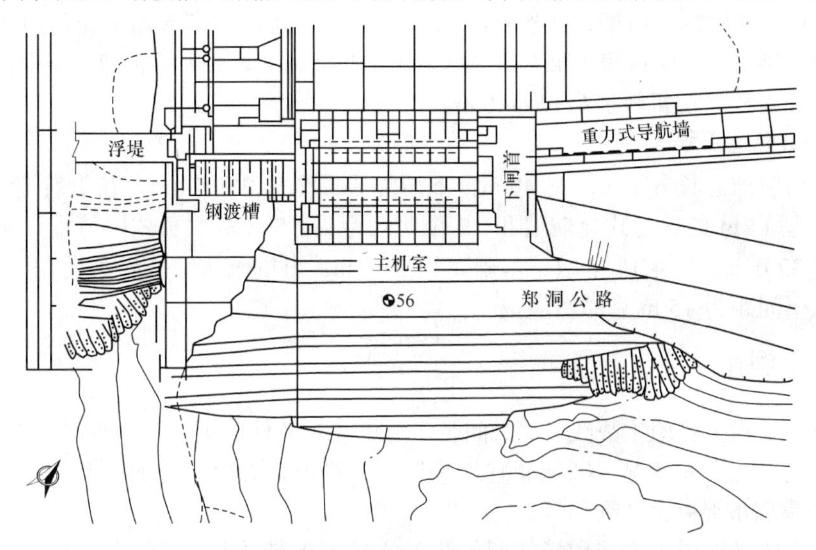

图1　高坝洲水电站升船机工程总体布置图

1.1　上游引航道工程

上游引航道位于库区，水库蓄水后可形成天然航道，在大坝上游295～473.66 m区段，靠近右岸边布置有两个驳位的编解队码头。此码头由两组各5个间距为15 m的靠船墩组成。靠船墩为钢筋混凝土结构，断面形式相同。1#～5#墩基底高程68.7 m，6#～10#墩基底高程70.0 m，墩顶高程为81.2 m。在升船机挡水坝段(20#坝段)通航槽左侧布置有一节长60 m、宽9 m的钢浮堤，作为上游过坝船只的导航建筑物，浮堤一端用锚链系于锚墩上，一端铰接在20#坝段的支承导槽内。

1.2　上闸首工程

上闸首工程包括20#坝段的通航槽、渡槽和上闸首。20#坝段在高程76.0 m开有宽10.2 m的通航槽，在其上游侧设一道事故检修门，并在坝顶布置桥式启闭机排架。钢渡槽总长40 m，分两跨布置，上游跨长18.51 m，前端支于20#坝段坝体，后端支于混凝土墩，下游跨长21.49 m，前端支于混凝土墩，后端支于箱梁。上闸首坐落在横架于机室承重结构上部的钢筋混凝土箱梁上。箱梁外型尺寸为3.6 m×5.6 m，其上游端1.02 m为钢渡槽的支承段，其余为上闸首段，在闸首下游端设一道平板工作门，其启闭机房与主机房连成一体。

1.3　升船机承重结构

升船机承重结构为钢筋混凝土全筒结构。从下至上依次为机室底板、筒身和上部机房。

机室底板平面尺寸为 56.3 m × 39.6 m，机室平面尺寸为 50.3 m × 16.0 m，底板厚 4.0 m，建基面高程 29.0 m。高程 34.0 m ~ 54.0 m 为筒体根部，由机室左右对称两列筒体(每边分为 8 个小筒)和上闸首支墩构成的封闭的承重结构。高程 54 m(左侧为高程 58 m)处将长筒分为上、下游两个独立的筒体。其平面尺寸分别为 26.2 m × 9.1 m 和 20.1 m × 9.1 m。左、右两侧筒体在 87.2 ~ 90.0 m 高程联成整体构成上部机房底板。机房两侧外悬 3.25 m，上、下游分别外悬 1.75 m 和 5.0 m 以布置副机房。主机房平面尺寸 58.95 m × 34.2 m，机房内吊车梁轨道高程 101.1 m，机房屋顶采用网架结构，房顶高程 110.9 m。

1.4 下闸首工程

下闸首全长 21.7 m，距上游端 1.4 m 布置有 3.9 m 宽的工作门门槽；距下游面 7.8 m 布置有 1.1 m 宽的检修门门槽，航槽宽 10.2 m，航槽底高程 37.7 m。工作门启闭机房设在航槽两侧边筒顶上。启闭机房平面尺寸为 9.0 m × 30.2 m，屋顶高程 87.2 m。检修门排架柱顶高程 66.0 m，检修桥机轨道高程 66.0 m。

1.5 下游引航道工程

下游引航道总长 670 m，宽 40 m。下游隔流堤全长 389.74 m，在引航道左侧布置有 7 个跨间距为 15 m 的重力式导航墙和 19 个跨间距为 15 m 的墩板式隔流堤。重力式导航墙基础高程 32.0 m，下游 19 个墩子基础高程 34.0 m。出机航队编队码头设在弯道下 15 m 右侧，由 5 个间距为 15 m 靠船墩组成。

2 混凝土施工

升船机工程土建施工战线长，时间长。由于客观条件的限制，一些项目难以一气呵成。只有根据现场的实际情况，因地制宜地采取一些措施，确保工程的顺利进行。

2.1 上游靠船墩混凝土浇筑

上游靠船墩混凝土为拌和楼拌制的 1.5 级配 200#混凝土，搅拌车运料，混凝土泵车或固定式泵机输送混凝土入仓，振捣器振捣密实混凝土。工程于 1998 年 10 月 20 日开工，至 1999 年 4 月 27 日完工。

2.2 上闸首混凝土浇筑

2.2.1 挡水坝段及渡槽墩混凝土浇筑

升船机挡水坝段(20#坝段)混凝土随二期坝体一道浇筑，于 2000 年 3 月达到坝顶高程 83 m，并形成通航槽。在水库蓄水后从下游面用丰满门机继续浇筑渡槽墩，并于 2000 年 9 月完成混凝土浇筑。

2.2.2 箱梁混凝土浇筑

箱梁混凝土的施工颇费一番周折。箱形梁位于升船机机室上游高程 67 m 处，净跨 16 m，其标准断面为 360 cm × 560 cm 的回字形，中间矩形孔洞 240 cm × 400 cm，全高 6.3 m，全梁总重约 490 t。若一次性浇筑成形，施工荷载太大，且不易保证浇筑质量。经反复研究，决定分两层浇筑。第一层最大层高 350 cm(高程 66.6 ~ 70.1 m)，第二层层高 280 m(高程 70.1 ~ 72.9 m)。混凝土箱梁施工设计按迭合梁进行。横板支撑系统只承担第一层浇筑时的标准荷载。第二层浇筑时考虑支撑系统全部退出工作，由第一层 U 形梁(时间已达 28 d)承担所有的施工荷载。采用这种方法是偏于安全的。箱形梁第一层混凝土浇筑施工采用钢桁架支撑。具体做法是：在上游左、右筒内侧墙分别预埋钢牛腿，其上布置两组 90 cm × 200 cm 桁架梁(见图 2)。箱梁第一层于 2001 年 5 月 27 日浇筑，第二层于 2001 年 6 月 27 日浇筑。

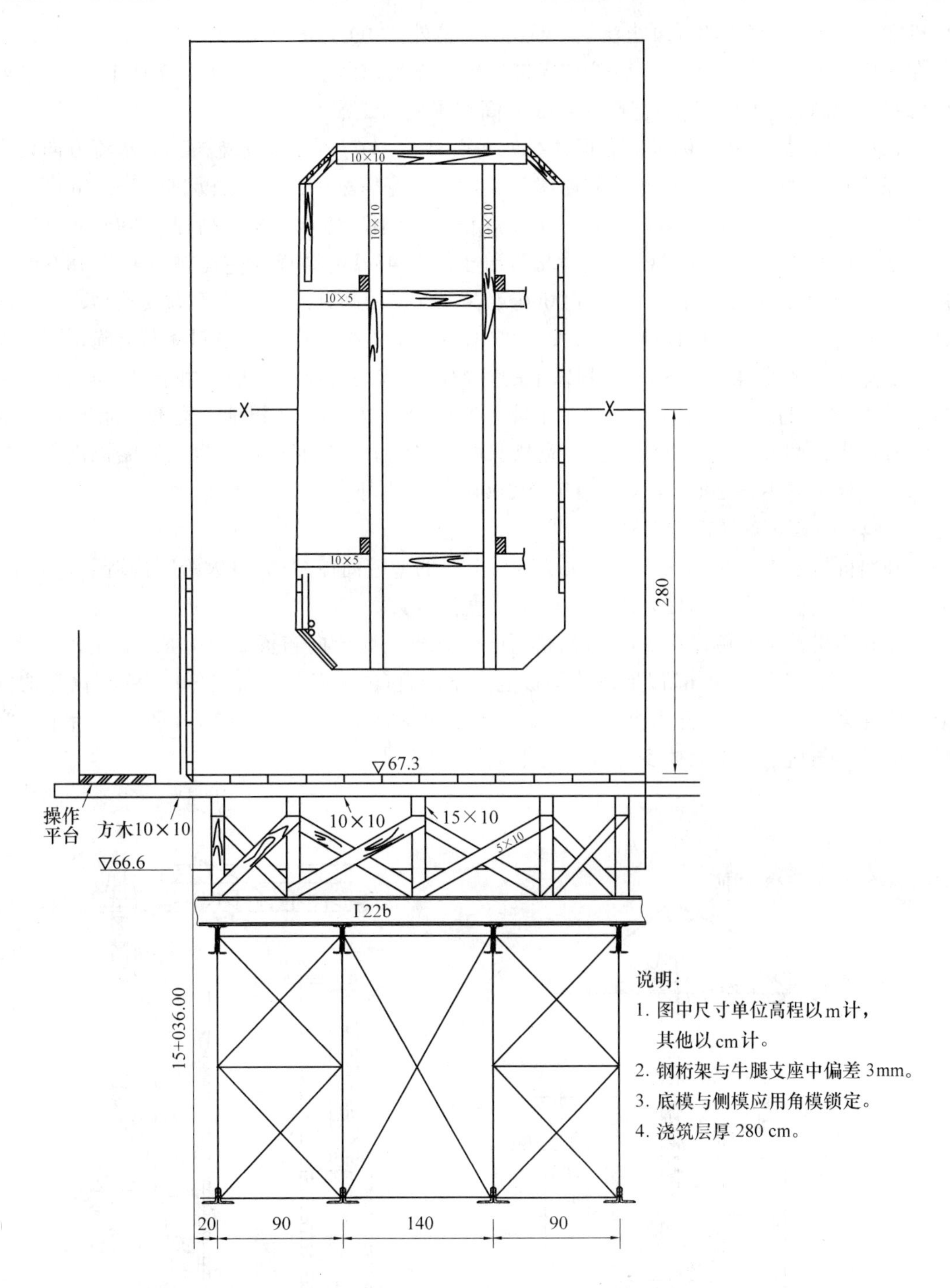

图 2　上闸首箱梁混凝土浇筑分层图(单位：桩号、高程 m；尺寸 cm)

2.3　升船机承重结构混凝土浇筑

2.3.1　高程 54 m 以下混凝土浇筑

(1)浇筑手段。升船机机室底板于 1999 年 10 月 3 日开始浇筑混凝土，底板混凝土由两台履带吊负责浇筑。底板形成后，沿机室中心线(5+342.76)安装天津 8#塔机，负责升船机机室 33 ~ 54 m 高程的混凝土浇筑(见图 3)。另外，MQ-1000 型高架门机、丰 15 门机(安装在 20# ~ 22#坝段坝后 68 m 高程)和履带吊也曾作为辅助手段。2000 年 3 月 17 日，升船机机室达到高程 54 m(机室右侧 54 ~ 58 m 高程采用泵送混凝土)。

(2)宽槽回填。升船机机室沿坝轴线方向设有 C_1、C_2 两条横向宽槽，顺水流方向设有 C_3 一条纵向宽槽，将升船机底板和侧墙分成六块。宽槽宽 1.2 m，底板 29 ~ 33.0 m 高程，平均槽高 4 m，上游及右侧墙 33.0 ~ 54 m 高程，左侧墙 33.0 ~ 58 m 高程。2000 年 3 月 7 日开始进行宽槽回填，汛前 C_1、C_3 宽槽混凝土填至 43.0 m 高程，C_2 宽槽回填至 48.0 m 高程。(宽槽回填的温度要求很严，而 2000 年春季气温较高，混凝土内部温度较高，难以满足宽槽回填的要求。经设计单位同意，采取增设冷水机组制冷水等强制降温措施，使混凝土温度降低，才使 43 m(48 m)高程以下的宽槽回填成为可能。但是，由于 43 m(48 m) ~ 54 m 高程之间的宽槽形成时间很短，不能进行回填。故 2000 年汛前，宽槽只能填至 43 m(48 m)高程，43 m(48 m)高程以上的宽槽只能在 2000 年冬回填，这也是升船机机室混凝土浇筑工程不得不在 2000 年 4 月中旬至 2000 年 11 月下旬停工的主要原因)

2.3.2　54 ~ 84.6 m 高程的混凝土浇筑

升船机机室 54 ~ 84.6 m 高程主要为 80 cm 厚的薄壁筒体结构，且大跨度构造复杂的梁、板多，加之仓面狭窄，精度要求高，施工难度比较大。

在升船机机室右侧高程 55.5 m 沿桩号 5+365.86，顺流向布置 25/10 塔式起重机一台，负责升船机机室高程 90 m 以下筒体梁板混凝土浇筑(也可浇筑主机室 90 ~ 95 m 高程的框架结构混凝土)。再者，升船机机室上游、高程 68.8 m 桩号 15+010.20 布置的一台丰满门机，也可参与机室上游筒体少部分混凝土浇筑(见图 4)。

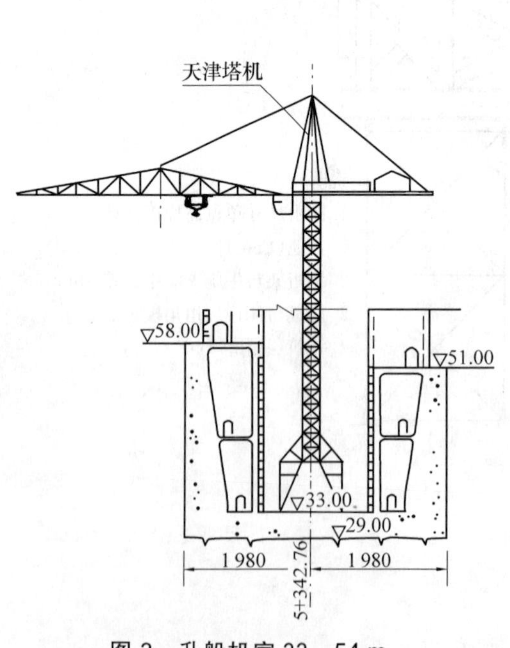

图 3　升船机室 33 ~ 54 m 高程混凝土施工手段布置图
(单位：高程、桩号 m；尺寸 cm)

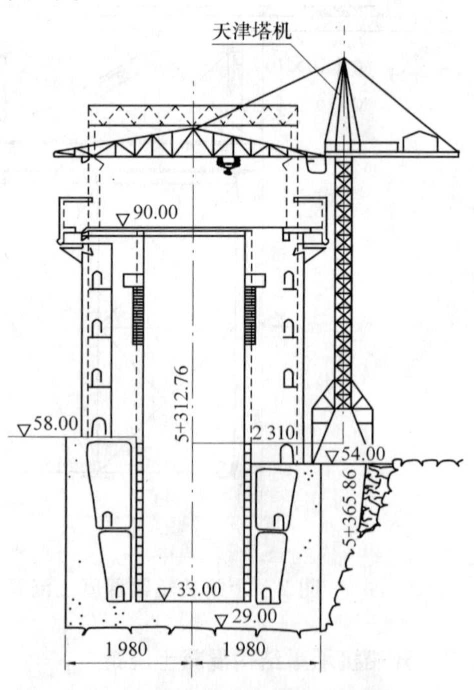

图 4　升船机室 54(58) ~ 90.0m 高程混凝土施工手段布置图
(单位：高程、桩号 m；尺寸 cm)

机室高程 54～84.6 m 段的混凝土在完成 43 m(或 48 m)～54 m(或 58 m)高程的宽槽回填后，于 2001 年 2 月开始浇筑，至 2001 年 10 月结束。

2.3.3　84.6～90.0 m 高程的混凝土浇筑

(1)模板工程。

该部位多属牛腿、板、梁结构，需要架立异形模板，尤其是 90 m 高程平台，需架立整体模板，其底模必须结实、牢固，在承重模板底部以钢桁架支撑。钢桁架由 2×2 m 万能杆件组成，机室左右两列筒体之间的主桁架有 14 榀，跨度为 16 m(见图 5)，桁架两端与预埋在筒体上的钢板焊接。另外，上、下游两个筒体之间，上游外悬和下游外悬部分不仅有桁架，还设计了撑架和托架(撑架和托架亦与预埋在筒体上的钢板相焊接)，由主桁架、副桁架、撑架、托架一道构成了复杂的钢桁架支撑系统，钢材总用量达 300 余 t。桁架的节点处布置工字钢(工 $_{18}$)分配梁在其上，用 12 cm×12 cm 方木调整现浇梁和板底模板的高程，以满足设计要求。万能杆件桁架由铁道部大桥工程局桥梁机械制造厂设计制造并运至工地，现场进行拼装。最大吊装单元不超过 21 t。桁架由天塔吊装。桁架吊装前，先在预埋件上竖向焊一块钢板，作为桁架的临时支点，桁架就位后，节点板和埋件进行焊接。

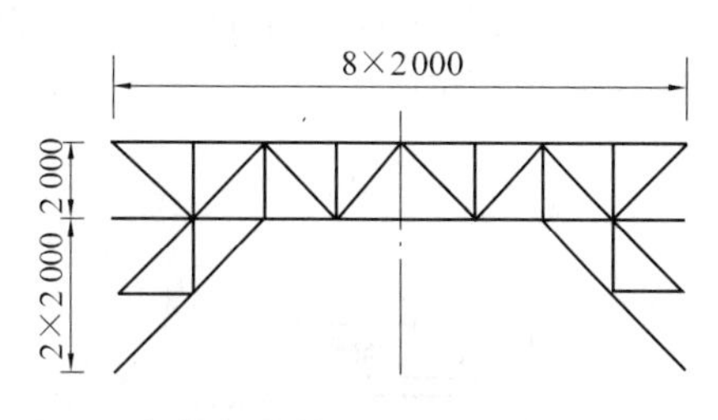

图 5　钢桁架支撑(主桁架)图(单位：cm)

筒体腔内 2.0 m 厚板采用 50 cm×50 cm 四管柱和方木斜撑配合的支撑方式承载。四管柱布置在 81.0 m 平台上，斜撑支撑在筒壁上(见图 6)。

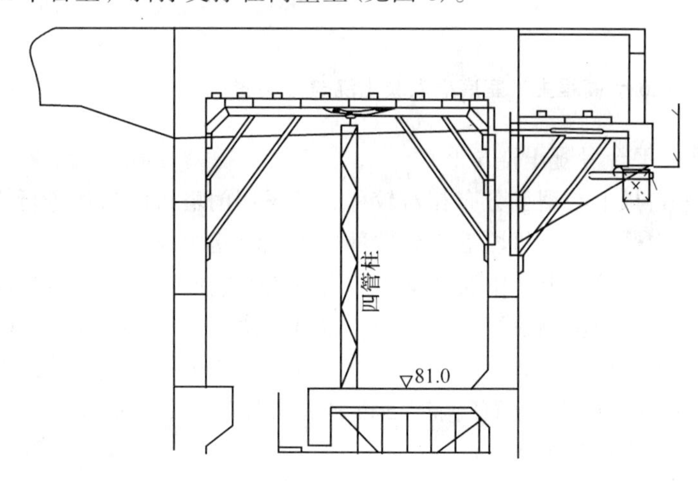

图 6　筒体腔内支撑图

90.0 m 高程平台的模板以钢模为主，模板表面平整，接缝严密。16 m 跨内板的底模用 1 cm 的竹胶板(配 5 cm×8 cm 方木条)。

(2)90.0 m 高程平台混凝土浇筑的分块。

升船机机室 90.0 m 高程平台为梁板系结构，坐落在四个薄壁筒体上，最大面积为 58.95 m×41.1 m，混凝土方量为 3 130 m^3。因混凝土的入仓手段有限(除 25/10 型塔吊一台外，另在 19$^\#$坝段高程 83 m 坝面上布置混凝土泵机一台)，加上设备陈旧，性能不良，其浇筑强度每小时不足 40 m^3，如一次性浇筑，不仅模板和支撑材料无法周转，而且浇筑时间将超过 80 h，很可能发生质量事故。经设计单位同意，90.0 m 高程平台在横向上分三块进行浇筑。上块为 15+034.25 ~ 15+053.37，宽度 19.12 m，方量约 1 100 m^3；中块为 15+053.37 ~ 15+074.82，宽度 21.45 m，方量约 1 100 m^3；下块为 15+074.82 ~ 15+093.20，宽度 18.38 m，方量约 930 m^3(横向只能分三块，不能分两块，是因为施工缝不能留在两个筒体之间)。施工缝处混凝土面留成斜面并凿毛，过缝钢筋适当加强，不留后浇带(见图 7)。

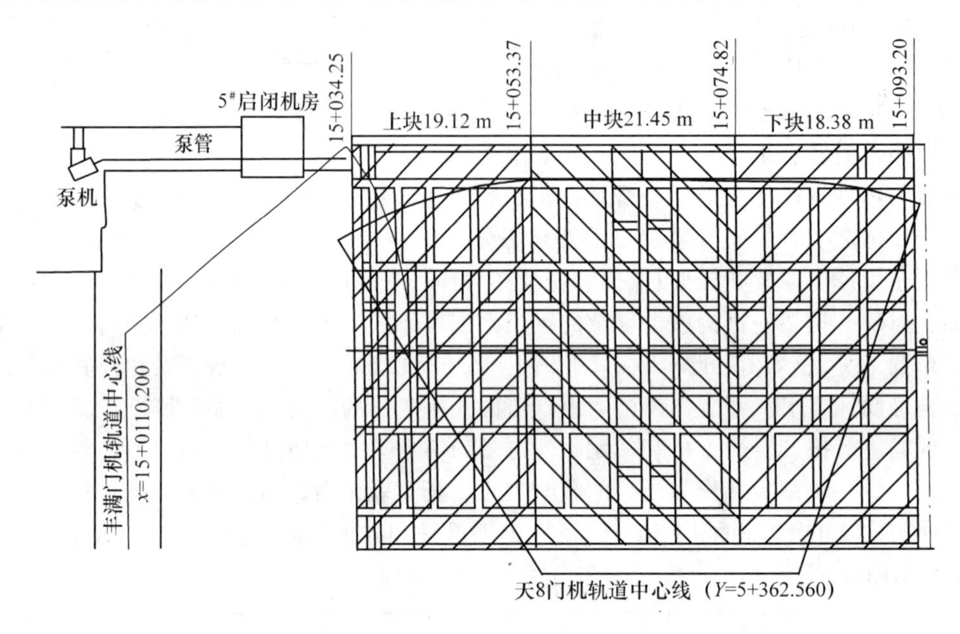

图 7　90.0 m 高程主机室底板混凝土浇筑分块图(单位：桩号 m；尺寸 m)

(3) 90.0 m 高程平台混凝土浇筑。

90.0 m 高程平台板上的钢筋分布相对较稀，考虑用门塔机配吊罐进行浇筑，其他如钢筋密集区、埋件集中区、门塔机覆盖不到的部位采用泵送混凝土。

90.0 m 高程平台浇筑，上、中块从下游的右端头开仓向上游和左侧滚浇；下块则从上游的右端头开仓向下游和左侧滚浇；梁混凝土尽量平浇。分层厚一般为 30 ~ 50 cm，施工中控制台阶宽度，确保接头及时覆盖。振捣以 ϕ80 ~ ϕ100 的高频手持式振捣器为主，钢筋密集区用 ϕ50 振捣器振捣。仓面间隔 3.5 m 挂一条样架，配 4 m 的刮尺，控制仓面高程，平台混凝土振实后用拖板找平表面。

上块混凝土浇筑于 2001 年 12 月 30 日开仓，历时 47 小时 40 分；中块混凝土浇筑于 2002 年 2 月 24 日开仓，历时 45 小时 30 分；下块混凝土浇筑于 2002 年 3 月 22 日开仓，历时 30 小时 40 分，积累历时 123 小时 50 分。由此可见，分块浇筑是符合现场实际情况的。

2.3.4　*主机房混凝土浇筑*

升船机 90.0 m 高程主机房为现浇框架结构，横、纵向联系梁交会于柱内，钢筋密集，增添了施工难度。

(1) 施工布置。在 90.0 m 高程平台上，桩号为 15+078.15 m、5+338.983 m 处布置一台 QTZ40C 型自升降式建筑塔机，该塔机最大吊幅 42.0 m，最大起重量 4.0 t，负责主机房材料进场和混凝土入仓(见图 8)。

在 19#～20#坝段之间的坝顶回转平台上布置混凝土泵一台，负责主机房最大上游一排柱、梁及 95.0 m 高程以下天 8#塔机覆盖不到的部位的混凝土浇筑。

(2)施工方法。2002 年 3 月 23 日完成 90.0 m 高程平台下块的混凝土浇筑后，主机房混凝土浇筑本来就可全面开工。但是，630 kN 检修桥机的钢梁要由天 8#塔机吊入主机房，而桥机的制造严重滞后于土建工期(2002 年 9 月 18 日桥机钢梁才运至工地)，所以主机房混凝土浇筑不得不分段进行。经设计单位同意，主机房全封闭的框架结构分四段施工，15+044.5 m 桩号以上和 15+079.7 m 桩号以下各为一段，左、右侧各为一段。先施工主机房上游侧、左侧和右侧。至 95.0 m 高程后，上游侧、左侧和右侧的上游部分(15+044.5～15+058.1)继续施工，其他待钢梁吊至 90.0 m 高程平台后再上升。为了用 8#塔机吊装下闸首 200 kN 检修桥机，下游段又要分成两小段，以 5+352.6 m 为界，其右侧浇至 96.8 m 高程后停工，待 200 kN 桥机吊装后再复工(见图 9)。

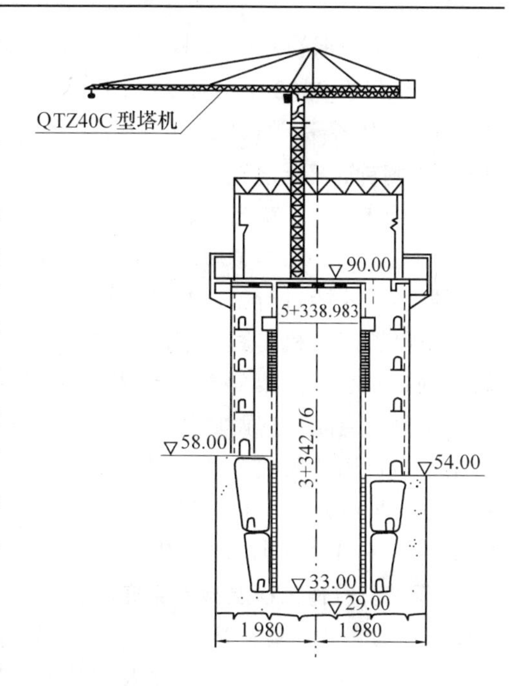

图 8　升船机主机室 90.0 m 高程以上混凝土施工手段布置图(单位：桩号、高程 m；尺寸 cm)

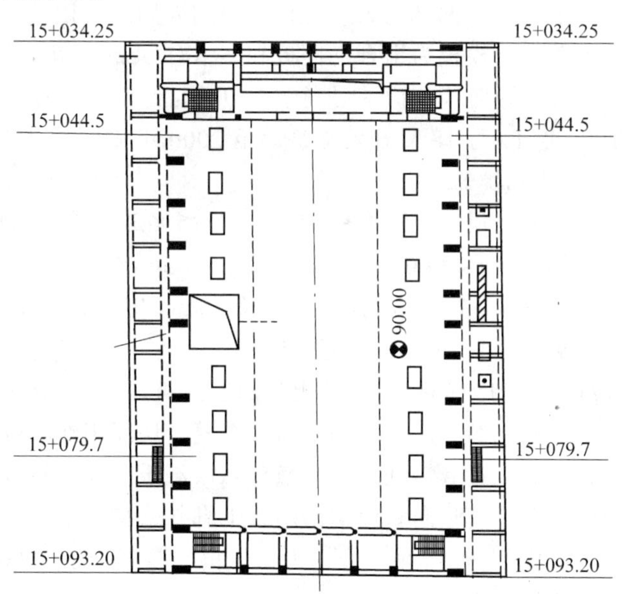

图 9　主机室 90.0 m 高程以上框架结构混凝土浇筑分段图

升船机主机房梁、柱状混凝土浇筑以散装钢模为主，异型部位采用木模施工。

混凝土由 4×3 m³ 拌和楼生产，4 m³ 搅拌车或自卸汽车运至现场，由天塔或建筑塔机配卧罐入仓，少部分混凝土泵送入仓。

浇筑铺料厚度按 20～40 cm 控制，铺料均匀。振捣以 ϕ35～ϕ50 mm 软管振捣器为主，对梁柱交会的钢筋密集区域特别加强振捣，防止局部脱空。

主机房于 2002 年 5 月 25 日开始浇筑第一仓混凝土，2003 年 4 月 3 日完成最后一仓浇筑。历时 10 个月。

2.4 下闸首混凝土浇筑

下闸首混凝土浇筑比较麻烦，一是启闭机房有 1/3 的区域位于高程 90.0 m 板的正下方，吊车无法控制；二是金属结构安装严重影响下闸首混凝土施工，检修门部分排架柱须在工作门安装后才能进行施工(下闸首高程 54 m 以下工程随主机室一同浇筑)。

下闸首启闭机房底板混凝土施工采用万能杆件桁架支撑，桁架由设在启闭机房两侧边筒上的自制小型吊架配 5 t 卷扬机进行吊装，并焊接在埋设于筒体的钢板上。

下闸首启闭机房两侧边筒，机房底板主、次梁、机房排架柱混凝土浇筑均以散装钢模为主，板仍用竹胶板施工。混凝土由 4×3 m^3 拌和楼生产，4 m^3 搅拌车或自卸汽车运至现场，由天塔或建筑塔机配卧罐入仓。下闸首启闭机房于 2002 年 4 月 9 日开始浇筑第一仓混凝土，2003 年 1 月 26 日结束混凝土浇筑。

2.5 下游引航道工程混凝土浇筑

2.5.1 重力式导航墙及护基混凝土浇筑

下游引航道重力式导航墙及护基，桩号 15+110.00～15+215.57，全长 105.57 m，其中护基从 15+115.00～15+215.57，共分 30 块。建基面从高程 29.0～30.0 m，每块长 3～5 m，块与块之间为沥青柏油板隔缝，中间设ϕ25 过缝钢筋，护基顶面高程 34.0 m。重力式导航墙共分七块，每块长 15 m，底宽 16 m，建基面高程 32.0 m，顶部 50.3 m。护基混凝土施工共分两层，3～4 块一仓浇筑，两端为人工立模，中间采用沥青柏油板隔缝。重力式导航墙共分九层，每层厚 2～3 m，模板为组合钢模板和多卡(Doka)模板，钢筋为人工绑扎，接头采用单面搭接焊。重力式导航墙及护基混凝土由 T_{20} 自卸汽车运输，电吊入仓，仓内人工振捣。该工程于 1999 年 11 月 18 日开始浇筑，至 2000 年 4 月 21 日完工。

2.5.2 墩板式隔水墙及护基混凝土浇筑

下游墩板式隔水墙及护基板，桩号 15+215.57～15+506.26，全长 292.4m，其中护基板共分为 167 块，建基面高程 30～34.0 m，完建高程 34～36.0 m。隔水墩共 19 个，建基面高程 34.0 m，顶高高程 50.3 m。每个墩底宽 7 m，长 10 m。隔水板共 19 跨，底部高程 34.0 m，顶高高程 50.2 m，板底宽 1.2 m，顶部宽 2.5 m。

护基板桩号 15+215.57～15+363.07 混凝土分两层浇筑，层厚 2 m；桩号 15+363.07～15+506.26 混凝土分三层浇筑，层厚 1～2 m。周边立模，块间用油杉板分缝，与先浇块施工缝贴泡沫块，块间布设ϕ25 过缝钢筋。隔水墩分六层浇筑，隔水板分七层浇筑。墩、板模板采用人工组合钢模，水平、竖向布设钢筋用人工绑扎，接头采用单面搭接焊。墩、板及护基混凝土由 T_{20} 自卸车运输。电吊入仓，人工振捣。该工程于 2000 年 1 月 25 日开始施工，于 2000 年 4 月 25 日完工。

2.5.3 下游靠船墩混凝土浇筑

下游引航道左侧顺水流方向布置五个靠船墩。建基面高程为 34.7 m，墩顶高程 50.3 m。墩基(高程 34.7～37.2 m)分两仓浇筑，墩身(高程 37.2～50.3 m)分五仓浇筑，混凝土由 4×3 m^3 拌和楼供料，T_{20} 自卸车运输。电吊入仓，插入式振捣器人工振捣。2000 年 2 月 15 日开工，4 月 7 日完工。

3　结语

升船机工程土建施工战线长，主机室混凝土施工因受高程 54 m(58 m)以下宽槽回填、主机室 630 kN 检修桥机钢梁吊装和下闸首工作门及其埋件安装的影响，时间拉得很长。再者，上闸首箱梁和主机室底板的混凝土浇筑的难度也很大。我们根据现场实际情况，采取了一些技术措施，如上闸首箱梁分层、90.0 m 高程主机房底板分块、90.0 m 高程以上框架结构分段进行浇筑，既满足了工期要求，又节省了建筑材料，同时，在质量和安全上，没有出现任何问题。实践证明，这些措施切实可行。

(原载《高坝洲工程建设若干技术问题的处理与思考》——吴启煌专辑，2004 年 5 月)

高坝洲升船机承船厢结构件的现场吊装

吴启煌　刘定华

1　工程概况

高坝洲升船机承船厢为钢质槽形结构，由 56 根钢丝绳悬吊，并通过提升主机驱动，在升船机室内沿塔柱上下运行。其有效水域 42.0 m × 10.2 m × 1.7 m(长 × 宽 × 水深)，外形尺寸 50.0 m × 14.0 m × 6.5 m(长 × 宽 × 厢头高)，船厢结构、设备加厢内水体总重约为 1 560 t。

2　承船厢吊装方案的变迁

船厢室的上游为上闸首，下游为下闸首，两侧为混凝土塔柱。这些建筑构成了一个近似于封闭状态的环境。承船厢结构件如何顺利进入船厢室(高程为 33 m)，一直是困扰设计和施工人员的一道难题。在升船机工程建设过程中，先后出现过以下几种方案。

2.1　整体进入法

在工程建设初期，有人建议，承船厢在下游引航道内拼装，再整体拖入船厢室(或者在其他地方拼装下水，趁汛期从下游航道由拖轮顶推入船厢室)。这样，下闸首航槽一期混凝土的内空必须稍大于承船厢的宽度，由此，下闸首的结构设计要作较大的修改，且下闸首 54 m 高程以上的建筑要等到承船厢进入船厢室后方能施工。设计人员出于多方面的考虑，未接受此意见。

2.2　船厢结构件由下闸首吊入法

在编制升船机工程施工组织设计时，设计人员的推荐方案是：承船厢结构件安排在下闸首启闭机室右侧筒体部位，由 90 t 汽车吊从 54 m 高程吊入船厢室(在升船机室内架设临时工装平台，该工装平台顶面高程 37.7 m，与下闸首航槽齐平)。90 t 汽车吊布置在下闸首右侧，利用 90 t 汽车吊将承船厢主纵梁吊放在下闸首检修叠梁门的上游，然后通过工装平台拖拉就位(该吊装方案见图 1)。这种方案在技术上是可行的，但是在经济上不合算，再者，下闸首启闭机室需等承船厢主要结构件全部吊入船厢室后才能施工，工期至少要推迟一年。

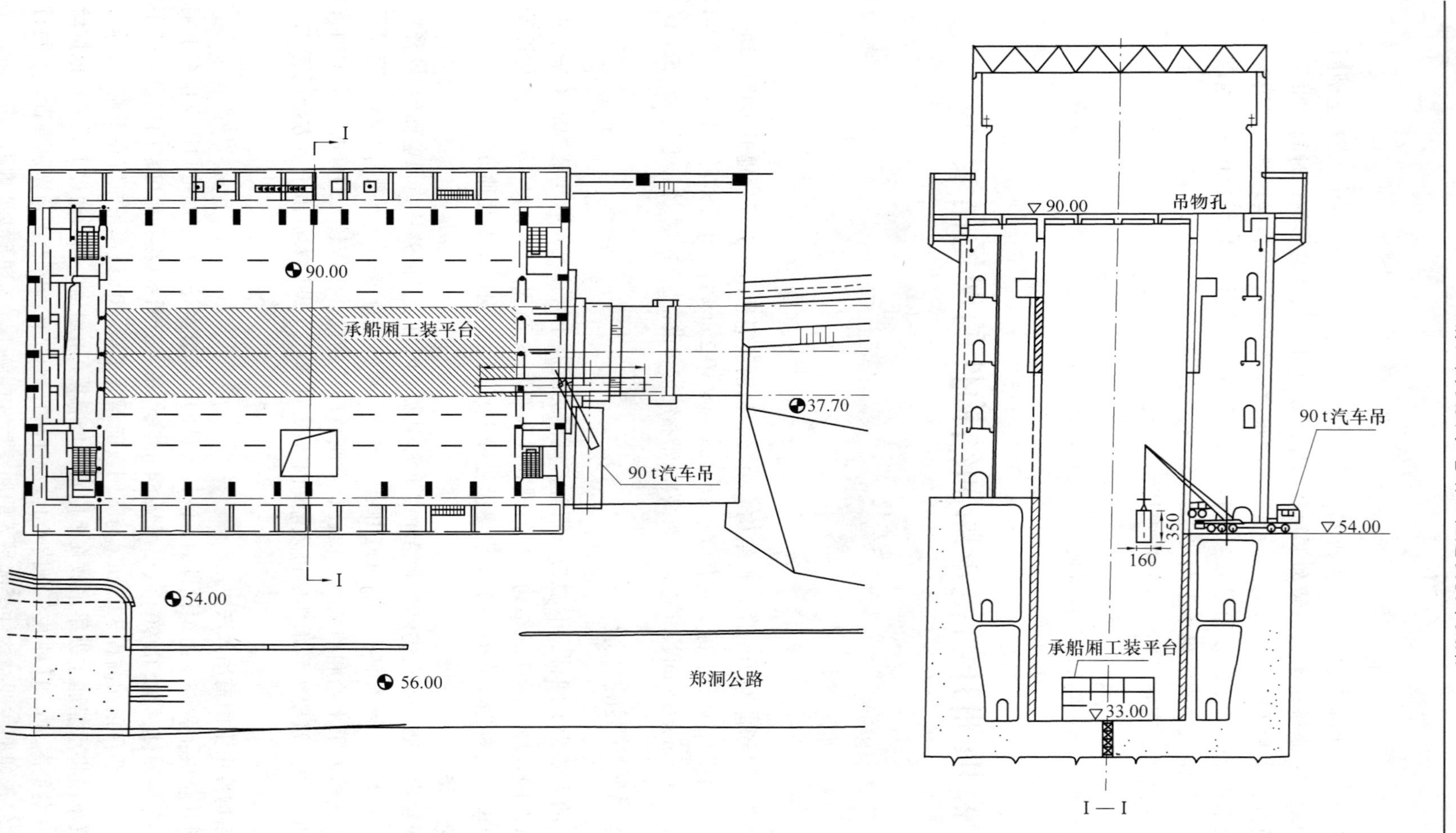

图 1　施工组织设计中推荐的承船厢吊装方案图（单位：高程 m；尺寸 cm）

2.3　船厢结构件自上游吊入法

2001 年 6 月，夹江水工机械厂/西安航天自动化股份有限公司联合体中标制造高坝洲升船机设备之后，着手对船厢结构件进入船厢室的方案进行了分析研究。两个月后，夹江水工机械厂就提出了船厢结构件自上游(钢渡槽支承箱梁底部)进入船厢室的现场吊装方案。这个方案采用自制的吊装设备，既不需要大吨位的汽车吊，也不必搭设专用的工装平台；同时，下闸首混凝土施工不必推迟工期，它成功克服了承船厢安装施工中的主要困难。

3　承船厢结构件现场吊装方案

承船厢结构件现场吊装方案的要点是：自制一根吊车梁，其上游端用钢立柱支承，中部吊挂卡固定于混凝土箱形梁上，下游端由钢横梁支承，钢横梁架设在升船机塔柱的通风孔内。吊车梁上安装 2 台起重 25 t、扬程 30 m 的电动葫芦，将承船厢结构件从 54 m 高程平台吊至 33 m 高程的船厢室(见图 2)。

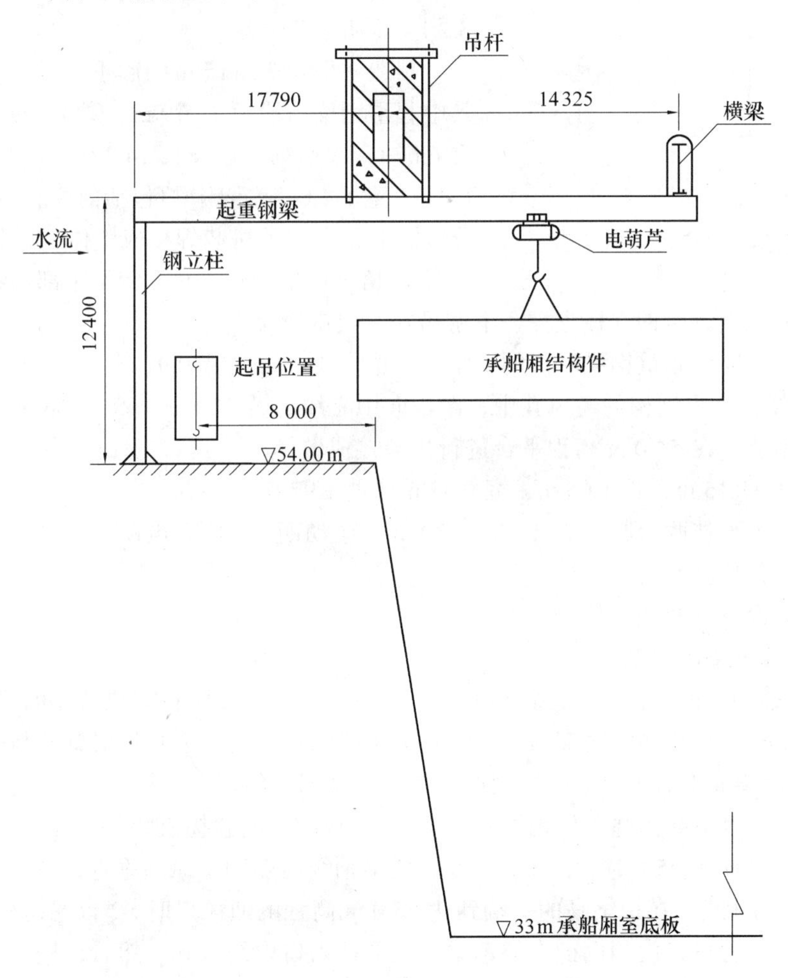

图 2　承船厢结构件现场吊装方案图(单位：mm)

承船厢安装施工的主要结构件有：主纵梁 6 件，底铺结构 11 件，厢头机房 2 件，中部机房 1 件，其总重量约 400 t。其中最大件(主纵梁)尺寸为 17 m × 1.91 m × 6.85 m(长 ×

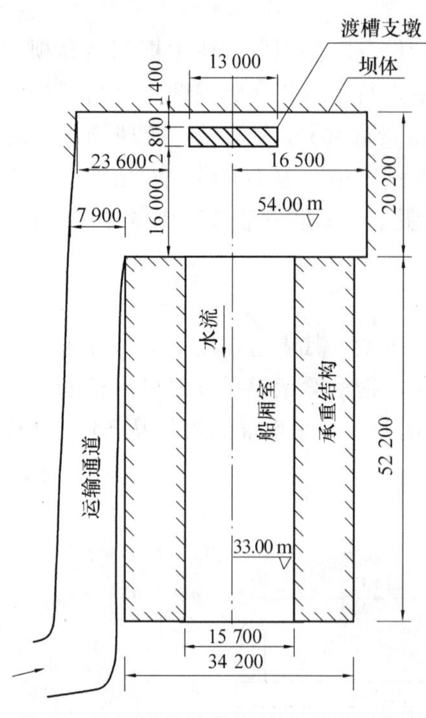

图 3　承船厢结构件运输通道平面图
（单位：mm）

宽×高），单重为 43.47 t。吊具就是以此为据而设计的。

船厢结构件自上游进入船厢室的吊装方法的具体细节如下。

3.1　运输

运到工地的构件经升船机承重结构的右侧通道运到钢渡槽下方 54.0 m 高程的平台上。右侧通道的最小宽度 7.9 m，54.0 m 高程平台宽 16 m（水流方向）、长 42 m（坝轴线方向），场地面积可满足使用要求（见图 3）。重量大于 10 t 的构件用拖车运输，小于 10 t 的用汽车运输。

3.2　吊装入室

3.2.1　专用吊装设备

制造一根长 32.115 m 的起重钢梁，重量 12.07 t，其中起重钢梁前段长 17.79 m、宽 1.8 m、高 1.1 m、重 6.67 t；起重钢梁后段长 14.325 m、宽 1.8 m、高 1.1 m、重 5.4 t。起重钢梁（包括前段和后段）在工厂分段制造，在工地拼装焊接成整体，再将两工形梁以角钢桁架连接。起重钢梁中部吊挂固定在钢渡槽支承梁上，上游由钢立柱支撑，下游吊在一根钢横梁上。

钢横梁用于支承起重钢梁后段的下游端，梁长 16.8 m、宽 0.91 m、高 1.4 m、重量 5.3 t。支承在升船机承重结构的通风孔中，距横向中心线上游 12.8 m、高程 66.00 m。钢横梁在工厂分段制造，在 54.0 m 高程平台进行拼装接成整体。

钢立柱高 12.15 m、长 1.65 m、宽 0.32 m、重 1.97 t。

起重钢梁下悬挂两台起重 25 t、扬程 30 m 的电动葫芦，两台电葫芦通过一扁担梁起吊承船厢结构件并使其旋转。

专用吊装设备见图 4。

3.2.2　专用吊装设备的安装

（1）钢横梁的起吊就位。在上游 54.0 m 高程平台用汽车吊将拼焊成整体的钢横梁起吊，下放至 33.00 m 高程船厢室底部，由于梁长大于船厢室宽度，需将钢梁旋转与船厢室纵轴斜交 70° 。钢梁放平后下垫滚杠，用倒链拉至吊装部位的下方。从 90.0 m 高程主机室的两个预留绳孔，垂下起吊绳系住钢梁的两端，由两台 5 t 的卷扬机牵引提升，一端先起吊，当钢横梁与水平面成 25° 时，移动另一端，使梁轴线与船厢室纵轴垂直，另一端也开始提升，钢横梁斜着上升，在钢梁高的一端到达 66.0 m 高程的通风口时，2 台卷扬机停止提升。并在高的一端的通风口内用倒链牵拉钢梁使端部伸入口内约 1 m。然后，提升低的一端使钢梁到水平位置，其底部高程略高于 66.00 m，此时，放松通风口内的倒链，使钢横梁的另一端，伸入对应的通风口，钢横梁两端各伸入口内 400 mm。在横梁两端的下方垫入支座，并以膨胀螺栓将支座固定在混凝土上（见图 5）。

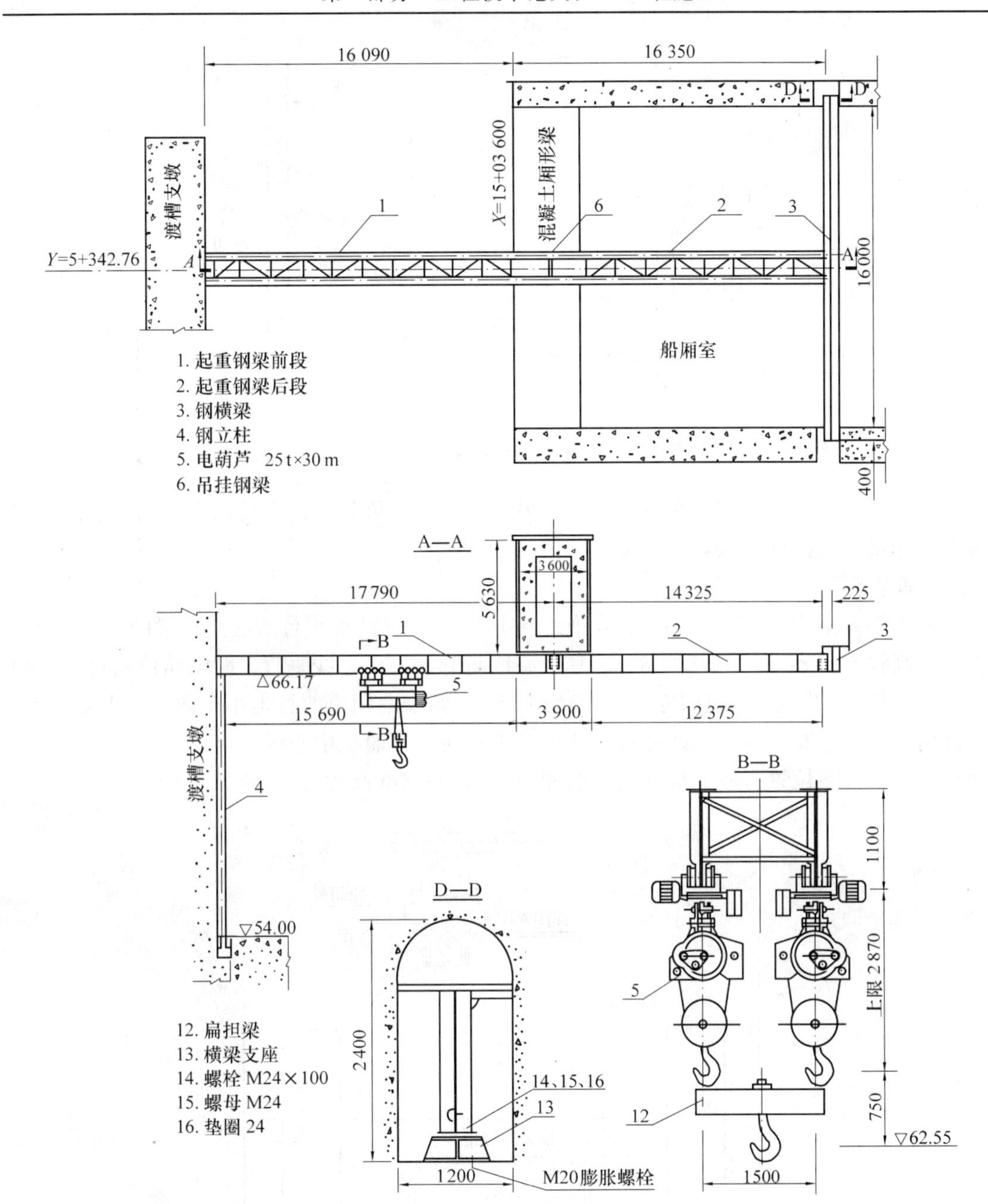

图 4　高坝洲升船机承船厢专用吊装设备图（单位：高程 m；尺寸 cm）

(2)钢立柱的安装。先浇好主柱的混凝土基础，准确埋入 8 件 M30 的底脚螺栓。立柱拼装焊接后，用汽车吊从立柱顶端系绳起吊使立柱成直立状态，下部对准底脚螺栓孔，在基础上就位。调整垂直度，待其符合要求后，旋紧底脚螺母，并用膨胀螺栓将立柱与钢渡槽混凝土支墩固定。

(3)起重钢梁的安装。起重钢梁在工地拼装完毕后，斜置于 54.00 m 高程平台上，起重钢梁后段悬空伸入船厢室内(钢梁的重心必须在 54.00 m 平台上)。钢梁的底部用临时支架垫高 1 m，在钢梁前段下翼板上挂装两台电葫芦，并用钢索将电葫芦固定。采用 25 t 汽车

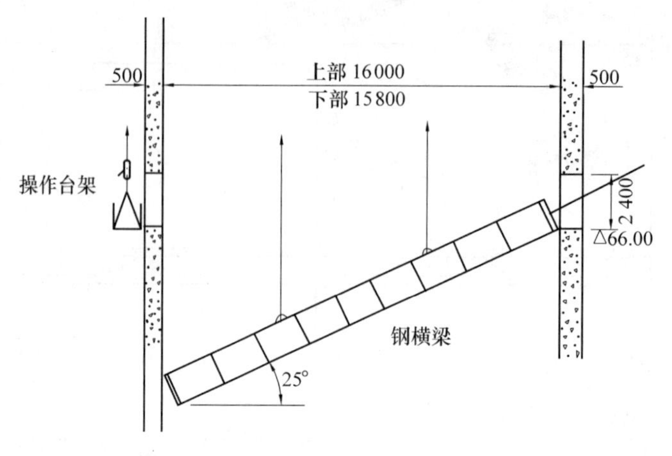

图 5 钢横梁的起吊图(单位：mm)

吊将起重钢梁吊起，一端搁在钢立柱上，另一端与钢横梁相连，中部用高强螺栓与吊挂在混凝土箱梁上的拉杆连接。

3.2.3 吊装步骤

拖车将大型构件(承船厢主纵梁)拖运到上游 54.0 m 高程平台的起重钢梁的下方，构件中心距高程 54.0 m 平台边缘约 8 m，其中心线与升船机中心线垂直。两电葫芦通过一扁担梁吊起构件，退出拖车，将构件水平旋转约 45° 。两个电葫芦的行走小车同步向下游行走，构件前端进入船厢室后，逐渐旋转构件使其中心线与升船机中心线平行，当行走小车使电葫芦达到下极限位置，放下构件到承船厢室底部(33.0 m 高程)的钢支架上(见图 6)。

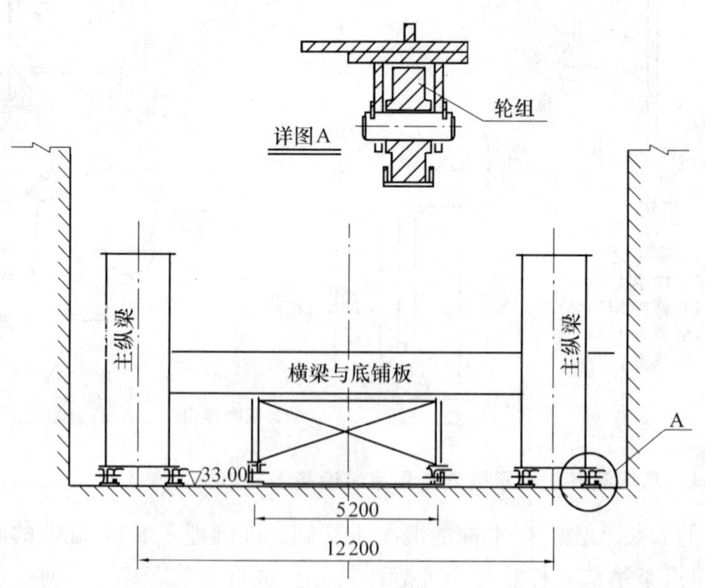

图 6 承船厢室横截面图（单位：mm）

3.3 入室构件的移动

(1)在船厢室底板上设置钢支架，并铺设与中心线平行的 4 条支架道，外侧两条用于支承主纵梁，中间两条用于支承底铺板。在适当位置设横向支架道以便横向移动。

(2)吊入船厢室的主纵梁，位于升船机中心线附近，在主纵梁下部适当位置装设 4 组车轮，用卷扬机牵引作横向移动到达预定位置，将轮组水平旋转 90°，再向下游牵引移动到设计位置，拆去车轮，将主纵梁用千斤顶下降到设计高程。底铺板不需要作横向移动，由卷扬机牵引移动到设计位置，并用千斤顶调整其高程。

(3)船厢上的小型构件在定位后的底铺板上移动，用三脚架和倒链进行起吊作业，必要时调入一台 8 t 汽车吊。

4　吊装作业过程及效果

该吊装方案提出后，经高坝洲升船机第一次设计联络会原则认定，根据会议的要求，夹江水工机械厂对该方案作了深化与完善，对吊梁支承方式、平板车的现场回转、电动葫芦的规格型号、结构分块在船厢室内的平移等有关问题进一步细化，形成了实施方案。

夹江水工机械厂高坝洲升船机承船厢现场安装队伍于 2003 年 8 月 16 日进场，8 月～9 月底，主要是做准备工作，在工地现场拼装和安装专用吊装设备。10 月 9 日，承船厢结构件运至现场，10 月 10 日，第一根主纵梁安全、顺利地从 54 m 高程平台吊放至船厢室(33.0 m 高程)。承船厢的主要结构件于 12 月中旬全部吊入船厢室，在吊装过程中，未发生任何事故。实践证明，该吊装方案以及按此方案制作的专用吊具简便易行、经济实用、安全可靠。

（原载《高坝洲工程建设若干技术问题的处理与思考》——吴启煌专辑，2004 年 5 月）

高坝洲升船机下闸首工作大门门体的安装施工

吴启煌

1　工程概况

高坝洲升船机船厢室下游布置一扇工作大门，既用于下游挡水，同时又与承船厢相接形成通航通道。此门为带有卧倒小门的下沉式双扉平板门，可适应下游 9.6 m 范围内的水位变化。当下游水位变幅小于 2 m 时，大门不动，由卧倒小门适应水位变化，小门由 2×500 kN 液压启闭机启闭；当下游水位变幅超过 2 m 时，利用 2×2 500 kN 固定卷扬式启闭机操作大门，调整门位，以适应变化后的水位。

工作大门由 U 形门体结构、卧倒小门及其启闭设备等组成，工作大门的 U 形孔口由卧倒小门挡水，形成一过船航槽，净宽 10.2 m，高 4.7 m。工作大门的门体结构，由于制造和运输的要求而分成三节，最重的一节为 66 t，工作大门(包括附件)总重约 180 t。

2　安装施工应解决的主要问题

下闸首工作大门门体安装施工难度较大，需要解决的主要问题有以下几个：

(1)门体吊装、入槽手段。一是直接使用下闸首 2×2 500 kN 固定式卷扬机吊装工作大门门体。二是采用其他吊装手段，这样不仅要增加经费，而且要等到工作大门入槽之后才能进行下闸首启闭机室的混凝土浇筑，工期至少要推迟一年。经比较，建设、设计、施工、监理单位都认为，直接用卷扬机吊装门体较为合理。

(2)门体拼装方式。第一种方式是使用 2×2 500 kN 固定式卷扬机将门体结构件分节吊入门槽，再在门槽内竖向进行拼装和焊接。这样不仅影响施工质量，而且分节吊装时，必须加焊临时吊耳；再者，卧倒小门和止水装置的安装也增加了难度。第二种方式是在下闸首航槽上方平面进行门体的拼装和焊接，并进行卧倒小门和止水装置的安装，然后，采用 2×2 500 kN 固定式卷扬机将门体扳起、吊装入槽。这种方式施工便利、施工质量有保障，但是吊装的风险较大。经过反复讨论，决定采用第二种方式。

(3)结构件纵、横向平移措施。门体结构件现场卸车后如何安全跨越下闸首航槽，跨越航槽后又如何沿航槽中心线纵向移动，是必须深入研究和妥善解决的课题。最初的方案是横向在航槽架两根钢梁，钢梁两端现浇混凝土梁，梁上铺设槽钢作为台车行走的轨道。结构件运抵现场并由汽车吊卸车后置于台车之上，由卷扬机横向拖动结构件跨过航槽，并使结构件的中心线与航槽中心线重合。然后，用千斤顶将结构件顶起，将台车旋转 90°，置于纵向混凝土梁上的槽钢轨道内，松开千斤顶，将结构件重新落在台车上，由卷扬机牵引，进行纵向平移。对此方案，先后进行了多次修改。实施的方案是取消台车，门体结构件跨航槽的横向运动，由支撑结构件的台车沿横向轨道的滚动改为结构件沿横向轨道的滑动(需在门体上加焊滑靴)；门体沿航槽中心线的纵向运动由支撑结构件的台车沿纵向轨道的滚动改为门体的主支承轮沿纵向轨道的滚动。同时，改两根钢梁为一根钢梁(利用下闸首检修闸门代替一根钢梁)，这是一个最简便的方案。其具体做法是：在检修闸门的下游 4 m 处跨航槽设架一根钢梁，钢梁悬挂在航槽上(两端悬挂处加焊钢板作了抗剪处理)，其顶面与下闸首混凝土面齐平(高程 54 m)。沿检修闸门顶与钢梁顶平行架设两道 P43 钢轨。结构件运抵现场并由汽车吊卸车后将门体底部滑靴置于轨道上，由 5 t 卷扬机，经左侧滑车将门体横向缓慢向左牵引到位。然后以 4 台 16 t 千斤顶将门体顶升，割除滑靴，再将工作门的主支承轮落于纵向槽钢轨道上。这样，可以利用纵向布置的滑车，由卷扬机将门体向上游牵引。

(4)处理好土建与安装之间的矛盾。正确处理土建与金属结构安装之间的矛盾，是顺利进行工作大门门体安装施工的必备条件。为此，一是加快下闸首启闭机室的混凝土浇筑和下闸首 2×2 500 kN 固定式卷扬启闭机的安装进度，加快门槽埋件安装和二期混凝土浇筑的进度，为工作大门进场后能及时进行安装创造条件；二是停止下闸首检修闸门启闭机平台及相应排架柱的施工，为工作大门留足运输和拼装施工的空间；三是督促土建施工单位尽早拆除塔机，并高标准地修好通往 54 m 高程平台的施工道路。

3 安装工艺流程

安装工艺流程见图 1。

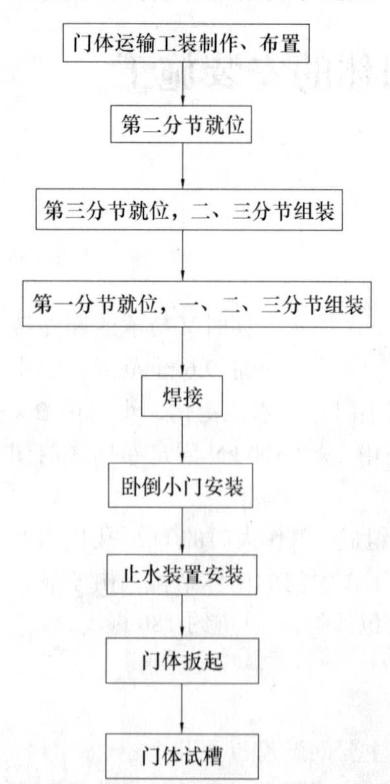

图 1 安装工艺流程图

4　门体安装

(1)门体分节运抵升船机下闸首右侧 54 m 高程平台，拖车位于 56 m 高程公路上，顺水流方向停放，200 t 汽车吊位于 54 m 高程上，卸车后将门体摆在垂直于水流方向的轨道上。

(2)门体吊装的顺序为：第二分节横向拖运到位→第三分节吊装就位并组装→第二、三节连接后向上游牵引→第一分节横向拖运就位→节间拼焊→附件安装→止水装置安装→门体检测验收→门体牵引门槽部位→用 250 t 启闭机将门体扳起→门体入槽→门体试槽。

(3)门体的拖运是一个关键的工序。汽车吊卸车后将门体底部滑靴置于运输轨道上，在航槽两侧利用排架柱一期筋各布置一台 5 t 卷扬机，左侧布设滑车，门体吊放在轨道上后缓慢向左牵引到位，然后，将滑车倒换到上游方向，利用门槽位置布设滑车将门体向上游牵引(见图 2)。

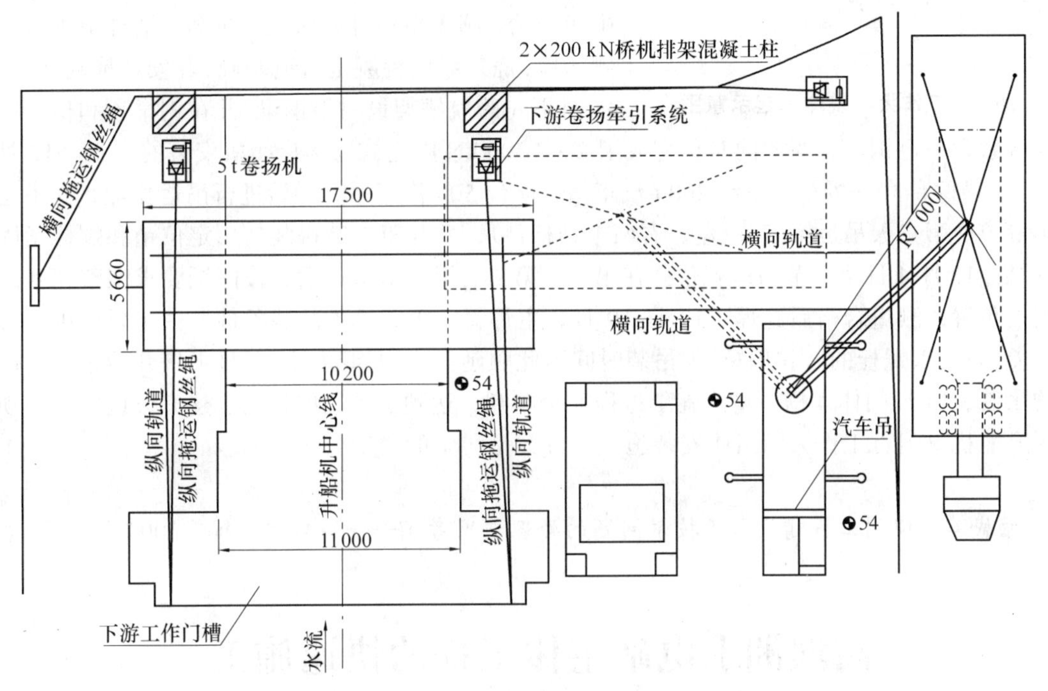

图 2　工作大门运输及现场平移布置图(单位：高程 m；尺寸 mm)

(4)第二分节横向拖运到位后，用千斤顶将门体顶升，割除滑靴，再将门体主支承轮落于纵向布置的槽钢轨道上(为以后向上游平移作准备)。

(5)第三分节(左右两个结构件)直接用 200 t 汽车吊吊装就位，并将主支承轮落于纵向槽钢轨道上，第二、第三分节以 5 t 倒链接拢进行节间组装。

(6)第二、第三分节把合好后，将第二、第三节向上游牵引 5 m，空出第一节位置，将第一分节横向牵引到位，组装第一、第二分节。

(7)U 形门体组装完成后，对门体尺寸进行全面检查，全部合格后进行节间焊接。(为门体的组装和焊接，在吊装运输前，先在航槽内检修闸门上游 37.7 ~ 54.0 m 高程搭满脚手架并铺设好竹跳板)

(8)U 形门体拼焊完，各附件安装完成后，即可进行门体吊装，吊装时先用下游布置的

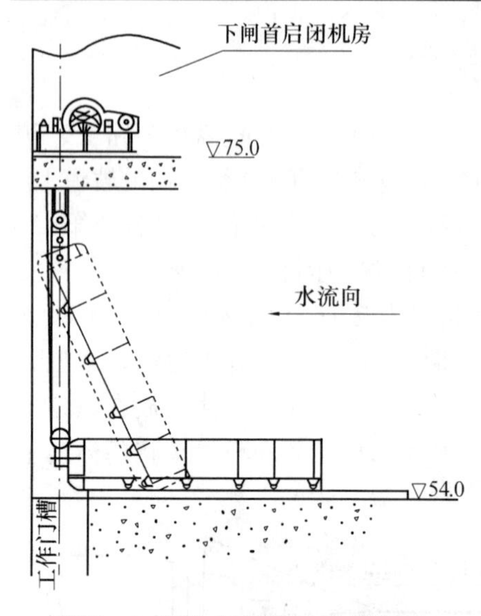

图 3　工作大门整体吊起示意图

2 台 5 t 卷扬机配 20 t 滑车向上游牵引门体，当吊耳与动滑轮位置符合后，穿入吊轴。然后启动 2×2 500 kN 卷扬启闭机将门体上游缓缓提起，起吊过程应始终保持动滑轮垂直位置。闸门下端拖至门槽附近时，利用下游 5 t 卷扬机、滑轮向下游拉紧，缓缓启动启闭机使闸门下端离开运输轨道，然后慢慢松开 5 t 卷扬机，使闸门摆向上游，处于垂直位(见图 3)。

5　安装施工过程及效果

下闸首工作大门门体于 2003 年 10 月 8 日运至高坝洲工地，存放在高坝洲大桥右端的空地。从 11 月中旬开始，施工单位开始做工装准备，清理下闸首两侧场地，浇筑纵向混凝土轨道基础，并安装拖动轨道。11 月下旬跨航槽架设一根钢梁，并在钢梁顶和检修门顶各敷设一道钢轨，与此同时，完成了 2×2 500 kN 固定式卷扬启闭机安装的尾工。12 月 2 日，由两台大平板车、一台 200 t 汽车吊、一台 50 t 汽车吊，开始进行吊运作业，先吊运第二节。第二天吊运第三节(左、右两个结构件)，并与第二节拼装，用定位销和螺栓紧固联结。12 月 4 日第一节吊运就位。在第一、第二、第三节就位后，按图纸要求调整相互之间的位置，测量合格后施焊。12 月 19 日，主焊缝完工，具备吊装条件。由于附件供货稍有差错(止水螺栓的丝扣偏短)，吊装时间因此顺延。2004 年元月 13 日下午开始进行门体的吊装，14 日门体入槽。整体施工过程安全顺利，达到了预期的目的。这充分说明，高坝洲升船机下闸首工作大门门体安装施工的方案是科学的、切合实际的。

(原载《高坝洲工程建设若干技术问题的处理与思考》——吴启煌专辑，2004 年 5 月)

高坝洲水电站主体工程的快速施工

林善祥　邓银启　姜手虞

1　高坝洲水电站工程概况及施工特点

高坝洲水电站是清江流域开发最下游的一个梯级电站，位于湖北省宜都市境内，上距隔河岩电站 50 km，下距长江河口 12 km。

高坝洲电厂为河床式电站，大坝为重力坝，前缘总长 439.5 m，坝顶高程 83.0 m，最大坝高 57 m，装机 3×84 MW，机组安装高程 35.9 m。

工程分两期施工，一期先围左河床，右岸导流明渠导流，设高、低两道土石围堰，在低围堰保护下修高围堰，在高围堰保护下，基坑全年施工。二期围右河床，中、枯水期利用深孔导流，在土石围堰保护下施工，汛期基坑过水。共设 9 条围堰，其中两条 RCC 围堰，7条土石围堰，并且二期上游土石围堰为过水围堰。

招标文件要求36个月首台机组发电。实施施工中，1996年10月26日一期工程截流，至1999年7月具备首台机组发电条件，工期为33个月，创造了国内同类型工程施工工期最短的记录。

2　施工网络计划

高坝洲水电站工程施工之所以进度快，是与编制合理可行的网络计划分不开的。网络计划中首台机组发电的日期定为1999年7月26日。

在厂房主机段和进水口之间，建基面高差大，为改善受力条件，在厂房主机段与进水口之间设置纵缝和宽槽，宽槽必须满足两侧混凝土冷却至稳定温度和低温季节两个条件才能进行回填。只有提前完成宽槽回填，实现厂房进口段与主机段联合挡水，才能如期进行二期截流。因此，厂房宽槽回填是问题的核心。

按正常程序和招标文件的进度计划，1998年10月回填宽槽，再浇蜗壳顶板、发电机层及厂房封顶，然后装修和机组安装，很难实现1999年7月26日第一台机组发电的目标。

为确保按期发电，我们将宽槽回填时间提前到1998年3月，按照这个目标，我们倒排施工计划。考虑宽槽冷却和回填需3个月，1997年底必须形成宽槽。从安Ⅱ集水井开始到宽槽形成，其中包括安Ⅱ集水井混凝土、底板混凝土、固结灌浆、尾水管安装和混凝土浇筑、直锥段混凝土、蜗壳侧墙混凝土，工期至少8个月，即1997年4月必须开挖完成，考虑4个月的开挖工期，1996年12月前必须抽水完成。

按照提前回填宽槽的计划，制定了压缩土石开挖、防渗处理和混凝土浇筑的施工方案，主要有：

(1)截流前，完成左右岸陆上边坡开挖，并浇筑1#坝段基础混凝土，形成上、下游连通道路，创造大开挖的条件。

(2)利用河中沙滩高的地形，提前进行纵向低堰的防渗墙施工。

(3)利用企业资源优势，在厂房上游布置两台高架门机，覆盖了一期工程上游全部浇筑范围。

(4)在厂房进口段顶部架设预制混凝土梁，安装坝顶门机承担后期主厂房浇筑任务。

(5)在厂房尾水渠安装丰满和天塔门机，分别解决了前期要求门机投产快，混凝土方量大，后期要求起吊幅度高的问题。

3　分解控制网络中的总目标，设置阶段性控制目标

中标后，根据高坝洲工程受每年汛期和低温季节限制的特点，在网络计划中设置了阶段性目标。

(1)为满足一期主体工程全年施工，一期高土石围堰和纵向RCC混凝土围堰在1997年5月1日前完成。

(2)厂房和深孔坝段宽槽混凝土回填要求在低温季节施工，1997年12月必须形成，再经冷却至稳定温度，1998年3月前回填完。

(3)1998年10月前一期工程大坝具备挡水条件，并拆除一期土石围堰，10月26日二期截流。

(4)1999 年 5 月 1 日前，二期土石围堰具备挡水和过水条件，二期大坝浇到 62.0 m 高程具备下闸蓄水条件。

(5)1999 年 7 月 26 日，机组安装调试完成，第一台机组发电。

我们按照总网络计划中的五个阶段性目标，组织五次大的战役，将提前发电和完工的总目标分解为五个阶段性目标，逐个攻坚，确保了总目标的实现。

4 优化施工方案，为高速施工创造了条件

先进的施工进度，就是要缩短单个工序的持续时间。一期碾压混凝土纵向围堰，最大堰高 32 m，分 14 个层次，工期十分紧张，加上 1996 年 11 月 6 日清江遭遇超百年一遇的秋汛，最大流量 4 200 m^3/s(是设计来水量 1 200 m^3/s 的 3.5 倍)。洪水冲垮了刚刚截流的上游低土石围堰，影响工期 20 多天。为此，施工指挥部在混凝土纵向围堰施工中增大了投入，采用了多卡模板，配仓面吊车进行拆装，缩短立模时间，同时将纵向围堰由原来三个仓变为四个仓，两个作业面同时浇筑，增加汽车入仓道路，压缩每一升层的循环时间，使纵向围堰月上升最高达到 14 m，创造了 RCC 混凝土施工月上升高度新记录，并按期施工至设计高程。

高坝洲工程一期大坝基础混凝土浇筑，安排在 1997 年的 5～9 月施工，此时正遇高温季节，强约束区的混凝土温控要求严格。施工中，一方面设了制冷容量为 200×10^4 kcal/h(比原设计增加了 100×10^4 kcal/h)制冷楼，可生产−7℃冷风 8 万 m^3/h 预冷骨料，并生产−5～−8 ℃片冰 45 t/d 拌制混凝土，使混凝土的入仓温度满足要求；另一方面，预埋冷却水管并配两台制冷水机组，浇筑后立即通冷水进行混凝土前期冷却，大大降低了混凝土的最高温升，保证了夏季浇筑的强约束区混凝土质量。

1998 年 10 月二期工程截流前，必须完成深孔 3 扇弧门、厂房进水口 6 扇工作门、2 扇检修门、15 扇拦污栅及尾水 6 扇检修门安装，工作量大，工期只有三个多月时间。为了压缩金属结构安装高峰施工强度，采取了以下技术措施：

(1)原设计深孔闸墩高程 76.0 m 以下分为上游、下游两块，中间设宽槽，1997 年冬季宽槽回填完成，再浇筑上部混凝土，才能进行弧门安装。我们建议用圆拱先封闭宽槽，进行上部混凝土浇筑，得到设计批准，创造深孔弧门于 1998 年 4 月前安装的条件。

(2)厂房进水口拦污栅结构复杂，设分层联系梁。影响进口段上升，通过设置施工缝，使进口段先浇，创造了进口闸门提前安装条件。

(3)高坝洲厂房进口拦污栅埋件重 119.01 t，每台机 5 孔，3 台机共 15 孔。采用 10 段安装法，每台机 5 孔一段 4 m 高作为一个安装单元。提前预拼各孔将要安装的埋件，然后待土建将要浇的每台机仓位模板立起后，马上上人安装、调整并加固埋件；为了防止埋件在浇筑过程中可能发生的变形，每孔每 4 m 高的埋件顶部加支撑架。和隔河岩工程相比，高坝洲工程一台机埋件分段较少，一次浇且速度快，埋件变形很小，15 扇拦污栅安装一次成功。

高坝洲水电站水轮机蜗壳预应力锚索设置水平环向锚索和垂直竖向锚索，3 台机组共 51 束。每台机组 17 束，其中水平环向锚索 8 束，其中 4 根锚索长度为 51.5 m，另 4 根锚索长度为 55.5 m；竖向锚索 9 束，单束长度为 20.18 m。锚索采用直径为 $\phi15.2$ mm、极限抗拉强度为 1 860 MPa 高强低松弛钢绞线 12 根集束。锚具采用柳州建筑机械总厂生产的

OVM15–12 型锚具，设计张拉力 2 000 kN。

水平预应力锚索孔道造孔采用预埋金属螺旋管(简称波纹管)成孔，锚索安装到位后，对锚索进行张拉，加荷分预紧 700 kN→1 200 kN→1 600 kN→2 000 kN 三级进行,每级稳压 5 min，加荷至设计值后稳压 10 min，再补加至设计荷载后锚固，24 h 后进行孔道灌浆。竖向锚索与水平锚索施工类似。

水轮机混凝土蜗壳采用预应力锚索加固在国内尚属首例。采用预应力锚索加固与采用钢板衬砌相比有两大优点：①节省了工程投资；②预应力工程施工在混凝土施工期或间歇期完成，完全不占直线工期，大大加快了进度。对于处于钢蜗壳与混凝土蜗壳临界条件下的蜗壳具有推广价值。

一期 RCC 纵向围堰导 4、导 5 段基础开挖整修时，在 $\in_2^{2\text{-}3\text{-}7}$ 地层中揭示了两个层间剪切错动溶蚀带，按挖槽浇混凝土塞进行了处理。当围堰形成后，堰体内外形成 4 ~ 13m 水头差，该剪切带发生渗透破坏，并产生溯源侵蚀，先在一期基坑深孔消力池建基面形成涌水点 W_1，初见流量即达 25 L/s，1997 年 7 月 16 日清江洪水期间，河水抬高至 54 m 时，W_1 的流量一度达到 70 ~ 80 L/s，并新增 W_2 涌水点，流量为 10 ~ 15 L/s。两股涌水不仅影响消力池施工，层间剪切带还影响深孔消力池的安全运行。为此，必须对渗透通道和剪切带进行处理。经过反复研究得出的结论是：减压降速，变动水为静水以后进行堵漏是成功的关键，据此确定了“先排后堵，先浇后灌”的施工方案。最后证明这种方法堵漏是成功的。高坝洲二期基坑开挖时，揭露出 300-1#顺流向断层，河水穿越上游围堰下的断层，从坝基涌出，运用同样方法，在上游围堰坡脚开挖减压排水井，强迫抽水，降低出水口水压力，减缓流速，孔口埋管引流，很快完成了坝基处理。

高坝洲二期工程截流由于导流的深孔底板高程 45 m，高出河床底部约 10 m，使截流的分流条件差，自然形成较大落差。1998 年长江发生特大洪水，坝址水位居高不下，至 9 月上旬才开始进行一期土石围堰有限度拆除，拆除料运至左、右岸备料场，在 10 月 20 日前完成了备料的准备工作。10 月 20 日下午，形成龙口，宽度为 50 m；10 月 25 日下午完成龙口 1 区段进占，龙口宽度束窄至 30 m；10 月 26 日 10 ~ 11 时龙口合龙，顺利完成截流工程。合龙最困难的时段出现在龙口宽度 25 m 左右，即把 2 ~ 3 个混凝土大块体用钢丝绳串接后用大马力推土机依次推入水中。

二期工程截流后在进行上、下土石围堰防渗墙施工时，出现了基坑水位上升，即将溢出下游土石围堰的情况。经分析认为是截流时在龙口抛填的是大粒径块石，孔隙较大，而水流流速较大，产生了渗漏通道；下游土石围堰填料较细，渗透量较小，这是基坑内水位上升的原因，后在下游土石围堰已施工的防渗墙段挖了一条深 2.0 m、宽 5.0 m 的小明渠，将基坑内的水排走。

为了满足汛期基坑过水要求，设计要求二期碾压混凝土大坝上升至 62.0 m，在 1999 年汛前至少要完成一排帷幕灌浆。为了加快碾压混凝土大坝的施工进度，在下游碾压混凝土横向围堰施工时进行了多卡模板蛇形筋抗拔力试验，以确定多卡模板的合理拆模时间；建议二期大坝上游基础廊道和下游排水廊道施工采用全封闭式的预制混凝土廊道模板，缩短混凝土立模时间；预制混凝土廊道模板预留引张线和静力水准管槽，解决了变形监测和帷幕灌浆施工的工期矛盾；碾压混凝土采用斜层碾压法以适应大仓面混凝土施工。这些措施的实行，大大加快了混凝土施工进度。并且实现了帷幕灌浆与混凝土浇筑同时施工，确保了灌浆施工时间。

原设计 1999 年汛后，施工大坝下主排帷幕，上游基坑水压力将会影响灌浆质量，因此制定了汛后上游基坑抽水方案，相应要求上游土石围堰过流时不能被冲坏。在土石围堰上游面编织铁丝网块石笼，在顶面布置一层编织铁丝网块石笼，并浇筑 20cm 厚混凝土，下游坡面布置双层焊接钢筋笼装块石，经受了汛期洪水冲刷的考验。

高坝洲水电站共有 6 个泄洪表孔，每个表孔宽 14 m，溢流面面积 750 m^2，溢流面抗冲耐磨混凝土与下部坝体混凝土分开施工。溢流面分三段施工，工作门槽以上为一段，表孔闸墩墩尾以下为一段，中间 15+006.78 ~ 15+031.75 为一段。溢流面中间段长约 36 m，采用滑模施工。混凝土施工前进行轨道、卷扬机、滑模安装和空滑调试，一套滑模配两台 20 t 卷扬机。滑模经试滑并确认正常后进行混凝土施工。溢流面采用滑模施工，施工缝少，施工速度快，外形质量易保证。

5　合理配置资源，适应施工进度的要求

高坝洲一、二期工程土石方开挖与混凝土浇筑基本上是交替错开施工，当一期混凝土开始浇筑时，开挖基本没有工作；当二期工程截流和开挖时，一期大坝混凝土已挡水，经常出现部分资源富裕，而另一部分资源不足，生产很不平衡。

合理配置资源，目的在于如何解决工程的各种作业间资源使用的冲突，解决的方法就是全面分析各工序的重要程度、工序的间歇时差，以及某个工序推迟可能造成的影响。当资源不足时，减缓次要工序的工作速度或推迟工序，确保关键线路上的工作速度和工期不变。

一期工程混凝土浇筑阶段，厂房机组段进口 9 个闸墩 6 个仓，主机和 3 个尾水管 16 个仓位，深孔 6 个闸墩 12 个仓位。上游两台高架门机和模板工、钢筋工成为十分紧缺的资源。其中，厂房进水口与深孔闸墩浇到顶是二期截流的必备条件，1$^\#$主机混凝土是首台机组发电的重点，2$^\#$、3$^\#$主机段还有自由时差，1997 年底只要浇到 28.93 m 高程，满足 1998 年 3 月前完成宽槽回填条件，可以放缓施工。1998 年 5 月以后，进入闸门安装时期，三项资源都有富裕，再加快施工。

1999 年汛后，表孔闸墩混凝土浇筑，左右岸各一台丰满门机，从两边向中间推进，中间 15$^\#$ ~ 18$^\#$闸墩主要依靠基坑安装的小高架门机入仓，而升船机闸室底板还要小高架承担，吊装手段十分紧张，针对这种情况采取了 4 项措施：①最重要的是抓紧形成小高架安装条件，使资源尽快投入，同时，成立了专班人员，负责小高架门机的维修保养，提高设备利用率；②加快 14$^\#$闸墩浇筑和预制梁制作，使安装在该坝段顶的丰 10 向右侧前进，早日投入 15$^\#$闸墩浇筑；③放慢 19$^\#$闸墩浇筑，避免 19$^\#$闸墩太高影响丰 15 运行，将 19$^\#$和 18$^\#$坝段过流面混凝土由丰 15 入仓，减少小高架门机的负担；④在升船机闸室底板上另外安装天 8 塔机，减轻小高架门机的工作任务。通过这些措施较好地解决了中间闸墩的入仓手段不足的问题，使表孔闸墩混凝土工程按期完成。

6　定期进行检查、分析和控制，实行动态管理

为了控制实际施工进度与网络计划的偏差，坚持进行日检查、周检查、月检查和阶段性目标检查，以便及时制定纠偏措施。

机械临时故障和少数工作人员的不负责，是造成日计划偏差的主要原因，通过加强对机械和施工人员的管理，使生产正常化。

进行周计划和月计划的检查，主要是针对施工单位的施工能力与资源配置调整施工部位，施工部位的划分既要保持相对的稳定，又要实行动态管理，防止个别单位为了自身的效益，多占部位，影响工程进度。

阶段性目标检查，就是要分析月计划进度偏差和施工条件变化对阶段目标工期的影响，检查的方法是运用“前锋线检查”，关键线路的节点不许滞后，一旦滞后或有滞后可能，必须通过各种手段，确保阶段目标的实现不受影响。

1998 年长江流域特大洪水延续时间长，计划 9 月中旬开始拆除一期土石围堰，至 9 月 29 日拆除道路仍被水淹没，不能如期开工，对 10 月 26 日二期截流的目标工期造成了威胁。因此，采取了如下措施：①通过了解中长期水情预报，分析认为未来水位只会逐步下降，决定从围堰顶部用反铲拆除 3～4 m 高。②利用顶部拆除石渣，加高拆除围堰用的施工道路，创造后期大开挖的条件。③加快二期截流前的各项准备工作。右岸提前修筑截流道路；左岸是主要料场，要搞好土石方平衡，在拆除一期围堰、准备二期围堰料的同时，浇筑靠纵向围堰二期上下游土石围堰的防渗心墙。

1999 年元月，二期基坑开挖时，在 16#～17#坝段揭露了深层岩溶通道，渗水量大，基坑开挖进度滞后，为了实现 5 月前表孔浇到 60.5 m 高程的目标，在 16#坝段上游挖减压井，采取减压堵漏的灌浆处理措施，恢复正常开挖，同时，提前制定了下一步混凝土快速施工技术措施，包括固结灌浆与混凝土浇筑平行作业，在右岸增加皮带机入仓手段，变二期大坝整体浇筑为左右岸两仓轮流浇筑，减掉了浇筑层间等混凝土龄期的间歇时间，实现了不间断浇筑。

7　加强管理，实现工程形象进度

加强管理，重要的是主要领导实行明确、具体的分工负责制，即做到各个项目有人管又不多头管。根据各时段的施工重点，先后成立了防渗墙责任组、基坑开挖责任组、混凝土责任组、围堰拆除责任组、二期截流领导小组、基础处理责任组。突击重点工程，把握关键工序。

为了调动广大职工的积极性，防止片面追求高产量和产值，采取了按工程形象计奖方法，除每月按完成的形象发奖外，每达到一个阶段目标都要进行评比，表彰先进，为作出突出贡献的职工记功，为质量优良的单位发质量奖。

严格按照 ISO9002 质量体系进行施工，使机关各职能部门及每个员工都明确自己应该做什么，各项工作都制定分项施工方案和作业指导书，以优质的工作质量确保优质的工程质量。

建立了一套协调制度，以处理好各个方面的关系，每月举行建设、设计、施工、监理四方联席会议，研究施工进度、设计、工程质量中的重大问题，统一思想。平常通过签发工程联络单，达到互通情况、协调一致。遇到重大问题，召开现场分析会及时解决问题。施工单位以业主满意为出发点，业主也十分理解施工单位的困难，因此有关各方建立了同志加兄弟、合同加友谊的新型关系，为工程顺利进行，创造了良好的工作环境。

高坝洲工程质量监理站将高坝洲水电站划分为混凝土重力坝、发电厂房、灌浆平洞、地面升压变压和升船机 5 个单位工程，除升船机工程尚未完建外，其余 4 个单位工程均被评为优良工程。

8　结语

由葛洲坝水利水电集团公司承包的高坝洲工程，自投标阶段开始建立科学的网络计划，严格执行 ISO 9002 质量管理体系，在施工过程中，随着实际情况的变化，不断优化施工方案，调整施工程序和资源配置，加强管理。战胜了两次特大洪水，用 33 个月的工期按期实现了首台机组具备发电条件的目标，创造了同类工程工期最短的全国纪录。

2001 年 3 月，高坝洲水电站 1#、2#机组达标投产，通过了国家电力公司复检验收小组的认证。表明了厂房的施工质量和机组安装质量是优良的。

（原载《清江高坝洲水电站工程科技文稿选编》，2004 年 5 月）

高坝洲电厂 220 kV 开关站电流互感器故障的检修及更换

聂志立

1　概述

高坝洲水电厂是湖北清江流域水电开发中的第三级电站，位于隔河岩水电厂下游 50 km 处，电厂装有 3 台 84 MW 的轴流转桨式水轮发电机组，总装机容量为 252MW，年平均发电量为 8.98 亿 kW · h，2000 年 2 月至 7 月 3 台机组陆续并网发电。电能外送采用两条 220 kV 线路，220 kV 开关站一次接线型式为扩大桥型接线。2001 年 6 月 20 日至 7 月 23 日，220 kV 开关站所有四组油浸式电流互感器（CT）出现本体绝缘整体受潮故障，陆续返厂检修或更换新的电流互感器，造成电厂出现较大的损失。

2　开关站电流互感器故障检修

高坝洲电厂电流互感器系西安某开关厂生产，型号为 $LB6-220IW_2$，油纸电容型。2001 年 4 月 4 日，高坝洲电厂 1#机组小修期间对 21 开关 CT 进行常规预试时发现：A、B、C 三相介损测量值与交接值（0.2%）比较有明显上升趋势，且 A 相介损大于规程规定值 0.8%。21 开关 CT 的具体试验数据见表 1（使用仪器：DELTA – 2000 介损测试仪）。

表 1　21 开关 CT 主要检测值（2001 年 4 月 4 日）

测量部位	U(kV)	I(mA)	W(W)	$\tan\delta$(%)	Cx(pF)
A	10	2.901	0.233 6	0.81	924.02
B	10	2.740	0.181 7	0.66	872.92
C	10	2.591	0.166 1	0.64	825.41

《电力设备预防性试验规程》(DL/T596—1996)规定：220 kV 油纸电容型的电流互感器在运行中的主绝缘 tanδ(%)应不大于 0.8，且与历年数据比较不应有显著变化。因此，此次测试的试验数据说明该互感器 A 相的主绝缘可能存在受潮问题。经现场设备检查和分析认为，该组 CT 除 A 相有轻微渗油外，其主绝缘电阻正常(20 000 MΩ 以上)，电容量也未发生较大变化，试验方法正确，接线及周边设备对试验结果无较大影响，该相 CT 油样的气体色谱分析正常，经与厂家协商决定，对 21 开关 CT 在两个月后再进行一次测量试验。

2001 年 6 月 20 日，高 21 开关 CT 从电网退出运行进行检查性试验，发现试验数据全部超标。6 月 21 日，我们请湖北中试所有关专家进行复测，测试数据仍然超标，且比 4 月 4 日的数据增大了不少。6 月 21 日对高 21 开关 CT 进行检查试验，其主要数据见表 2(使用仪器：DELTA－2000 介损测试仪)。

表 2　21 开关 CT 主要检测值(2001 年 6 月 21 日)

测量部位	U(kV)	I(mA)	W(W)	tanδ(%)	Cx(pF)
A	10	2.895	0.317 1	1.10	922.18
B	10	2.743	0.260 9	0.95	873.78
C	10	2.590	0.268 4	1.04	825.01

根据此次试验数据，可以认为该 CT 介损数据确已超标且有逐渐增大的趋势，证明其整体绝缘已受潮，绝缘受潮可导致绝缘水平降低和破坏，严重的可能造成 CT 的爆炸，因此该 CT 必须立刻退出运行。由于现场不具备检修条件，6 月 23 日 21 开关 CT 返回西安高压开关厂进行检修。

2001 年 6 月 28 日，我们对高 23 开关 CT 进行了检查试验，其主要数据见表 3(使用仪器：DELTA－2000 介损测试仪)。

表 3　23 开关 CT 主要检测值(2001 年 6 月 28 日)

测量部位	U(kV)	I(mA)	W(W)	tanδ(%)	Cx(pF)
A	10	2.723	0.466 5	1.71	867.29
B	10	2.676	0.356 2	1.33	852.33
C	10	2.898	0.376 6	1.30	920.47
末屏 A	2	5.903	0.312 0	0.53	1 879.0
末屏 B	2	4.837	0.284 4	0.59	1 540.9
末屏 C	2	1.052	0.015 7	0.60	1 341.2

高 23 开关 CT 在 2000 年 10 月 31 日的试验数据如表 4 所示。

表 4　23 开关 CT 主要检测值(2000 年 10 月 31 日)

测量部位	U(kV)	I(mA)	W(W)	tanδ(%)	Cx(pF)
A	10	2.697	0.095 5	0.35	859.36
B	10	2.651	0.085 7	0.32	844.57
C	10	2.858	0.115 2	0.40	910.61

由此可见，高 23 开关的介损试验数据也已超标，而且较上次数据增大了不少，最大增幅达到 388%，说明该 CT 的绝缘已整体受潮。因此，该 CT 也必须退出运行返厂检修。

从以上情况分析，CT 介损数据超标是产品质量问题，而且可能该批次均存在问题。为防止设备发生意外，申请对 24、25 开关也停电，以便对该组 CT 进行试验。2001 年 7 月 7 日，高坝洲电厂对 24、25 开关的 CT 进行了检查性试验。24 开关 CT 介损试验的主要测度数据如表 5 所示。25 开关 CT 介损试验的主要测试数据如表 6 所示。

表 5　24 开关 CT 主要检测值（2001 年 7 月 7 日）

测量部位	U(kV)	I(mA)	W(W)	tanδ(%)	Cx(pF)
A	10	2.561	0.326 7	1.28	815.94
B	10	2.505	0.419 8	1.68	798.18
C	10	2.656	0.271 6	1.02	846.40

表 6　25 开关 CT 主要检测值（2001 年 7 月 7 日）

测量部位	U(kV)	I(mA)	W(W)	tanδ(%)	Cx(pF)
A	10	2.682	0.332 5	1.24	854.60
B	10	2.739	0.346 9	1.27	872.78
C	10	2.551	0.428 6	1.68	812.50

从以上试验数据分析，这两组 CT 的介损数据也已超标。由于该两组 CT 在 2000 年 9 月 22 日测试时使用的仪器为 QS1 电桥，有较大误差，而此次使用的是 DELTA－2000 介损测试仪，准确度较高，因此两次数据不能进行对比分析。故将 24、25 开关 CT 退出运行，返厂检修。至此，高坝洲电厂 220 kV 开关站四组油浸式 CT 全部退出运行，返厂检修。

2001 年 6 月 23 日，高 21 开关 CT 运抵厂家后，该厂对其中一相进行测试，测试结果介损为 1.4，仍然不合格，而对 CT 取的油样试验数据是合格的，再次证明高 21 开关 CT 为介损超标产品。CT 处理程序为：①产品解体；②铁芯吊入密封烘房内干燥；③热态下装配；④真空状态下注油；⑤工频耐压及介损、色谱试验。7 月 18 日，试验结果正常，吊芯烘干处理达到满意的结果。

高 21 开关 CT 返厂检修完毕后于 7 月 20 日到达高洲坝电厂，随后进行了安装和试验，进行的现场试验有绕组与末屏的绝缘电阻测试、介质损耗及电容量测量、极性检查、一次侧通流试验、零起升压试验、带小负荷校验极性试验，各项试验数据合格。23 日 2 时 50 分，高坝洲电厂 1$^{\#}$机组并网发电。

3　电流互感器的更换

高洲坝电厂在对故障 CT 进行返厂检修的同时，积极通过各种途径寻找更好的产品，以减少由此引起的损失。西安某公司生产的六氟化硫(SF_6)电流互感器产品与油浸式电流互感器相比有下列特点：①SF_6 气体绝缘性能稳定，无绝缘老化问题，运行可靠。②运行安全无爆炸和火灾可能，其一由于该瓷套为高强度瓷，其破坏压力为额定压力的 6～7 倍；其二由于 SF_6 气体的可压缩性，即使发生内部故障，其压力的增加也是缓慢的；其三是产品顶部装有压力释放装置，当内部气体压力增加到 0.7～1.0 MPa 时，爆破片破裂，所以不会发生爆破和火灾。③维护简单，该产品设有 SF_6 气体压力表和气体密度继电器，产品额定压力为 0.4 MPa(20℃)，当气体压力降至 0.35 MPa 时，继电器会发出故障信号，正常运行下，产品年漏气量小于 1%，即由额定气压 0.4 MPa 降至 0.35 MPa 需 10 年时间，这就意味着该 CT 在 10 年内可以免于维护。④一次绕组直接通过，动热稳定能力大。鉴于以上对比，我们订购了两组主要技术参数与原油浸 CT 相同的六氟化硫(SF_6)电流互感器，其型号为 LVQD－220 W_2，SF_6 气体压力额定值为 0.4 MPa(20℃)。

2001 年 7 月 18～20 日，两组六氟化硫(SF_6)电流互感器到达高坝洲电厂，经外观检测、变比精度测试、极性检查试验合格后安装到原 CT 位置，接入一次、二次接线后，使用 DDG－5/500 升流器在一次侧逐步升流至 200 A，用钳形电流表测量二次侧每一相的相位差(0°或 180°)以检测二次回路是否存在短路及开路现象；在对 CT 进行零起升压试验中，启动 2F 至额定转速，但其低压侧出口开关 02 合上时励磁装置无法启动，因此采用在 25%U_e 时用 02 开关对 02B 冲击升压；在带小负荷试验，检查了 CT 的三相电流的相序、相位和平衡，电流对 PT 电压的相角，高压侧与低压侧电流之间的相位关系及相差电流的值，并检查了线路保护屏内 CT 的矢量和及电流与母线电压之间的相位关系，试验中各项试验数据合格，24 h 后 SF_6 微水检测合格。7 月 19 日和 22 日，24、25 开关六氟化硫 CT 相继投入运行，2F 机组并网发电。

23 开关六氟化硫 CT 于 8 月 23 日到货，经各项试验合格，3F 于 8 月 25 日并网发电。

4　CT 故障原因分析

220 kV 开关站四组油浸式电流互感器均出现绝缘整体受潮的问题，说明是该批次产品存在普遍的故障原因。

(1)电流互感器的铁芯材质有问题。介质损失角正切(tan δ)测量数据反映的是电气设备整体绝缘受潮或劣化变质的缺陷，而 CT 油样的气体色谱分析正常，证明 CT 中的绝缘油是合格的，由此可以说明该批次 CT 的铁芯所使用的材质存在问题。

(2)电流支柱式组合电器的影响。220 kV 油浸 CT 为组合电器并安装在支柱上，CT 与隔离刀闸、地刀的静触头组合在一起，而隔离刀闸的操作是很频繁的，平均每天在两次以上，频繁的拉合使 CT 经常受到振动，可能会导致 CT 瓷套密封受到破损而受潮。

5　目前存在的问题及改进措施

针对以上原因，我们将原组合式的油浸电流互感器更换为独立式的六氟化硫 CT，消除了 CT 存在的重大安全隐患，但还存在以下问题：由于原来的组合电器无法实施，只能采用临时措施，将相应的隔离刀闸用短接线短接运行，并取消了相应的地刀，这种运行方式不灵活，必须加以改进。现采取的改进措施主要有以下几方面：

(1)将原来 CT 的支柱进行相应的移动，增加隔离刀闸、地刀的静触头支柱，以恢复一次侧灵活的运行方式。

(2)原来 CT 的测量准确级为 0.2 级，现改为 0.2S 级可满足测量精度的要求。

(3)敷设二次电缆，将六氟化硫 CT 的压力报警信号通过 LCU5 引入中控室监视。

(原载《清江发电公司论文集》，2001 年 12 月)

高坝洲水电站机组上导瓦松动原因分析及处理

邢林喜

1 基本简况

高坝洲水电站装有 3 台 84 MW 轴流转桨式水轮发电机组，3 台机组于 2000 年 2 月至 7 月投入运营，由四川德阳东方电机厂生产制造，发电机型号为 SF84－48/9500，结构采用具有一个上导轴承的半伞式结构，推力轴承置于下机架上，额定转速 125 r/min。在上机架中心体内设置的一个上导轴承分布有 8 块钨金瓦，其采用楔子板支撑方式，见图 1、图 2。

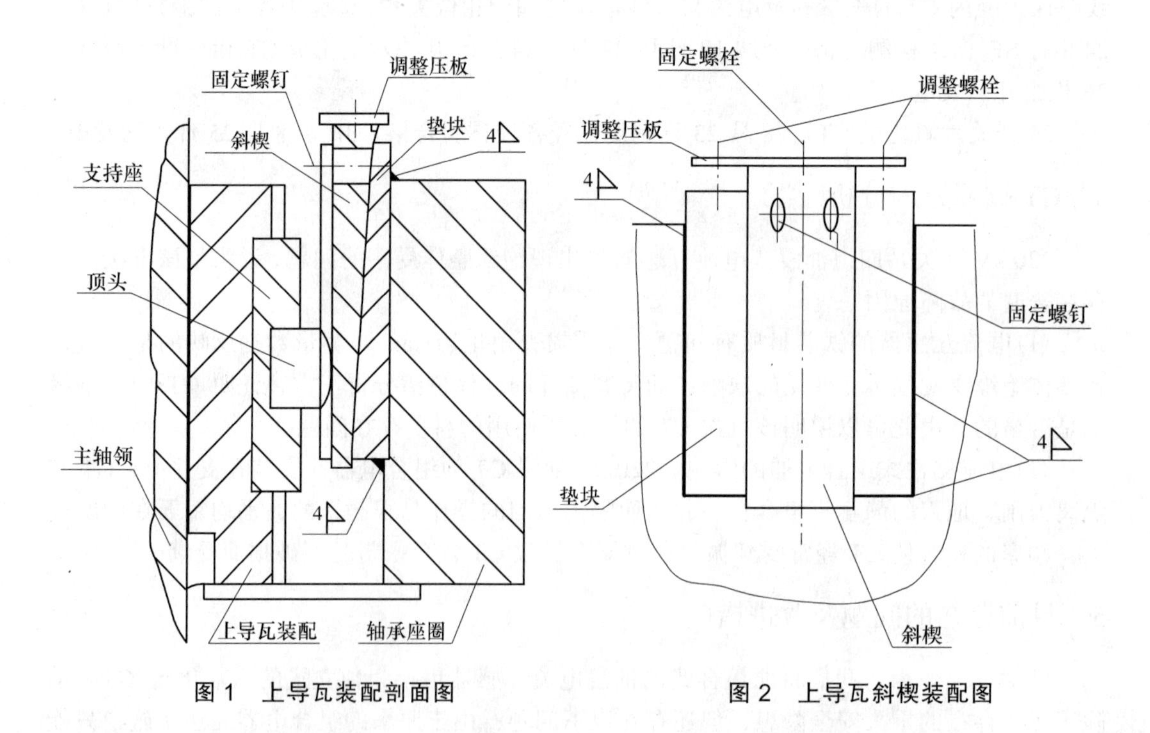

图 1 上导瓦装配剖面图　　图 2 上导瓦斜楔装配图

上导瓦所受到的径向力通过支持座、顶头传递到可上下移动调整的斜楔上，再通过焊接在上机架上的垫块传递到上机架的轴承座圈上。斜楔的斜度为 1 : 20，垫块以同样的斜度加工后四周按⊿4 焊于轴承座圈上，上导瓦安装调整单边间隙 0.15 mm，通过调整压板和调整螺钉上下移动斜楔量，再换算成导瓦径向间隙。间隙调整好后，拧紧斜楔固定螺钉和调整螺钉。

2　故障现象与分析

机组先后经安装施工单位安装后交由电厂投入商业运营，运行几个月后3台机组先后不同程度地发现上导摆度逐步增大，并在受油器内外挡油管浮动瓦法兰处出现大量黑金属与铜金属磨削，经停机分解受油器和上导瓦检查发现：

(1)原按0.30 mm调整的上导瓦间隙值均增大一倍以上，个别点在1 mm左右，斜楔上窜，调整压板变形，斜楔固定螺钉松动，垫块角焊缝开裂，有一块垫块已脱落。原设计斜楔垫块角焊缝为⊿4，因存在焊接缺陷和垫块与轴承座圈之间存在间隙，导瓦的交变径向力使⊿4角焊缝产生疲劳断裂，造成导瓦间隙失效。

(2)受油器内外挡油管浮动瓦限位销被剪断，浮动瓦不起作用，使挡油管与受油器固定支架法兰产生摩擦，产生大量金属磨削，内外挡油管均磨伤。

(3)垫块角焊缝的设计施工工艺造成了垫块的焊接热变形，见图3、图4。

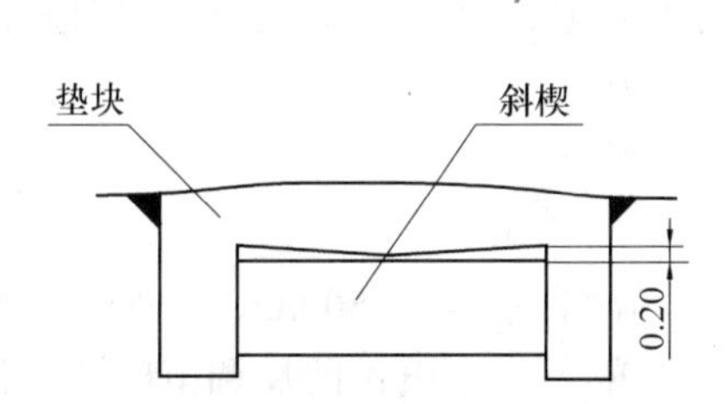

图3　垫块径向变形（单位：mm）

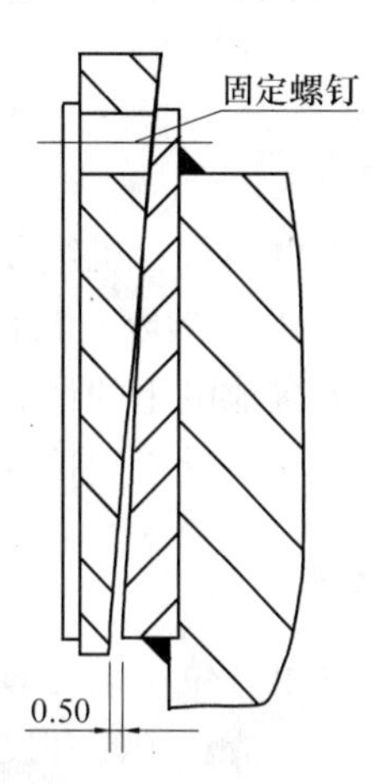

图4　垫块轴向变形（单位：mm）

虽然在安装说明中考虑到了这种变形因素，要求在斜楔装配中与垫块斜面应研配，使其接触面积不小于80%，实际在施工安装现场这种研配是很困难的，所以形成了这种间隙的存在，使斜楔失稳。失稳的存在又使得斜楔受导瓦交变径向力后有一个沿斜面向上的分力，作用在斜楔固定螺钉和调整压板上，使固定螺钉松动调整压板变形，调整压板厚8 mm显薄，最后造成导瓦间隙的增大。

综合以上的现象分析发现，导瓦的间隙增大导致了机组摆度的加大，使轴位偏移过大，受油器浮动瓦限位销剪断，内外挡油管与法兰产生摩擦。

3　故障的处理

找出了故障产生的原因后，重新对机组进行盘车确定轴位，垫块与轴承座圈角焊缝征得厂方的意见由原⊿4全部补增大为⊿6，调整压板的厚度由原来8 mm更换为12 mm。而对于斜楔与垫块斜面因焊接变形产生的间隙问题，在现场没有能力进行研配，无法消除，但只要斜楔向上窜动的力被加厚的调整压板所限制，斜楔就不能向上窜动，上导瓦间隙就能保持不变。

4　结论

高坝洲水电站3台机组上导轴承相继出现的瓦间隙变化，导致受油器内外挡油管与固定部件摩擦的问题虽然得到了解决，运行几个月来机组摆度正常，但遗留下来的斜楔与垫块斜面因焊接变形产生的间隙问题没有消除，间隙的存在必然导致斜楔随机组的摆度在活动，虽不再会使瓦间隙增大，但成了高坝洲电站机组的一个遗憾。建议厂方在生产同样结构的机组时重新考虑工艺要求或改进结构，以消除这种结构导致瓦间隙变化的问题。

（原载《清江发电公司论文集》，2001年12月）

高坝洲水电站接地电阻计算与测量对比

许　军　计绿野　高军华

高坝洲水电站首台机组投运前，我们对电站一期工程接地电阻进行了实测，并采用武汉大学工学部电气学院与长江水利委员会设计院联合开发的通用水电站接地网的数值计算程序进行了接地电阻的计算，通过计算结果与实测值的对比研究，验证了接地计算程序。这一计算程序对指导工程接地设计具有实用意义。

1　工程概况

高坝洲水电站位于湖北省宜都市境内，上距隔河岩水电站 50 km，下距清江与长江汇合处 12 km，是清江干流开发的最下一个梯级，是隔河岩水电站的反调节电站。该枢纽包括大坝、电站厂房及通航建筑物三大主体建筑以及220 kV开关站。

大坝由非溢流坝段，纵向围堰坝段，表孔及深孔泄洪坝段组成；电站厂房含厂房坝段、电站管理大楼等；通航建筑物为垂直升船机；220 kV 户外开关站位于左岸下游。左河床布置了电站厂房、泄洪深孔，右河床布置了泄洪表孔和通航建筑物，两岸接非溢流挡水坝段。各建筑物具体位置从左至右依次为：1#～3#左岸非溢流坝段、4#～8#电站厂房坝段、9#～11#深孔泄洪坝段、12#纵向围堰坝段、13#～19#表孔溢流坝段、20#升船机坝段、21#～23#右岸非溢流坝段。

电站装机3台机组，单机容量84 MW，总装机252 MW。电站厂房总长121 m，从左至右为安Ⅰ段、安Ⅱ段、1#机至3#机。电站尾水渠底宽69 m，长92.8 m，右侧为厂坝导墙，左侧为尾水护岸工程。电站管理大楼位于电站左侧，220 kV 开关站布置在左岸山坡上，位于电站下游约170 m，地面高程74.00 m，220 kV高压配电装置布置在开关站内。

电站以两回220 kV出线接入电力系统，两回出线分别接至郭家岗和楼子河变电所。

2　接地网布置

高坝洲水电站地处山区，坝址范围内多为岩石地层，土壤电阻率较高。电站楼子河接地网主要利用各建筑物水下部分的钢结构作为主散流网。

2.1　大坝上游立面接地网

大坝全长约 439.5 m，从左至右有：1# ~ 3#左岸非溢流坝段、4# ~ 8#电站厂房坝段、9# ~ 11#深孔泄洪坝段、12#纵向围堰坝段、13# ~ 19#表孔溢流坝段、20#升船机坝段、21# ~ 23#右岸非溢流坝段。在电站厂房坝段和泄洪坝段的上游挡水墙布置了拦污栅，连接各挡水墙拦污栅门槽构成了上游立面接地网，面积约为 15 263.5 m^2。

2.2　上游人工接地网

为尽量降低电站接地电阻，尽可能地加大水下接地网面积，在厂房坝段、深孔坝段及表孔溢流坝段及右非溢流坝段上游河床表面敷设了人工接地网，并采用直径 30 mm，长约 2 ~ 3 m 的圆钢固定人工接地网，人工接地网的面积约为 33 000.5 m^2。

2.3　厂房接地网

厂房接地网以利用水下钢结构物为主，电站水下钢结构物主要有：①尾水护坦结构钢筋；②尾水底板结构钢筋；③蜗壳；④锥管；⑤下游挡水墙尾水门槽。电站接地网主要利用电站尾水护坦面层结构钢筋形成水下自然接地网，网孔尺寸约为 30 m × 30 m，护坦接地网面积约为 5 600 m^2。护坦接地网经尾水底板接地网与尾水管、锥管、蜗壳等水中金属构件互相连接，组成电站主接地网。

2.4　泄洪坝段接地网

泄洪坝段分为深孔坝段和表孔溢流坝段，在深孔和表孔坝段之间设置有纵向围堰。深孔坝段长约 54 m，共 3 个深孔；表孔溢流坝段长 116.5 m，共 6 个表孔。深孔和表孔的底板布置有结构钢筋，深孔和表孔坝段的下游侧设置了底板护坦，利用护坦面层结构钢筋构成网孔约 30 m × 30 m 的接地网。深孔和表孔底板接地网上游侧与上游拦污栅门槽连接，深孔和表孔底板接地网下游侧与护坦接地网接连。深孔护坦接地网面积约为 3 995 m^2。表孔护坦接地网面积约为 8 288 m^2。为尽量降低电站接地电阻，尽可能地加大水下接地网面积，在下游纵向围堰导墙与右岸公路边坡之间敷设了人工接地网，该接地网与表孔护坦接地网连接，人工接地网网孔尺寸为 30 m × 30 m，其面积约为 6 160 m^2。

2.5　升船机接地网

升船机接地网利用升船机水下底板结构钢筋构成水下自然接地网，地网面积约为 2 660 m^2。该接地网与下游人工接地网连成一体。

2.6　开关站接地网

220 kV 开关站位于电站下游左岸 74 m 高程，占地 1 150 m × 41 m。在开关站内顺水流方向敷设了长条网孔，网孔尺寸约为 48 m × 5 m，地网面积约 4 715 m^2。同时，在开关站与河床间的进线塔区域设置了人工接地干线，并与开关站内接地网相连。在开关站的两个入口处设置了帽檐式均压网，为降低冲击接地电阻，在布置了避雷器和进、出线门构处，沿开关站长度方向设置了两条人工接地沟，沿开关站宽度方向也设置了两条人工接地沟，并与长度方向的两条人工接地沟贯通。在开关站地表面铺设厚 300 mm 高电阻率的卵石。

2.7　电站管理楼接地网

电站管理大楼共五层，采用框架结构。整个大楼分为中控楼和管理楼两部分。该楼右接电缆廊道，下游侧接开关站电缆廊道。在电站管理大楼区域敷设接地网，面积约 1 080 m^2，并与电站及 220 kV 开关站接地网连通。

2.8 电站总接地网

上述 7 部分地网通过贯穿整个大坝基础廊道、电缆廊道等接地干线使各部分接地网连成一体，形成高坝洲水电站总体接地网。

高坝洲枢纽工程分为一期工程和二期工程，一期工程的接地网主要包括：①上游人工水下接地网；②上游立面接地网；③厂房尾水护坦接地网；④1# ~ 12#坝段上游立面接地网；⑤左岸开关站及其他部分的接地网。电站二期工程接地网主要包括：①13# ~ 18#泄洪坝坝段上游人工接地网；②13# ~ 18#泄洪坝坝段上游立面接地网；③表孔泄洪坝段下游护坦接地网；④下游人工接地网；⑤垂直升船机接地网。一期工程接地网面积约为 40 890 m²，其最大对角线约 480 m，工程最终完毕后，接地网的面积约可达到 75 700 m²。

3 接地电阻计算

接地电阻测量时，二期工程接地网还未施工，一期工程接地网已经形成，对一期接地网进行接地测量，为了对比，接地电阻计算按一期接地网进行。

3.1 原始资料

高坝洲水电站的水电阻率和土壤电阻率由长江水利委员会清江地质大队以及三峡勘测研究院进行测量，测量范围为总接地网坐标内水电阻率、河床基岩电阻率及 220 kV 开关站土壤电阻率，采用直流电阻测深法进行测量。在总体接地网范围内共布设纵、横剖面 18 条，测出典型剖面各地层电阻率综合值。根据所有典型剖面各地层电阻率综合值，采用加权平均法进行计算，得出各典型剖面电阻率综合值，对各典型剖面电阻率综合值进行算术平均法计算，得出大坝与电站基岩的电阻率值和开关站基岩的电阻率值如下：

(1)清江水电阻率测量值为 48 ~ 60 Ω · m，夏季水电阻率偏低，冬季水电阻率偏高，因电站接地电阻测量在夏季，所以水电阻率按 48 ~ 50 Ω · m 计算。

(2)厂房坝段、溢流坝段及电站区域基岩等效电阻率值为 1 695.3 Ω · m。

(3)220 kV 开关站区域土壤等效电阻率值为 772.9 Ω · m。

3.2 接地电阻常规计算

接地电阻常规计算按照《水力发电厂接地设计技术导则》进行。

3.2.1 水下接地网接地电阻计算

一期接地网面积约 40 890 m²，其中水下接地网面积约 23 610 m²。河床基岩电阻率为 1 695.3Ω · m，清江水的电阻率为 50Ω · m，计算出水下接地网接地电阻 R_1=1.112 5Ω。

3.2.2 左岸接地网接地电阻计算

左岸接地网包括电站管理大楼直至 220 kV 开关站等左岸区域，其中 220 kV 开关站地网面积约 4 715 m²，其他地网面积约 10 000 m²，左岸地网面积约 14 715 m²。土壤电阻率按 772.9 Ω · m 计，计算出左岸接地网接地电阻 R_2=3.186 Ω。

3.2.3 电站接地电阻计算

方法一：因河床接地网距左岸接地网相距较远，视水下接地网接地电阻与左岸接地网接地电阻为并联，其中 R_1=1.281Ω，R_2=3.186Ω，电站接地网的综合接地电阻值计算为 R=0.914Ω。

方法二：视河床接地网与岸上接地网分别分布在两种不同的介质中，由下式计算电站地网接地电阻为

$$R=\frac{0.5\rho_1\rho_2\sqrt{S}}{\rho_1 S_2+\rho_2 S_1}$$

式中：S_1、S_2分别为覆盖在ρ_1、ρ_2电阻率上的接地网面积，m^2；S为接地网总面积，m^2。

因水下接地网土壤电阻率的测量仅给出了水和基岩的电阻率值，为计算电站接地网的综合接地电阻值，设ρ_1为水下接地网的综合电阻率，由公式$R_1=\frac{0.5\rho_1}{\sqrt{S_1}}$推算出$\rho_1$值，即$\rho_1=\frac{R_1\sqrt{S_1}}{0.5}=\frac{1.281\times\sqrt{23\,610}}{0.5}=393.7$（Ω）。由上述计算得出$\rho_2$=772.9Ω，$S_2$=14 715$m^2$，$S=S_1+S_2$=23 610+14 715=38 325($m^2$)，电站接地网的综合接地电阻值计算如下：

$$R=\frac{0.5\rho_1\rho_2\sqrt{S}}{\rho_1 S_2+\rho_2 S_1}=\frac{0.5\times393.7\times772.9\sqrt{38\,325}}{393.7\times14\,715+772.9\times23\,610}=1.239\ (\Omega)$$

因此，电站一期工程接地电阻在0.825～1.07 Ω范围内。

3.3 接地电阻程序计算

3.3.1 程序计算简介

高坝洲电站接地网的布置分为水下垂直和水平接地网及岸上水平接地网，采用长江水利委员会设计院与武汉大学工学部电气学院联合开发的计算通用地网的数值计算程序计算，主要针对电站接地网建立实用的计算模型，确立可描述电站地区散流媒质特性的物理模型，通过对三维电流场位势域内积分方程和边界积分方程的推导，建立有效进行电站接地网计算的数学模型。计算中考虑了大坝上下游水位、土壤复合分层以及河床形状的影响，突出不同散流媒质导电特性的差异。该计算程序还考虑了接地导体本身阻抗和地网间屏蔽等影响因素，并且完全在Windows 95环境下利用面向对象的32位C++开发平台完成接地计算软件的编制以及大规模的数值计算。

3.3.2 原始数据

高坝洲电站一期工程的接地网主要包括：①上游立面接地网；②上游人工水下接地网；③1#～12#泄洪坝段上游立面接地网；④厂房尾水护坦接地网；⑤左岸开关站及其他部分的接地网。针对测量时上游水位为50.575 m，下游水位为45.2 m，得出上游水深为11.075 m，下游水深为11.2 m，江水宽度为336.5 m，江水的电阻率为48～50Ω·m，河床基岩的电阻率为1 695.3Ω·m，左岸土壤电阻率为772.9Ω·m。

3.3.3 接地电阻计算结果

当水电阻率为48Ω·m时，接地电阻计算值为0.391 4Ω；

当水电阻率为50Ω·m时，接地电阻计算值为0.406 9Ω。

4 接地电阻测量

4.1 气象条件及水位

测量时间为1999年6月21日，测量前电站坝区三日无雨，测量当日为晴天间多云，气温30℃左右。测量开始时间为上午11时0分，结束时间为12时0分。当日电站上游水库水位为50.575 m，下游水位为45.2 m。电站正常蓄水位80 m，下游设计尾水位40.5 m。

4.2　测量方法与布极

由于接地网面积较大，故采用经隔离变压器供电的电流–电压法，并取不同电流进行测量，而且电流极和电压极进行互换。

采用远离法测量地网接地电阻，接地极距地网边缘要求不小于 $4D \sim 5D$。高坝洲电站利用其两回 220 kV 出线作为测量用电压、电流线，且对侧郭家岗和楼子河变电所接地装置分别作为电压、电流极，高楼线直线距离为 16.1 km，高郭线直线距离为 12.4 km，两回线路夹角为 85.6°。

4.3　测量数据与结果

测量数据见表 1 ~ 表 3。

表 1　第一次测量数据(高郭线为电压极、高楼线为电流极)

电源电压	干扰电压(测量前)(V_0)	干扰电流(测量前)(I_0)	测量电压(V_1/V_2)	测量电流(I_1/I_2)	干扰电压(测量后)(V_0)	干扰电流(测量后)(I_0)
228 V	2.65 V	0	8.0 V/6.2 V	17.75 A/18.25 A	2.32 V	0
231 V	3.64 V	0	7.24 V/8.0 V	18.38 A/17.25 A	3.64 V	0
399 V	3.65 V	0	9.18 V/10.0 V	24.13 A/23.25 A	3.69 V	0

表 2　第二次测量数据(高郭线为电流极、高楼线为电压极)

电源电压	干扰电压(测量前)(V_0)	干扰电流(测量前)(I_0)	测量电压(V_1/V_2)	测量电流(I_1/I_2)	干扰电压(测量后)(V_0)	干扰电流(测量后)(I_0)
234 V	9.5 V	0	5.35 V/14.9 V	16.0 A/16.0 A	9.5 V	0
399 V	9.66 V	0	4.7 V/17.1 V	22.13 A/22.0 A	9.7 V	0

表 3　修正后的接地电阻

项目	第一次测量			第二次测量		
电源电压(V)	228	231	399	234	399	
测量电阻(Ω)	0.381	0.384	0.382	0.369		

经消除干扰电压的影响和消除布极带来的误差，修正后本电站测量的接地电阻值为 0.369 ~ 0.384 Ω，数值非常接近，取最大值 0.384 Ω 为电站接地电阻实测值。

5　计算结果对比

5.1　误差计算

接地电阻实际测量值为 0.384 Ω，常规计算的接地电阻值为 0.914 ~ 1.239 Ω，通过计算程序计算的接地电阻值为 0.399 4 Ω 和 0.406 9 Ω，以实际测量值为基准，其计算结果误差如下。

常规计算电阻为 0.914 Ω 时，误差 W=138%；电阻为 1.239 Ω 时，误差 W=223%。可见误差较大。程序计算时：

当水电阻率为 48 Ω · m 时，误差 $W = \dfrac{0.3914 - 0.384}{0.384} = 1.93\%$

当水电阻率为 50 Ω · m 时，误差 $W = \dfrac{0.4069 - 0.384}{0.384} = 5.96\%$

故接地电阻的计算误差范围在 1.93%～5.96%以内。

5.2　对比与结论

高坝洲水电站一期工程接地网的接地电阻值采用常规计算，其值为 0.914～1.239Ω，采用程序计算，在水电阻率 48～50Ω·m 下，接地电阻值为 0.391 4～0.406 9Ω，程序计算与实测值的误差很小为 1.93%～5.96%。可见，程序计算比常规计算更接近实际测量值，并且满足实际接地工程设计的要求，可以指导工程设计之用，在实际工程应用中具有重要的实用意义。

（原载《清江高坝洲水电站工程科技文稿选编》，2004 年 5 月）

高坝洲水电站水轮发电机组安装

王家强

高坝洲水电站装机规模 252 MW，装机 3 台单机容量为 84 MW 轴流转桨式水轮发电机组。调速器采用微机双调调速装置，励磁为自并励静止可控硅励磁系统。机组发电机电压为 13.8 kV，发电机与变压器采用“一机一变”的单元接线方式。220 kV 开关站为敞开式布置，采用扩大桥形接线方式，电站两回出线，以 220 kV 电压接入湖北宜昌地区电网，一回至郭家岗 220 kV 变电所，距离约 20 km；另一回至楼子河 220 kV 变电所，距离约 17 km。每回线均可以输送电站全部容量。

高坝洲水电站采用全计算机监控系统对水电站的主要设备进行监视和控制，取消了常规控制设备，以实现电站控制的高度自动化。计算机监控系统采用全开放全分布式网络体系结构，即分布式数据库和分布式系统功能。

1　水轮发电机组基本情况

1.1　水轮机

型号 ZZD231–LH–580；最大水头 H_{max}= 40 m；最小水头 H_{min} = 22.1 m；额定水头 32.5 m；额定出力 85.8 MW；最大出力 98.0 MW；额定转速 125 r/min。

水轮机安装及特点：①导水机构安装前须人工打磨，现场采用机械打磨的方法。②支持盖与转轮构成一个单元吊装。连轴前，转轮悬挂在支持盖上，再通过支持盖将其挂装在顶盖上。③水导密封与水导轴承位于支持盖内，密封、轴承部件须在机组盘车后将瓦架吊起、再行安装。④连轴采用电动/气动液压棘轮扳手，并辅以自制提升工具。

1.2　发电机

型号 SF84－48/9500；额定容量 96 000 kV·A；额定功率 84 MW；额定电压 13.8 kV；额定电流 4 016 A；额定功率因数(滞后)0.875；额定励磁电流 325 A；飞轮力矩 16 000 t·m^2；推力负荷 14 700 kN。

发电机安装及特点：①发电机定子采用现场组装叠片热压工艺，铁芯总长 1 500 mm，内径 8 800 mm，定子总重 136 t。②发电机转子采用圆盘支架无轴结构。径向键采用通长楔形键结构，水平方向配有 6 对调节键调节主键径向尺寸；切向采用左右二对通长键调整并固定主键与立筋位置。转子需现场热打键，打入量 1 mm，转子吊装重量 290 t。③推力轴承位于下机架油槽内，共 12 块弹性金属氟塑料瓦，弹性油箱为整体结构，无下导轴承。④采用电动盘车方式。⑤机组转速测量采用美国进口设备(SSG)，现场须改装油管接口。

1.3 调速器

型号 WST–PLC–150–J；调节规律补偿 b_t= 0 ~ 200%；b_p=0 ~ 10%；T_d= 0 ~20 s；T_n= 0 ~5 s。

调速器安装特点：①采用集成式直连型液压系统，环喷式电液伺服阀；②电气柜与机械柜分开布置；③设有电气两段关闭功能；④数字协联曲线预置，协联精确，稳定；⑤负载智能式结构 PID 调节规律，能使机组适应各种工况变化。

1.4 电气设备

发电机出口母线、变压器及 220 kV 开关站，全部为国产设备；发电机至主变压器的主引线选用全链式离相封闭母线。母线分段到货、工地挂装后现场氩弧焊接。主变压器额定容量 100 MV · A，总重 133 t，SF_6 全封闭断路器分相到货，现场组装后抽真空—注氮干燥—排氮—注 SF_6。

1.5 计算机监控系统

高坝洲水电站采用法国阿尔斯通公司生产的计算机监控系统，为分层布置结构，分主控制级和现地控制级两层，全厂数据库和历史数据库分布在主控级主计算机中，各现地控制单元具有现地数据库，监控系统功能分布在系统的各节点上，每个节点执行指定的任务，并通过网络与其他节点进行通信。现地控制单元 LCU 位于机组发电机层下游副厂房内。

与计算机配套的机组自动化系统包括流量、温度、液位、压力、油混水、机组振动、摆度测量等，此外还配有国产机组流量效率监测系统。

2 推广使用新技术、新工艺，实现优质装机

高坝洲水电站水轮发电机组为东方电机股份有限公司总承包，引进了国外的一些先进结构和工艺，但机组在设计和制造方面均存在一些需在工地现场改进之处，具有一定的安装难度。公司总结葛洲坝、隔河岩电站机组安装经验，在轴流转桨式水轮发电机组安装的常规工艺基础上，推广使用新技术、新工艺，符合相关标准的技术要求，实现了优质装机目标。

2.1 水轮机安装工艺调整

设备制造厂家的工艺指导书存在以下问题：①机组在盘车前水轮机主轴密封、水导轴承各部件应先吊装到位，受空间的限制无法实施；②转轮与支持盖一起吊装，重新制造吊具难以满足机组安装进度要求；③下机架未安装前，主轴吊入后需搭设平台调整，增加一定的临时施工费用。

针对上述问题，公司进行了安装工艺改革，调整了安装工序，从而保证了进度。

对问题①，采用先盘车确定好机组大轴位置，再将瓦架吊起，将主轴密封，水导轴承各部件吊入安装。对问题②，直接采用钢丝绳吊装支持盖将转轮悬挂于支持盖卡环上，解决了施工难题，争取了时间。对问题③，调整安装工序先行吊装下机架，主轴通过下机架中心孔吊入，取消了安装平台，节省了人力、物力。

2.2 安装工机具的研制与应用

安装工机具的优劣直接影响机组的安装质量和进度。高坝洲水电站安装中，根据安装

需求，研制了适用的工机具。

座环与基础环研磨，质量要求高，在直径约 6 m 的范围内水平误差：径向小于 0.05 mm/m，周向小于 0.6 mm/m。手工研磨强度大，且难以满足精度要求。采用自行设计制造的一种定型产品——磨削机床。仅用 1 个月时间即完成了清扫研磨，节约直接投资 20 多万元。

水轮机主轴长近 12 m，重 80 t，厂家未提供竖立工具，给施工带来了较大困难。为确保工期，我们自行设计制造了主轴竖立吊装工具，使主轴得以顺利吊入机坑。

主轴与转轮在机坑连接。主轴通过卡环、瓦架落于支持盖上后再将转轮提起与主轴相连。由于制造厂家提供的液压棘轮扳手只有 1 个扳手头，造成非对称提升，使止口的结构很难就位。为此，根据隔河岩水电站的经验提前自行研制了一套安装的提升工具。

此外还广泛地使用了国产工具，如(气)动液压棘轮扳手、液压拉伸器、铜焊机等。

2.3　发电机转子安装标准的探讨与应用

高坝洲水电站机组转子结构设计借鉴了国内外一些经验，并采用国外标准，我们在广泛调查大电站转子结构特点的基础上，提出了以下三点建议：①转子圆盘焊接中的变化引起的尺寸超标可通过打磨键槽的工序来解决，达到国外标准要求；②将弦距标准放宽，增加备用调节键余量；③按照国际相关的标准要求进行主键的中间调节，即通过磁轭圆度来确定主键的尺寸等。通过采取这些措施，解决了转子圆盘焊接变形问题，转子安装质量最终达到优良标准的要求。

2.4　计算机监控系统的安装调试

在计算机监控系统的安装调试过程中，我们在隔河岩水电站成功经验的基础上又作了改进，采用“计算机监控设备分层投入、计算机监控程序分步进行”循序渐进的办法。首先，投入现地控制单元，完成 LCU 对水轮发电机组开机/停机操作；然后，逐步过渡到主控站对水轮发电机组的监测与控制操作；再次，将监控程序分解为若干步，由少到多逐步完成。例如第一步开机准备，检查各类设备是否具备开机条件；第二步拔出锁锭，开启导叶；第三步当转速达 95%额定转速，起动励磁建压等。先完成 1～2 步，再完成 1～3 步，直至完成 1～n 步，实现机组同期并网、有功功率/无功功率调整。完成开机程序的全部检查，同时验证停机(包括各类事故停机)程序的准确性，并对自动化元件各类定值(流量、液位、压力、温度)及有关参数进行整定。

2.5　水轮发电机组试运行

水轮发电机组试运行是对机组的设计、制造、安装质量的综合考核。针对高坝洲水电站机组的特点，我们编制了“水轮发电机组启动试运行大纲”，并根据国家标准及制造厂家的技术要求，制订了各项试验措施，例如机组充水/启动措施、机组过速试验措施，发电机升流/升压措施，机组并网甩负荷措施等。在各项试验措施中，详细描述试验原理、操作程序和方法、记录表格及数据、安全注意事项等，用于指导试运行人员的各项操作及测试。试运行期间根据不同时段需求，将试运行的各种试验情况汇总编制“试运行简报”，向启动验收委员会及设计、制造、安装、监理、运行各有关单位通报机组运行情况。

3　结语

在高坝洲水电站水轮发电机组机电设备安装中，葛洲坝集团机电建设公司高坝洲项目部使用新技术、新工艺，解决了国产机组安装中的各种问题，实现了优质装机目标，为提高国产中型机组的设计和安装水平作出了贡献，得到了各方的好评。

高坝洲水电站 1#机组于 1999 年 7 月 24 日正式安装调试结束，具备了并网发电条件，于 12 月 20 日完成 72 h 试验，达到了“充水、启动、并网、72 h 试验”4 个“一次成功”的目标。

（原载《水力发电》2002 年第 3 期）

高坝洲水电站 3#机组振动分析及处理

裴大雄　赵正洪

高坝洲水电站是清江流域开发的最末一级，装有 3 台容量 84 MW 轴流转桨式水轮发电机组，机组额定水头 32.5 m，最大水头 40.0 m，极限最小水头 16.0 m，设计定转子气隙 21 mm。3#机组在启动试运行做动平衡试验发现机组振动摆度严重超标，随后进行了一系列检查，认定主要原因是转子圆度超标所致。经吊出转子后处理，3#机运转正常。

1　3#机组振动情况及初步分析

2000 年 4 月 14 日，在低水头 17 m 情况下，机组首次动平衡试验，进行空转变转速试验，加励磁电压试验，对 6 个工况进行了测试，结果见表 1(表中摆度值为转频分量)。

表 1　机组振动摆度测试数据　（单位：mm）

项　目	空　转　工　况			加励磁电压工况		
	81 r/min	102 r/min	125 r/min	50%U_e	75% U_e	100%U_e
上导摆度	0.15	0.15	0.17	0.18	0.20	0.22
水导摆度	0.05	0.07	0.08	0.15	0.29	0.41
推力摆度	0.33	0.40	0.52	0.81	1.49	2.20
上机架径向振动	0.02	0.04	0.07	0.15	0.30	0.42

测试情况表明，空转工况运行时，随转速上升，机组各部分振动摆度略有上升，虽均在规范范围内，但转频分量偏大；加励磁电压时，各测点振动频谱图上 100Hz 振动较小，可排除极频振动，但随着励磁电压升高，机组各部振动摆度的转频分量成倍增长，推力轴承处最大摆度达 2.2 mm，上机架径向振动达 0.42 mm，严重超标。由测试数据分析，机组有轻度的机械不平衡，存在严重的磁拉力不平衡(经计算单边磁拉力接近 100 t)，即由转频振动引起电磁振动。根据计算，转子加配重 24 kg 后，空转时机组各部振动和摆度明显下降，但加励磁后电磁振动仍然存在，故初步判断不平衡磁拉力是 3#机振动摆度超标的主要原因。

另外，机组运行时，上导瓦温高，曾出现温升快的情况，动平衡试验后，抽出上导瓦检查，发现在+Y、−Y 各有 1 块瓦局部偏磨较严重。

2　振动原因检查及分析

由高坝洲工程建设公司牵头，安装、监理、制造和运行单位参加，成立了 3#机质量缺陷处理领导小组。对缺陷原因进行分析，采取了逐步排除的方法。

首先检查机组电气部分，对励磁回路、轴电压、磁极极性、磁极电路等检查均未发现异常；然后对定子及上下机架基础、转子磁极固定情况、弹性油箱受力、联轴螺栓拉伸值、上导瓦等进行了检查处理，回装后，东电公司和湖北中试所分别进行了动平衡试验，测试结果一致表明，振动情况略有好转，但机组振动摆度仍严重超标。

机组静止时测量定转子气隙，发现48个磁极部分测点气隙值与平均值比较超过±10% δ（δ为设计气隙）的规范要求，且气隙偏小与气隙偏大有一定连续性，即25#～30#磁极均偏小，其对称方位4#～10#磁极均偏大，这与动平衡试验所测定的方位基本一致，与上导瓦磨损方位也一致，依此判断机组加励磁运行时产生单边磁拉力。

引起不平衡磁拉力的定子内腔与转子外圆之间的气隙不均匀，可能由以下原因造成：①转子不圆，如有的磁极突出或凹陷；②定子内腔不圆，如某一块向内凹进；③定子内腔与转子外缘均为圆形，但定子和转子不同心；④转子各磁极电气参数相差太大或局部匝间短路。

为进一步查找原因，又采用盘车测气隙法检查定子、转子圆度及气隙测量。

定子圆度测量：下部48点全部合格，上部48点有少数测点值与平均值比较超过±5% δ的规范要求，但超标量较小，不至于引起剧烈的电磁振动。

转子圆度测量：48个磁极有相当部分测点值与平均值比较超过±5% δ的规范要求，且具有连续性，实际相当于转子存在一定偏心，由此判断转子圆度超标是造成磁拉力不平衡、引起机组加励磁运行时振动摆度剧烈的根本原因。

3　转子圆度处理

(1)精测定子、转子圆度。吊出转子后，用转子测圆架测定子圆度，检查主轴上法兰面水平，测定子圆度(上、中、下各测24点)。72个测点中，中部及下部全部合格，上部有5点不合格，最大超标仅0.30 mm，此测量结果与盘车测气隙法测定子圆度基本一致，可排除定子圆度是引起磁拉力的原因。将转子置于支墩上，用测圆架测量转子磁极圆度，共有23个磁极圆度超标，且超标磁极号分段连续与前述气隙的测量情况一致。

(2)转子圆度校正标准。根据水口水电站转子偏心校正经验，高坝洲水电站3#机转子圆度处理提高了标准要求，即将圆度偏差允许范围从标准规定的±5% δ提高到±3% δ，以最大限度地消除不平衡磁拉力的影响。

(3)圆度处理实施过程。转子圆度处理采用磨削磁轭与磁极加垫相结合的方法。转子磁极有几个凸点较严重，仅采用凹点加垫会导致空气间隙低于±10% δ的要求，且加垫过厚可能形成二次气隙。通过模拟计算确定调整方案：用手提式电动砂轮磨削7个磁极部位的磁轭；26个磁极加垫，垫片分0.5、1.0、1.5、2.0 mm四种，加垫磁极在其左、中、右各加一块条状垫片，挂磁极后点焊固定垫片。

(4)处理后磁极圆度重新测定。打紧磁极键后测磁极圆度，每个磁极测上、中、下共144个测点，只有一点超出±3% δ的标准，亦在±4% δ的优良标准范围内。

(5)转子电气试验。转子处理完成经加热干燥后，测磁极交流阻抗，通2A电流，阻抗平均值为3.066Ω，加垫2.0 mm的磁极阻抗值最小，且最大及最小阻抗值与平均值的偏差略大，这是因为加垫磁极有部分面积未与磁轭接触，所加垫片多为非硅钢片，造成磁路的磁阻增大。经研究认为不会影响机组安全稳定运行。

4 减小机组振动摆度的其他措施

(1)上端轴倾斜校正。转子吊出置于支墩上，测上法兰面水平，发现一侧偏低 0.22 mm；倾斜方向大致在 27#磁极。现场采用法兰面加垫的办法校正，以 27#磁极对应的 7#法兰螺栓孔为中心，6#、7#、8#螺栓孔加 0.10 mm 铜垫片，其两侧 4#、5#、9#、10#螺栓孔加 0.05 mm 铜垫片，重新盘车，上端轴法兰摆度降为 0.08 mm。上端轴倾斜校正对改善上导瓦受力、避免瓦温过高以及降低机组振动摆度均有益处。

(2)提高主轴连接螺栓拧紧力。检查主轴连接螺栓拉伸值时，发现 12 个螺栓中有 6 个未达到设计伸长值，经拉伸拧紧，对减小机组振动有一定效果。

(3)推力头与转子法兰止口处理。转子吊出后发现其与推力头的止口有 3 处啃咬的痕迹，经分析这可能是动平衡试验频谱图上存在一幅值及频率不确定谐波的因素，现场将推力头止口啃咬部位作修磨处理，有利于减小机组振动。

此外，打紧上下机架基础螺栓及斜楔、精调导轴瓦间隙、精调弹性油箱受力及镜板水平等，均可改善机组振动。

5 机组重新启动

2000 年 6 月 22 日，机组重新启动做动平衡试验，在水头 33 m 情况下，就 102、125 r/min(额定转速)空转变转速试验及 50%U_e、75%U_e、100%U_e加励磁电压试验共 5 个工况进行了测试。结果表明，在各试验工况下，机组各部位振动摆度均在优良范围内，随励磁电压升高，振动摆度还略有下降。这表明现场对振动的分析检查是正确的，处理方法也是有效的，从根本上解决了问题。原上导瓦温过高也得到了控制，设计报警瓦温 65℃，现最高瓦温 53.5℃。

6 结语

(1)动平衡试验可准确检测机组机械及电磁不平衡，水口、铜街子、高坝洲等水电站均通过动平衡试验及现场检查才发现了机组振动原因；建议对定转子气隙提出更高要求，原控制在 ± 10% δ范围，若气隙一边偏大而另一边偏小或数个磁极处连接偏小均可能引起单边磁拉力；而转子圆度控制从 ± 5% δ提高到 ± 3% δ ~ ± 4% δ，且避免单边连续性偏差，可有效地消除磁拉力影响，以上经验供修订转子圆度验收标准时参考。

(2)上端轴加垫对校正机组轴线、减小机组振动效果明显，容易实施。

(3)采用转子磁极加垫及磁轭磨削相结合的方法校正转子圆度，这在我国水电机组安装中尚属首次，实践证明能有效地控制转子圆度，但高坝洲水电站 3#机因转子组装圆度验收不严，其教训也是深刻的。

(原载《水力发电》2002 年第 3 期)

第二部分　工程建设概述

第一章　设计与施工概述

清江高坝洲水电站位于隔河岩水电站下游 50 km 处，是清江干流最下游的一个梯级电站，距宜都市(注入长江口)12.0 km。

兴建高坝洲水电站的主要任务是发电和航运。作为隔河岩水利枢纽的反调节水库，能使隔河岩水电站的调峰效益得以充分发挥。同时，与隔河岩枢纽配套，改善了清江的水上交通条件。此外，高坝洲工程还兼有养殖、旅游等综合效益。

高坝洲水电站坝址控制流域面积 15 650 km^2，占清江全流域的 92%，多年平均流量 436 m^3/s，多年平均径流量 138 亿 m^3，枢纽设计蓄水位 80 m，防洪校核水位 82.81 m，总库容 4.863 亿 m^3。水库大坝为混凝土重力坝，坝高 57 m，坝顶高程 83 m，坝轴线全长 439.5 m，共分 23 个坝段，从左到右依次为左岸非溢流坝段、电站厂房坝段、泄洪深孔坝段、纵向围堰坝段、表孔溢流坝段、升船机挡水坝段和右岸非溢流坝段。电站为河床式电站，共装设三台立轴轴流转桨式水轮发电机组，单机容量 84 MW，总装机容量 252 MW，保证出力 61.5 MW，多年平均发电量 8.98 亿 kW·h，年利用小时数达 3 560 h。右岸建一座 300 t 级全平衡重式垂直升船机，最大提升高度 40.3 m，设计年单向通过能力 173.3 万 t/年。

高坝洲水电站工程分两期施工。一期围左河床，右河床明渠导流、泄洪，全年施工左岸非溢流坝段、电站厂房坝段和深孔泄洪坝段；二期围右河床，施工右岸非溢流坝段、升船机挡水坝段和表孔溢流坝段，枯水期利用深孔导流、汛期右岸坝体过水，与深孔联合泄洪。高坝洲水电站工程于 1996 年 10 月 26 日开工建设，2000 年 2 月 1 日，1#机组并网运行，2000 年 4 月 30 日水库正式下闸蓄水，只用了三年半时间就完成了除升船机工程外的主体工程建设，创造了国内同类型、同规模水电工程建设工期最短的新记录。

高坝洲水电站工程的业主是清江水电开发有限责任公司(简称清江公司)，建设单位是清江公司的分公司——清江高坝洲工程建设公司；设计单位是长江水利委员会长江勘测规划设计研究院；主体建筑安装工程的施工单位是葛洲坝集团公司清江施工局；主体建筑安装工程的质量监理单位是清江监理有限责任公司。

第一节　主要建筑物的设计标准和主要设计参数

一、设计标准

1. 工程等别及建筑物级别

按照《水利水电枢纽工程等级划分及设计标准(山区、丘陵区部分)》(试行)(SDJ12—78)和有关补充规定，高坝洲水电站工程定为大(2)型工程，等别为二等。枢纽挡水建筑物、泄水建筑物、电站建筑物为二级建筑物，其余建(构)筑物为三级。

2. 洪水设计标准

二级建筑物按 100 年一遇洪水设计，1 000 年一遇洪水校核。三级建筑物按 50 年一遇洪水设计，100 年一遇洪水校核。

二、设计基本资料

1. 气象

(1)降雨量:年最大雨量 1 869.6 mm,年最小雨量 757.1 mm,多年平均雨量 1 223.8 mm。

(2)气温：多年平均气温 16.7℃，历年最高月平均气温 30.4℃，历年最低月平均气温 1.7℃，极端最低气温–13.8℃。

(3)水温：多年平均水温 16.4℃，极端最高水温 33℃，极端最低水温 2℃。

(4)风速：多年平均最大风速 13.5 m/s，实测最大风速 18 m/s。

2. 水文与水库特性

设计采用的坝址水文与水库特性见表 1-1。

表 1-1 坝址水文与水库特性

<table>
<tr><th>序号</th><th colspan="2">项目</th><th>单位</th><th>数量</th><th>备注</th></tr>
<tr><td>1</td><td colspan="2">流域面积</td><td>km^2</td><td>17 000</td><td></td></tr>
<tr><td>2</td><td colspan="2">控制流域面积</td><td>km^2</td><td>15 650</td><td>占全流域面积 92%</td></tr>
<tr><td>3</td><td colspan="2">实测最大流量</td><td>m^3/s</td><td>18 900</td><td>搬鱼嘴站 1969 年 7 月 12 日</td></tr>
<tr><td>4</td><td colspan="2">实测最小流量</td><td>m^3/s</td><td>29.0</td><td>长阳站 1952 年 1 月 22 日</td></tr>
<tr><td>5</td><td colspan="2">多年平均流量</td><td>m^3/s</td><td>436</td><td></td></tr>
<tr><td>6</td><td colspan="2">电站单机泄量</td><td>m^3/s</td><td>302</td><td></td></tr>
<tr><td>7</td><td colspan="2">护坦检修流量</td><td>m^3/s</td><td>906</td><td></td></tr>
<tr><td rowspan="4">8</td><td rowspan="4">二级建筑物
校核洪水
P=0.1%</td><td>洪水流量</td><td>m^3/s</td><td>24 070</td><td rowspan="4">调洪水位为 82.81 m</td></tr>
<tr><td>调节下泄流量</td><td>m^3/s</td><td>22 670</td></tr>
<tr><td>坝前水位</td><td>m</td><td>82.9</td></tr>
<tr><td>下游水位</td><td>m</td><td>59.15(高)57.81(低)</td></tr>
<tr><td rowspan="4">9</td><td rowspan="4">二级建筑物
设计洪水
P=1%</td><td>洪水流量</td><td>m^3/s</td><td>17 240</td><td rowspan="4">调洪水位为 78.09 m</td></tr>
<tr><td>调节下泄流量</td><td>m^3/s</td><td>16 810</td></tr>
<tr><td>坝前水位</td><td>m</td><td>78.5</td></tr>
<tr><td>下游水位</td><td>m</td><td>56.70(高)55.46(低)</td></tr>
<tr><td rowspan="4">10</td><td rowspan="4">三级建筑物
设计洪水
P=2%</td><td>洪水流量</td><td>m^3/s</td><td>15 660</td><td rowspan="4"></td></tr>
<tr><td>调节下泄流量</td><td>m^3/s</td><td>15 600</td></tr>
<tr><td>坝前水位</td><td>m</td><td>78.0</td></tr>
<tr><td>下游水位</td><td>m</td><td>55.55(高)54.4(低)</td></tr>
</table>

3. 地震

坝址区地震基本烈度为Ⅵ度，建筑物设防烈度为Ⅵ度。

三、主要设计参数

1. 水位条件

相应下游水位，考虑长江水位顶托、河床下切和航道整治的不同影响，取下游高水位和低水位，见表 1-2。

表 1-2　水位条件

水　位	上游水位(m)	相应下游水位(m)	
		低水位	高水位
正常蓄水位	80.0	40.0	
设计洪水位(P=1%)	78.5	55.46	56.70
校核洪水位(P=0.1%)	82.9	57.81	59.15

2. 建基面及剪切带的力学参数

在大量勘探和试验的基础上，经地质、试验和设计三方共同商定建基面及剪切带的力学参数。见表 1-3 和表 1-4。

表 1-3　建基面力学参数

基岩类别	抗剪断		抗剪 f	允许压应力[σ](MPa)	
	f'	C'(MPa)		薄层	中、厚层
黑沟组$\in_2^{3\text{-}1\text{-}1} \sim \in_2^{3\text{-}1\text{-}4}$	1.2	0.8	0.7	5.0	8.0
上峰尖组 $\in_2^{2\text{-}3\text{-}4} \sim \in_2^{2\text{-}3\text{-}9}$	1.2	0.6	0.7	4.0	7.0
岩溶角砾岩 K_{br}	1.0	1.0	0.7	3.0	

表 1-4　剪切带产状及材料性能标准值

剪切带号(类型)	计算坝段	产状(°)		新规范材料性能标准值		原规范力学参数	
		与坝线交角	真倾角	f'_d	C'_d(MPa)	f	C(MPa)
239-2(A_1型)	厂房坝段	38.5	35	0.18	0.04	0.2	0
239 (A_2型)	厂房坝段		25	0.25	0.064	0.28	0
241(A_2型)	厂房坝段		25	0.25	0.064	0.25	0
255(A_1型)	深孔坝段	35	32	0.18	0.04	0.2	0
259(A_1型)	表孔坝段	35	32	0.18	0.04	0.2	0
263(A_2型)	表孔坝段	35	32	0.25	0.064	0.25	0
300-1(A_1型)	表孔坝段	35	32	0.18	0.04	0.2	0
300(A_2型)	表孔坝段	35	32	0.25	0.064	0.25	0
307(A_2型)	右非坝段	44.5	32	0.25	0.064	0.25	0
319(A_1型)	右非坝段	51.5	32	0.18	0.04	0.2	0

3. 抗滑稳定及建基面应力复核的一般规定

沿建基面抗滑稳定按原规范(安全系数法)计算。

大坝、厂房等主要建筑物抗滑稳定一般按抗剪断公式计算，深层抗剪计算采用抗剪公式计算，抗滑稳定安全系数见表 1-5。厂房抗浮稳定计算在任何情况下安全系数取 1.1，护坦抗浮稳定计算安全系数运用工况取 1.1，检修工况取 1.0。

表 1-5　抗滑稳定安全系数

荷载组合	建基面抗剪断 K'	深　层	
		抗剪断 k'	抗剪 k
基本组合	3.0	3.0	1.3
特殊组合	2.5	2.5	1.3

建基面应力控制标准：①大坝。在各种荷载组合下，坝基面的最大垂直正应力小于基岩允许压应力；最小垂直正应力应大于零。施工期下游坝面允许有不大于 0.1 MPa 的拉应力。②厂房。设计情况下建基面不允许出现拉应力。校核情况下建基面不允许出现大于 0.1 MPa 的拉应力。任何情况下，建基面压应力不允许超过基岩的允许抗压强度。

2001 年，在进行竣工安全鉴定之前，按中国水电顾问有限公司专家组的要求，设计单位对坝基强度、建基面及深层剪切带按承载能力极限状态法(新规范)进行了复核计算。

第二节　枢纽建筑物型式及布置

一、型式

大坝采用混凝土重力坝，上游面垂直，下游坝坡 1∶0.75；电站厂房采用河床式；通航建筑物采用一级垂直升船机。

二、布置

大坝分为 23 个坝段，见表 1-6。

表 1-6　各坝段基本情况

坝段编号	坝段名称	各坝段宽度	其　他
1# ~ 3#	左岸非溢流坝段	前缘总宽度 56 m，其中 1#为 17 m；2#为 20 m；3#为 19 m	3#坝段布置电梯井
4# ~ 5#	安装场坝段	前缘总宽度 46 m，其中 4#为 16 m；5#为 30 m	
6# ~ 8#	电站厂房 1# ~ 3#机组段	前缘总宽度 75 m，其中 6#(1#机)为 24 m；7#(2#机)为 24 m；8#(3#机)为 27 m	
9# ~ 11#	深孔泄洪坝段	前缘总宽度 54 m，其中 9#为 20.8 m；10#为 16.6 m；11#为 16.6 m	深孔泄洪消能工采用戽式消力池，左侧为厂闸导墙，右侧为纵堰导墙
12#	纵向围堰坝段	宽度 20 m，顺水流向 43.5 m	坝顶设集中控制楼
13# ~ 19#	表孔泄洪坝段	前缘总宽度 116.5 m，其中 13#为 11.5 m；14# ~ 18#为 18.2 m；19#为 14 m。跨横缝布置 6 个泄洪表孔，孔口宽度 14 m，堰面为 WES 型实用堰	表孔泄洪消能工采用戽式消力池加宽尾墩，其左侧为纵向围堰导墙段，右侧为升船机机室边墙
20#	升船机挡水坝段	前缘宽度 25 m	坝段左侧布置坝顶公路回转平台，中间靠右布置宽 10.2 m 的升船机渡槽，渡槽底板高程 76.00 m
21# ~ 23#	右岸非溢流坝段	前缘总宽度 47.0 m，其中 21#为 14 m；22#为 14 m；23#为 19 m	

坝体底部平行坝轴线布置两条廊道，即上游帷幕灌浆廊道和下游排水廊道。上、下游廊道通过跨横缝的横向廊道连接。坝内竖向交通通过设在 3#坝段的电梯井将坝顶与基础廊道连接。

坝顶布置 2 台 2 × 1 600 kN 带 300 kN 回转吊的坝顶门机。

坝顶公路在1#坝段与左坝肩上坝公路相接，右止于20#坝段升船机渡槽左侧，在19#、20#坝段坝顶设回车场，坝顶公路最小宽度4.0 m。

坝顶还布置有高1.5 m的防浪墙、宽1.1 m的人行道和观测廊道、电缆廊道等。

深孔弧形工作门启闭机房设在深孔坝段坝后71.0 m高程平台，表孔工作门液压启闭机房布置在闸墩顶部。

电站操作控制楼位于安装场左侧，开关站布置在下游左岸山坡上。

第三节　大坝设计

一、深孔坝段设计

1. 结构设计

深孔泄洪坝段由 9#、10#、11#三个坝段组成。深孔三个坝段采用墩中分缝，9#坝段左墩厚8.00 m，9#坝段右墩、10#及11#坝段的左右墩均为3.80 m厚。

深孔体型采用有压短管型式，有压段出口尺寸为 9 m×9.4 m，有压段长 14.30 m，进口底坎高程45.0 m。在有压段设有两道胸墙，两道胸墙之间设事故检修门。该门由坝顶门机启闭。有压段末端设弧形工作门，由2×1 250 kN固定式卷扬机操作。

2. 消能建筑物设计

深孔消力池总长度 78.20 m(含尾坎)，池底高程 34.0 m，末端为雷伯克齿坎，高坎顶高41.0 m，低坎顶高38.0 m。尾坎后设防冲板，厚2.0 m，长13.50 m，顶高34.0 m。

深孔消力池采用底板加锚桩的结构型式，并采用自排系统作为安全储备。

二、表孔坝段设计

1. 结构设计

表孔溢流坝由13#～19#七个坝段组成，六个表孔跨13#～19#坝段的横缝布置。表孔溢流堰面采用WES实用堰，堰顶高程为62.0 m。表孔设平板事故检修闸门和弧形工作门。平板事故闸门由坝顶 2×1 600 kN 门机启闭、吊运；弧形工作门由布置在闸墩顶部的 2×2 000 kN液压启闭机操作。

2. 消能建筑物设计

消力池末端处池宽114.65 m，池底高程34.0 m，总长64.0 m。尾坎顶高程为39.5 m，宽2.0 m。尾坎设护固段，长10.0 m，高程34.0 m，板厚2.0 m。

表孔消力池采用底板加锚桩的结构型式，并设置了由支排水沟、主排水沟、排水管组成的自排系统。

三、大坝稳定分析成果

高坝洲大坝建筑在寒武系中统上峰尖组、岩溶角砾岩及黑石沟组中厚层灰岩白云岩上，总体强度较高，可满足建坝要求，但基岩内埋藏有较密集的层间剪切带，大坝抗滑稳定由剪切带控制。

设计中，采用原混凝土重力坝设计规范SDJ21—78进行了大坝稳定计算。竣工安全鉴定前，按专家要求，增加了用混凝土重力坝设计规范 DJ5108—1999 复核大坝抗滑稳定。其成果见表 1-7 ~ 表 1-12。

表 1-7　各坝段按原规范复核抗滑稳定安全系数及坝基应力

坝段	基本荷载组合Ⅰ			基本荷载组合Ⅱ			特殊荷载组合Ⅰ		
	建基面 K′	坝基应力(MPa)		建基面 K′	坝基应力(MPa)		建基面 K′	坝基应力(MPa)	
		上游面	下游面		上游面	下游面		上游面	下游面
1#	9.60	0.19	0.08	12.8	0.21	0.02	5.92	0.02	0.33
2#	5.58	0.19	0.44	5.92	0.11	0.54	4.23	0.08	0.54
3#	5.05	0.17	0.52	6.25	0.23	0.29	4.80	0.00	0.49
9#	4.00	0.33	0.71	5.13	0.42	0.46	4.11	0.23	0.61
10#	4.22	0.15	0.62	5.11	0.18	0.45	4.03	0.02	0.58
11#	4.08	0.12	0.63	5.00	0.16	0.45	3.93	0.00	0.58
12#	7.08	0.29	1.52	9.20	0.24	1.37	7.31	0.06	1.50
13#	5.74	0.26	0.80	8.09	0.25	0.59	6.28	0.13	0.78
14#	5.27	0.16	0.73	7.34	0.16	0.57	5.69	0.06	0.76
15#	5.27	0.16	0.73	7.34	0.16	0.57	5.69	0.06	0.76
16#	5.18	0.15	0.75	7.13	0.16	0.58	5.56	0.05	0.78
17#	5.18	0.15	0.75	7.13	0.16	0.58	5.56	0.05	0.78
18#	4.99	0.13	0.79	6.73	0.15	0.61	5.29	0.04	0.81
19#	5.27	0.26	0.76	7.16	0.30	0.53	5.63	0.16	0.72
20#	3.85	0.13	0.69	3.75	0.24	0.35	2.90	0.01	0.55
21#	3.73	0.18	0.63	3.23	0.27	0.32	2.56	0.03	0.56
22#	4.25	0.21	0.48	4.13	0.27	0.27	3.08	0.05	0.53
23#	4.29	0.23	0.14	4.98	0.28	0.09	3.27	0.11	0.28

注：1. 基本荷载组合Ⅰ为：正常蓄水位水压、水重+自重+扬压力。
2. 基本荷载组合Ⅱ为：设计洪水位水压、水重+自重+扬压力。
3. 特殊荷载组合Ⅰ为：校核洪水位水压、水重+自重+扬压力。

表 1-8　各坝段按新规范复核结果

坝段	作用组合	承载能力极限状态			正常使用极限状态
		坝基接触面的抗滑稳定(kN)		坝址抗压强度(MPa)	坝踵垂直应力(MPa)
		作用效应 $\gamma_0 \psi s(\cdot)$	抗力 $R(\cdot)/\gamma_d$	作用效应 $\gamma_0 \psi s(\cdot)$	$\sum W_R/A_R+\sum M_R \times T_R/J_R$
1#	基本组合	7 850	29 180	0.13	0.19
	偶然组合	11 160	27 680	0.32	0.07
2#	基本组合	61 480	101 460	0.62	0.18
	偶然组合	65 070	94 640	0.70	0.05
3#	基本组合	121 460	201 000	0.82	0.17
	偶然组合	107 330	169 840	0.65	0.00
9#	基本组合	27 520	488 990	0.94	0.12
	偶然组合	194 980	435 840	0.71	0.02
10#	基本组合	182 340	328 500	0.63	0.15
	偶然组合	134 370	290 760	0.49	0.02
11#	基本组合	182 340	320 670	0.64	0.12
	偶然组合	134 370	285 750	0.50	0.00

续表 1-8

坝段	作用组合	承载能力极限状态			正常使用极限状态
		坝基接触面的抗滑稳定(kN)		坝址抗压强度(MPa)	坝踵垂直应力(MPa)
		作用效应 $\gamma_0 \psi s(\cdot)$	抗力 $R(\cdot)/\gamma_d$	作用效应 $\gamma_0 \psi s(\cdot)$	$\sum W_R/A_R+\sum M_R \times T_R/J_R$
12#	基本组合	207 110	620 030	1.52	0.29
	偶然组合	155 070	561 060	1.29	0.05
13#	基本组合	117 120	289 670	0.80	0.26
	偶然组合	80 100	272 640	0.67	0.15
14#	基本组合	185 350	415 160	0.74	0.16
	偶然组合	126 770	400 860	0.65	0.06
15#	基本组合	152 500	387 850	0.83	0.41
	偶然组合	106 470	361 570	0.67	0.31
20#	基本组合	265 850	431 380	0.70	0.13
	偶然组合	204 750	353 230	0.47	0.01
21#	基本组合	111 300	176 780	0.64	0.18
	偶然组合	101 340	142 300	0.46	0.03
22#	基本组合	70 140	122 860	0.48	0.21
	偶然组合	74 120	107 470	0.45	0.04
23#	基本组合	35 600	64 420	0.14	0.23
	偶然组合	38 080	60 720	0.24	0.09

注：1. 基本组合：正常蓄水位水压、水重+自重+扬压力；偶然组合：设计洪水位水压、水重+自重+扬压力。
2. 混凝土抗压强度设计值为 6.85 MPa，下同。

表 1-9　深孔坝段沿剪切带 255#抗滑稳定复核结果

坝段	新　规　范			原规范
	作用效应 $\gamma_0 \psi s(\cdot)$ (kN)	抗力 $R(\cdot)/\gamma_d$(kN)		K
		不计侧向面抗力	计入侧向面抗力	
10#	395 710	397 880		2.1
11#	453 030	414 180	510 610	1.64

注：本表为基本组合计算成果。

基础开挖揭露 F_{205}、F_{213} 及 F_{214} 等断层切割建基面岩体，由于 F_{205} 与 F_{213}、F_{214} 的产状反倾，并沿断层强烈溶蚀，形成相对独立的斜穿 15#～17#坝段建基面的楔形体，其方量约为 1 200 m^3，经设计单位研究后，决定不予挖除，采用排水、堵漏灌浆，布置锚筋(34Φ36)锚固，固结灌浆，跨槽布置钢筋网及回填混凝土等措施处理。楔形体在各种荷载组合条件下，沿断层 F_{205} 与 F_{214} 的交线方向的抗滑稳定，采用刚体极限平衡法的计算结果见表 1-10。

表 1-10　楔形体抗滑稳定安全系数(K')

基本荷载组合 I	特殊荷载组合 I
4.76	3.45

表 1-11 表孔坝段沿剪切带抗滑稳定复核结果

剪切带	坝段	新规范			原规范
		作用效应 $\gamma_0 \psi s(\cdot)$ (kN)	抗力 $R(\cdot)/\gamma_d$ (kN)		K
			不计侧向面抗力	计入侧向面抗力	
259#	13#	266 870	295 380		3.18
	14#	493 460	425 620	528 460	1.72
263#	15#	373 300	511 430		2.81
	16#	456 250	445 900	533 550	1.97
300-1#	16#	314 710	543 580		3.52
	17#	387 210	469 840		2.35
	18#	468 000	410 010	495 000	1.74
300#	18#	293 040	643 580		4.61
	19#	276 230	497 570		不滑动

表 1-12 右岸非溢流坝段沿剪切带抗滑稳定复核结果

剪切带	坝段	新规范			原规范
		作用效应 $\gamma_0 \psi s(\cdot)$ (kN)	抗力 $R(\cdot)/\gamma_d$(kN)		K
			不计侧向面抗力	计入侧向面抗力	
307#	21#	341 230	328 390	521 230	1.86
319#	14#	133 320	128 690	205 310	1.53

注：本表为基本组合计算成果。

总之，按原规范复核大坝稳定均满足安全要求，并有较大安全裕度；按新规范计入 50% 右侧面抗力后，各坝段均满足抗力大于作用效应的要求。其他各项计算均满足新规范要求。

四、设计修改与优化

1. 深孔布置调整及消能型式优化

深孔消能工为戽式池，由于深孔属大单宽流量，低佛氏数，致使消能效果不是很好，下游河床冲刷深度和下游水位波动值较大。另外，由于深孔两侧导墙在平面上不对称，泄洪中心线左右侧过流面左小右大，在戽内形成回流，使深孔两边跃头下移，尤以左侧为甚。在施工详图阶段，对深孔的布置及消能工的体型作了以下修改与优化。一是减少右边墩及缝墩的厚度(由 4.0 m 减至 3.8 m)，使深孔泄洪中心线右移 0.6 m；二是将厂房坝段减少 3.0 m，相应将厂闸导墙中心线左移 2.04 m(左边墩厚度由 4.0 m 增至 8.0 m)；三是在 1#、3#深孔的出口直立边墙与左、右导墙的正常断面间设 29.0 m 长的扭曲过渡段；四是将连续式尾坎优化为雷伯克齿坎。经 1/100 水工模型验证，各种运用工况下，池内能够产生稳定的水跃漩滚，消能效果充分。

2. 表孔泄洪消能型式修改

表孔泄洪消能型式的修改有三条：一是将表孔堰顶高程由 61.0 m 抬高至 62.0 m，孔宽由 13.0 m 增至 14.0 m；二是消能工从“消力戽方案”改为“宽尾墩加戽式池方案”，消力池长度由 46.25 m 增至 64.0 m，池底高程由 32.5 m 抬高至 34.0 m；三是调整了二期上、下游围堰及纵堰下纵段(15+170.00 ~ 15+270.00)的拆除高程(二期上游围堰拆至 57.0 m，二期下游围堰拆至 40.0 m，纵堰下纵段拆至 43.0 m)。1/100 水工整体模型试验表明，由于宽尾墩的作用，水流掺气充分，紊动强烈，消能效果良好。

3. 表孔RCC筑坝技术

二期工程采用RCC坝体，省去了原设计的上游RCC围堰，节约RCC工程量9.7万m^3，并提前一年下闸蓄水发电。这是高坝洲水电站能提前受益的最根本的技术措施。

第四节　电站厂房设计

一、电站总布置

高坝洲水电站装有3台84 MW的轴流水轮发电机组。电站建筑物由主厂房、安装场、操作控制管理楼、开关站、引水渠、尾水渠及其他建筑物构成。

电站总长121 m，其中主机段共长75 m，安装场总长46 m。尾水渠底宽66 m，长92.8 m，其右侧为混凝土厂闸导墙，左侧为尾水渠护岸工程。操作管理楼位于安装场的左侧，为一5层楼。户外开关站布置在电站厂房左岸山坡上，场地面积115 m×41 m，地面高程74.0 m。

二、厂房布置

主厂房由进水口段、主机段和尾水平台及下游副厂房段三部分组成，顺水流向进水口段长24.5 m，主机段长22.7 m，尾水段长21.5 m。

进口段顶面高程83.0 m，进口拦污栅采用淹没式拦污栅，栅顶高程69.0 m，栅顶以上为导栅胸墙。进水口检修门采用平板滑动门，工作门选用平板定轮门。检修门与工作门由坝顶门机启闭。

机组安装高程35.9 m，水轮机层地面高程44.48 m，发电机层地面高程50.6 m，主机段桥机轨顶以下厂房净宽 19.0 m。全厂设置一台桥式起重机，其容量为 2×2 000 kN/500 kN，承担机组、变压器等设备的安装与检修。

尾水平台地面高程59.0 m，布置有主变压器及尾水门机等设备。尾水门机的起吊容量为2×500 kN，尾水检修门采用平板滑动门。尾水平台59.0 m以下设4层副厂房。

安Ⅰ段是进厂设备卸货和发电机架组装的场地，其下部布置二层副厂房，上层为机修间，下层为透平油库和油处理室等。

安Ⅱ段是机组安装、检修的主要场地，地面高程50.6 m，其下部水轮机层布置有排水泵房、空压机室等。

全厂布置有3条平行于坝轴线的廊道，即进口段灌浆排水廊道、主机段机组检修排水廊道和尾水段交通廊道。

三、厂房稳定计算

与厂房稳定有关的剪切带有$235^{\#}$～$255^{\#}$，起控制作用的有$241^{\#}$、$239\text{-}2^{\#}$、$239^{\#}$。

厂房的整体稳定分析包括厂房的抗浮稳定计算。厂房的抗滑稳定是以机组段或安装场段作为独立的整体分别验算沿建基面、浅层层间剪切带、组合剪切带等几种滑动面的抗滑稳定安全度，沿建基面抗滑稳定按抗剪断公式计算。计算方法采用“刚体极限平衡法”，使用规范有《混凝土重力坝设计规范》SDJ21—78(试行)、《水电站厂房设计规范》

SD335—89(试行)。抗浮稳定分析见表1-13，抗滑稳定分析见表1-14、表1-15。

表1-13　抗浮稳定分析计算成果汇总

计算情况	计算水位	$1^{\#}$、$2^{\#}$机组	$3^{\#}$机组	安Ⅰ段	安Ⅱ段	规范要求抗滑安全系数
正常运行	上游：80.0 m 下游：40.0 m	2.66	2.83	3.98	3.06	1.1
机组检修	上游：80.0 m 下游：43.3 m	2.33	2.49			1.1
校核情况	上游：82.9 m 下游：59.15 m	1.82	1.93	2.32	1.8	1.1

表1-14　安装场抗滑稳定分析计算成果汇总

计算情况	计算水位	安Ⅰ段	安Ⅱ段	规范要求抗滑安全系数
正常运行	上游：80.0 m 下游：40.0 m	6.73	6.95	3.0
校核情况	上游：82.9 m 下游：59.15 m	7.01	7.65	2.5

表1-15　机组段抗滑稳定分析计算成果汇总

计算工况		$1^{\#}$机组	$2^{\#}$机组	$3^{\#}$机组	$2^{\#}$机组			$3^{\#}$机组		规范要求抗滑安全系数	
		建基面	建基面	建基面	$241^{\#}+239^{\#}$	$239\text{-}2^{\#}+239^{\#}$	$239^{\#}$	$241^{\#}$	$239\text{-}2^{\#}$	建基面	软弱夹层
正常运行	上游：80.0 m 下游：40.0 m	5.35	4.77	5.05	5.62	2.88	4.76	4.30	3.89	3.0	1.3
机组检修	上游：80.0 m 下游：43.30 m	5.16	4.53	4.82	3.86	2.20	3.58	3.42	3.17	2.5	1.1
正常加50%排水失效	上游：80.0 m 下游：40.0 m	4.99	4.42	4.69	4.08	2.43	4.31	3.42	3.17	2.5	1.1
校核检修	上游：82.9 m 下游：59.15 m	5.56	4.81	5.14						2.5	1.1

注：表中未示数字的更安全。

第二种方法：以机组段作为独立整体按承载能力极限状况进行抗滑稳定计算，成果见表1-16。计算成果表明，各机组段建基面及剪切带抗滑稳定抗力系数 $R(\cdot)$ 与作用效应系数 $S(\cdot)$ 之比均大于1。

表1-16　机组段抗滑稳定分析计算成果汇总

计算工况		$1^{\#}$机组	$2^{\#}$机组	$3^{\#}$机组	$2^{\#}$机组			$3^{\#}$机组	
		建基面	建基面	建基面	$241^{\#}+239^{\#}$	$239\text{-}2^{\#}+239^{\#}$	$239^{\#}$	$241^{\#}$	$239\text{-}2^{\#}$
正常运行	上游：80.0 m 下游：40.0 m	2.03	1.94	2.11	2.72	1.41	2.33	2.12	1.89
机组检修	上游：80.0 m 下游：43.30 m	1.75	1.63	1.80	1.88	1.08	1.76	1.69	1.55
正常加50%排水失效	上游：80.0 m 下游：40.0 m	2.03	1.94	2.11	1.96	1.18	2.09	1.96	1.75
校核检修	上游：82.9 m 下游：59.15 m	1.72	1.56	1.75		4.04			4.96

注：1. 表中所给数字为抗滑稳定抗力系数 $R(\cdot)$ 与作用效应系数 $S(\cdot)$ 之比；
2. 表中未示数字的更安全。

四、设计修改与优化

1. 厂房布置尺寸修改

一是各机组段长度较初步设计减少 1 m，主机段总长减少 3 m；二是厂房进水段基础底部增加一“倒牛腿”，减少了开挖量和混凝土浇筑量。

2. 水轮机蜗壳设计优化

在施工设计中，根据水轮机蜗壳的工作特点，通过对普通钢筋混凝土蜗壳、钢衬钢筋混凝土蜗壳、预应力钢筋混凝土蜗壳等三种结构型式进行比较，决定采用预应力钢筋混凝土蜗壳结构，以解决防渗问题。采用此结构，其一，蜗壳侧墙由偏拉构件转变为偏压构件，有利于防渗；其二，蜗壳侧墙钢筋由三至四排减少为二排，便于施工和保证施工质量；其三，由于减少钢衬与接触灌浆环节，为提前回填宽槽创造了条件，直线工期缩短了 10 个月，为 1#机 1999 年具备发电条件打下了基础。

第五节　施工布置与施工进度

一、施工布置

1. 道路布置

工区内的永久主干道有后高公路（后江沱—高坝洲）、邓石公路（邓家河—石门滩）和郑洞公路（郑家冲大桥—洞沐渔）。联系两岸主干道的是郑家冲大桥（高坝洲大桥）。同时修建了 14 条主要施工临时道路，其中一期工程 8 条，二期工程 6 条。主要施工临时道路情况见表 1-17。

表 1-17　主要施工临时道路情况

工程分期	道路编号	基本情况
一期工程	1	由邓石公路经上游低堰至纵向围堰上端 39.0 m 高程，继而延伸至基坑，为前期开挖道路
	2	由邓石公路至下游低堰，延伸至基坑的道路
	3	邓石公路→下低围堰→纵向土石围堰→上游低堰→邓石公路的环形路，沿路布置供电系统
	4	邓石公路→上高堰内侧→上游基坑的混凝土浇筑道路
	5	邓石公路→下高堰内侧→下游基坑的混凝土浇筑道路
	6	通坝顶 83.0 m 高程的上坝道路
	7	由厂房下游基坑通向安装场 31.0 m 高程的道路
	8	由厂房下游基坑通向深孔坝段护坦的道路
二期工程	9	从洞沐渔经上游围堰内侧下至基坑的道路
	10	右岸郑洞公路至表孔基坑 34.0 m 高程的道路
	11	右岸郑洞公路经下游土石围堰左侧下基坑 34.0 m 高程道路
	12	右岸郑洞公路经下游碾压混凝土围堰右侧下基坑 29.5 m 高程道路
	13	右岸郑洞公路经下航道至基坑
	14	右岸郑洞公路至升船机机室 54 m 高程平台

2. 水、电、风及附属企业

沿郑洞和邓石公路分别布置了 3 条供水和供电主干管线，沿临时施工道路布置了水、电支线。

在左岸母鸭沟和右岸洞沐渔各设置了一个供风站，其供风能力分别为 223 m^3/min 和 40 m^3/min，为基岩开挖和基础固结灌浆供风；在拌和楼设供风能力 120 m^3/min 的供风站。

附属企业包括拌和系统、制冷系统、砂石系统、综合加工厂、金属结构机电拼装场、机械修配站、物资仓库等。

二、施工进度

(1)一期截流：1996 年 10 月 26 日。

(2)一期基坑开挖：1996 年 12 月 24 日开始。

(3)主体工程的混凝土浇筑：1997 年 4 月 1 日开始。

(4)一期大坝全线达到设计高程：1998 年 6 月 15 日。

(5)帷幕灌浆：1997 年 4 月 13 日开工，2000 年 9 月 15 日完工。

(6)固结灌浆：1997 年 5 月 15 日开工，2000 年 1 月 1 日完工。

(7)二期截流：1998 年 10 月 26 日。

(8)发电机组通过 72 小时试运行：1#机组为 1999 年 12 月 20 日；2#机组为 2000 年 2 月 18 日；3#机组为 2000 年 7 月 3 日。

(9)二期大坝全线达到设计高程：2000 年 3 月 28 日。

(10)高坝洲水电站水库下闸蓄水：2000 年 4 月 30 日。

第二章　土石方及基础

第一节　土石方及边坡保护工程

一、主体工程基础开挖

一期工程基础开挖包括左非溢流坝段（1#～3#）、电站厂房坝段（4#～8#）、深孔坝段（9#～11#）及其下游导墙段、深孔消力池护坦、电站尾水渠、厂闸导墙等部位；二期工程包括表孔坝段（13#～19#）及其消力池护坦、升船机坝段（20#）、右非溢流坝段（21#～23#）以及右岸边坡、上航道边坡、上航道靠船墩、升船机机室、下引航道等部位。

覆盖层开挖采用电铲、装载机和反铲装渣，推土机集渣，自卸汽车运输，弃料运至洞沐渔、郑家冲、甘溪沟三个料场。利用部分弃渣填筑土石围堰。岩石开挖依据设计提出的有关技术要求和水工建筑物岩石基础开挖工程施工技术规范进行。基础验收由设计、施工、地质、建设、监理等单位组成的基础验收小组进行。主体工程建基面基础验收面积合计约8.98万m^2。在主体建筑物基础开挖至设计建基面后，对基础轮廓及应力影响范围内揭露的断层破碎带、层间剪切带、溶洞、滑坡体、卸荷风化带等地质缺陷和爆破造成的松动圈，都按照设计要求及现场验收时基础验收小组的意见进行了处理。地质缺陷处理的主要项目有以下3项：

(1)对岩溶洞穴的处理。如3#坝段至安Ⅱ段上游33.4 m高程建基面上揭露出的K_{br3}溶槽，规模较大，延伸较远，对基础稳定及渗控工程有一定影响，对其清理的深度（深7～8 m）和范围均较大，并结合坝基固结灌浆及后期在坝体上游相应部位布置的地质补勘孔进行了灌浆处理。溶洞清理、冲洗干净后，即回填混凝土。

(2)深孔护坦开挖至建基面后，顺导4、导5基岩层间剪切带形成的溶蚀通道，在护5-3建基面形成两处较大的上升泉眼，通过采取引管排水、浇筑混凝土形成一定盖重后，再在混凝土面上打孔灌浆堵漏以及在导墙段灌浆补强的综合处理措施，处理效果较好，满足了该部位基岩作为建基面的要求。

(3)二期工程15#～17#坝段基础开挖至设计建基面后，揭露出F_{205}、F_{213}、F_{214}、F_{215}等断层及300#、300-1#、300-4#、400-9#等剪切带溶蚀较严重，将15#～17#坝段部分基岩切割形成一楔形体，并形成一严重的漏水通道。鉴于施工工期紧张，为保证施工进度，经地质、设计、施工、建设等单位协商，该楔形体保留，进行固结灌浆及锚固处理，以确保该楔形体及坝基岩体稳定，并在处理完成后结合大坝基础固结灌浆质量检查布置了检查孔，压水检查结果均在设计许可值范围内。

质量评定情况：主体工程基础开挖严格按照施工规范和设计要求控制钻爆参数，尤其是边坡预裂和保护层开挖控制较好；基础轮廓尺寸、坐标、高程等符合设计要求；基础整修和地质缺陷处理均按施工规划和设计要求施工。

主体工程基础开挖共分为612个单元工程，按照部颁质量等级评定标准，经评定，质量全部合格，合格率为100%；优良单元516个，优良率为84.3%。

二、边坡保护

边坡保护工程包括大坝右岸边坡及上、下游航道边坡锚喷与边坡混凝土工程。

经过检测，边坡保护各项施工工艺符合要求，施工质量较好。锚喷施工结束后，对喷护厚度进行了钻孔检查，喷护厚度基本符合设计要求，锚杆抗拔试验结果满足设计要求。

边坡保护工程分为55个单元工程，按照部颁质量等级评定标准，经评定，质量全部合格，优良单元44个，优良率为80%(不包括下游航道边坡保护工程桩号15+509.6以下段的护坡混凝土单元工程质量评定)。

三、围堰拆除

1. 一期围堰拆除

一期上游高、低横向土石围堰，设计要求拆除至44.0 m高程；一期下游高、低横向土石围堰，设计要求拆除至原河床高程40.0 m。一期围堰拆除工程于1998年9月11日开始，二期截流前完成，并在二期工程截流前通过验收。

2. 二期围堰拆除

二期围堰拆除包括上、下游横向土石围堰、下游横向RCC围堰、下游RCC纵向围堰和下游航道围堰的拆除。按照要求，上游横向土石围堰拆除至57.0 m高程；下游横向土石围堰拆除至43.0 m高程；下游横向RCC围堰，对应表孔部分拆除至40.0 m高程，航道部分全部拆除；纵向围堰(15+170 ~ 15+270)拆除至43.0 m高程；下游航道围堰全部拆除。

二期下游横向土石围堰拆除工程在下游RCC围堰具备挡水条件后，于1999年3月下旬开始，4月中旬完成；上游横向土石围堰拆除于2000年3月下旬完成。下游横向RCC围堰于1999年11月开始拆除，2000年2月完成；纵向RCC围堰于2000年2月开始拆除，至2000年5月完成。

下游航道围堰于2000年4月下闸蓄水前进行部分拆除，2001年11月已全部拆除。

除下游航道围堰外，各条围堰拆除后均进行了地形测量。测量资料表明，围堰拆除范围和高程均符合设计要求。

第二节 基础渗控工程

一、帷幕灌浆

1. 防渗帷幕设计

1) 防渗标准

防渗标准为大坝坝基防渗帷幕透水率小于1 Lu，两岸山体防渗帷幕透水率小于3 Lu。

2) 防渗线路及灌浆平洞

防渗线路基本情况见表2-1。

表 2-1　防渗线路基本情况

部　位	左　岸	河　床	右　岸	合　计
防渗线路长度(m)	450	439.5	1 822.3	2 711.8

3)防渗帷幕灌浆孔布置

大坝坝基及两岸近河地段布置两排灌浆孔，孔距 2.5 m；两岸规模较大的顺河向断层及其影响带布置两排灌浆孔，孔距 2.5 m；左 83 m 高程灌浆平洞及右岸郑家冲段已查明的顺河向断层之间地段先布置先导孔和Ⅰ序孔，根据先导孔和Ⅰ序孔钻孔及灌浆资料确定是否布置后续灌浆孔；左 37.5 m 高程灌浆平洞及左 83 m 高程灌浆平洞、左非主帷幕采用衔接帷幕连接，衔接帷幕与相应部位主帷幕排数相同，孔距 2.5 m。

4)帷幕灌浆主要技术要求

防渗主帷幕灌浆采用“小口径钻孔、孔口封闭、自上而下、分段孔内循环”的方法进行。主帷幕河床坝段最大灌浆压力为 3.0 MPa，衔接帷幕最大灌浆压力为 1.0 MPa；防渗帷幕灌浆采用分序加密的原则施工；灌浆材料以水泥浆为主，按由稀变浓的原则灌浆。

5)防渗帷幕设计优化及调整

施工详图阶段根据初步设计后补充的地质勘探、物探测量及有关研究成果，综合分析坝址右岸的岩溶发育情况及岩溶渗漏、渗流特性，确定右岸帷幕路线郑家冲段向上平移 85 m，缩短防渗线路长度 228 m。

2. 帷幕灌浆施工

帷幕灌浆分两期施工。一期工程施工的部位有：左 37.5 m 高程与左 83.0 m 高程灌浆平洞、河床坝段 1#～12#坝段，于 1997 年 8 月 29 日开始施工，至 1998 年 9 月完成；二期工程施工的部位有：右 83 m 高程平洞近岸段、明廊道、远岸段及河床坝段 13#～23#坝段，除右 83 m 高程平洞近岸段帷幕于 1998 年 5 月提前具备条件开始施工外，其余部位自 1999 年 4 月陆续开始施工，至 2000 年 3 月完成。一、二期合计共完成帷幕孔口装置 1 590 套，灌浆进尺 9.27 万 m(结算数据为 9.17 万 m)。

3. 施工质量问题及其处理

(1)帷幕灌浆施工中，超序施工、段长超长、灌浆欠压、封孔不认真、开灌水灰比有误等常见病，在施工初期发现较多，经过不断的现场控制和管理，后期发生较少。

(2)8#坝段的 D8-1-10 孔在第 15 段(孔深 66～71 m)灌浆施工时，8#坝段的左右块分缝处及自分缝处顺廊道轴线方向向右 5 m 的范围发现廊道底板裂缝，采取了在底板布置锚杆、灌浆孔的前五段灌浆结束后待凝 24 h、控制 7#与 8#坝段在同一个坝段不允许有两个孔段同时灌浆等措施。锚固施工质量验收合格后才恢复 8#坝段的帷幕灌浆施工。

(3)河床 13#～20#坝段帷幕在施工时，大坝与上游围堰之间基坑水位设计要求控制在 42 m 高程以下，施工中基本得到满足。但 D12-1-8 第 12 段等二十几个孔段仍然存在涌水现象。对此，通过测定涌水压力及涌水量，采取了适当提高灌浆压力、延长灌浆时间及屏浆、待凝等措施，保证了灌浆质量。

(4)对于地质条件较差、漏量较大的地段，如右岸 83.0 m 高程平洞 28-40 衬砌段，采用限流限量、降压间歇灌注等措施进行处理；对特大漏量灌浆孔段采用先回填灌注水泥砂浆再进行帷幕灌浆的措施处理。

(5) 河床 13# ~ 20#坝段帷幕在施工完毕后进行了帷幕灌浆封孔质量检查，发现该部位帷幕封孔质量较差，岩芯获取率低，个别帷幕孔存在脱空现象，经建设、设计、监理、施工单位商定，对封孔质量有问题的帷幕孔全部重新封孔，并重新布孔检查，直至合格。

4. 灌浆质量检查与质量评定

防渗帷幕施工完成后，根据钻灌综合成果资料及测斜成果资料进行分析，均布置了帷幕质量检查孔，尤其是对灌浆耗灰量较大、分序单位注入量出现异常、孔斜偏大的部位进行了重点布孔检查。帷幕质量检查孔共布置 174 孔，压水 2 357 段，其中压水合格 2 344 段，合格率为 99.4%。对于不合格孔段进行了补灌处理。

基础帷幕灌浆工程共分为 84 个单元工程，按照部颁质量等级评定标准，经评定质量全部合格，合格率为 100%；优良单元 66 个，优良率 78.6%。

二、基础排水孔

1. 基础排水孔设计

为降低坝基扬压力，2# ~ 20#坝段基础廊道及相应部位的 37.5 m 高程灌浆平洞内防渗帷幕下游侧布置一排主排水孔，孔深为主帷幕孔深的 0.4 ~ 0.6 倍，孔径 110 mm，孔距 3.0 m。辅助排水孔布置在河床坝段下游廊道内，位于 9#坝段内。

2. 基础排水孔施工

基础主排水孔采用 ϕ150 mm 金刚石钻头开孔，开孔深度深入混凝土 40 cm，埋设 ϕ127 mm 孔口管装置(孔口管外露 15 cm)，3 天后改用 ϕ110 mm 金刚石钻具造孔。辅助排水孔用 ϕ130 mm 金刚石钻头开孔，埋设 ϕ130 mm 孔口管装置(孔口管外露 15 cm)，改用 ϕ91 mm 金刚石钻具造孔，其余与主排水孔相同。

高坝洲工程共计完成排水孔钻孔 226 个，埋设孔口管 226 个，钻孔进尺 9 236.82 m。

3. 施工质量状况

在左 37.5 m 高程平洞，大坝河床基础廊道内排水孔施工完成并进行一段时间的观测后，发现部分排水孔有孔内淤积现象。经过全面检查排水孔的实际孔深，对有淤积的排水孔通过扫孔后采取了保护措施，确保了排水孔的施工质量和实际排水效果。

基础排水孔工程共分为 13 个单元工程，按照部颁质量等级评定标准，经评定，质量合格，合格率 100%；优良单元 11 个，优良率为 84.6%。

第三节 基础处理工程

一、基础固结灌浆

1. 基础固结灌浆范围

大坝 1# ~ 23#坝段，升船机机室均布有固结灌浆孔。另左 37.5 m 高程灌浆平洞内也布有固结灌浆孔。基础固结灌浆范围见表 2-2。

表 2-2　基础固结灌浆范围

坝　段	地基地质状况	固结灌浆范围
4#～6#	岩溶角砾岩	基础全面积固结灌浆
7#～15#	坝基为上峰尖组泥灰岩及黑石沟组薄层灰岩	坝基上、下游各四分之一范围内进行固结灌浆
16#～19#	16#～18#坝段基础发育有缓倾角溶蚀断层及溶蚀剪切带，19#坝段覆盖层以下的基岩未进行爆破开挖，表层基岩开口裂隙较为发育	基础全面积固结灌浆
左非 1#～3#，20#，右非 21#～23#	基岩条件较好，坝高相对较低	坝基上、下游各四分之一范围内进行固结灌浆
升船机主机室		在主机室边墩和主机室上、下游一定范围内进行固结灌浆

2. 固结灌浆施工

施工方法采用“自上而下，分段钻孔，分段阻塞，孔内循环”的方式灌浆。其工艺流程为声波孔→抬观孔→Ⅰ序孔→Ⅱ序孔→检查孔→灌后声波孔。

固结灌浆孔孔深一般为 5.0 m，孔排距为 3.0 m。一期工程固结灌浆压力一般为 0.3～0.5 MPa，二期工程在垫层混凝土上进行固结灌浆时，Ⅰ序孔灌浆压力为 0.15 MPa，Ⅱ序孔灌浆压力为 0.25 MPa。固结灌浆质量检查以压水试验为主、声波检测为辅。压水检查合格标准为透水率小于 5.0 Lu。

施工机械设备：钻机采用宣化钻 GYQ–100 型潜孔锤，XY–2PB 型，XY–2PC 型，XU–300 ⅡA 型气腿式手风钻；灌浆机采用 SGB–1 型灌浆泵，SNS 系列砂浆泵。

固结灌浆总进尺 2.13 万 m。

3. 固结灌浆质量状况

主体建筑物基础固结灌浆分两期施工。一期建筑物基础固结灌浆包括 1#～12#坝段、电站进水口以及厂房尾水扩散段部位；二期建筑物基础固结灌浆包括 13#～23#坝段、升船机部位。监理单位督促施工单位对施工过程中出现的一些质量问题及时进行了处理：一是克服了超序施工、一次成孔、段长超长、灌浆久压、封孔不认真等常见弊病；二是在 9#坝段钻孔中，打断多层冷却水管后，采取垂直引管措施进行补救；三是对 5#坝段、14#坝段个别孔在堵孔时存在的漏封、欠封按要求进行了补封处理；四是针对 6#坝段 6-6-7#与 6-6-8#孔终孔段在压水时发现的与 5#坝段集水井陡坡接触灌浆管道系统串通的问题，在固结灌浆施工时，对接触灌浆管路系统采取了通水平压措施。

通过严格控制，固结灌浆施工工艺质量符合要求，实际灌浆效果较好，为检查大坝基础固结灌浆的效果，在 13#坝段、14#坝段、17#坝段、18#坝段分别布置了固结灌浆灌前、灌后弹性波对比测试孔。对比测试结果表明，大坝基础通过固结灌浆后，其弹性波波速值有较大的提高，说明实际固结灌浆效果较好，且对因基础开挖爆破作业所影响的表层基岩进行了加固处理。

主体建筑物基础固结灌浆共分为 67 个单元工程，按照部颁质量等级评定标准，经评定，质量全部合格，合格率为 100%；优良单元 60 个，优良率为 89.5%。

二、消力池锚桩

在深孔及表孔消力池护坦，均布设了钢筋混凝土锚桩，以保证其抗浮稳定。其中，深孔消力池护坦布设锚桩439根，表孔消力池护坦布设锚桩962根。

锚桩施工工艺符合设计要求，实际效果较好，施工中出现的问题都及时进行了处理，其中包括：

(1)在施工前期，由于孔口封堵混凝土龄期不够，致使灌浆时出现漏浆；回填灌浆结束后对灌浆管进行检查时，发现灌后灌浆管存在脱空的现象(如深孔护2-3的3-1#孔、表孔护3-4的3-1#孔和4-8#孔)。对此，均进行了补封处理，并加强现场施工质量检查。

(2)深孔消力池坎4的4#孔、护5-4的4-3#孔、护5-3的5-3#、5-4#孔钻孔时，均打穿导4、导5建基面下的层间剪切溶蚀带，漏水严重。这些孔的锚桩是在溶蚀带处理后施工的，其长度适当增加。处理导4、导5建基面下的层间剪切溶蚀带时，为增加护5-4、坎4的压重，避免基岩抬动破坏，该两块混凝土先浇至35.0 m高程，再进行堵漏灌浆施工，最后施工锚桩。因该处锚桩孔口高程抬高，锚桩长度由原9 m增至12 m。

(3)深孔护4-1的5-1#孔钻孔冲洗时，与该部位左侧处理地质缺陷而预埋的灌浆管串通，采取了先对预埋管通水检查并完成固结灌浆后，再进行锚桩施工的措施，保证了地质缺陷处理的质量。

(4)表孔护2-1、3-1块锚桩施工中，由于未对这两块混凝土浇筑高程核实，致使61根锚桩孔深欠50~70 cm，经设计进行应力验算，在2-1块增布6根锚桩，3-1块增布4根锚桩进行处理，满足稳定要求。

(5)表孔护4-8块的1-3#孔与护坦的主排水沟串通，灌浆效果不好，按设计意见在下游2 m处增布一根锚桩。

质量评定情况：深孔及表孔消力池护坦钢筋混凝土锚桩工程共分为55个单元工程，按照部颁质量等级评定标准，经评定，质量全部合格，合格率为100%；优良单元46个，优良率为83.6%。

三、基础接触灌浆

1. 灌区布置

为保证斜坡部位坝体混凝土与基础建基面岩体结合良好，在左非溢流坝段、安Ⅱ(5#坝段)集水井、右非溢流坝段的陡坡段共布置了18个接触灌浆区。灌浆区布置如下：

(1)安Ⅱ(5#坝段)集水井的上游侧9.0~26.0 m高程、左侧及下游侧9.0~33.4 m高程共布置6个接触灌浆区，合计面积1 030 m^2。

(2)左非溢流坝段(1#~3#坝段)从35.0~82.7 m高程共布置7个灌浆区，合计面积893 m^2。其中，3#坝段35.0~50.0 m高程共布置3个灌浆区；2#坝段分50.0~58.0 m高程、58.0~67.0 m高程上下2个灌浆区；1#坝段分67.0~72.0 m高程、72.0~82.7 m高程上下2个灌浆区。

(3)右非溢流坝段(22#~23#坝段)从46.0~83.0 m高程共布置5个灌浆区，合计面积529 m^2。其中，22#坝段分46.0~51.0 m高程、51.0~56.0 m高程上下两个灌浆区；23#坝段分56.0~63.0 m高程、63.0~76.33 m高程和76.33~83.0 m高程上下3个灌浆区。

2. *灌浆区及其管路检查情况*

接触灌浆灌区布设及管路系统的埋设与该部位的混凝土施工同时进行，其施工质量在混凝土浇筑前与其他施工项目一样检查验收。

由于这些部位先进行了基础固结灌浆，致使部分接触灌浆管路被串通堵死。根据接触灌浆区灌前现场通水检查情况及检查成果资料，发现大部分灌浆管路不通、部分管路微通、少数灌浆区管路畅通但与缝面灌浆区不通，经疏通处理，效果不明显。

为核实坝体混凝土与基础建基面的结合情况，在接触灌浆区布置了取芯压水检查孔，以进一步查清灌浆区范围内坝体混凝土与基础岩体接触面的结合或张开状况。根据检查情况，可以认为灌浆区范围内坝体混凝土与基础岩体的接触灌面可能没有张开。

3. *灌浆*

针对上述缝面状况，结合灌浆区管路的实际通畅性，分别作了如下处理：

(1)对部分通畅或微通的接触灌浆灌区或灌浆管路，按照接触灌浆技术要求进行了灌浆，并将屏浆时间由 20 min 延长为 30 min，灌浆压力提高至 0.4 MPa。

(2)对不通管路检查孔，直接用最浓一级水泥浆液进行了压封处理。

根据设计要求，2#坝段高程 58.0 m 以下陡坡接触灌浆、3#坝段及安Ⅱ(5#坝段)集水井陡坡接触灌浆均于 1998 年 9 月施工，2#坝段高程 58.0 m 以上陡坡接触灌浆及 1#坝段的陡坡接触灌浆共 3 个灌浆区，于 1999 年 2 月施工，右岸 22#～23#坝段的接触灌浆区于 2000 年 2 月施工。

第四节　洞室工程

一、概述

洞室工程包括灌浆平洞和勘探平洞等洞井的开挖、清理(含质量缺陷处理)及其混凝土衬砌或回填、回填灌浆。

(1)灌浆平洞有左 37.5 m 高程灌浆平洞、左 83 m 高程平洞、右 83 m 高程平洞近岸段、王家冲明廊段、右 83 m 高程平洞远岸段。

(2)勘探平洞有左岸 3#勘探平洞、左岸 1#勘探平洞及洞内的大口径孔、右岸 4#勘探平洞、右岸 12#勘探平洞、右岸 14#勘探平洞、右岸 16#勘探平洞。

二、洞室开挖、清理

(1)左 37.5 m 高程、左 83 m 高程灌浆平洞的开挖、清理(含地质缺陷处理)以及混凝土衬砌与回填分别于 1996 年 10 月至 1997 年 10 月、1995 年 6 月至 1998 年 7 月施工。

(2)右 83 m 高程平洞近岸段、王家冲明廊段、右 83 m 高程平洞远岸段洞室工程的开挖、清理(含地质缺陷处理)以及混凝土衬砌与回填于 1996 年 10 月至 1999 年 5 月相继施工。

(3)勘探平洞的开挖、清理及地质缺陷处理于 1998 年 1 月至 1998 年 5 月相继施工。

灌浆平洞的开挖采用超前开挖导洞，紧跟着全断面扩挖的施工方法，其导洞采用锥形掏槽爆破，扩挖采用周边光面爆破。爆破后用轴流式风机通风散烟。平洞采用人工配矿斗车出渣，竖井采用卷扬机垂直起吊配农用车出渣。

(4)施工质量问题及其处理。平洞开挖施工存在的质量问题主要是有些部位存在不同程度的超、欠挖以及局部洞壁存在较大松动岩块。对超挖部位随混凝土浇筑一起进行了回填；对欠挖部位则扩挖至设计断面；对松动岩块进行了清除处理。经过上述处理，洞室开挖质量满足设计要求。

灌浆平洞的开挖共分为 279 个单元工程，经评定质量全部合格，合格率 100%；优良率为 89.6%。勘探平洞及其大口径钻孔等的清理、地质缺陷处理工程共分为 24 个单元工程，经评定质量全部合格，并全为优良单元，合格率与优良率均为 100%。

三、洞室混凝土衬砌与回填

灌浆平洞混凝土衬砌厚度为：底板 50 cm，侧墙 40 cm；排水支洞底板混凝土衬砌厚度为 30 cm。

1. 取样试验结果

(1)灌浆平洞混凝土衬砌工程，$R_{28}200^{\#}$混凝土设计强度值 20 MPa，抽检 21 次，合格 19 次，合格率 90.5%。

(2)右岸灌浆平洞明廊段深槽混凝土回填工程，$R_{28}150^{\#}$混凝土设计强度值 15 MPa，抽检 9 次，合格 6 次，合格率 66.7%。不合格的次数均分布在该明廊段的底板高程以下，后采取补强灌浆进行处理。明廊混凝土衬砌工程，$R_{28}200^{\#}$混凝土设计强度值 20 MPa，抽检 2 次，合格率 100%。

(3)勘探平洞混凝土回填工程，$R_{28}150^{\#}$混凝土设计强度值 15 MPa，抽检 8 次，合格 7 次，合格率 87.5%。不合格的一次为右岸 12$^{\#}$勘探平洞内第三段 50 cm 厚底板混凝土，工程量很小，约 12 m^3，且在帷幕线的上游侧，影响不大。

2. 施工质量问题及其处理

(1)在混凝土衬砌施工前期，不同程度地存在着钢筋锈蚀、钢筋焊接搭接长度不够、钢筋保护层厚度不够以及使用孔洞较多的旧模板等，经过现场及时整改，保证了施工质量。

(2)左 37.5 m 高程灌浆平洞最先施工的第 7～9 段底板混凝土因使用手推车进料，入仓速度太慢，加上基岩渗水较多造成仓内积水，对混凝土衬砌施工质量有一定影响。后经更换新模板并改手推车进料为混凝土泵进料，施工质量大有改进。

(3)施工过程中，由于混凝土泵故障、混凝土堵管等造成浇筑停仓事故，对浇筑仓面尤其是停仓接头及时进行了处理，消除了质量隐患。

(4)左 83.0 m 高程灌浆平洞第 21 段侧墙与顶拱混凝土由于拆模时间过早，致使局部混凝土表面出现麻面、分段端头边缘混凝土剥落等问题，对此均按要求进行了处理。

3. 王家冲明廊段混凝土补强处理

王家冲明廊段自 1997 年 2 月开工，至 1998 年 11 月完成。

明廊段施工中，由于施工场地的限制，混凝土运输及入仓条件十分困难，设计 $R_{28}150^{\#}$三级配混凝土采用陡坡溜槽入仓，骨料分离现象极为严重。经现场及机口取样试验，局部混凝土强度偏低，均匀性较差；后经布设钻孔进行压水试验检查，局部吸水量偏大，说明混凝土内存在架空现象。针对出现的上述混凝土低强、架空质量事故，建设、监理单位为确保该段混凝土达到设计质量标准，对王家冲明廊段全段混凝土沿帷幕轴线布置了两排补强灌浆孔计 45 个。补强灌浆施工完成后，分别在第三、第四、第五、第六段各布置了一个补强灌浆质量检查孔。经压水检查，仅第三回填段的检查孔第四回填段的透水率为 15.8 Lu，超过设计要求 $Q \leqslant 3$ Lu 的标准，其余各段的平均透水率为 0.91 Lu，最大为 1.7 Lu，最小为 0 Lu，均满足设计要求。对第三回填段的检查孔第四段部位的混凝土进行了补灌处理。

通过以上补强灌浆处理，明廊段局部低强、架空混凝土的强度有较大提高，防渗指标达到设计标准；同时，该部位帷幕灌浆施工时，要求对混凝土内的钻孔进行全孔灌浆后再进行基岩段的钻灌施工，这对低强、架空混凝土也有进一步的补强作用。

4. 质量评定情况

灌浆平洞的混凝土衬砌与回填工程分为 343 个单元工程，经评定质量全部合格，合格率为 100%；优良率为 81.3%。勘探平洞混凝土回填工程共分为 24 个单元工程，经评定质量全部合格，合格率为 100%；优良单元 22 个，优良率为 88%。

四、洞室回填灌浆

为保证灌浆平洞混凝土衬砌及勘探平洞回填混凝土施工与洞顶基岩面的结合的质量，设计对灌浆平洞及勘探平洞的顶拱均要求进行回填灌浆，以填充混凝土衬砌或混凝土回填不满以及由于混凝土收缩引起的脱空。

1. 灌浆平洞回填灌浆

左 37.5 m 高程平洞及左 83.0 m 高程平洞的回填灌浆，分别于 1997 年 7 月至 1997 年 11 月、1998 年 5 月至 1998 年 8 月施工。右 83 m 高程平洞近岸段及右 83.0 m 高程平洞远岸段的回填灌浆分别于 1998 年 4 月至 1998 年 11 月、1998 年 12 月至 1999 年 9 月施工。

灌浆平洞顶拱回填灌浆工程是在平洞混凝土衬砌完成，其衬砌混凝土达到 70%的强度后进行施工的，所有回填灌浆均是在衬砌混凝土顶拱面上进行钻孔埋管灌浆。钻孔采用气腿式手风钻造孔，孔径为 56 cm，孔深穿过混凝土后再深入基岩 10 cm；灌浆用 SNS200/100 型砂浆泵和 SGB–1 型注浆泵灌注；灌浆用水泥为普硅 $425^{\#}$水泥。

在灌浆施工时，平洞内个别衬砌段在结构分段的分缝处存在外漏现象，均采取了嵌缝堵漏及对 I 序孔降压灌浆的措施。

回填灌浆施工结束后，即进行了质量检查。检查情况如下：

(1) 左 37.5 m 高程平洞先布置了 6 个质量检查孔，经压浆检查，其中检$_{1\text{-}2}$孔 10 min 吸浆量为 12 L，大于设计合格标准，其余 5 孔均达到合格标准。对检$_{1\text{-}2}$孔进行了补灌处理，并增布 1 个检查孔，检查合格。因此，37.5 m 高程平洞顶拱回填灌浆施工质量总体上是好的。

(2) 左 83.0 m 高程平洞共布置了 17 个质量检查孔，经压浆检查，质量全部合格。

(3) 右 83.0 m 高程平洞近岸段共布置了 18 个质量检查孔，经压浆检查，均一次检查合格。

(4) 右 83.0 m 高程平洞远岸段共布置了 25 个质量检查孔，经压浆检查，也一次检查合格。

灌浆平洞的回填灌浆共分为 186 个单元工程，经评定质量全部合格，合格率为 100%，优良率为 77.4%。

2. 勘探平洞回填灌浆

左岸勘探平洞及其大口径孔、右岸勘探平洞的回填灌浆工程分别于 1998 年 3 月至 1998 年 8 月、1998 年 11 月尾随平洞回填相继施工。

勘探平洞回填灌浆工程是在平洞分段混凝土回填完成并间隔3天后进行施工的，一般是按照平洞回填分段在混凝土回填2段后进行一次回填灌浆。所有回填灌浆均是利用平洞回填混凝土时所预埋的灌浆管道进行灌浆施工的。

(1)施工质量问题及其处理。施工过程中，存在的主要问题是左岸3#勘探平洞1#支洞段与第一段(含2#支洞)是串通的，对此采取了两段联灌的施工方法；同时，因受施工场地的限制，输浆管道较远，回浆较困难，采取了适当提高回浆压力的措施，保证了灌浆施工质量。

各个混凝土回填段的回填灌浆均正常结束，从灌浆综合成果资料及现场掌握的情况分析，混凝土回填施工质量比较均匀、稳定，且后期相应部位进行高压帷幕灌浆施工时没发现外漏等情况，回填灌浆施工质量满足设计要求。

(2)质量评定情况。勘探平洞回填灌浆工程分为34个单元工程，经评定质量全部合格，合格率为100%；优良单元25个，优良率为73.5%。

第三章　混凝土工程

高坝洲水电站枢纽包括：左岸非溢流坝段($1^{\#}$～$3^{\#}$)、厂房坝段($4^{\#}$～$8^{\#}$)、深孔溢流坝段($9^{\#}$～$11^{\#}$)、纵向围堰坝段($12^{\#}$)、表孔溢流坝段($13^{\#}$～$19^{\#}$)、升船机坝段($20^{\#}$)和右岸非溢流坝段($21^{\#}$～$23^{\#}$)。其中，左岸非溢流坝段、厂房坝段、深孔坝段及消力池护坦、厂闸导墙、纵堰坝段 61 m 高程以上，表孔坝段($13^{\#}$～$19^{\#}$坝段) 59 m 高程以上，$20^{\#}$～$21^{\#}$坝段 61 m 高程以上、$22^{\#}$～$23^{\#}$坝段及消力池护坦、升船机室及下游导航墙等为常态混凝土。纵向围堰、纵堰坝段 61 m 高程以下，表孔坝段 59 m 高程以下，$20^{\#}$～$21^{\#}$坝段 61 m 高程以下，二期下游过水围堰等为碾压混凝土。

第一节　混凝土原材料

一、拌和混凝土用水

采用清江河水，无侵蚀性，经水厂处理后，供现场生产、生活用水，经检验，各项指标均符合 SD105—82、SDJ—207—82 规范要求。

二、水泥

主体混凝土工程使用的水泥主要是葛洲坝荆门水泥厂生产的低热 $425^{\#}$、中热 $525^{\#}$和湖南石门水泥厂生产的低热 $425^{\#}$。至 2001 年底，共使用水泥 18 万 t，检测强度 387 组，只有一组不合格，合格率 99.74%(不合格的一组作退货处理)；检测细度 120 组，全部合格。

三、砂石料

一期工程使用坝址上游石门滩料场骨料，经抽样检测，砂子细度模数取样 1 470 次，合格率 77.7%；表面含水 1 564 次，合格率 71.2%。对于砂子表面含水较大和砂子细度模数偏小的问题在施工中主要是采用调整配合比的办法加以解决。

二期工程使用云池料场骨料，其主要问题是开采料中一段时间砂含量少，采用了外购砂进行掺合调节。

四、外加剂

一期工程主要是使用木质磺酸钙缓凝减水剂，1998 年 2 月进货时检验发现一批 60 t 货 pH 值、不溶解物两项指标不能满足规范要求，作了退货处理。经建设、设计、监理单位同意，改用沙市贺强外加剂厂 UNF–3 型外加剂，经检测，满足规范要求。二期工程采用了北京冶建生产的 JG–4 缓凝减水剂及河北石家庄生产的 DH9 型引气剂，经抽样检查，各项指标均满足规范要求。

五、粉煤灰

工程主要采用荆门热电厂、松木坪热电厂和重庆珞璜热电厂生产的粉煤灰。1997 年 8～

10月松木坪粉煤灰需水量比超出Ⅱ粉煤灰，经研究，决定对其降级、限制使用，仅用于左非溢流坝段。

六、钢筋

工程所用钢筋主要购自首钢、武钢、唐钢等十五家钢厂。基本上使用Φ12～36 mm 的Ⅱ级钢。高坝洲工程施工指挥部实验室共抽检415组，合格414组，有1组不合格，作了退货处理。

第二节 混凝土施工

一、混凝土施工机械布置

一期大坝上游平行坝轴线布置两台 SDTQ1800/60 型高架门机，门机中心线桩号14+970.00，轨顶高程38.00 m，右边的高3#门机主要担负15+030.00以上的深孔和12#坝段的混凝土浇筑任务,左边的高7#门机主要担负厂房坝段与左非溢流坝段的混凝土浇筑施工；深孔消力池护坦板顺流向布置一台MQ540/30型丰满门机，轨道长80.28 m，主要担负桩号15+030.00 下游的深孔坝段、消力池护坦和厂闸导墙的混凝土浇筑。厂房尾水垂直水流向布置MQ540/30型丰满门机和25/10天津塔机各一台，共设三条轨道，上游一条轨道共用，轨顶高程25.3 m，丰满门机中心线桩号为15+059.5，天津塔机中心线桩号15+061.0，轨道长度 64×2 m。丰满门机主要担负厂房尾水扩散段和墩墙的混凝土浇筑，随着尾水墩墙的上升，丰满门机拆除后由天津塔机担负尾水墩墙与部分尾水护担的混凝土浇筑施工。随着大坝前沿一线的不断上升，上游侧的高3#、高7#门机相继拆除，在厂房坝段坝顶83.00 m高程安装一台MQ540/30丰满门机，丰满门机中心线桩号15+015.65，轨道由安Ⅰ至9#坝段左边墩，主要担负拦污栅闸墩和厂房进口门槽及主机段的混凝土浇筑施工。12#坝段坝顶安装一台丰满门机，轨道中心线桩号15+012.5，轨道高程83.00 m，主要为深孔启闭机房及表孔闸墩的混凝土浇筑提供起吊手段。

二期工程大坝59.00 m高程以下内部为碾压混凝土结构，大坝基础垫层、廊道周边、过流面和闸墩等部位为常态混凝土；二期工程汛前表孔护坦垂直水流向布置一台25/10天津塔机，塔机中心线桩号15+047.5，轨顶高程30.50 m，55.00 m高程安装的皮带机承担一部分碾压混凝土的入仓浇筑。汛前在22#坝段坝后安装一台MQ540/30丰满门机，门机中心线桩号15+010.20，轨顶高程68.00 m，汛后往左延伸，承担右非68.00 m高程以上混凝土、表孔18#、19#闸墩和20#坝段64.00 m高程以上的混凝土浇筑。二期工程于1999年汛后在表孔护坦平行坝轴线布置一台MQ–1000高架门机，门机中心线桩号15+050.0，轨顶高程34.80 m；在升船机机室沿机室中心线布置一台25/10天津塔机，轨顶高程33.10 m。

另外，一、二期工程还布置了多台4m^{3}的电吊，担负高架门机、塔机和丰满门机覆盖不了的局部范围的混凝土浇筑。

二、砂石骨料生产

一期工程天然料场为坝址上游 3.4 km 处的石门滩；二期工程天然料场为长江云池河

段，距坝址 15 km。两个料场储量丰富，质量满足规范要求。

砂石系统布置在坝址下游 1.1 ~ 1.5 km 范围内，净料筛分能力 800 t/h，棒磨机制砂 40 t/h。

三、拌和、制冷系统

混凝土拌和系统包括 4×3 m^3 和 3×1.5 m^3 拌和楼各 1 座，生产能力为 390 m^3/h，配 1 500 t 水泥罐 4 座，粉煤灰罐 1 座和 500 t 袋装水泥库一座。

制冷系统有制冷容量为 200×10^4 kcal/h 制冷楼一座，可生产–7℃冷风 8 万 m^3/h 及–5 ~ –8℃片冰 45 t/h。

四、混凝土运输

混凝土水平运输采用 10 t、16 t、20 t 自卸车，垂直运输采用 6 m^3 或 3 m^3 卧式吊罐；大坝及纵堰碾压混凝土一般由汽车直接入仓。二期大坝少部分碾压混凝土由 $22^{\#}$坝段受料平台经皮带机转料，仓内由 T_{20} 汽车接料转运。

五、模板工程

主体混凝土工程采用的模板有多卡(doka)模板、现场组装小型钢模板、悬臂组合钢模板、定型木模板、混凝土预制模板等，其中多卡模板的运用范围较大(包括纵堰、大坝和升船机工程)。

六、混凝土结构施工

工程结构轮廓尺寸、坐标定位。施工单位测量队按建设单位提交的控制网点进行测量放样，并按设计图纸要求进行定位施测，做出明显标识，施工单位根据测量标准进行结构施工。

施工单位根据建筑结构的外型，选择适当的模板。施工中，大部分采用加工成型的大型悬臂式多卡模板，对不能采用大型模板的部位，尽量采用平整光滑无洞、无变形模板或新模板。对异形，如墩头、溢流进水口、胸墙等弧形模板，由加工厂按图加工成型，经出厂验收移交现场安装，并对模板进行刮灰、涂油保护。

钢筋由综合加工厂按施工单位依图纸要求提供的钢筋配料加工成型，出厂前经施工单位验收合格后运到现场安装。

工程结构止水、坝体冷却水管、接触、接缝灌浆的预埋管道等埋件，施工单位依图安装完成，进行自检并提供有关资料后，由监理工程师在开仓前会同施工质检部门最终验收。

七、混凝土拌和与浇筑

混凝土配合比由葛洲坝集团公司中心实验室根据设计提出的指标，采用工程使用的天然砂石料和使用的外加剂进行试验确定，并将试验确定的配合比报质量监理站，经总监批准后使用。

混凝土拌和时的进料程序、衡量精度、拌和时间由生产单位按规范要求控制，实验室值班人员进行巡回检查，并按规定检测机口塌落度、机口混凝土温度，在机口取样成型，进行物理力学试验。施工单位每月按时将检测结果报质量监理站。

开仓浇筑时，在混凝土面(或基岩面)先铺一层 2 ~ 3 cm 厚的同标号砂浆。

浇筑层厚按设计要求控制，基础强约束区混凝土一般控制在 1.5 m 左右，以上各层厚度一般为 2 ~ 3 m。厂房混凝土按分层分块图控制。碾压混凝土每一升程控制在 2.1 m 左右(这是由多卡模板的尺寸限定的)，每一碾压层厚度控制在 30 cm。

面积小的仓位采用平浇法，每层混凝土厚 40 cm 左右，面积较大仓位采用台阶法浇筑，台阶宽度为 0.5 ~ 1.5 m，做到台阶清楚、层次分明。

八、混凝土温度控制

设计允许混凝土浇筑温度见表 3-1 和表 3-2。

表 3-1　一期主体工程及升船机机室设计允许混凝土浇筑温度汇总

坝段	部位	区域	设计允许浇筑温度(℃)				
			12 月 ~ 翌年 2 月	3 月、11 月	4 月、10 月	5 月、9 月	6 ~ 8 月
深孔坝段	深孔底板	强约束区	自然	12	16	18	20
		弱约束区	自然	12 ~ 14	18	20	22
		脱离约束区	自然	12	22	23	24
	厂闸导墙	强约束区	自然	12	20	20	20
		弱约束区	自然	12 ~ 14	20	22	22
		脱离约束区	自然	12	22	23	24
	护　坦		自然	14	20	20	20
	闸　墩		自然	14	22	23	24
厂房坝段	进水口底板、墩墙	强约束区	10	12	16	18	20
		弱约束区	自然	12 ~ 14	18	20	21
		脱离约束区	自然	12	20	21	23
	主机室底板及锥管段	强约束区	10	12	14	16	20
		弱约束区	10	17	18	20	21
	尾水管底板	强约束区	10	12	14		
	尾水管段墩墙	强约束区	10	12	16	18	20
		弱约束区	自然	12 ~ 14	18	20	22
		脱离约束区	自然	12	20	22	24
	安装场	强约束区	自然	12	16	18	21
		弱约束区	自然	12 ~ 14	18	21	22
		脱离约束区	自然	12	20	22	24
左非溢流坝段	1 坝段	强约束区	自然	12	18	20	22
		弱约束区	自然	12 ~ 14	20	22	23
	2 坝段	强约束区	自然	12	16	18	20
		弱约束区	自然	12 ~ 14	18	20	22
		脱离约束区	自然	12	20	22	24
	3 坝段	强约束区	10	12	16	16	18 ~ 20
		弱约束区	自然	12 ~ 14	18	18	21
		脱离约束区	自然	12	18 ~ 20	22	24
	升船机机室	强约束区	自然	12	13	15	—
		弱约束区	自然	13	16	18	—
		脱离约束区	自然	14	18	22	24

表 3-2　二期工程设计允许混凝土浇筑温度汇总

坝段	部位（高程）	区域	常态混凝土（℃）					碾压混凝土（℃）			
			月份					月份			
			1～2	3	4	5	6	1～2	3	4	5
表孔	42 m 以下	强约束区	自然	12	14	16		自然	10～12	13	
	42～50 m	弱约束区	自然	12～14	16	18	21	自然	12～14	14	15
	50 m 以上	非约束区	自然	14	18～20	22	24	自然	14	16	17
20#	43 m 以下	强约束区	自然	12	14	16		自然	10～12	13	
	43～51 m	弱约束区	自然	12～14	16	18	21	自然	12～14	14	15
	51 m 以上	非约束区	自然	14	18～20	22	24	自然	14	16	17
21#	49 m 以下	强约束区	自然	12	14	16		自然	10～12	13	
	49～56 m	弱约束区	自然	12～14	16	18	21	自然	12～14	14	15
	56 m 以上	非约束区	自然	14	18～20	22	24	自然	14	16	17
22#	57 m 以下	强约束区	自然	12	14	16		自然	10～12	13	
	57～63 m	弱约束区	自然	12～14	16	18	21	自然	12～14	14	15
	63 m 以上	非约束区	自然	14	18～20	22	24	自然			
23#	69 m 以下	强约束区	自然	12	14	16		自然			
	69～77 m	弱约束区	自然	12～14	16	18	21	自然			
	77 m 以上	非约束区	自然	14	18～20	22	24	自然			
	护坦	强约束区	自然	14	20	20					

一、二期工程大坝常态混凝土与碾压混凝土按设计温控要求每班定期测温。发现超温，立即通知施工单位，采取措施，严格控制混凝土入仓温度。收仓面按要求加强洒水养护。

机口混凝土测试成果见表 3-3。

表 3-3　机口混凝土温度测试成果

要求标准（℃）	13	14	15	16	17	18	19	20
检测次数	7	24	231	118	3 754	332	51	78
平均值（℃）	13	15	15.2	15.5	17.6	17.8	16.7	18.3
合格率（%）	71.4	25	49.3	60.5	54.3	60.1	82.5	93.5

一期工程混凝土浇筑温度检测见表 3-4。

表 3-4　一期工程混凝土浇筑温度检测统计

部位		测量总数	合格点数	合格率（%）
				按设计标准
深孔坝段	9#坝段	500	418	83.6
	10#坝段	382	347	90.8
	11#坝段	375	331	88.3
	消力池护坦	326	307	94.2
	小计	1 583	1 403	88.6
厂闸导墙		161	118	73.3
厂房坝段	1#机组	544	435	80.0
	2#机组	465	375	82.6
	3#机组	529	376	71.1
	安Ⅰ段	233	206	88.4
	安Ⅱ段	474	405	85.4
	小计	2 245	1 797	80.0
1#～3#坝段		11	9	81.8
合计		4 000	3 327	83.2

从表 3-3 和表 3-4 可以看出，出机口温度合格率偏低，与浇筑温度合格率之间存在一定的矛盾。总体看来，浇筑温度合格率仍然较低。

九、接缝灌浆及宽槽回填温度

厂房坝段进口段与主机段设一条灌浆直缝，灌浆温度 13℃；深孔坝段底板设一条纵缝，纵缝灌浆温度 13℃。

厂房坝段 1#机组进口段左边墩宽槽回填温度 9℃，3#机组右边墩 11℃，1#～3#机组中墩 8℃。

深孔坝段纵缝高程 43.7 m 以上为预留宽槽，9#坝段左边墩宽槽回填温度 12℃，11#坝段右边墩宽槽回填温度 10℃，9#～11#段中墩宽槽回填温度 8℃。

升船机机室在垂直航道方向设 C_1、C_2 两条横向宽槽，顺流向设 C_3 一条宽槽，将升船机底板和侧墙分成 6 块。设计单位根据侧墙的准稳定温度，结合其他因素，拟定宽槽回填时两侧老混凝土的温度：底板 9.5℃；升船机机室上游侧墙 5.0℃（高程 48 m 以下）；升船机机室左、右侧墙 5.5℃（高程 48m 以下）；下闸首左侧墙 12.2℃。

第三节　混凝土施工质量

一、混凝土质量检测结果

1. 混凝土强度指标

施工单位实验室在机口对不同部位、不同标号、不同龄期的混凝土共取样 2 231 组。试验资料表明，混凝土平均抗压强度普遍超强较多，强度保证率均在 90%以上，其离差系数按部颁评定标准，$R_{28}300^{\#}$（C_V=0.10～0.11）、$R_{28}300^{\#}$ 泵送（C_V=0.10）、$R_{90}300^{\#}$（C_V=0.12）、$R_{28}250^{\#}$ 掺 CJ–4（C_V=0.12）、$R_{90}200^{\#}$ 掺 F（C_V=0.12～0.15）、$R_{90}150^{\#}$RCC（C_V=0.15～0.20）、$R_{90}200^{\#}$RCC（C_V=0.11～0.15）达到良好水平，$R_{28}250^{\#}$（C_V=0.14～0.16）、$R_{90}200^{\#}$（C_V=0.10～0.16）、$R_{28}250^{\#}$（C_V=0.13～0.18）达到一般水平。

监理站实验室共取样 201 组，抗压强度合格率为 99.92%。

2. 混凝土抗渗指标

实验室现场机口抽样抗渗试验结果：$R_{90}150^{\#}$抗渗强度≥S7，$R_{28}200^{\#}$和 $R_{90}200^{\#}$＞S7，$R_{28}250^{\#}$和 $R_{90}250^{\#}$＞S9，RCC $R_{90}150^{\#}$和 RCC $R_{90}200^{\#}$＞S7，满足设计要求（≥S6）。

3. 抗冻指标

实验室室内试验结果 RCC $R_{90}150^{\#}$＞D75，RCC $R_{90}200^{\#}$＞D125，RCC $R_{90}250^{\#}$＞D75，均满足设计要求。

二、混凝土施工质量评定情况

混凝土工程使用的水泥、钢材全部合格，砂石料基本满足规范要求；建筑物轮廓尺寸、高程、坐标及各类埋件严格按图施工，不存在结构上的差错和遗漏；钢筋制安和混凝土浇筑基本符合施工规范的规定；混凝土各类质量缺陷经按设计要求进行了认真处理后达到合格标准。混凝土的整体性、坚固性、密实性、抗渗性符合设计要求；混凝土强度保证率达到 90%以上；混凝土离差系数分别达到良好水平和一般水平。

混凝土工程(升船机机室及下游引航道除外)共分为 2 626 个单元工程，按部颁质量等级评定标准，经评定全部合格，合格率 100%；优良单元 2 347 个，优良率 89.4%。

三、混凝土工程施工缺陷处理

混凝土工程施工缺陷包括钢筋、混凝土、预埋件、混凝土裂缝、混凝土架空等。

1. 钢筋主要缺陷处理

(1) 3#机扩散段尾水底板 3 ~ 8 块，6#筋保护层大，经设计验算，不影响结构受力，满足运行安全。但仍属质量缺陷，有关施工单位对责任人进行了查处，制定了整改预防措施。

(2) 1#机上挡墙右块 50.6 m 高程层楼板插筋，在上挡墙右块 50.6 m 高程层施工中，插筋埋设超高 13 cm，与 50.6 m 高程发电机层楼板钢筋无法绑扎焊接。为防止由此引起对厂房结构的不利影响，施工单位将此情况报告建设单位，经设计研究并核算后，决定：①对上挡墙相应高程布设Φ 56 锚筋孔，孔深 1.0 m，埋设Φ 28@20 钢筋，孔内用 300#水泥砂浆灌注。②在楼板底上游均加 24Φ 22@40 受力钢筋。后经设计、监理验收，其结构受力满足设计要求。

2. 混凝土浇筑缺陷处理

(1) 对于过流面，高流速区部位的较大错台、蜂窝、麻面严格按[(98)长高设枢字第 01-03 号文]施工，错台进行打磨，蜂窝凿除后用环氧砂浆或预缩砂浆修补，割除外露的钢筋头，多卡模板定位锥孔用预缩砂浆封堵，经建设、监理、运行、施工单位共同验收签证。

(2) 安Ⅱ23-2 块右中墩右侧面，由于悬臂大模板定位锥滑丝拉脱，造成近 20m^2 跑模面，拆除模板后，凿除跑模混凝土，冲洗干净，刷水泥浓浆，用预缩砂浆分层捣实，修补完毕后，进行洒水养护，满足设计要求。

(3) 2#机蜗壳充水试验运行后，发现 32.6 m 高程蜗壳进人门与混凝土相接处有渗水点，按设计要求，将蜗壳进人门周边凿 V 形槽，用环氧砂浆进行嵌缝处理，后经检查，无渗水现象。

3. 预埋件缺陷处理

(1) 3#机扩散段 9 ~ 15 块左侧水平止水浇翻近 2 m，采取凿除混凝土重新立模浇筑处理。

(2) 1# ~ 3#机固定导叶座环混凝土浇筑完毕后，经过敲击检查，发现钢座环与混凝土有脱空现象。经设计研究决定，在座环钢板上钻孔，埋设ϕ20 mm 灌浆管，灌注水泥浆，环氧基液进行处理。经过建设、设计、监理、运行及施工单位共同检查，座环内已充填密实，满足设计要求。

(3) 电站厂房 1#、2#机蜗壳 0°~ 60°钢衬板漏埋，根据设计通知要求，在蜗壳钢衬板漏埋部位采用砂轮机将混凝土台口磨平，保证粘贴玻璃丝布 5 mm，将磨好混凝土面冲洗干净。吹干后，粘贴二布三液玻璃丝布，粘贴后，表面光滑，无凸凹不平现象，粘贴平面与原设计钢衬板平齐，与老混凝土面粘贴牢固，满足蜗壳防渗和抗腐蚀的要求。

4. 混凝土裂缝处理

一期工程共发现裂缝 47 条(还有多条裂纹)，二期工程发现裂缝 48 条(还有多条裂纹)，都按设计要求进行了处理。其中，针对 9#坝段、12#坝段、8#坝段基础廊道裂缝进行了较为严格的处理。

1) 9#坝段裂缝处理

9#坝段迎水面裂缝 3 条，其中：2#缝 L=6.8 m，δ=0.3 mm；3#缝 L=12.6 m，δ=0.3 ~ 1.44 mm；4#缝按要求进行嵌缝处理。由于 2#、3#缝均从上游面裂至廊道上游壁面，廊道底板上也有裂缝，经设计研究，进行化灌处理，完毕后，打检查孔，通过压水检查，3#缝未发现外漏。但 2#缝通过芯样或压水分析仍有渗漏，又在 2#缝上布设灌浆孔，进行第二次化灌，化灌完毕后，打检查孔压水，未有渗漏现象。后在 9#坝段 45.0 m 高程底板左侧发现一条裂缝，压水检查，渗漏量较大，压水时 3#缝出现水迹，认为可能与其相串，故在进行底板化灌时，又在迎水面 3#缝上打骑缝化灌孔 2 个，进行了第二次化灌。通过检查孔压风、压水均未出现渗漏现象，廊道内侧墙及底板均进行了化灌处理，迎水面 2#、3#、4#缝还做了粘贴橡胶板的处理。

2) 12#坝段裂缝处理

高程 61 m 仓面浇筑常态混凝土前，发现裂缝 14 条(包括裂纹)，最大缝宽 0.8 ~ 1.0 mm，按设计要求，对所有裂缝凿槽，回填预缩砂浆，对较大裂缝进行化灌处理，并在高程 61.00 m 平台布设限裂钢筋共计 8 t；坝段左侧面裂缝 4 条，宽度为 0.2 ~ 0.5 mm，右侧面裂缝 9 条，最大缝宽 1.2 mm，均按设计要求进行化灌处理；上游坝面裂缝 13 条(包括裂纹)，最大缝宽 0.7 mm，一般采取凿 V 形槽，环氧砂浆嵌缝，布设骑缝化灌，并采取粘贴橡胶板封闭处理；下游坝面经检查发现裂缝 5 条，缝宽较小，均进行凿槽嵌缝，化灌处理；高程 83.00 m 平面及表、深孔门库经裂缝检查，高程 83 m 平面裂缝 10 条，深孔门库裂缝 11 条，表孔门库裂缝 2 条。按设计要求对部分开裂度较大裂缝进行声波测试，查明裂缝深度，裂缝处理一般采取凿 V 形槽，环氧砂浆嵌缝，设阻浆孔阻浆，布置骑缝孔和穿过缝面斜孔进行化灌处理。12#坝段检查发现的裂缝经处理后，在高程 83.00 m 平面及表孔门库等部位布设 6 个检查孔，经过钻孔取芯和压水检查，芯样基本完整光滑，胶结较好，压水检查压力为 0.3 MPa，单位吸水量在 0.026 ~ 0.003 Lu 之间，同时对芯样进行抗拉、抗剪、抗压强度试验检查，结果均满足要求。

蓄水后，曾观察到 12#坝段坝体排水孔渗漏量变大，又按设计要求在 12#坝段迎水面区进行防渗灌浆处理，共布置灌浆孔 42 个，分别采用 LW、丙凝、DH–814、水泥浆等材料灌注，坝体排水孔渗水量由灌浆 20.8 L/min 降至 2.9 L/min，渗水量减少 86%，处理效果明显。

12#坝段施工较早，是混凝土纵向围堰的一部分，高程 61.00 m 以下为碾压混凝土，以上为常态混凝土，虽然机口取样试验混凝土强度、抗渗等指标满足设计要求，但由于设计结构尺寸较大，施工中质量控制、使用工况复杂等原因，出现多条裂缝，经处理验收合格，满足设计要求。

3) 厂房混凝土裂缝处理

厂房坝段裂缝产生的位置主要分布在进口段和肘管扩散段底、顶段、侧墙等部位，裂缝长在 1 ~ 7.8 m 之间，缝宽 δ=0.1 ~ 1.0 mm。

对于一般性裂缝，首先采用手风钻打孔压水压风对混凝土裂缝进行检查，个别比较宽深裂缝利用声波检测其缝深，然后依据不同缝深与缝宽共分二类进行混凝土裂缝处理：

(1) 对缝深小于 0.5 m、缝宽小于 0.2 mm 者，沿缝口凿 V 形槽，回填环氧砂浆(嵌补)。

(2) 对缝深大于 0.5 m，缝宽大于 0.2 mm 者，沿缝口凿槽嵌衬环氧砂浆，打骑缝孔和斜孔(深浅交错)灌注环氧砂浆基液。对有渗水点的浅缝、短缝也打骑缝孔进行化灌处理。

对于 8#坝段基础廊道底板在帷幕灌浆时出现的一条长约 7 m、缝宽最大约 1 mm 的裂缝，采取以下特殊处理措施：首先，沿缝口凿V形槽，嵌补预缩砂浆，然后打12个化灌孔(其中9个孔为检查孔兼作化灌孔)，灌注材料为环氧基液，最大灌浆压力为0.3 MPa，并沿缝两侧各布一排砂浆锚杆对廊道板进行加固处理。砂浆锚杆直径为32 mm，钻孔直径90 mm，每根锚杆长10 m，伸入基岩6 m，共布16根。

另外，对于过流面上的浅层龟裂缝，采取将缝表面洗刷清理干净，用风吹干后，沿缝刷基液贴玻璃丝布(二布三液)进行处理。

4)表孔溢流坝段及消力池混凝土裂缝检查及处理

(1)表孔溢流坝段上游面先发现裂缝，裂缝17条(包括裂纹)，缝宽均小于0.05 mm，且为水平缝渗漏点8处，按设计要求，用环氧砂浆、预缩砂浆嵌缝，渗水点增设ϕ20 mm灌浆管，进行化灌处理，经验收后，做CKB防渗层。

(2)二期工程13#~19#坝段施工中，发现60.5 m、59.0 m高程混凝土仓面上出现裂缝12条，宽度在0.05~0.4 mm之间。根据设计要求对裂缝凿V形槽，用250#预缩砂浆进行嵌缝，在距混凝土面10 cm左右布限裂钢筋网，裂缝宽度大于0.2 mm的布两层钢筋网，第二层距第一层100 cm，限裂钢筋Φ28 mm，间距20 cm，长400 cm。

(3)表孔溢流坝段溢流面分两段进行裂缝处理，桩号为15+31.75~15+041.0为一段，15+31.75以上为一段，共有裂缝23条，裂纹47条，裂纹宽度小于0.05 mm。裂缝经超声波检测，深度均小于2 m，按设计要求打斜孔和骑缝灌浆进行化灌处理。

(4)消力池发现裂缝一条，裂纹49条，对裂纹进行嵌缝处理，对裂缝除凿槽嵌缝外，埋设骑缝灌浆管进行化灌处理。

5)20#坝段裂缝检查及处理

(1)20#坝段在1999年汛后进行检查，在60.4 m高程发现7条不规则裂缝，缝宽均小于0.1 mm。根据设计要求对裂缝凿V形槽，用250#预缩砂浆进行嵌缝，在距混凝土面10 cm左右布限裂钢筋Φ28 mm，间距20 cm，长400 cm。

(2)20#坝段上游面共发现裂缝6条，除①缝宽度0.2 mm外，其他裂缝宽度均小于0.05mm。按设计要求对①缝埋管进行化灌处理，共灌注环氧树脂27 L；其他裂缝均进行凿槽嵌缝处理。

裂缝处理经过设计、建设、监理、运行、施工单位联合验收鉴证；通过表孔泄洪及2001年3月份大坝现场安全检查，未发现新的裂缝；裂缝处理施工质量满足设计要求。

5. 混凝土架空处理

1)9#坝段过流面处理

9#坝段底板按设计要求布设两个检查孔检3#、检4#，通过压水检查后，发现渗漏量较大且与底板裂缝串通，通过孔内电视录像和超声波检测，发现距底板深1.8 m左右局部架空。经分析认为，后浇的过流面抗冲耐磨层混凝土与下部老混凝土之间层面渗漏，设计要求在此部位进行化灌处理，从15+31.0 m以上的底板均布设灌浆孔，共布设灌浆孔67个，间距1.5~2.0 m，孔深1.5~3 m，从下游向上游沿坡面进行化灌处理。化灌完毕后，打孔压水检查，监理进行旁站，没有发现渗漏现象，说明9#坝段通过化灌处理，满足设计要求。

2)20#、21#坝段混凝土补强处理

大坝20#、21#坝段高程49~55 m，在压水检查时发现，检查孔漏水量较大，坝体排水孔亦漏水，且两个坝段有连通通道。结合该部位的混凝土钻孔柱状图分析，存在RCC层面结合不良、碾压不密实等现象，架空混凝土破坏混凝土的密实性，降低建筑物的结构安全度和抗渗性能。为此，设计单位发出通知，要求在施工期进行全面的补强灌浆处理。

20#坝段在 70.4 m 高程全面采取边灌边查的方法，前后 8 批共布设 50 个灌浆孔和检查孔，直到最后一批压水检查的漏水量满足设计要求后，经四方联席会议研究，允许该坝段上升浇筑混凝土。该坝段在下游面还布设了 45 个灌浆孔和 13 个检查孔，经过压水检查满足设计要求。

21#坝段在坝顶 83 m 高程平面和下游坡面分别布设了 13 个、28 个灌浆孔和检查孔，灌浆数据的压水检查结果表明，补强处理满足设计要求。

6. 10#～11#、11#～12#坝段横缝漏水处理

高坝洲水电站于 2000 年 4 月通过蓄水验收，随即水库蓄水位超过 78.0 m 高程，进入正常运行状态。2001 年初，发现 10#～11#和 11#～12#坝段两条横缝漏水，水流击穿墩尾横缝止水片后射出。对此，工程建设各方高度重视，提出需尽早处理。

为查明漏水原因，首先在 10#、12#坝段各布置两个检查孔用以观测漏水量、缝内水位及缝面连通情况等。而后，又在坝顶布置 4 个 ϕ75 mm 垂直孔检查混凝土质量和坝体混凝土与基岩结合的情况。通过一系列的检查工作，排除了因坝体混凝土质量(如架空混凝土裂缝)和坝体混凝土与建基面基岩结合问题而形成渗水通道的可能性，可以判断出横缝漏水的原因是由于坝体上游建基面至 60 m 高程的横缝止水片失效而引起。

为选择合理可行的堵漏处理方案，高坝洲建设公司曾多次召开四方联席会议研究，最终确定在坝顶施钻大口径(ϕ219 mm)骑缝孔进行化学灌浆，以在缝面形成防渗体。灌浆材料为 DH814 和 LW-Ⅱ，两种材料均为水溶性聚氨酯，遇水自生体积膨胀，固结体有较好的抗渗性与混凝土的黏结强度。

2 条横缝共钻 4 个骑缝孔，总进尺 186.4 m。处理分两次进行。第一次，分别对两条横缝止水片下游侧的钻孔(灌 2#孔)进行灌注，11#～12#坝段灌 2#孔采用 DH814 纯浆灌注；10#～11#坝段灌 2#孔采用 DH814 掺 10%～15%膨润土灌注。据观测资料，灌前 10#～11#坝段漏水量为 120 L/min，11#～12#坝段横缝漏水量为 180 L/min，灌浆后两横缝漏水量分别减至 8.6 L/min 和 1 L/min，堵漏效果明显。第二次采用 LW-Ⅱ型纯浆对两个坝段灌 1#孔进行灌注，增强了堵漏效果，已经基本不漏。实践表明，选用骑缝化学阻渗塞方案是正确的。

四、13#～21#坝段上游迎水面防渗层施工

二期工程大坝 13#～21#坝段 59.0 m 高程以下，20#、21#坝段 62.0 m 高程以下为碾压混凝土。为加强碾压混凝土坝的防渗性能，在 13#～19#坝段 42.0～57.20 m 高程，20#、21#坝段 42.0～62.20 m 高程上游面设置防渗层。防渗层面积为 2 600 m^2，采用 CKB 聚合物砂浆。

1. 聚合物水泥砂浆配合比(重量比)

水泥：中砂：水：CKB 聚合物乳液=1：2：0.24：0.3，其中水为总水量，CKB 聚合物乳液含水量为 60%，砂为高坝洲工程施工用砂，细度模数为 2.2～2.8。

2. 施工程序

混凝土面清理—冲洗—聚合物水泥砂浆配置—涂刷基液—抹砂浆—养护。

3. 施工过程

(1)混凝土表面用风砂枪扫毛，用水将混凝土表面冲洗干净，对坝体表面混凝土缺陷及裂缝进行检查、处理，然后经建设、设计、监理、施工、运行单位联合验收合格。

(2)防渗砂浆涂抹，自上而下施工。先在混凝土表面涂刷 CKB 基液，再进行砂浆涂抹。砂浆厚度 5～8 mm，涂抹平整光滑后，再在砂浆表面涂一层 CKB 基液。由于 CKB 聚合物乳液的作用，使涂抹的砂浆产生了很多小气泡，对气泡凿除后，重新补做砂浆。施工全过程经施工单位自检，监理工程师旁站监督，施工质量经联合检查验收，符合设计要求。

第四节　安全监测

建筑物安全监测项目有变形、渗流、应力应变及水力学监测。

一、变形监测

变形监测系统由监测控制网和建筑物位移量测设施组成。在工程投入运行后，又建立了全球卫星定位测量系统(GPS 系统)。

变形监测设施见表 3-5。

表 3-5　变形监测设施

部位	类型	项目	单位	数量	布置情况
监测网	水平位移	观测墩	座	7	水平位移监测网为一等边角网,由 7 点组成,包括 2 个基点
	垂直位移	双金属标	座	2	垂直位移基准点选在呙家冲村一组；大坝垂直位移工作基点选在左岸开关站旁
		基岩标	座	8	
		跨河水准点	座	5	
坝体	水平位移	正垂线	条	4	布设于 $6^{\#}$、$9^{\#}$、$12^{\#}$及 $19^{\#}$坝段
		正垂线中间测点	点	4	
		倒垂线	条	8	分别布设在 $6^{\#}$、$9^{\#}$、$12^{\#}$、$19^{\#}$坝段基础廊道和升船机的四个角部
		倒垂线中间测点	点	8	
		引张线	点/条	20/4	基础廊道的 2 条引张线布设于 $6^{\#}$、$9^{\#}$坝段和 $12^{\#}$～$19^{\#}$坝段； 坝顶观测廊道的 2 条引张线布设于 $6^{\#}$～$12^{\#}$坝段和 $12^{\#}$～$19^{\#}$坝段
		精密量距	条	1	布置在 $6^{\#}$坝段坝顶,以实现引张线和垂线的联系
	垂直位移	双金属标	座	2	布设在 $6^{\#}$和 $19^{\#}$坝段基础廊道
		测温钢管标	座	1	布设在 $16^{\#}$坝段下游排水廊道
		精密水准点	点	78	坝顶 24 点；坝体基础廊道及下游排水廊道 34 点；厂房水轮机层(高程 44.48 m)12 点；升船机工程 58 m 及 109 m 高程处共 8 点
		静力水准	点/条	24/3	3 条静水准分别布设在 $6^{\#}$～$8^{\#}$坝段基础廊道、$13^{\#}$～$20^{\#}$坝段基础廊道和 $11^{\#}$～$19^{\#}$坝段的下游排水廊道处，共 24 个测点
		竖直传高	套	3	布设在 $6^{\#}$、$19^{\#}$坝段和升船机部位
	全球卫星定位系统(GPS 系统)	观察墩	个	8	

二、渗流监测

渗流监测的主要内容为坝体基础廊道、左 37.5 m 高程灌浆平洞及左 83 m 高程灌浆平洞的测压管水位和排水孔的渗漏量，以及左、右岸地下水水位和泉水流量。

渗流监测项目及设施见表 3-6。

表 3-6　渗流监测项目及设施情况

监测设施	单位	数量	设施布置情况
坝基钻孔式测压管	支	49	在 2#～22#坝段的主排水孔幕线上、14#和 18#坝段、18#、19#及 14#、15#坝段横向交通廊道各布设 1～2 支测压管，共计 34 支测压管；在左 37.5 m 高程灌浆平洞帷幕下游布设 4 支测压管；在左 83.0 m 高程灌浆平洞防渗帷幕轴线下游布设 11 支测压管
渗漏量观测		√	
地下水观测孔	个	21	在右岸防渗帷幕前布设 3 个地下水长期观测孔，帷幕后布设 13 个地下水长期观测孔，在左岸防渗帷幕后布设 5 个地下水长期观测孔
泉水观测	个	5	

三、应力应变监测

一期工程选择 9#深孔坝段，厂房 2#机组坝段和 2#、3#机组蜗壳预应力部位进行监测，主要监测坝基基岩变形、混凝土温度、坝基渗透压力、纵缝开度、混凝土应变及混凝土自生体积变形。二期工程选择 16#表孔坝段和 20#升船机坝段进行温度监测。

应力应变监测仪器见表 3-7。

表 3-7　应力应变监测仪器情况

仪器名称	单位	数量	安　设　部　位
基岩变形计	支	6	9#坝段中心线（5+147.16）上建基面上游、中部及下游各布设 1 支基岩变形计；2#机组坝段中心线（5+99.68）沿水流方向布设 3 支基岩变形计
渗压计	支	7	9#坝段中心线（5+147.16）上建基面上游、中部及下游各布设 1 支渗压计；2#机组坝段中心线（5+99.68）沿水流方向布设 3 支渗压计
无应力计	支	2	9#坝段坝体（45 m 高程以下）布置了 2 支无应力计
测缝计	支	2	厂房 2#机组坝段的纵缝上布设 2 支测缝计
单向应变计	支	12	2#、3#机组蜗壳预应力锚索部位各布置了 2 支竖向和 4 支水平环向的单向应变计，共 12 支
温度计	支	64	9#坝段 9 支；厂房 2#机组坝段 19 支；16#坝段 17 支；20#坝段 19 支
钢筋计	支	2	在护 5-3 和护 5-4 的锚桩上各布设了 1 支钢筋计

四、水力学监测

水力学观测的部位为表孔、深孔及其消力池。需埋设的仪器布设在消力池中心线部位及厂闸导墙部位。监测仪器数量见表 3-8。

表 3-8 水力学监测仪器情况

仪器名称	单位	深孔	表孔	合计
脉动压力传感器	支	8	3	11
流速仪	支	4	3	7
水尺	根	6	4	10

安全监测工程严格按照设计图文、技术规范进行仪器的采购和组织现场施工，质量符合要求。

第四章　金属结构

第一节　金属结构工程设计

高坝洲水利枢纽金属结构分二期施工。一期工程包括左岸电站厂房和深孔泄洪坝段的各类闸门、拦污栅、吊杆、锁锭及相应的门槽、门库埋设件等和坝顶门机、厂房尾水门机、深孔泄洪弧门卷扬机及相应的门机轨道、液压抓梁、启闭机埋设件。二期工程包括表孔泄洪坝段的各类闸门、锁锭及相应的门槽、门库埋设件和坝顶门机、表孔泄洪液压启闭机、液压抓梁。此外也包括与水电站有关的其他金属结构，两期工程金属结构的技术参数和工程量见表 4-1、表 4-2、表 4-3。

金属结构设计工作由水利部长江水利委员会长江勘测规划设计研究院承担。

表 4-1　高坝洲水利枢纽金属结构技术参数和工程量

序号	项　目	孔口尺寸(m)(宽×高–水头)	闸门						
			闸门型式	门体			埋件		
				数量(扇)	单重(t)	总重(t)	数量(扇)	单重(t)	总重(t)
Ⅰ	泄洪表孔					1 448.234			146.457
1	工作闸门	14×19.01–18.51	弧形门	6	210.146	1 260.876	6	10.918	65.508
2	事故检修闸门	14×18.13–18.13	平面弧形闸门	1		187.358	6	11.889	71.334
3	事故检修门门库								9.609
Ⅱ	泄洪深孔					524.802			161.858
1	工作闸门	9×9.675–35	弧形门	3	139.020	417.06	3	17.071	51.213
2	事故检修闸门	9×10.9–35	平面定轮闸门	1		107.742	3	34.751	104.053
3	事故检修门门库						1	6.392	6.392
Ⅲ	厂房部分					1 406.654			610.41
1	拦污栅	3.6×21-4		20	18.09	361.8	15	7.934	119.01
2	拦污栅栅体								11.864
3	进口检修门	6.8×12.6–41.95	平面滑动闸门	2	84.934	169.868	6	22.22	133.32
4	检修闸门门库								10.704
5	进口工作闸门	6.8×10.237–45.487	平面定轮闸门	6	97.131	582.786	6	36.452	218.712
6	尾水检修门	7.8×7.7–34	平面滑动闸门	6	48.7	292.2	6	18.7	112.2
7	尾水检修门门库								4.6
合　计						3 379.69			918.719

表 4-2　高坝洲水利枢纽启闭机械技术参数和工程量

序号	项　目	启　闭　机									
		启闭机型式	启闭容量(kN)	机　械			埋　件			抓　梁	
				台数	单重(t)	总重(t)	台数	单重(t)	总重(t)	数量(套)	重量(t)
Ⅰ	泄洪表孔										
1	工作闸门	液压启闭机	2×2 000	6	39.086	234.5	6	0.22	1.32		
2	事故检修闸门	坝顶门机（Ⅰ）	2×1 600	1		383.933	1		53.975	1	15.458
3	事故检修门门库										
Ⅱ	泄洪深孔										
1	工作闸门	固定卷扬机	2×1 250	3	38.38	115.14	3				
2	事故检修闸门	坝顶门机（Ⅰ）	1×1 600	1						1	9.718
3	事故检修门门库										
Ⅲ	厂房部分										
1	拦污栅	坝顶门机（Ⅱ）回转吊	300			387.833（含抓斗3.9 t）	1		36.078		
2	拦污栅栅体										
3	进口检修门	坝段门机（Ⅱ）									9.265
4	检修闸门门库										
5	进口工作闸门	坝段门机（Ⅱ）									
6	尾水检修门	尾水门机	2×500	1		118.040	1		19.242	1	6.940
7	尾水检修门门库										
合　计						1 239.446			110.615		41.381

注：厂房进口检修门和进口工作门共用一套抓梁。

表 4-3　其他金属结构工程量

序号	名　　称	重量(t)	备　　注
1	坝顶门机钢梁	263.501	含轨道及埋件，位于表孔坝段
2	变压器轨道	21.651	
3	厂房桥机轨道	14.916	位于厂房上游侧
4	厂房桥机钢梁	106.743	含轨道及埋件，位于厂房下游侧
5	厂房屋架	232.8	
6	变电站构架	97.749	
7	厂房顶设备柱	17.43	
8	220 V 出线铁塔	47.77	
9	厂房油库避雷针	1.12	
合计		803.68	

第二节　金属结构设备制造

金属结构设备制造和采购均按国内招标方式，择优选厂承制，启闭机的设计由中标方承担，主要设备委托电力工业郑州水工金属结构质量检测中心全过程监造。闸门和埋件主要采用 Q345 和 Q235 钢材制造。

进水口拦污栅及埋件由葛洲坝集团机电公司制造；进水口检修门及埋件、进水口工作闸门及埋件由郑州水工机械厂制造；尾水检修闸门及埋件由水电二局制造；深孔事故检修闸门及埋件由郑州水工机械厂制造；深孔弧形工作闸门、埋件及固定式卷扬启闭机由夹江水工机械厂制造；表孔事故检修闸门及埋件由郑州水工机械厂制造；表孔弧形工作闸门及埋件由夹江水工机械厂制造；表孔液压启闭机由国营 388 厂制造；两台坝顶双向门机由大连起重机器厂制造；尾水门机由夹江水工机械厂制造。

第三节　金属结构设备安装

金属结构设备由中国葛洲坝水利水电集团清江高坝洲工程施工指挥部负责组织安装。金属结构安装分二期施工。

一、一期工程金属结构安装

1. 深孔工作弧门、埋件及启闭机安装

9#、10#、11#坝段设置三孔泄洪深孔。工作门为潜孔式弧形门，孔口宽度为 9m，每扇门由圆柱支铰、斜支臂、门叶、侧轮及止水装置组成。每套埋件由底坎、胸墙、侧轨板及锚栓、锚栓架组成。深孔弧门于 1998 年 10 月安装完毕。

2. 深孔事故检修门及埋件安装

深孔事故检修门布置在 9#、10#、11#坝段，埋件共 3 套，检修门一套，三孔共用。孔口尺寸为 9.0 m × 9.42 m，每套埋件由底坎、主轨、副轨、反轨、门楣及锁锭座组成。门体分 4 节制造。闸门由坝顶 2 × 160 t/30 t 门机操作，动水闭门，静水提门。

3. 厂房进水口拦污栅及埋件安装

6#、7#、8#坝段进水口布置有 15 孔拦污栅，用于 3 台机组发电引水拦污。每套拦污栅包括埋件、栅体。埋件由底座、栅槽及锁锭等组成。栅体分为 4 节，节间由连接板相连，上接吊具、吊杆锁锭于坝面 83.3 m 高程。拦污栅由坝顶门机回转吊操作。

拦污栅埋件 15 套，栅体 20 套(其中 5 套备用)，安装自 1998 年 3 月开始，1998 年 10 月完成。拦污栅入槽顺利，完全满足使用要求。

4. 厂房进水口检修门安装

3 台机组 6 孔检修门槽共用 2 扇检修门，由坝顶的一台 2 × 160 t/30 t 门机配合液压自动抓梁操作，静水启闭。门槽孔口尺寸为 6.8 m × 12.6 m。底坎高程为 38.054 m。检修门为单吊点滑动平板闸门，门体由 4 节门叶经连接耳板相连组成，节间橡皮止水。1998 年 9 月，2 扇检修门顺利完成试槽。

5. 厂房进水口工作门安装

3 台机组进水口设置定轮工作门及其埋件 6 套，每套埋件包括底坎、侧坎，主、反轨和门槽、锁锭等。门槽孔口尺寸为 6.8 m × 10.0 m，底坎高程为 34.082 m。闸门由 3 节门叶连接而成，节间橡皮止水，单吊点，由坝顶一台 2 × 160 t/30 t 门机配合液压自动抓梁操作，动水闭机，静水开启。

6 套工作门于 1998 年 7 月开始安装，至 9 月底全部安装完成。闸门安装后进行了预顶紧，其水封压缩均匀，无漏光，平压阀活动自如，平衡梁操作平衡。

6. 坝顶 2×160 t/30 t 门机安装及调试

坝顶布置 2 台 2×160 t/30 t 双向式门机，用于进水口拦污栅、检修门、工作门及深孔、表孔检修门启闭操作。门机轨道为 QU120 型，跨距 10.6 m。一期工程轨道总长双 229 m，门机轮距 9.5 m、高 36 m，1998 年 9 月完成轨道和门体安装。

在门机安装过程中，各项技术指标都经过仔细检查，高强螺栓按照大起集团规定值使用扭力扳手扳紧。所有与设计不符或不能满足使用要求的问题都已在施工中向建设单位提出，并按照技术修改通知进行了相应处理，其中回转吊立柱因座板设计错误，拆下运至四零四厂处理后进行了二次安装，吊梁上吊耳孔加工过小的问题由大连厂现场负责处理。

7. 厂房尾水检修门及埋件安装

电站尾水共设 6 套检修闸门及 6 套检修门埋件。闸门由尾水门机静水启闭。每扇门由 3 节组成，每套埋件由底坎、主轨、反轨、门楣及锁锭组成。

8. 厂房尾水门机安装

尾水 2×500 kN 单向门机布置在厂房下游的 59.0 m 高程，轨距 5.5 m，轨道型号为 QU80，总长 107.58 m。门机最大尺寸为 8×10.9 m×16.9 m，额定起重量 2×500 kN，起升高度(轨上/总高)为 8.5 m/40 m。由大车行走机构、门架、机房、起升机构、液压自动抓梁及电气设备等组成。

二、二期工程金属结构安装

二期工程金属结构设备安装包括：表孔事故检修闸门，表孔弧形工作闸门，表孔液压启闭机系统，全平衡重式垂直升船机上、下闸门检修门及检修叠梁闸门，升船机浮式导航堤及有关埋件等。

13#～19#坝段设有 6 扇弧形工作闸门和 1 扇平板事故检修闸门。弧形工作闸门采用液压启闭机启闭，事故检修门采用坝顶双向门机（Ⅰ型）启闭。

1. 表孔事故检修闸门

表孔事故检修闸门分 6 个安装运输单元，平时拆开存放于门库内，检修弧门时利用门机从门库中转通过锁锭入槽。该门为定轮支承，下游止水，动水关闭、静水开启。

表孔事故检修门在安装过程中，按照设计要求，对门槽及门体上存在的问题进行了处理，事故检修门试槽工作顺利，闸门与门槽的配合尺寸符合设计和规范要求。

2. 表孔弧形工作闸门及埋件安装

该门承受 24 100 kN 水压力，弧门半径 23 m，门体结构为双腹式主横梁、斜支臂、球形铰。该闸门动水启闭，门叶与门叶 6 节拼焊、现场焊接成三支臂，与支铰分别采用螺栓连接。

弧形工作闸门在安装过程中，按照设计和厂家要求对门槽、门体存在的问题进行了处理，在无水下进行调试，均无卡阻。底、侧止水封水效果良好，各检测数据符合规范要求。

大坝蓄水后于 2000 年 7 月 13 日对表孔 6 孔弧形门进行了动水关闭启门试验，启门时间 17 分钟，下腔油压 16～18 MPa，上腔 0 MPa；关门时间 17 分钟，下腔油压 15～11.5 MPa，上腔油压 0.5 MPa。液压启闭机运行正常，弧门运行平衡，符合设计要求。

3. 2×2 000 kN 液压启闭机安装

2×2 000 kN 液压启闭机由液压缸、液压泵站、管道、埋件、行程开度装置、附件及电器控制设备等组成。每扇闸门含 2 台油缸和一套泵站及电控设备。两台油缸两端铰接，尾部铰轴对称布置在孔口两边 79.015 m 高程的闸墙上。油缸露天布置，机房分别布置在 14# ~ 19#闸墩上，机房地面高程 83 m。该液压启闭机安装后运行正常。

第四节 金属结构设备制造、安装质量状况及缺陷处理

一、制造、安装质量评价

高坝洲水电站工程建设实行业主负责制和工程建设监理制。金属结构设备制造和采购均按国内招标方式，择优选厂承制。主要设备委托电力工业郑州水工金属结构质量检测中心全过程监造。制造过程中，从设备材料的采购、制造工艺的编制到产品监造及验收，实行全过程的质量控制，每个单项设备安装前施工单位都编制了较为详细的施工组织措施计划，确保了产品的最终质量，质量优良率 94.8%。各项金属结构设备制造和安装尺寸基本达到设计和有关规范要求。2000 年 4 月正式蓄水后，一、二期工程金属结构设备均陆续投入运行。运行初期，部分设备存在一些问题，经过处理和改造，各设备运行状况逐步走向正常。目前，闸门止水情况良好，启闭机运行灵敏、可靠，满足工程运行要求。

二、金属结构制造安装及运行中存在的问题及其处理

1. 进水口检修闸门

进水口检修闸门在安装中发现，其中 2 扇门叶下主梁处误开 5 个 ϕ50 mm 的排水孔，由于该闸门顶侧止水布置在下游面，会贯通漏水。安装过程中已对 5 个排水孔进行封焊处理。经处理后，安装情况正常，主要检测项目符合设计和规范要求，运行情况良好。

2. 坝顶双向门机

坝顶双向门机在安装中，发现门机回转吊立柱的回转平台支座制造偏了 303 mm，由于该立柱是回转吊的关键部件，制造、安装要求极高。经返修，检查合格后，重新进行了安装。回转吊上游方向局部范围内的异常声响经处理已消失。

3. 进水口工作闸门

进水口工作闸门在制造过程中，因下料尺寸标注错误，有 60 个定轮轴孔偏离设计轴孔中心 25 mm，经设计校核同意，采取堆焊后重新用镗孔方法进行了处理。由于补焊部位是承力侧，专家建议在运行中加强观测。经 5 年运行观测，未发现异常情况。

4. 尾水检修闸口

尾水检修闸门的正向滑块和反向滑块在门槽内的间隙设计为 ± 5.0 mm，按规范要求，门槽安装的允许误差为 ± 3.0 mm，闸门安装的允许误差为 ± 5.0 mm，叠加最大误差可达到 8.0 mm，超过 ± 5.0 mm，这样闸门有被卡死的可能。后经设计修改，将闸门正反滑块的厚度尺寸减少 5.0 mm，闸门试槽顺利，安装配合尺寸符合规范要求。

5. 深孔弧门

该门在安装过程中，发现部分门体的主纵梁的翼板与主横梁的翼板拼装焊缝间隙超标

(10.0 ~ 11.0 mm)，主要原因是由于厂家和现场安装手段不同和应力变形所致，安装中对此进行了堆焊处理。部分门叶主梁的连接板与主梁翼板对接拼装错牙较大，最大处 10.0 mm，长约 600.0 mm，安装校正处理后，满足规范要求。该门安装按照设计要求对门槽、锁锭及门体存在的问题均进行了处理，3 扇工作闸门逐孔吊装试槽，均无卡阻，试槽顺利。

(1)运行情况及缺陷处理：

①深孔弧门漏水处理。

初期蓄水后深孔弧门出现水封橡皮磨损严重并部分翻转、撕裂，闸门漏水量每米超过 0.1 L/s。依据建设公司和设计单位意见，将原 P–60A 型水封橡皮更换为 P–60B 型，并将原黏结剂黏合的转角接头改为整体转角，且其与侧、顶水封的接头采用模具热胶合。处理后，闸门漏水量小于规范允许值。鉴于深孔弧门操作频繁及工作环境较差，若发现侧、顶止水橡皮磨损严重或有鼓包现象，需及时更换水封，以确保闸门安全运行。

②深孔弧门支铰轴轴端挡板螺栓剪断问题。

深孔弧门运行以来，曾出现过 9#、10#坝段深孔弧门两次、11#坝段深孔弧门一次支铰轴轴端挡板螺栓被剪断现象。这关系到闸门的安全运行。

初期蓄水后，运行过程中出现 9#、10#、11#坝段深孔弧门支铰轴轴端挡板螺栓被相继剪断。拆卸检查后初步分析是由于轴的加工精度超差和支铰座安装精度超差所致。该支铰轴为圆柱铰，轴与轴承设计配合公差为Φ650H8/f7。经对轴进行磨削修整，将轴与轴承的间隙调整到 0.27 ~ 0.47 mm，重新镀铬处理，对启闭机两吊点钢丝绳调整一致后，闸门运行正常。2000 年 7 月，闸门运行水位为 70.00 m 左右，9#、10#坝段深孔弧门运行过程中支铰轴轴端挡板螺栓再次被剪断。经综合分析研究，轴端挡板固定螺栓被剪断原因与钢丝绳的延伸率、卷扬机卷筒直径误差、闸门及埋件安装偏差、支铰轴同心度等多种因素有关。鉴于此，安装单位在 2001 年 2 月更换螺栓后，重新调整了钢丝绳张力，并对闸门安装尺寸进行了复测，经过空载运行数次，闸门起落平稳。在运行中应对深孔弧门及启闭机加强安全监测和定期检查，发现问题及时处理。

③关于 10#坝段深孔弧门底部加垫问题。

在对 10#坝段深孔弧门的检修过程中，复测弧门面板长度尺寸发现，左边弧门面板弧长比右边小 12.0 mm，在 2.8 m 长度距离呈 1∶300 斜度变化。为防止弧门倾斜及减小底水封压缩量，经研究决定在弧门面板左侧下部加焊一块钢板。焊接完毕进行了打磨和防腐处理，监理验收合格。

④深孔弧门启闭机齿轮啮合问题。

检修中发现 10#坝段深孔弧门启闭机的大齿轮与减速箱的齿轮啮合处为点啮合，长时间运行齿轮的齿啮合处会产生裂纹并导致齿的损坏，对安全运行是一个重大隐患。专家建议加强监测和检查，出现问题及时解决。

(2)原型观测结论。

武汉大学水利水电工程试验中心和武汉大学结构振动研究中心 2000 年 7 月底对深孔弧门进行了静力和动力原型应力测定，并进行了三维有限元计算。试验时上游水位为 79.20 m，下游水位为 45.91 m，实测和计算结果表明闸门支臂没有发生压弯变形失稳和弯扭变形失稳，深孔弧门各构件应力均满足规范要求。支臂应力检测分析结论：两支臂应力相差 20% 左右，这主要与起吊闸门的钢丝绳受力不均匀有关。专家建议对造成钢丝绳受力不均匀的原因进一步从设计、制造、安装这几个方面进行综合分析研究，妥善处理，以根除后患。

根据武汉大学水利水电工程试验中心和武汉大学结构振动研究中心实测位移资料，闸门没有明显共振现象发生，但在 4.0 m 和 5.0 m 开度时泄洪动力响应最大。实测资料还表明深孔弧门各构件应力均满足规范要求。

目前 3 扇深孔弧门封水效果良好，启闭机运行平稳，各电气设备、控制器接头、限位开关、开度仪和主令装置接触良好，动作准确，能满足工程安全运行要求。

6. *表孔弧门*

闸门及埋件均由夹江水工机械厂制造，液压启闭机由国营 388 厂制造。检测记录表明，闸门、埋件及启闭机制造和安装符合图纸和有关规范要求。目前闸门运行和止水情况良好。

(1) 安装调试中主要对以下几个问题进行了缺陷处理：

①在安装过程中，发现 4#孔弧门右下臂半径偏小，经分析主要是由于厂家和现场安装手段不同应力应变所致，在此部位加垫板进行处理，并控制焊接工艺。处理后半径公差值满足规范要求。

②4#孔弧门支铰在拆卸铰链时发现，轴与轴内环咬死，现场检验轴与轴承内环材质和表面硬度符合要求后，将受伤部位进行打磨光滑处理。应对此部位加强监测。

③调试过程中发现弧门侧水封橡皮中心偏离顶节侧轨止水座板中心。为防止侧水封脱离止水座面，运行中应加强监测，发现问题及时处理。

④电力工业郑州水工金属结构质量检测中心于 2000 年 4 月对 6 孔表孔弧形工作闸门的拼装焊缝进行了超声波探伤检测，抽检合格率为 99.4%，对不合格焊缝进行缺陷处理后，经复测全部达到合格标准。

⑤在无水联动启闭过程中，发现表孔弧门有颤振现象，并伴有较大声响。经过调试，6 台液压启闭机的泵站系统、管路系统、操作盘柜达到设计和规范要求。2000 年 7 月进行了 6 扇表孔弧门动水关闭试验，液压启闭机运行正常，闸门运行平稳，满足设计要求。

⑥表孔弧形闸门启闭机开度指示仪不能正确指示，开度仪显示在故障停机时复位为零现象时有发生，现已重新购置开度指示仪，并且建成了集中监控系统。

(2) 原型观测结论：

①根据武汉大学水利水电工程试验中心和武汉大学结构振动研究中心实测振动位移资料，闸门没有明显共振现象发生，但在 6.0 m、8.0 m、9.0 m 开度时泄洪动力响应最大，闸门开启时应避开此开度。

②5#孔弧门在连续运行且 6.0 m 以上开度泄洪时，左启闭机杆上有较大的冲击力作用，而右启闭杆则相对较平稳，这表明弧门开启或关闭运行不平稳。启闭机杆重复受冲击力作用易引起液压启闭机的油缸和活塞的疲劳破坏。为确保弧门正常运行，建议对所有表孔弧门的液压系统进行检测。

③实测资料表明，表孔弧门各构件应力均满足规范要求。

7. *表孔门机轨道*

坝顶 I 型门机在表孔坝段运行中，发现门机轨道沿运行方向有窜动现象。轨道沿 45°斜接方向被挤出，造成钢轨接头严重错牙，导致门机运行时啃轨。2002 年 6～7 月，由清江检修公司负责，进行了缺陷处理。处理方法是：用高精度的水准仪 (SYCDS3–2) 分不同的荷载状态对上下游轨道分别进行测量，了解轨道的自然和荷载下的变形情况。然后，拆除原压板及螺栓，对轨道按规范要求的标准进行处理，根据测量结果加工厚度不等的垫板，用 0.5 mm 级钢板尺分别测量接头部位的上、左、右面不平度，进行调整。按 SDP201–80 的标准将轨道复位，用风动扳手（8 kg/cm^2）将螺母拧紧（采用 Q120 重轨标准压板及 8.8 级螺栓 1 450 套），拧紧时从钢轨的中间往两边对称紧，再用水准仪、经纬仪进行尺寸的复核。清理后浇筑钢丝混凝土，混凝土的标号为 C50，并加入 3‰Φ（0.8 ~ 1 mm）的钢丝（L=3 ~ 5 cm），最后铺设沥青砂浆（沥青砂浆采用氯丁乳防水涂料的施工工艺）。

在施工中，发现上游轨道南端第 2 节接头严重磨损。其处理方法是：用 507 焊条进行补焊，然后进行打磨，基本恢复轨道原状；下游轨道南端第 4 节轨道弯曲度超标，其处理方法是：用加垫处理法进行了校正，基本恢复了原状。

经过处理，门机轨道所存在的问题全部得到解决，坝顶门机可在轨道上正常行走。

8. 开关站

开关站内电压互感器的构架立柱是用陈旧的钻管制作的，表面凹凸不平，壁厚偏薄，其强度和耐久性存在一定问题。经设计、建设、施工、监理单位反复协商，采用了在管内灌注砂浆、管基包裹混凝土的方法进行加固。

9. 电源

高坝洲水电站库容小，深孔和表孔弧门启闭频繁，其在汛期泄洪起着极为重要的作用。枢纽工程安全鉴定时，专家们提出，泄洪系统的电源应为非同一系统的双电源独立回路供电，以确保运行安全。目前，表孔和深孔控制系统供电为双电源，但都来自高坝洲电厂的厂用电系统。从严格的意义上讲，还不属于非同一系统的双电源。因此，从城池口 110 kV 变电站架设一回线路至 12$^{\#}$坝段集控楼，作为表孔和深孔控制系统的备用电源是必要的。

10. 拦污栅

由于电站进水口拦污栅前经常堵积大量污物，在进水口上游增设了一圈浮式拦污栅。

第五章 机电设备

第一节 概 述

高坝洲水电站共装设 3 台立轴轴流转桨式水轮发电机组，单机容量 84 MW，总装机容量 252 MW，保证出力 61.5 MW，多年平均发电量 8.98 亿 kW·h。水轮发电机组由东方电机股份有限公司生产供货。

电站厂房布置一台 200 t +200 t/50 t 双小车桥式起重机作为机组安装、检修的主要起吊手段。

发电机电压为 13.8 kV，发电机与变压器组合方式采用全单元接线即“一机一变”的组合方式，变压器高压侧由三回 220 kV 架空输电线进入开关站。

220 kV 开关站采用敞开式布置，接线形式为扩大桥形接线，设备一字形布置，共设有 5 个间隔，三进两出，220 kV 出线两回，一回至楼子河，一回至郭家岗。

厂内电气设备布置在下游副厂房,通信系统主要布置在厂外操作管理楼及 220 kV 开关站，大坝表孔和深孔工作闸门均设有现地控制和接受集中控制。

第二节 水力机组及其辅助设备安装

水轮机型号为 ZZD231–LH–580，转轮直径 5.8 m，混凝土蜗壳；发电机型号为 SF84.0–48/9500，三相同步电机，伞式结构，定子现场叠片、下线，转子支架为圆盘焊接结构，现场叠片。水轮机与发电机采用一根大轴连接。调速器采用微机双调调速器，工作油压为 4.0 MPa。电站还设有技术供水系统，中、低压空气压缩系统，机组检修和渗漏排水系统，水力监测系统，水消防系统，透平油和绝缘油系统等辅助设备。

一、水轮机安装

(一)水轮机埋件安装

水轮机埋件主要包括尾水管锥管里衬(外形尺寸 ϕ7 400 mm×4 676 mm、装配重 17.613 t)、轮转室(外形尺寸 ϕ 6 220 mm×2 008 mm、装配重 22.3 t)、座环(外形尺寸 ϕ11 790 mm×3 450 mm、装配重 88.65 t)、蜗壳衬板、机坑里衬(外形尺寸 ϕ 8 300 mm×5 700 mm、装配重 18.23 t)及接力器里衬，单台机埋件总重 166.193 t，其中最重件为座环，分四瓣，单瓣重 22.5 t。

(1)埋件的吊装。埋件安装时，厂房尚未封顶，厂内桥机不能投入使用，使用厂房上游侧的 60 t 高架门机(高 3)吊装就位，上游侧高架门机中心线桩号为 14+970.00，距最远座环分瓣回转半径 54 m，起吊能力 24 t。

(2)施工场地安排。为了减少埋件施工占用机坑时间，节约直线工期，考虑在机电拼装场将分瓣尾水锥管里衬、转轮室、机坑里衬等埋件组装成整体，用 40 t 平板车运至厂房，利用 60 t 高架门机直接吊装就位，调整中心、水平、高程。

(3)埋件加固及二期混凝土。埋件安装调整完毕，均需进行必要的加固，加固方法视现场情况而定，预埋必要的锚钩，防止二期混凝土浇筑引起埋件移位、变形。在二期混凝土浇筑过程中，应采用小方量对称进行，对转轮室、座环等重要埋件还应进行变形监测。

(二)水轮机本体安装

1. 导水机构安装

(1)机坑清扫测定。为缩短机组安装直线工期，在机组混凝土浇至下机架平台(42.5 m)高程时，在机坑里衬上口搭设一个封闭钢平台，提前进行水车室清扫测定工作，要求搭设的钢平台有足够的刚度，确保水车室施工人员安全。

(2)座环、转轮室打磨。采用研磨机打磨座环安装法兰面和转轮室圆度，直至符合规范和制造厂要求，并以此确定出机组中心、水平、高程，在打磨过程中应随时检查座环两法兰面之间距离，采取必要的通风除湿措施。

(3)导水机构先进行预装，再进行导水机构安装。

2. 转轮组装

(1)转轮已在制造厂进行最终清扫和装配，工地只需重新装上转轮叶片和密封。

(2)转轮试验。转轮组装完成后，在工地进行复核性耐压试验和桨叶动作试验，应符合制造厂和有关规范要求。

(3)安装转轮吊装卡环。吊装支持盖与卡环相连并承重于转轮上，在吊装过程中采取必要的安全措施，防止支持盖和转轮倾倒。

3. 水轮机大件吊装

(1)转轮与支持盖整体吊装。导水机构安装、转轮组装完毕后，即可采用厂房桥机和专用吊具将转轮与支持盖整体吊入机坑，支持盖承重于顶盖上，转轮则通过吊装卡环进行受力转换悬吊于支持盖上，调整转轮中心、水平、高程。

(2)分别吊装水轮机大轴和操作油管，并调整大轴垂直度和上法兰面的中心、水平、高程，以利于发电机转子吊入和联轴。

二、发电机设备安装

(一)定子装配

1. 机座组焊

制作12个600~800 mm高的定子机座组装支墩，将定子机座在支墩上组圆，检查技术参数，预留合理的焊接收缩量后，即可着手机座焊接，机座焊接需采取专门的焊接工艺，以控制机座变形。

2. 铁芯堆积

按厂家工艺和有关规范要求进行定位筋调整焊接和铁片堆积。定位筋焊接时，应采取专门的焊接工艺，对称施焊，严防引起机座变形；铁芯堆积过程中，应有专人检查，防止重片或将废片迭入。铁芯迭完冷压合格后，按厂家专门工艺进行热压，热压完成，各参数符合要求后，方可吊入机坑安装。在定子铁芯堆积过程中，需制作定子迭片工装和定子热压工装各一套。

3. 铁损试验

定子吊入机坑后，进行中心、水平、高程的调整，并加固完毕后，才可进行铁损试验。

考虑到定子安装占用直线工期，可在一期混凝土时埋入一定数量的角钢，临时加固定子，做完铁损试验后再割除。铁损试验完毕，应重新压紧铁芯拉紧螺杆并固定，然后浇筑定子机座二期混凝土。

4. 发电机定子下线

1) 基本规格和有关技术数据

发电机型号	SF84– 48/9500
额定容量/功率	96/84　MVA/MW
额定电压	13 800 V
额定电流	4 016 A
功率因数	0.875
相　　数	3
极　　数	48
定子铁芯内径	8 880 mm
定子铁芯高度	1 500 mm
定子槽数	432
槽形尺寸	宽×深=24.8 mm×131 mm
绕组型式	双层条型波绕组
接　　法	2 Y
线棒单根重量	约 20 kg
绝缘等级	F

2) 施工工艺要点与场地布置

施工工艺要点：

(1) 定子下线在机坑内进行。自制平台和脚手架须安全、牢靠。要做好防火、防尘、防潮措施。

(2) 手工嵌线，注意线棒标高和斜边间隔均匀，绑扎整齐。以铜焊机焊接线棒普通头、斜头和引线接头，以气焊手工焊接铜环接头，焊头时做好冷却降温和防火措施。12 个铜环引线接头集中在 17 个槽范围内，间隔尺寸小，焊头和绝缘难度都大，必须由下到上逐层完成。

(3) 环氧树脂配料由专人负责，比例正确，温度控制适宜。

(4) 下线工艺要求和质量标准符合厂家图纸、规程及《水轮发电机组安装技术规范》(GB8564—88) 要求。

3) 主要问题说明

定子铁芯内径 (ϕ8 880 mm) 及水车室直径 (ϕ8 060 mm) 仅差 820 mm，单边差 410 mm，所以定子下线平台直接支承在下机架基础面(高程 43.687 m)上。因此，设计在 46.217 m 高程处(距离线棒下端头 500 mm)铺设一个 ϕ8 680 mm 圆形钢平台(由两个半圆组成)，其下面由 12 个支柱支撑住。该圆形平台即作为下线时下端工作平台(包括放置铜焊机)，其上放置一单层环形活动平台作为上端工作台。

在吊装水轮机部件以及下机架预装时，定子内的平台须临时吊出，所以定子下线与机械安装之间有无法避免的短时干扰，需加强调度协调。为此，在下线工期 72 天中，已考虑不多于 6 天的窝工时间。

(二)转子组装

(1)转子支架焊接。将两瓣扇形块在组装支墩上把合，检查各项技术指标，符合要求后，按照专门的焊接工艺进行焊接。在焊接过程中，应进行变形监控，根据变形量及时调整焊接顺序，从而控制焊接变形。

(2)铁片堆积。转子铁片的清扫、分类工作在拼装场平台上进行，铁片堆积采用自制的迭片台车进行，迭片过程中应检查转子水平与磁轭圆度。

(三)上、下机架及推导轴承安装

(1)上机架组装焊接。上机架组装焊接在安Ⅰ进行，组装时应使支腿位置错开厂房大门，保证小型设备能够进出厂房。在定子下线过程中，安排一个合理的时间进行上机架基础预装和盖板预装，以便浇上机架基础二期混凝土。

(2)下机架组装焊接。下机架组装焊接在安Ⅱ进行，在转子吊入前 1 个月，应将下机架吊入机坑安装，浇二期混凝土，以便转子吊入时可以承重。

(3)推力轴承组装。由于推力瓦采用塑料瓦，不须研制，所以可以将推力部件在推力支架上组合好，吊入机坑安装，推力轴承的调整在盘车时进行。推力轴承吊入机坑后，应及时注油，防止推力部件生锈。

三、机组总装

(1)机组联轴。转子吊入后，利用专用工具进行转子与水轮机大轴、转子与顶轴的连接，连接时应严格检查连接法兰面清洁度和螺栓伸长量。

(2)轴线检查。在上导轴领处对称抱四块导瓦，单边间隙 0.02 mm，采用电动盘车进行轴线检查，分别检查受油器浮动瓦、二部导轴承轴领处的摆度和定、转子之间气隙，叶片与转轮室间隙，主轴密封处的间隙。

(3)盘车合格后，分别进行主轴密封、二部导轴承、自动化元件、受油器等部件的安装。轴承安装时，一定要注意先后次序，确保二部导轴承的同心度。

(4)机组检查与试运行。对机组进行全面检查，拆除尾水平台等临时设施，检查相应辅助设备是否正常，机组具备启动条件。

四、辅助设备安装

(1)埋管安装随土建浇筑仓位进行，所有埋管均按设计图纸要求的尺寸和高程就位并加固，承压埋件应进行耐压密封试验和临时封堵。

(2)明管安装可根据主机进度，安排在房屋形成后进行，按设计图纸要求的尺寸和高程并支承在管夹上，承压管按规定进行耐压密封试验，油管还应采取除锈、防锈、吹扫等专项措施。

(3)所有辅助设备分解、清扫、检查后，按有关规范要求进行安装调整、加固、浇二期混凝土。设备就位采用土办法或桥机进行，对于较重设备，在土建施工时可在适当位置预埋一定数量的锚钩，以利于设备拖运。

(4)设备安装完毕，应进行各部分启动前的检查、空车运转、带负荷运转等分部调试工作。

五、厂房 200 t+200 t/50 t 桥机安装

(1) 桥机大件吊装。桥机大件主要是两根主梁和一个小车，其中主梁重 40 t，尺寸 20 m×2.5 m×2.5 m，小车重 45 t。在电站厂房安Ⅰ上、下游轨道安装完毕，厂房尚未封顶时，将主梁、小车运至厂房安Ⅰ段外侧，由事先停放在安Ⅰ段外侧的 90 t 吊车或 4 m^3 电吊卸车，吊装就位。安Ⅰ段边墙回填应提前进行。

(2) 桥机负荷试验。制作一个钢制框架，根据试验荷重的要求，将重块分批装入框中，按规定进行动、静载负荷试验，试重块为 2×200 t，租用了葛洲坝电厂的重块。

第三节　电气设备安装

一、概述

高坝洲水电站装有 3 台容量为 84 MW 的轴流式水轮发电机组，发电机电压为 13.8 kV。发电机与变压器的组合方式采用全单元接线，即“一机、一变”的组合方式。变压器高压侧由三回 220 kV 架空输电线进入开关站。

220 kV 开关站采用敞开式布置，地面高程 74 m，占地面积 4 715 m^2，其上游边距坝轴线 170 m，布置在左岸山坡上。开关站接线形式为扩大桥形接线，设备一字形布置，设有 5 个间隔，三进两出，220 kV 出线两回，一回至楼子河，一回至郭家岗。

主变压器型号为 SFP_7–100 000/242±2×2.5%/13.8。冷却方式为强油风冷，中性点采用小电抗接地方式。每台机组设置一台主变，布置在电站厂房外 59 m 高程的尾水平台上。

发电机电压设备布置在相应机组段 44.48 m 和 50.6 m 高程的下游副厂房内。主回路及分支回路皆采用离相封闭母线，每台机皆设有厂用分支和并联励磁分支回路，其中 1#、3# 机主回路仅设有隔离开关，而 2# 机主回路增设一组断路器。

厂内电气设备布置在下游副厂房内，在水轮机层，沿+X 轴向布置励磁变压器及电压互感器柜。在发电机层，靠上游侧布置高压厂用变压器和避雷器的组合柜。由于电站机组段较短，机组台数少、负荷相对集中，由机组用电盘一级供电，在机组段的下游侧布置三组机组用电配电装置和厂内照明配电装置。在安Ⅱ段布置 6 kV 高压厂用配电装置和厂内公用配电装置。

电缆通道布置分厂内及厂外两部分。在厂内的下游副厂房 45 m 高程设置贯通全厂的电缆主通道，在各机组及各供电点设若干分支电缆吊架，在安Ⅱ段下游侧设分支廊道通往厂外管理楼，再通往 220 kV 开关站。在 220 kV 开关站内设贯通全开关站的电缆沟，由此电缆沟再延伸至施工变电所，作为厂内 6 kV 备用电源的电缆通道，在坝面段设置贯通大坝及升船机电缆廊道，在泄水闸及升船机段还设置一些分支廊道或电缆吊架、电缆沟，与大坝各供电点相连通。

大坝及升船机供电系统分别布置在大坝泄水闸段和升船机闸室顶。220 kV 开关站的供电由厂内公用电引二回路，在开关站设置低压配电屏。

采用具有分层结构特点的全计算机监控系统对 3 台发电机组及辅助设备、公用设备和开关站设备进行监视和控制。监控系统主控级设置在厂外操作管理楼内的中控室，全厂共

设 5 套现地控制单元 LCU，3 套机组 LCU 分别布置在 3 台机组旁，公用设备 LCU 和开关站 LCU 分别布置在其相应的位置。全厂设置两组不间断电源。主设备继电保护采用集成电路保护装置或微机保护装置。机组调速器选用双微机电液调速器。全厂装设两组不设端电池的免维护铅酸蓄电池作为操作电源。

通信系统主要设备布置在厂外操作管理楼及 220 kV 开关站内，共设有电力载波通信、微波通信、程控调度机及行政总机等，以满足电站与系统间通信、高频保护和远动、厂内生产和系统调度的需要。

大坝表孔和深孔工作闸门均设现地控制和接受集中控制。

二、电气设备安装主要项目

电气设备安装工程主要包括发电机出口至 220 kV 开关站出线门构以内的所有发送电电气设备及附属设备的安装调试以及该范围内的供电、照明、接地等。其主要安装项目有：

(1)发电机出口及中性点电流互感器；

(2)发电机主回路及分支回路封闭母线；

(3)发电机电压设备；

(4)主变压器；

(5)220 kV 架空线；

(6)220 kV 开关站设备；

(7)厂用电变压器；

(8)高压、低压成套配电柜；

(9)电缆桥架、电力电缆；

(10)照明器具及设备；

(11)接地工程；

(12)计算机监控设备；

(13)继电保护设备；

(14)控制电源系统及通信系统设备；

(15)电力拖动系统设备；

(16)直流系统。

三、电气设备安装程序及方法

(一)主变压器吊运安装程序及方法

(1)主变压器由红花套码头直接运至厂房安Ⅰ段，利用厂房 2×200 t 桥机卸车，然后装上变压器运输轮子，利用预埋的地锚、滑轮和卷扬机，将主变压器通过运输轨道从安Ⅰ段拖运至相应的安装部位就绪。

(2)在主变本体就位前，将油罐及滤油机放至尾水平台主变附近的空位上，并配好管路阀门，要求用法兰联结，易于拆装，然后开始滤油。(油罐及真空滤油机可利用随机到货的永久绝缘油库的 25 m^3 油罐 3 个及真空滤油机)

(3)为保证净化后绝缘油的质量符合技术规范的要求，净化处理后的绝缘油的化验、检验，利用电站配套的 220 kV 绝缘油油化试验设备进行。

(4) 主变本体就位后，将主变的附件、套管、油枕等运至尾水平台，在尾水平台布置一台 40 t 汽车吊，进行主变附件的卸车、吊装工作。

(5) 主变高压侧套管用 40 t 汽车吊吊至自制的套管支架上，进行清扫、检查及有关测试工作。

(6) 在打开进入门、排油及进入器内检查和附件安装的整个过程中，必须向变压器内不断充入合格的干燥空气。

(7) 变压器安装完毕后，按合同技术规范及有关国标的技术要求，进行电气试验工作。

(二) 220 kV 开关站电气设备吊运安装程序及方法

(1) 220 kV 开关站内设备采用一字形布置，接线形式为扩大桥形接线。因此，为保证安全，第一台机组投产发电时，开关站至少应完成 3 个间隔的设备安装调试工作(即整个开关站电气设备安装工程量的 3/5)。

(2) 在 220 kV 开关站布置一台 QY–12 型全液压汽车起重机，用来进行开关站构架支柱及设备的卸车和吊装工作。

(3) 自制四套工装——可移动式开口工作平台，用来进行设备支柱、构架及设备的安装调试工作。

(4) 自制四个一次拉线用绞磨，用来进行开关站避雷线及一次架空线的放线、拉线工作。

(5) 按合同技术规范要求，对到货的开关设备进行开箱、检查、清点、清扫，并按设备说明书要求进行有关试验。

(6) 根据设计图纸、技术规范的要求进行设备及构架基础的清理，并进行测量放点，确定设备及构架安装的坐标、中心和高程点。

(7) 根据设计图纸技术要求进行设备支柱、母线门、构架就位安装，焊接并固定牢靠。

(8) 按设备产品说明书及有关技术规范要求进行设备就位安装并固定牢靠，然后进行设备的调试、检查和试验工作。

(三) 自动控制、保护、通信照明、直流系统及厂用电系统设备安装

(1) 做好安装前准备工作，如熟悉设计图纸，明确各设备的安装地点及安装高程，做好安装工器具及材料的准备工作，配电盘(柜)开箱检查。

(2) 熟悉图纸资料，统计电缆的规格和数量，与到货情况进行校核。

(3) 清理盘柜基础和电缆走向通道，电缆架安装好。

(4) 准备好电缆敷设所需工器具及材料，包括放电缆用的电缆架等。

(5) 按图纸设计要求进行立盘、固定安装，敷设电缆及盘内配线等工作。

(6) 按合同技术规范及有关图纸、国家标准的技术要求，对各系统电气设备、电缆进行常规电气检查及电气试验。

(四) 电气埋件、接地工程及电气试验工作程序及方法

(1) 根据工程总进度及土建各部位施工进度，制定出预埋工程施工进度计划。

(2) 根据施工图纸和施工现场情况，提出施工需要的工具、材料、设备清单，设立临时作业间。

(3) 提前制作好各种预埋件，以免影响施工进度。

(4) 设立一个预埋小组负责整个电站电气预埋件接地工程。

(5) 按设计图纸要求，随土建工程施工进度进行接地工程的施工。

(6)接地装置的施工，根据设计图纸技术要求，准备工器具及施工设备，下料制作预埋件，打接地极钢管(角铁)，连接接地线与电气装置，按设计要求进行明敷、嵌敷、暗敷接地线的工作。

(7)接地装置的检查和接地电阻测试。

(8)按合同技术规范、设备出厂说明书及有关国家标准进行电站机电设备的安装调试工作，检验所安装的设备电气性能是否良好，安装接线是否正确，并调整各部件使其符合运行要求，以保证机组安全地投入运行。调试工作可分别在现场和室内进行，其主要工作内容如下：①对水电站主要设备及附属设备等进行电气试验；②对测量仪表进行检验、调整和检修；③控制保护回路查线、通电模拟试验、电缆绝缘试验等；④启动试运行中的试验。

第四节　机电设备制造、安装

水轮发电机组由东方电机股份有限公司制造，主变压器由保定天威集团有限责任公司制造，计算机监控系统由法国西技来克公司(后并入阿尔斯通公司)制造。清江高坝洲工程施工指挥部负责安装施工。

1#机埋件 1998 年 1 月 24 日开始安装，11 月 7 日完成安装；1999 年 2 月 26 日开始 1#机导水机构预装，3 月 24 日转轮组装完毕并于 25 日吊装就位；发电机定子机座于 1998 年 12 月 1 日开始组焊，1999 年 1 月 21 日组焊完毕，并于 1 月 30 日吊入机坑，4 月 15 日全部完成定子安装；1999 年 3 月 5 日 1#机转子开始安装，并于 4 月 22 日吊装就位；封闭母线于 1999 年 3 月下旬开始安装，6 月下旬完成；1999 年 4 月底完成主变压器安装，5 月中旬完成主变局放试验，各项测试指标达到设计要求；200 t+200 t/50 t 厂房桥机于 1998 年 12 月上旬完成安装，1999 年 2 月通过负荷试验投入运行；1999 年 3 月，220 kV 开关站设备支柱和门构架完成安装，6 月下旬完成设备安装，7 月初完成设备的工频交流耐压试验。此外，厂用电及直流系统安装、照明系统安装、通讯系统安装、保护及计算机监控系统安装、一期零星金属结构安装、电站接地网施工均已在 1999 年 6 月下旬完工。6 月 23 日，1#机组开始进行充水模拟试验。根据这个情况，高坝洲水电站机组启动验收委员会于 1999 年 6 月 29 日召开第一次全体会议。会议在听取了建设、设计、施工、监理和运行单位的报告以及关于外送系统建设与水库移民搬迁等情况介绍后，认为高坝洲电厂机电设备的安装施工质量是好的，已通过了大坝工程安全鉴定和初期蓄水验收。1#机组安装、电气设备安装调试和分部试运行已经完成，充水前的验收签证项目基本完成，具备充水、启动所必备的条件。会议确定 7 月 2 日高坝洲水电站水库开始按初期蓄水验收委员会的意见下闸蓄水。原则同意 7 月 4 日开始 1#机组充水调试，适当的时候由在工地的启委会成员确定机组启动的具体时间，进行试运行及水轮发电机组的试验。要求施工单位、设备制造厂家等有关单位及时处理充水前所存在的问题。会议对系统调试存在的问题进行了研究，要求有关单位加快工作进度，及时召开系统调试联席会议，尽快落实系统调试有关具体工作，争取 7 月中、下旬达到并网发电条件。具备上述条件之后，启委会将召开第二次会议，确定并网和 72 小时试运行有关事宜。会议要求工程建设各有关单位一定要严格按照规程规范办事，在确保质量的前提下，抓紧安装调试，力争做到一次充水、一次启动、一次并网、一次 72 小时试运行成功。

由于华中网局和湖北省电力局在高坝洲水电厂的调度权上存在分歧。为此进行了旷日持久的磋商，直到 1999 年 12 月，双方才取得一致意见，高坝洲电厂调度权属华中网局，经营权属湖北省电力局。华中网局不收取过网费，在经济上和负荷分配上，照顾湖北省的经济利益。在采取两权分离的解决办法之后，于 1999 年 12 月中旬召开了系统调试联席会议，落实了系统调试的有关问题。1999 年 12 月 17 日，高坝洲水电厂 1#机组开始 72 小时试运行，并于 12 月 20 日完成试运行。此后，2#机和 3#机分别于 2000 年 2 月 18 日和 7 月 3 日完成 72 小时试运行。

在 3 台机组投入运行后，清江公司组织了机组达标投产工作。通过这项工作，电厂面貌发生了很大变化，设备健康水平大大提高。2001 年 3 月 15～16 日国家电力公司和国电华中分公司召开 1#机组、2#机组达标投产复检验收会议。经过两天的检查和评审，领导和专家们一致认为，1#机组、2#机组具备达标投产条件，同意验收。

第五节　机电设备制造、安装及运行中出现的主要问题及其处理

高坝洲水电站的设备制造质量良好，安装工艺符合规范要求，运行中发现的问题都及时得到了解决。这为水电机组的达标投产奠定了良好的基础。当然，在安装和运行中，也发现了一些问题，如实记录这些问题及其处理情况是十分必要的。

一、3#机组转子圆度超标及其处理

2000 年 4 月 14 日，在低水头 17 m 情况下，机组首次动平衡试验，进行空转变转速试验、加励磁电压试验，对 6 个工况进行了测试。测试状况表明：空转工况运行时，随转速上升，机组各部分摆度略有上升，虽均在规范范围内，但转频分量偏大；加励磁电压时，各测点振动频谱图上 100 Hz 振动较小，可排除极频振动，但随着励磁电压升高，机组各部分振动摆度的转频分量成倍增长，推力轴承处最大摆度达 2.2 mm，上机架径向振动达 0.42 mm，严重超标。由测试数据分析，机组有轻度的机械不平衡，存在严重的磁拉力不平衡(经计算单边磁拉力接近 100 t)，即由转频振动引起电磁振动。根据计算，转子加配重 24 kg 后，空转时机组各部振动和摆度明显下降，但加励磁后电磁振动仍然存在，故初步判断不平衡磁拉力是 3#机振动摆度超标的主要原因。

首先检查机组电气部分，对励磁回路、轴电压、磁极极性、磁极电路等检查均未发现异常；然后对定子及上下机架基础、转子磁极固定情况、弹性油箱受力、连轴螺栓拉伸值、上导瓦等部位进行了检查处理。回装后启动机组，进行了动平衡试验，测试结果表明，振动情况略有好转，但机组振动摆度仍严重超标。

机组静止时测量定转子气隙，发现 48 个磁极部分测点气隙值与平均值比较超过 ± 10% δ(δ为设计气隙)的规范要求，且气隙偏小与气隙偏大有一定的连续性，即 25#～30#磁极均偏小，其对称方位 4#～10#磁极均偏大，这与动平衡试验测定的方位基本一致。进一步的检测表明，定子圆度超标量较小，不至于引起剧烈的电磁振动。在测量转子圆度时，发现 48 个磁极有相当部分测点值与平均值比较超过 ± 5% δ 的规范要求，且具有连续性，实际相当于

转子存在一定偏心。由此判断转子圆度超标是造成磁拉力不平衡、引起机组加励磁运行时振动摆度剧烈的根本原因。

为了彻底处理这个质量缺陷，清江公司领导经过反复研究和审慎考虑，决定将转子吊出机坑进行处理。

转子圆度处理采用磨削磁轭与磁极加垫相结合的方法。转子磁极有几个凸点较严重，采用凹点加垫会导致空气间隙低于 ± 10% δ 的要求，且加垫过厚可能形成二次气隙。通过模拟计算确定调整方案：用手提式电动砂轮磨削 7 个磁极部位的磁轭；26 个磁极加垫，垫片分 0.5 mm、1.0 mm、1.5 mm、2.0 mm 四种，加垫磁极在左、中、右各加一块条状垫片，挂磁极后点焊固定垫片。处理完毕，打紧磁极键后再测磁极圆度，每个磁极测上、中、下共 144 个测点，只有一点超过 ± 3% δ 的标准，亦在 4%的优良标准范围内。

转子质量缺陷处理完毕并回装后，2000 年 6 月 22 日，机组重新启动做动平衡试验，在水头 33 m 情况下，就 102 r/min、125 r/min（额定转速）空转变转速试验及 50%*Ue*、75%*Ue*、100%*Ue* 加励磁电压试验共 5 个工况进行了测试。结果表明，在各试验工况下，机组各部位振动摆度均在优良范围内，随励磁电压升高，振动摆度还略有下降。这表明现场对振动的分析检查是正确的，处理方法也是有效的，从根本上解决了问题。3#机组投产后，5 年来运行正常。

采用转子磁极加垫及磁轭磨削相结合的方法校正转子圆度，这在我国水电机组安装中尚属首次，实践证明能有效地控制转子圆度。但 3#机转子组装圆度验收不严，其教训也是深刻的。

二、电气主接线的修改

电站电气主接线为扩大桥型接线，设计单位的初衷不无道理。由于高坝洲水电厂的调度权属华中网局，经营权又属湖北省电力局，有一部分设备由网局调，另一部分设备由省局调。由此而产生电厂的运行很不灵活，设备检修很不方便。经高坝洲水电厂多次要求，并经清江公司领导批准，在 220 kV 开关站内加装了一台断路器和一组电流互感器、一组隔离刀闸和相关保护装置，使电厂的运行更加方便。有关情况见图 5-1。

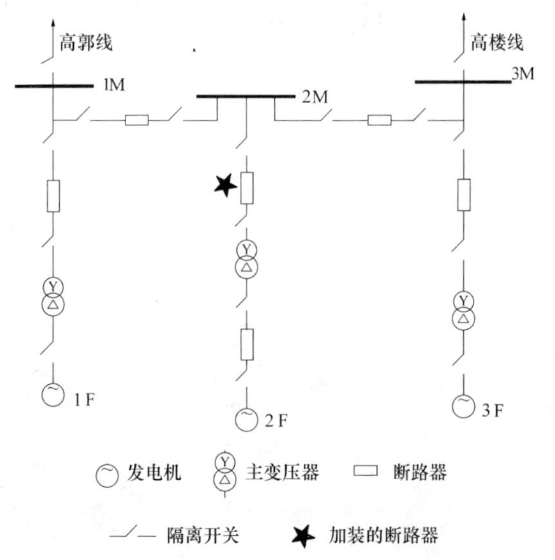

图 5-1　高坝洲水电厂 220 kV 开关站改造示意图

三、水轮机转轮与转轮室制造间隙不够问题

对水轮机转轮与转轮室制造间隙不够问题，在工地对转轮室进行了打磨处理。

四、开关站 4 组电流互感器(CT)的更换

西安开关厂生产的 4 组 CT 产品质量存在问题，在进行高压试验时，介损严重超标。为了增加电厂运行的可靠性和安全度，经清江公司领导批准，2001 年更换了 4 组 CT。

五、解决空气围带问题

生产厂家供货的空气围带质量较差，10 条围带中只有 2 条能正常使用。其主要问题是密封不好，漏气。水电厂另请一家工厂(洛阳橡胶厂)生产同种类型的空气围带，其质量满足运行要求。

六、解决水轮机顶盖排水系统存在的问题

为解决顶盖排水系统的问题，一是更换了水泵，加大了排水能力；二是重新设计了排水管路；三是改造了水泵控制系统。采取这三条措施后，问题基本得到解决。

七、更换开关站控制柜

由于施工方面的原因，造成二次控制电缆个别部位破损，极易引起接地，使线路保护装置产生误动和拒动。另外，由于制造方面的问题，控制柜密封不严，致使柜内结露严重，使端子排扭曲变形，接触不良。鉴于这种情况，经清江公司领导批准，这批控制柜进行了更换。

八、解决水轮机导叶密封不严问题

原密封易被水冲掉，使水轮机导叶间漏水量大、噪音大。为解决此问题，已经做了一些工作，取得一定进展，但还需要继续做工作。

第六章　升船机

第一节　概　述

清江高坝洲水利枢纽下距清江河口 12.0 km，上距隔河岩水利枢纽 50 km，两水利枢纽垂直升船机建成后，清江从水布垭水利枢纽下至河口宜都市约 153 km 将成为Ⅴ级航道，可通航 300 t 级船队。

高坝洲水利枢纽垂直升船机位于右岸，最大提升高度 40.3 m。升船机采用分离式布置，大坝挡水，机室位于坝后，两者之间用通航钢渡槽连接。通航建筑物主要由上游引航道及编解队码头、上闸首、升船机机室、下闸首、下游引航道及编解队码头等组成，线路总长 1 253.3 m。

第二节　土建工程设计

一、上游引航道及编解队码头

上游引航道位于库区，由水库蓄水后自然形成。上游最高通航水位 80.0 m，最低通航水位 78.0 m，水位变幅 2.0 m。引航道左侧布置有一长 60 m、宽 9.0 m、型高 2.9 m、吃水 1.5 m 的钢结构浮式导航堤。浮堤上游端用 ϕ46 mm 铸钢锚链固定在锚墩上，锚墩为重力式结构。下游端铰接在 20#坝段通航槽左侧浮堤导承槽内的导架上。锚链的收放由浮堤上的锚链机控制，浮堤上设有值班室、控制间、卫生间、防撞护舷、系船柱、锚链绞盘、导航照明、消防、救生设施及生活设施等。

在大坝上游 295 ~ 475 m 处，靠近右岸布置有两个驳位的船队编解队码头，编解队码头由两组各 5 个间距为 15.0 m 的靠船墩组成。靠上游一组为上行船队编队码头，靠下游一组为下行船队编队码头。靠船墩为钢筋混凝土结构，墩高 11.2 m，墩基础厚 2.5 m，尺寸 4.0 m × 6.0 m，墩身高 8.7 m，断面尺寸为 1.5 m × 2.0 m，各墩靠航道一侧分别在墩顶和 79.0 m 高程设有固定系船柱。

二、上闸首

上闸首段由 20#坝段的通航槽、钢渡槽和工作闸门组成，总长 46.0 m。通航槽宽 10.2 m，长 6.0 m，槽底高程 76.0 m，通航水深 2.0 ~ 4.0 m。

20#坝段基础沿升船机轴线方向长 36.225 m。为满足通航要求，在 76.0 m 高程处设宽度为 10.2 m 通航槽，通航槽长 6.0 m。在靠坝轴线上游 3.0 m 处设一道事故检修门，可挡千年一遇洪水。事故门由一台 2 × 250 kN 单向桥机启闭，在坝顶布置有桥式启闭机排架，排架由 6 根间距为 14.0m 的钢筋混凝土柱构成两跨框架，顶高程为 95.25 m，柱断面尺寸为 1.0 m × 1.6 m。闸门检修场地设在航槽右侧 21#坝段上。

渡槽按单向航道设计，为钢结构简支梁体系。有效水域宽度为 10.2 m，槽底高程 76.0 m，边墙顶高程 81.0 m，最高通航水位 80.0 m，最低通航水位 78.0 m，渡槽总长 40.0 m，分两跨布置，第一跨长 18.5 m，第二跨长 21.5 m，分别支承在 20#坝段、中间支墩及垂直升船机上游端箱梁上。中间支墩布置在 20#坝段的坝坡上，中心线在靠坝轴线下游 18.51 m 处，承台顶高程为 52.85 m。墩身为顺河向宽 2.8 m、墩帽顺河向宽 4.0 m，横河向长 13.0 m 的钢筋混凝土结构。墩帽两端上下游各留 1.35 m × 1.5 m 渡槽支承槽。

箱梁横架于两侧筒体上游端，外型尺寸为 3.6 m × 5.6 m，净跨 16.0 m，与两侧筒体刚性连接。工作闸门布置在箱梁上部的钢渡槽上，为平板工作门，其外型尺寸为 11.2 m × 5.0 m（宽 × 高），能适应 2.0 m 水位变幅，由 2 × 125 kN 固定卷扬机启闭，启闭机布置在主机房上游端的上闸首启闭机房内。

三、升船机承重结构

升船机为钢丝绳卷扬全平衡垂直升船机，机室平面尺寸为 50.3 m × 16.0 m(长 × 宽)，承船厢有效尺寸为 42.0 m × 10.2 m × 1.7 m，最大提升高度 40.3 m，通航净空 8.0 m，其承重结构采用钢筋混凝土全筒结构。机室位于 20#坝段坝轴线下游 34.0 ~ 90.3 m 处，轴线长 56.3 m，基础宽 39.6 m，机室从下至上依次为筏式基础、承重结构筒身和上部机房，总建筑高度为 81.9 m。

承重结构基础为筏式基础，机室底板厚 4.0 m，为钢筋混凝土实体结构，建基面高程为 29.0 m。左侧为高程 33.0 ~ 58.0 m，右侧及上游面高程 33.0 ~ 54.0 m 为筒体根部，由机室左右对称的两列筒体和上闸首支承箱梁构成封闭的承重结构，每列宽 11.9 m，内墙厚 1.0 m，左右侧外墙分别在 58.0 ~ 33.0 m、54.0 ~ 33.0 m 高程，厚度由 3.5 m 向内扩展至 6.5 m，每列筒体平面上由 1.0 m 厚槽隔板沿顺河向分成 8 个小筒。第 2、4、6、8 筒为重力平衡重井，平面尺寸为 3.9 m × (7.4 ~ 4.4 m)；第 3、7 筒为转矩平衡重井，平面尺寸为 8.5 m × (7.4 ~ 4.4 m)；第 5 筒体为联系结构，平面尺寸为 5.7 m × (7.4 ~ 4.4 m)，左侧在 58.0 m 高程、右侧在 54.0 m 高程封顶构成约 100.0 m^2 大平台。左侧 58.0 m 及右侧 54.0 m 高程以上为 4 个独立筒体，以升船机中心线左右对称及承船厢中心线上下对称布置。上下游筒体平面尺寸分别为 26.2 m × 9.1 m 和 20.1 m × 9.1 m，筒壁和隔板厚均为 0.8 m。在筒内 73.5 m 和 81.0 m 高程分别布置有承船厢锁定平台和平衡重锁定平台，并在上下筒之间的 66.0 m、73.5 m、81.0 m 高程架设人行天桥。电梯井及楼梯间布置在第 1 筒内。在机室左侧 58.0 m、右侧 54.0 m 及上游 54.0 ~ 58.0 m 高程布置有交通平台，上游平台宽 2.0 m，两侧平台宽 2.7 m。此外，筒体还布置有承船厢上、下锁定，夹紧和顶紧装置，疏散通道，安装、人行通道、通气孔等。左右两侧筒体在 87.2 ~ 90.0 m 高程联成整体，构成上部机房底板。机房两侧外悬 3.25 m，左侧布置配电装置室，右侧布置主电室，下游外悬 5.0 m，布置控制室。在左右两侧及上游 95.0 m 高程和下游 96.8 m 高程布置有环形观景平台。上部机房平面尺寸为 58.95 m × 42.1 m，机房内吊车梁轨顶高程为 101.1 m，机房屋顶采用网架结构。

四、下闸首

下闸首长 21.7 m、底宽 34.9 m，其中升船机中心线以左 19.8 m、以右 15.1 m。航槽宽 10.2 m，左侧边墩宽 14.7 m，右侧边墩宽 10.0 m，航槽底高程为 36.5 ~ 37.7 m，建基面高程为 26.0 ~ 32.0 m，顶高程 54.0 m。

下闸首布置有工作门和检修门，工作门距下闸首下游端 16.5 m，门槽宽 3.9 m，检修门距下闸首下游端 5.8 m，门槽宽 1.7 m，两门槽间距 9.0 m。工作大门尺寸为 17.5 m×14.7 m(宽×高)，门型为带卧倒小门的下沉式双扉平板门，当下游水位变幅在 2.0 m 以内时，由 2×500 kN 液压启闭机开启卧倒小门，连通下游引航道，当水位变幅大于 2.0 m 时，工作大门带压提升或下降，以适应水位变化。工作门门槽内设有锁定，调整后的工作大门由锁定机构锁定在门槽埋件上。工作大门由 2×2 500 kN 固定卷扬机操作，启闭机房内设有一台 200 kN/50 kN 安装检修桥机，下游检修门由 5 节 11.7 m×3.26 m(宽×高)的叠梁组成，由一台 2×200 kN 双向桥机起吊，边墩顶面下游端外悬 2.0 m，作为检修桥机排架柱基及检修门检修平台。排架柱排距为 10.5 m，顶高程 66.0 m，轨道高程 68.0 m，柱断面尺寸为 1.2 m×1.6 m。工作门启闭机设在下闸首启闭机房内，启闭机房下部筒体分别设在左右边墩 54.0 m 高程上，筒体尺寸为 5.15 m×9.0 m，在 75.0 m 高程由板梁结构联成整体，机房平面尺寸为 30.2 m×9.0 m，检修桥机轨顶高程 81.1 m，机房顶高程 87.2 m。

五、下游引航道工程

下游引航道为人工开挖航道，下游最高通航水位 49.3 m、最低通航水位 39.7 m，总长 665.0 m。升船机轴线在下闸首以下 255.57 m 处左转 6.5°，弯曲半径 R=260.0 m，然后用 400.0 m 直线段与主河道平顺连接。紧接下闸首航槽，引航道右侧按 1∶5 扩宽至距升船机中心线 30.0 m，左侧按 2.67°角扩展至距升船机中心线 10.0 m，形成总底宽为 40.0 m 的引航道。在引航道左侧紧接下闸首设有 105.0 m 长的重力式导航墙，与升船机中心线夹角为 2.67°，建基面高程为 32.0 m，顶高程为 50.3 m，顶宽 2.5 m。在重力式导航墙内设有 4 列间距为 30.0 m 的龛式系船柱，布置高程从 41.3～50.3 m，每 1.5 m 一个，供船只单向运行时停靠之用。在紧接重力式导航墙布置有长 285.0 m 的墩板式隔水墙，为 19 跨中距 15.0 m 的墩板式钢筋混凝土结构。前 150.0 m 与升船机中心线平行，后 135.0 m 与升船机中心线夹角为 2.67°(偏左)。墩建基面高程 34.0 m，采用扩大基础，基底尺寸顺河向为 7.0 m，横河向为 10.0 m，厚度为 3.7 m，墩身尺寸为 3.0 m×3.0 m。在 2#、4#、6#、8#墩上设有龛式系船柱，供船只双向过闸时编队之用。钢筋混凝土板嵌固在相邻两个墩上，板顶设有 2.5 m 宽的人行道，其中悬臂为 1.3 m，高程与墩顶相同，为 50.3 m，板底高程为 37.7 m，板厚 1.2 m。在紧接下闸首右侧布置有一长 13.0 m 的副导墙，与升船机中心线夹角为 11.3°(偏右)，建基面高程 37.2 m，顶高程 50.3 m。此外，还在引航道右侧距下闸首下游 287.11～346.72 m 处设有解队码头，由 5 个中心距离为 15.0 m 的靠船墩组成，墩基础平面尺寸为 5.0 m×7.0 m，底高程 34.7 m，基础厚 2.5 m，尺寸为 1.5 m×2.0 m，顶高程 50.3 m。每个靠船墩在靠近航道一侧 40.7～50.3 m 高程每隔 1.92 m 布置一个龛式系船柱。

第三节　升船机设备

一、升船机主体设备

升船机主体设备由提升主机、承船厢、平衡重系统及其他辅助设备组成。

提升主机布置在机室筒体顶部的主机房内，机房地面高程 90.0 m。提升主机包括 4 套双卷筒卷扬提升机构和 8 套平衡滑轮组，每套提升机构各由一台 75 kW 的交流电机驱动，4 套提升机构间通过机械同步轴连接,形成封闭的同步轴系统。每个卷筒上绕有 6 根 ϕ56 mm 的钢丝绳，其中 3 根提升绳通过液压均衡油缸与船厢连接，另 3 根反向缠绕的转矩平衡绳与转矩平衡重相连。每套提升机械的两侧对称布置 2 组平衡滑轮组，每个滑轮组有 4 片滑轮，绕过滑轮的重力平衡绳两端分别与船厢和重力平衡重相连。卷筒、滑轮的名义直径均为 3.5 m。提升主机的额定提升力为 1 600 kN，最大提升高度 40.3 m。主机房内设有一台 630 kN/2 × 100 kN 的双向检修桥机，供主机安装、检修使用。

升船机提升主机有 4 个驱动单元，每个驱动单元由一台交流电动机驱动，每台电动机配置一套交流变频传动装置。交流变频传动装置布置在位于提升主机机房右侧的主电室。

承船厢为钢质槽形结构，由 56 根钢丝绳悬吊，并通过提升主机驱动，在升船机室内沿筒体上下运行。其有效水域 42.0 m × 10.2 m × 1.7 m(长 × 宽 × 水深)，外形尺寸 50.0 m × 14.0 m × 6.5 m(长 × 宽 × 厢头高)，船厢结构、设备加厢内水体总重约 1 560 t。为满足船厢运行和与闸首对接的需要，在厢头两端设有船厢门、厢门启闭机及防撞设备；在两端下部的机舱内设有 U 形活动密封框、充泄水系统和液压油泵站；在船厢中部两侧设有顶紧机构；在距船厢横向中心线 17.75 m 处,对称布置有 4 套夹紧机构和导向装置;船厢两端外侧设有疏散爬梯。此外，船厢上还设置了消防、照明、通讯、供电、电气控制等设备，在船厢室底部和机室筒体上部分别设置了用于船厢安装检修的上、下锁定装置。

承船厢的总重量由相同重量的平衡重全部平衡。平衡重有两种，一种是重力平衡重，共 1 024 t，分成 8 组，布置在机室筒体的 8 个重力平衡重井内；另一种是转矩平衡重，共 536 t，分为 4 组，布置在 4 个转矩平衡重井内。平衡重在井内沿导轨上、下运行。平衡重井在 81.0 m 和 33.0 m 高程分别设有平衡重上、下锁定平台，并配置锁定设备，用于升船机安装、检修时将平衡重锁定。

二、升船机控制与检测设备

升船机控制系统由计算机监控系统、广播系统、工业电视系统等设备组成。

计算机监控系统采用两层分布式控制结构，即系统分为主控级和现地子站级两层。

主控级设置监控站。监控站设有两台工业微机(或工作站)、一台网络服务器、一台工程师站和一台多媒体计算机。主控级设备布置在升船机集控室。

现地子站级由 6 个控制子站组成，6 个控制子站分别布置在主电室、上闸首工作门启闭机控制室、承船厢(2 个控制子站)、下闸首工作门启闭机房和下闸首工作门内。每个子站分别承担相应部位的设备控制。

升船机分别设置一套广播系统和一套工作电视系统。在主机房、上闸首、承船厢、下闸首等部位设有喇叭和工业电视摄像机，以便于指挥和监视船只在升船机区域的运行。

第四节　升船机运转程序及通过能力

一、升船机运转程序

升船机单向运转，船只下行：(承船厢与上闸首处于对接状态，船厢门和上闸首工作门已经开启，上游航道水域与船厢水域连通）过坝船只由上游引航道经航槽、渡槽进入承船厢→船只在厢内系缆→关闭船厢门→船厢上游端的防撞装置提升至设定位置→检测船厢内水深，水深误差超过允许值时启动水泵系统，调节厢内水深至设计允许值→关闭上闸首工作门→泄掉两门间的缝隙水→U 形密封框退回→顶紧机构退回→夹紧机构退回；提升主机工作制动器松闸，同时电机启动，机械传动系统预紧后，工作制动器上闸→安全制动器松闸→工作制动器松闸，同时电机启动，主机投入运行，船厢向下运行→船厢内水位与下游水位齐平时，主机电机经电气制动停机，工作制动器上闸，安全制动器上闸→顶紧机构推出→密封框推出并压紧下闸首工作大门→夹紧机构投入工作→向船厢门与闸首门间充水，直至平压→船厢下游端的防撞装置降至设定位置→开启船厢门和下闸首工作大门的卧倒小门→船只解缆出厢，驶入下游引航道后下行。

上行船只过坝程序与下行相似。

二、通过能力

船舶单向过坝时间为 22 min，双向过坝时间为 33.74 min，平均过坝时间为 29 min，日平均单向过坝次数为 31 次，一年单向通过能力拖轮不过坝 173.3 万 t，拖轮过坝 115.6 万 t。

第五节　设备采购和安装

一、设备采购情况

2001 年 6 月，高坝洲建设公司通过招标，将升船机主体设备制造授予夹江水工机械厂/西安航天自动化股份有限公司联合体。主体设备包括承船厢、上闸首工作门固定卷扬启闭机、主机房检修桥机、下闸首工作门、下闸首工作门固定卷扬启闭机、下闸首机房检修桥机、主提升减速器、制动器、均衡油缸、承船厢液压系统和船厢室设备、升船机平衡重系统、升船机现地控制设备和集中控制设备等。（均衡油缸由联合体分包给荷兰伊顿·威格士公司供货；减速器由联合体分包给南京高精齿轮股份公司制造；承船厢液压系统由联合体分包给山西榆次油研–液压公司制造；制动器由联合体分包给英国多佛公司供货；PLC 控制器由联合体分包给上海海德公司（实际为法国施耐德公司供货）生产）

钢丝绳和交流变频机组由业主直接采购。钢丝绳（ϕ56 mm）由荷兰 MENNENS 公司供货；交流变频机组由香港 ABB 公司供货（实际为芬兰 ABB 公司）。

钢渡槽和上闸首工作门经过招标，由葛洲坝机电建设公司制造。

二、设备到货情况

浮式导航堤于 2000 年 4 月交货（水库下闸蓄水之前）；升船机 2×125 kN 启闭机、2×2 500 kN 启闭机、QD200 kN/50 kN 检修桥机和 QD630 kN/2×100 kN 检修桥机于 2002 年 9 月 18 日运抵工地；钢渡槽于 2003 年 4 月 16 日通过出厂验收，并于 5 月中旬之后陆续运抵工地；下闸首工作大门出厂验收、承船厢结构与设备工厂预拼装及动作试验验收于 2003 年 8 月 11～14 日在夹江水工机械厂进行，10 月 10～15 日承船厢结构件及下闸门工作大门相继运抵工地；升船机主提升设备工厂联调试验验收于 2004 年 1 月 5～10 日在夹江水工机械厂进行，主提升设备于2004年5月9～14日陆续运抵工地，并安全吊入90 m高程主机室。至此，升船机机电和金属结构设备已基本到齐。

三、设备安装情况

按照合同要求，承船厢在现场交货。因此，承船厢结构拼装及船厢设备安装由夹江水工机械厂/西安航天自动化股份有限公司联合体进行。2004年3月10日，升船机承船厢厢体结构工地拼装通过阶段验收。目前，船厢液压系统和电气控制设备的安装正在进行。

2002年9月，经过招标，高坝洲建设公司将升船机金属结构和机电设备安装项目授于中国葛洲坝水利水电工程集团有限公司(项目实际承包者为葛洲坝机电建设公司)。截至2004年8月底，安装单位已完成钢渡槽、上闸首工作门、上闸首工作门启闭机、下闸首工作大门、下闸首工作大门启闭机、主机房630 kN/2×100 kN检修桥机、下闸首启闭机室200 kN/50 kN检修桥机、平衡重系统、夹紧与顶紧轨道、承船厢上下锁锭的安装和部分电气设备的安装以及设备基础混凝土和其他二期混凝土的浇筑。主提升设备的安装于2004年9月中旬开始进行。

第六节　施工组织及进度安排

一、施工组织

垂直升船机是高坝洲水利枢纽的一个组成部分，建设实行项目法人负责制、招标承包制和建设监理制。项目法人为湖北清江水电开发有限责任公司(以下简称清江公司)，高坝洲工程建设公司是清江公司领导下的建设单位，受清江公司的委托，全面负责高坝洲水利枢纽的建设管理，同时负责工程进度控制、投资控制。垂直升船机建安工程和金属结构设备制造，采取招标方式，择优选定了实力强、信誉好、报价合理、技术可靠的施工单位和制造厂家。建安工程由葛洲坝集团公司负责施工；金属结构及主体机电设备由四川夹江水工机械厂/西安航天自动化股份有限公司组成的联合体负责制造。驻厂监造工作委托电力工业郑州水工金属结构监测中心承担。建安工程质量监理由湖北清江工程监理有限公司接受建设单位委托监理。机电和金属结构设备安装工程质量监理由电力工业郑州水工金属结构监测中心和湖北清江工程监理有限公司分别承担。

二、进度安排

1. 土建工程进度

垂直升船机工程属于二期工程，于1997年6月开始施工，各部位情况如下：

上游引航道于1997年6月开始施工，于2000年3月完成所有项目的施工。

20#坝段于2000年3月到达83 m高程，并形成通航槽。渡槽墩于2000年9月形成。上闸首检修门为平板门，已于2000年汛前安装完毕。

升船机主机室于1999年10月3日开始浇筑混凝土，2000年3月17日达到54 m高程，2000年3月7日开始回填宽槽。2000年汛期工程停工，2000年12月7日恢复机室混凝土浇筑。2001年2月28日，全部完成宽槽回填，并开始进行筒体的混凝土浇筑。2002年3

月 23 日，主机室底板混凝土浇筑完毕，主机室全部达到 90 m 高程。2003 年 4 月 7 日，完成主机室上部框架结构混凝土浇筑，6 月 30 日主机室封顶(屋顶为网架结构)。

下闸首混凝土浇筑及检修门安装于 2000 年汛前完成。由于安装下闸首工作大门的要求，下闸首检修门启闭机排架(实际为两跨刚架)推迟施工。因施工需要并经设计单位同意，将钢筋混凝土钢架结构改为混合结构，立柱部分仍为钢筋混凝土，横梁部分改为钢梁。钢梁的吊装于 2004 年 6 月 2 日完成。至 6 月底，该项目全部完工。

重力式导航墙和墩板式隔水墙在 2000 年 4 月下旬全线达到 50.3 m 高程。

2. 机电及金属结构安装工程进度

机电及金属结构安装工程进度既要受土建施工的影响，又要受设备制造工期的制约。按照清江公司关于高坝洲升船机要与隔河岩二级升船机同步投产并建成优质工程的要求和设备到货的实际情况，实事求是地调整了网络计划。高坝洲建设公司的安排是：2004 年 9 月份开始进行主提升设备的安装，力争 2004 年年底之前，基本完成机械设备和电气设备的安装。2005 年起，逐步开展调试工作，以实现与隔河岩二级升船机工程同步建成的目标。

第七章　建设管理与运行

第一节　建设管理

一、组织机构

1992年11月13日，湖北省机构编制委员会以鄂机编[1993]089号文，批准成立湖北省清江高坝洲工程建设公司(副厅级)。1993年1月8日，清江公司以鄂清办字[1993]4号文，确定高坝洲工程建设公司为隶属于清江公司领导管理的负责高坝洲工程建设的管理单位，编制80人。

高坝洲建设公司成立初期，下设四部一公司，即综合部、工程部、机电部、经营部、劳动服务公司(后改名为宜昌清江高坝洲实业公司)，工程建设中期(1998年底)增设财务部和环保绿化办。

二、主要职责

(1)在国家批准的规划和投资计划内，自主组织安排工程建设；

(2)承担进度监理和投资监理任务，并委托清江监理有限公司承担质量监理；

(3)负责签订和执行设计、土建、设备、安装、调试及生产准备合同，重大项目招标发包(主机、主体建筑安装、主要金属结构设备、升船工程主设备)需经清江公司批准；

(4)负责各设计阶段图纸的会审，并按合同要求催交设计图纸、设计说明和其他有关工程资料；

(5)具体组织工程阶段性验收，并具体负责工程竣工验收的准备工作；

(6)按合同规定按时结算和支付工程进度款和预付款，具体办理水库淹没处理费及工程保险费，并按工程进度代扣代付各项税金及相关的费用；

(7)负责施工安全和施工质量的管理工作；

(8)全面负责建设、设计、施工、监理单位之间的协调工作。

第二节　科研试验

科学技术是第一生产力，在高坝洲工程建设中得到了充分的体现。高坝洲水电站虽然属于常规电站，但依然有复杂的技术问题需要解决。实践表明，单纯依靠增加投入来加快进度，既不划算，也不现实。科学技术的创新与进步，不仅为解决复杂的技术问题指明方向和找到办法，而且带来了显著的经济效益。因此，优化设计和施工方案，广泛采用新技术、新材料、新设备、新工艺，增加工程建设中的科技含量，成为加快进度、确保质量、全面实现建设目标的有效途径。正因为我们在思想上非常重视科技工作，把科技放在十分重要的位置，而且大力创造条件，与设计、施工、监理及有关科研单位一起，积极推动高坝洲工程建设科技工作的开展，依靠科技进步，推动了工程建设。

一、主要的科研项目

1. 水轮机预应力钢筋混凝土蜗壳结构研究

高坝洲水电站蜗壳最大工作水头在考虑水击压力时接近 60 m，居国内混凝土蜗壳之首。由于防渗要求严格，因此选取合理的蜗壳结构型式成为重大技术问题之一。

经过研究和试验后采用的预应力钢筋混凝土蜗壳结构，使蜗壳受力条件得到改善，并满足了防渗要求；其次，蜗壳侧墙钢筋得到了简化，便于施工，有利于提高混凝土浇筑质量；同时由于减少了钢衬与接触灌浆环节，为宽槽提前回填创造了条件。

蜗壳施工直线工期实际缩短了 10 个月，为 1999 年 7 月第一台机组具备发电条件作出了突出贡献。

2000 年 12 月，湖北省科学技术厅组织鉴定，认为该成果达到国内领先水平，局部已达国际先进水平。2001 年 8 月，该项成果获湖北省科技进步二等奖。

2. 水轮机转轮型式的研究

为合理选择水轮发电机组，突出其综合技术性能，对三种不同型式的转轮的技术参数及综合技术经济指标进行了研究。在国产机组上率先采用了很多国外先进技术，其中包括在 40 m 水头段的轴流转桨式水轮机设计中首次采用 5 叶片(国内一般为 6 叶片)。

3. 防渗帷幕布置的研究

运用地球物理勘察新方法(探地雷达法(GPR 法)和瞬变电磁法(TEM))结合常规勘探方法，对右岸防渗帷幕布置进行了研究，将帷幕轴线上移 85 m，缩短防渗线路 228 m，减少了钻灌工程量，节省投资 1 000 万元以上。

4. 1#机提前发电技术措施的研究

为实现 1#机提前发电的目标，对厂房宽槽的提前回填、厂房下游墙与主机段分离单独上升、厂房坝段施工期横缝设置临时止水等重大技术措施进行分析计算和试验研究。

二、主要的试验项目

1. RCC 现场试验

为了保证 RCC 各项性能指标及施工质量，在室内试验的基础上，先后进行了三次 RCC 现场试验。

2. 岩溶角砾岩爆破试验

通过这项试验，取得了岩溶角砾岩这种特殊岩体的爆破控制标准和相应的爆破参数。

3. 帷幕灌浆试验

研究岩石的可灌性，选择灌浆材料与压力，研究在浆材中掺入粉煤灰灌注溶洞的可能性。

4. 锚桩试验

研究在不同岩层条件下基岩的抗拔力，优化深孔、表孔消力池的锚桩布置。

5. RCC 围堰拆除控制爆破试验

采用无后座依托抛掷爆破，使 95%的爆渣掷于围堰右边的基坑，同时使枢纽建筑物和电气设备免遭损害。

6. 机组的动平衡试验

通过机组的动平衡试验，找出了3#机组振动、摆度超标的根源，落实了缺陷处理的方案。

此外，还按照工程管理的要求，进行了闸门的动水试验与振动原型观测试验，机组的型式试验，厂房桥机和坝顶门机的负荷试验。

三、科学试验报告和专题研究报告

在工程建设期间，各有关科研、设计和教学单位共提出科学试验报告和专题研究报告89份。

第三节 其他建筑物与设施

一、高坝洲大桥

高坝洲大桥(郑家冲大桥)是清江高坝洲水利枢纽的一座跨清江的公路大桥，属高坝洲水利枢纽“四通一平”(通水、通电、通路、通信和平整场地)中的配套工程。大桥承担高坝洲水利枢纽施工期间材料及设备运输任务，对沟通坝区两岸的交通运输、方便施工有重要作用。

高坝洲大桥位于湖北省宜都市境内郑家冲，桥位上游离高坝洲水电站 930 m，下游离清江汇入长江的入口处约 11 km。

大桥设计为 52 m+3 × 80 m+52 m 五跨一联预应力混凝土变截面连续箱形梁，桥梁全长(包括桥台长度)为 361.90 m。主要技术标准为：设计荷载：汽—20，挂—100，人群 3 kN/m^2；桥面净宽：净—9+2 × 1.5 m 人行道；通航要求：Ⅴ级航道，航宽 45 m，净高 8.0 m；设计洪水频率：百年一遇；地震烈度：Ⅵ度。

高坝洲大桥由湖北省交通规划设计院设计，由交通部第二公路局第一工程处施工。大桥于 1994 年 2 月 5 日开工建设，1996 年 11 月 17 日通过竣工验收，18 日大桥正式通车。

二、城池口变电站

城池口 110 kV 变电站于 1995 年 10 月 6 日投入运行，该站在水电站施工期间为施工供电电源，水电站建成后，该站主要承担高坝洲保安自备电厂(装机 2 × 3 000 kW)电力外送任务。变电站安装主变压器 2 台，每台容量为 6 300 kVA(2004 年 8 月改为 1 台主变，容量为 10 000 kVA)。城池口变电站通过 14 km 的郭口线在郭家岗 220 kV 变电站与大电网联通。

三、高坝洲水厂

高坝洲水厂于 1996 年 10 月 17 日竣工并通过验收，该水厂通过滑道泵站从清江取水(2002 年拆除滑道泵站，直接从高坝洲水库取水)，日供水能力为 2.2 万 t。水电站施工期间，该水厂承担工地施工供水和生活供水。水电站建成后，承担水电站消防供水和职工生活用水，日供水能力减为 0.3 万 t。

第四节　工程运行

一、大坝及厂房运行

高坝洲水电站自大坝建成挡水发电后，陆续移交由清江发电公司按照国家和电力行业关于电力安全生产及运行管理的若干条例与规定，认真进行运行管理。

水库于2000年4月30日下闸蓄水，6月蓄水至正常蓄水位，迄今已经历5个洪水季节。水库最高运行水位达到79.95 m高程(2003年3月5日)，最大入库流量6 500 m^3/s(2000年10月26日)，最大出库流量7 560 m^3/s(2000年10月31日，上游水位78.55～79.40 m)。水库蓄水至今，大坝深孔和表孔单孔泄洪历时分别达到3 899 h和1 851 h。

1#、2#机组于2000年2月达标投产并网发电，第三台机组于2000年7月并网发电。截至2004年3月，电站已累计发电25.0亿kW·h。

(一)大坝安全现场检查

1. 检查依据

检查工作依据：原能源部1988年颁布的《水电站大坝安全检查施行细则》，原电力工业部1998年颁布的《水电建设工程安全鉴定规定》，原国家经贸委1999年颁布的《水电工程验收管理暂行规定》。

2. 组织机构

湖北清江高坝洲工程建设公司根据大坝安全鉴定要求和水电站运行4年来的情况以及2001年4月大坝安全检查成果，决定对大坝安全进行再一次全面检查，于2004年2月成立了由建设、设计、监理、施工、运行单位组成的大坝安全检查小组，自2004年2月18日至3月31日进行了大坝安全检查工作。

3. 检查手段和方法

对大坝上、下游立面，由汽艇和小船载人沿坝面自左至右近距离并辅以望远镜观察，对混凝土表面缺陷、裂缝、变形以及拦污栅、闸门的止水、变形、变位、锈蚀情况等进行检查。坝体廊道和坝顶部位也逐一进行巡查。大坝挡(泄)水和电站进水口闸门及其控制部分，根据运行情况组织检查并听取运行情况报告。库区内滑坡体及岸边第四系堆积体，由全体检查成员参加，地质人员领队，乘船对照库区地形、地质图，逐一进行复查，以检验水库蓄水后滑坡体是否产生变化。

对于深孔和表孔消力池，根据发电公司库坝中心委托长江委勘测技术研究所于2003年10月检查提供的《高坝洲水电站深、表孔消力池水下检查报告》，本次没有检查，只是采用了其检查成果。

4. 检查结论意见

大坝安全检查组按照《水电站大坝安全检查施行细则》、《水电建设工程安全鉴定规定》和《水电工程验收管理暂行规定》的要求，认真、仔细、全面地对大坝土建结构、闸门及控制设备、水库、工程监测、工程地质等进行了全面检查。大坝渗流、渗压、变形、位移正常，大坝稳定安全。挡、泄水工作闸门、检修闸门运行正常。深孔和表孔消力池整体完好，运行正常。RCC坝段上游面CKB防渗护面效果良好。两岸坝肩稳定，未发现明显的基础变形和绕坝渗漏，水库运行正常。大坝内、外观测和水力学观测资料显示工程整体完好，运行正常。大坝、电站厂房道路通畅。

检查组认为：大坝经过近 5 年的运行，质量良好，安全可靠，运行正常。

(二)几个重点部位的运行情况

1. 大坝 12#坝段施工期产生的纵向裂缝处理后的运行情况

12#坝段中部的裂缝，经从侧面和坝顶检查，尚未贯穿整个坝段，因此按贯穿性裂缝核算对坝体应力和稳定的影响是偏于安全的。计算结果表明，即使裂缝是贯穿性的，在裂缝张开度有限的情况下，只要缝内进行了灌浆处理能够传力，坝体的应力和稳定均能满足安全要求。实际上随着相邻坝段的上升，对 12#坝段左右侧的裂缝均多次进行了灌浆处理，在 61.0 m 高程仓面也进行了布孔灌浆，在坝顶还做了进一步处理。因此，综合有限元计算的结果和裂缝的处理情况，12#坝段是安全的，能够正常挡水运用。

运行期水工巡查，未见异常现象，12#坝段运行正常。

2. 大坝 9#坝段施工期产生的裂缝处理后的运行情况

在 1998 年冬至 1999 年春的裂缝普查中，9#坝段发现 3 条 0.4 m 长裂缝，表面裂缝 15 条，其中上游迎水面的 4 条裂缝采取灌注环氧树脂浆液和粘贴橡胶板措施处理；其余的裂缝也均做了处理。从该坝段 3#裂缝钻孔取出的芯样看，缝内已灌密实。

经处理后的裂缝在运行期未见扩展等异常现象，运行正常。

3. 电站 3#机组(8#坝段)基础廊道底板裂缝处理后的运行情况

电站 3#机组(8#坝段)基础廊道施工期进行帷幕灌浆时，廊道底板发现一条长约 7m 的纵向混凝土裂缝，按设计要求布置砂浆锚杆对裂缝进行了锚固处理。

运行期巡检，裂缝及附近部位未见异常现象。

4. 大坝地基

(1)大坝地基工作正常。坝基渗压远小于设计值，渗漏量较小，渗压和渗漏量受库水位变化的影响很小，坝基未见明显的渗漏通道，表明帷幕的防渗及排水孔的降压效果均较好。

(2)16#坝段 300-1#剪切带观察窗右上角有明显渗水现象，表层因长期处于水淹没状态出现软化、泥化现象外，总体性状没有明显变化。

(3)大坝 16#、17#坝段基岩楔形体经加固处理后，2001 年 4 月，为检验楔形体结构面的处理结果，在坝基灌浆廊道内布设了 3 个钻孔，利用岩芯直接观察结构面的性状，并采用了声波及井下电视检查。根据岩芯钻探、井下电视、声波测试对构成楔形体的 F_{205}、F_{213}(F_{214})结构面的胶结状态的检查结果如下：缓倾角断层 F_{205} 经 1#、2#孔揭露，断层带虽有不同程度的溶蚀，但灌浆效果良好，尤其是 1#孔内充填有 40 cm 左右的水泥结石，胶结与充填良好。结构面附近透水性极小，压水试验的单位吸水量仅 0.001 6~0.001 7 L/(min · m · m)，声波测试结果表明，其波速值超过 3 500 m/s；反倾下游的切割面 F_{213}、F_{214} 断层，为方解石较紧密充填，表明该结构面仅在浅部有溶蚀，其透水性也极小，压水试验的单位吸水量为 0.009 1~0.097 L/(min · m · m)，其波速值超过 4 000 m/s。

综上所述，组成楔形体的各结构面 F_{205}、F_{213}(F_{214})性状良好。

另据位于坝体下游侧排水廊道内的 3#检查孔揭示：F_{205} 断层处的透水性较大，压水试验的单位吸水量为 0.98~1.36 L/(min · m · m)，并与附近的排水孔形成串漏。

由于该部位处于坝体的应力最大区，从充分考虑岩体的完整性出发，对该部位将继续关注，加强观测和巡查并及时分析，必要时进行处理。

5. 二期工程 RCC 混凝土防渗效果

在表孔坝段基础廊道内专门设置了 3 个 RCC 混凝土渗漏监测孔，运行期观察，3 个监测孔均为干孔，表明坝体 RCC 混凝土及上游面 CKB 护面防渗效果良好。

二、泄水及消能建筑物运行

水库 2000 年 4 月正式蓄水，至 2004 年 8 月，泄水及消能建筑物迄今已经历 5 个洪水季节考验。通过对泄水及消能建筑物包括 6 个表孔、3 个深孔定期进行的表面检查，以及 2003 年 10 月对表孔和深孔消力池进行的水下检查，未发现明显空蚀或结构异常情况。

1. 表孔和深孔溢流面

表孔、深孔溢流面平整光滑。深孔 10#~11#坝段、11#~12#坝段间横缝下游端 54 ~ 55 m 处漏水。经 2001 年处理后，漏水已停止，现运行正常。

2. 表孔和深孔消力池及导墙

2003 年 9~10 月，对表孔及深孔消力池进行了水下电视录像检查工作。检查结果表明，表孔和深孔消力池整体情况良好。护坦没有出现大范围的冲坑和严重麻面，接缝缝口基本完好，水舌跌落区的护坦及缝面完好。升船机机室左边墙、纵向围堰及厂闸导墙的接缝基本完好，左、右坡脚没有开裂和压裂的现象。

所存在的问题主要为表孔消力池的杂物较多。右边是由于升船机机室施工中掉落的石块、混凝土块、钢筋等建筑垃圾，左侧为沉底的小树枝。

三、防渗帷幕运行

1. 基础防渗帷幕

从渗流排水孔的观测情况看，总体上渗流量正常，排水量稳定、清澈，基础防渗帷幕的防渗效果较好。

2. 两岸坝肩防渗帷幕

从下游库岸边坡等部位的巡查情况看，未发现明显较大的出漏点。

从最近的幕前幕后长观孔监测资料（2002 年 3 月 ~ 2003 年 2 月）分析，也反映出两岸坝肩防渗帷幕运行状况正常，防渗效果较好。

四、大坝安全监测

1. 监测仪器布置及完好率

大坝安全监测项目主要有变形、渗流、混凝土温度和预应力混凝土蜗壳应力监测。监测设施完好率见表 7-1。

2. 监测数据采集

监测数据主要通过人工方式采集。变形监测网一般每年复测一次，大坝水平及垂直位移一般每月观测 1 ~ 2 次，坝基渗压及渗漏量每月观测 1 ~ 2 次，混凝土温度和蜗壳混凝土应变计在混凝土浇筑初期每天观测 1 次，之后每周观测 1~3 次。另外，在水库蓄水过程中加密观测，当水位每上升 5 m 时系统观测 1 次。

表 7-1 监测设施完好率统计

序 号	项 目	当前数	损坏数	完好数	完好率(%)
1	垂 线	8	0	8	100
2	静力水准	24	0	24	100
3	渗 流	224	15	209	93.3
4	渗 压	48	1	47	94.44
5	引 张 线	20	0	20	100
6	应力应变	87	0	87	100
7	精密水准	73	0	73	100
8	竖直传高	4	0	4	100
9	精密量距	2	0	2	100
合 计		500	16	483	96.6

安全监测工程自 1997 年 5 月开始埋设第 1 支仪器，至 1998 年 9 月一期工程($1^{\#}$~$12^{\#}$坝段)的所有监测仪器和设备安装完毕，并取得初始值和序列观测资料。二期工程($13^{\#}$~$23^{\#}$坝段)自 1999 年 3 月开始埋设仪器，至 2000 年 4 月所有监测仪器和设备安装完毕，并取得初始值和序列观测资料。

3. 监测数据成果

(1) 大坝变形观测成果。大坝变形过程符合混凝土重力坝变形的一般规律，无异常的突变变形现象。

(2) 大坝基础渗漏量和渗压观测成果。坝基渗压远小于设计值，坝基总渗漏量较小，渗压和渗漏量受库水位变化的影响很小，表明帷幕的防渗及排水孔的降压效果均较好。

(3) 两岸坝肩绕坝渗漏观测成果。水库蓄水后地下水水位：左岸库内水位为 88~115 m，库外水位为 77~133 m，表明蓄水后地下水水位均有所升高。右岸库内(帷幕线上游)枯水期一般在 76~78 m 之间，与库水基本保持一致，表明库水与地下水存在明显的水力联系，验证了右岸将在水库蓄水后形成“地下湖”的结论。枯水期库外(帷幕线下游)一般在 76~85 m 之间，比水库蓄水前有所升高，这主要是蓄水后地下水分水岭的高程由原来的 65~70 m 提高到 80 m 以上所致。帷幕线下游东侧排泄区毛家坨冲沟内的 W_{86}、W_{74}、W_{75} 泉的涌水量，经调查与水库蓄水前相比没有变化，表明库水没有发生外渗现象。

帷幕灌浆实现了“变岩溶化岩体为裂隙性岩体”的目的，有效截断了顺河向断层形成的岩溶渗漏通道。

(4) 预应力蜗壳实测混凝土应变观测成果。两台机组在锚索张拉结束时，各二向应变计组由于预应力的作用产生了一个较大的压应变。其中，水平环向的应变为–58 ~ –33 με，铅直向应变为–40 ~ –28 με。在发电运用期间，虽有温度变化和内水压力等荷载的作用，但仍然维持了一个压应力增量。显然，预应力钢筋混凝土蜗壳完全满足了混凝土限裂的要求，达到了预期效果。2000 年 9 月及以后历次利用机组检修时的放空检查，都没有发现混凝土裂缝。

五、水工金属结构运行

大坝混凝土于 1997 年 4 月 1 日开始浇筑，1998 年 6 月一期大坝全线达到设计高程 83 m，

9 月底一期主体金属结构安装调试完毕，电站厂房和深孔坝段闸门及控制设备具备发电和挡(泄)水条件。

1999 年 5 月 17 日二期大坝表孔坝段达到设计要求的度汛高程 60.5 m，7 月 2 日开始初期蓄水。

2000 年 4 月 30 日，二期大坝表孔坝段达到设计高程 83 m，表孔溢流坝段闸门及其控制设备具备挡(泄)水条件，大坝正式下闸蓄水。

大坝正式下闸蓄水以后，建设单位和运行单位密切配合，对水工金属结构进行了专项整治和改造，设备的设计、安装缺陷逐步消除，控制系统及其元件已经更新换代，设备的可靠性和安全性不断加强。目前，水工金属结构设备运行正常。

2002 年度，高坝洲水利枢纽连续防汛泄水 40 天，接收操作命令 118 号，设备动作 284 台次，成功率 100%。

2003 年度，深孔控制系统改造后即参与实际泄水运行，深孔设备动作 37 台次，成功率 100%。

第五节　水库调度及其运行

一、洪水标准

高坝洲水电站按照《水利水电枢纽工程等级划分及设计标准》(山区、丘陵区部分)(SDJ12—78)及其补充规定，定为二等工程。大坝、泄水建筑物和电站厂房为 2 级建筑物，其他永久性次要建筑物为 3 级。

2 级建筑物按 100 年一遇洪水设计，1 000 年一遇洪水校核；3 级建筑物按 50 年一遇洪水设计，500 年一遇洪水校核。上述洪水标准也满足 1995 年颁布的国家标准《防洪标准》(GB50201—94)的要求。

二、泄洪设施和泄洪能力

高坝洲水电站的泄洪设施有表孔和深孔。初设阶段表孔和深孔的泄洪能力采用计算值。招标设计阶段，对表孔、深孔布置进行了优化设计，并通过水工模型试验验证，验证成果表明，在各特征洪水位下，表孔和深孔的总泄量比原设计有所增加。2001 年 8 月，高坝洲水电站竣工安全鉴定，又通过水工模型试验，进一步验证表孔、深孔的泄流能力，其泄量较以前的试验值略大。

三、水库特征洪水复核

1. 库容曲线复核

初设阶段，库容曲线采用 1963 年地形图量算成果。随着时间的推移，受地区经济发展及环境变化等因素影响，库区地形已发生了变化，需重新量算复核库容曲线。

2001 年 11 月 22 日，鄂清建字[2001]18 号转发长江水利委员会长江勘测规划设计研究院专函，公布“清江高坝洲水库库容曲线重新量算成果”，见表 7-2。

表 7-2 库容曲线重新量算成果

高程(m)	51	55	60	65	70	74	76	78	80	81	82	83
库容(亿 m^3)	0.152	0.328	0.651	1.125	1.807	2.551	2.997	3.490	4.027	4.314	4.612	4.922

注：1. 高程为吴淞高程系统。
2. 长江水利委员会长江勘测规划设计研究院使用 1984 年国家测绘总局编印的万分之一的地形图对水库库容曲线重新量算。

2. 水位流量关系复核

高坝洲水利枢纽坝址无水位和流量观测资料，1989 年 8 月在坝下 868.0 m 处开始观测水位，1994 年曾对坝下水尺水位流量关系进行检验。2001 年 8 月高坝洲水电站竣工安全鉴定，利用 1996 年、1997 年、1998 年三年大水资料进行复核。从实测点据与原拟定的水位流量关系曲线簇图分析，中高水位点据与原拟定的水位流量关系成果配合较好；低水位时，因受施工及人为等方面因素影响，低水位点据存在偏离现象，同一水位时流量有所偏大。由于新建高坝洲水文站目前实测流量资料很少，复核所用的依据资料尚显不足，因此近期仍采用初设阶段拟定的水位流量关系成果，待高坝洲水文站收集到一定的实测流量资料后，对水位流量关系作进一步补充分析与验证。

3. 特征洪水位复核

2001 年 8 月高坝洲水电站竣工安全鉴定，根据新的库容曲线和新的泄流能力试验值，对设计洪水位和校核洪水位进行复核。采用 1955 年、1996 年、1997 年、1998 年四个典型年的设计洪水，分别按两种洪水地区组成进行水库调洪计算，1%频率洪水调洪计算时计入电站泄流 450 m^3/s；0.1%频率洪水调洪计算时不考虑电站泄流。计算成果表明，1%洪水调节计算以 1997 年典型隔—高区间为主的设计洪水坝前水位最高，为 78.09 m；0.1%洪水调节计算以 1955 年典型隔河岩坝址为主的设计洪水坝前水位最高，为 82.81 m，与初设阶段设计洪水位 78.50 m 和校核洪水位 82.90 m 比较，分别降低了 0.41 m 和 0.09 m。2001 年 8 月高坝洲水电站竣工安全鉴定，设计复核所采用的设计洪水位和校核洪水位仍为初设阶段成果。

四、洪水调度

1. 洪水调度

高坝洲水电站是隔河岩水电站的反调节梯级，洪水调度必须与隔河岩水库联合进行，由于隔—高区间流域面积只占高坝洲坝址控制流域面积的 8%，因此隔河岩水库的洪水调度直接影响高坝洲水库的洪水调度。

隔河岩下游 9 km 处为长阳县城，其防洪标准定为 20 年一遇洪水。当隔河岩坝址出现 5%频率洪水时，控制最大下泄流量为 11 000 m^3/s。按该防洪标准，长阳县城需修建防护工程，防护挡水墙墙顶高程为 85.20 m。长阳城关的水位不但受隔河岩下泄流量的影响，而且还受高坝洲水库回水的影响。高坝洲水库库容很小，无调节洪水能力，只能起到滞洪作用。经计算，当隔河岩水库下泄流量为 11 000 m^3/s，高坝洲水库水位控制在 76.00 m 时，长阳回水位为 84.05 m，这时可满足长阳县的防洪要求。

从洪水调度的安全出发，当隔河岩水库下泄流量超过 10 000 m^3/s 时，需及时将高坝洲水库水位降低至 76.00 m。按目前水文预报水平，隔河岩的泄洪流量可以提前 6 小时预报，即高坝洲水库有 6 小时的时间将库水位从 78.00 m 降至 76.00 m，需泄放库水量 4 930 万 m^3/s，相应只需增加下泄流量 2 270 m³/s，而高坝洲水库 76.00 m 时的泄量可达 13 930 m³/s，具有足够的泄流能力。因此，可以认为高坝洲水库水位汛期从 78.00 m 预泄到 76.00 m 的调度方式是可行的。

高坝洲水库洪水调度原则为：当来水量小于库水位相应的泄流能力时，按来量下泄；当来水量大于库水位相应的泄流能力时，按泄流能力下泄。5%频率洪水按 76.00 m 起调，1%频率和 0.1%频率洪水按 78.00 m 起调。

2. *泄水建筑物运行*

为满足工程防洪、泄水建筑物安全运行、下游通航以及闸门操作方便等要求，2001 年 8 月高坝洲水电站竣工安全鉴定，设计部门又通过水工整体模型试验研究，提出在下泄不同流量时，表孔、深孔开启孔数、顺序及开度的较优组合运用方式。其主要原则如下：

(1) 深孔泄洪时既要控制水跃跃头不进闸室，又要控制水跃跃尾不出尾坎，因此深孔可以单独运用的流量水位区间范围较窄。而表孔消力池内流态对其下游水位变化不敏感，池内水流流态基本能自动满足下游消能防冲要求。因此，表孔、深孔联合泄洪时首先选择深孔合理的泄流能力，然后再确定表孔的孔数和开度，以满足总泄量的要求。

(2) 表孔单独运用时，首先选择 6 个表孔均匀逐级启闭，其次是等开度均匀逐级启闭 4#、6#、7#、9#表孔，再次是等开度均匀逐级启闭 5#、8#表孔。深孔单独运行时应尽量同时均匀逐级启闭。

五、库岸稳定情况

1. *库岸滑坡及危岩体*

高坝洲水库全长 49.1 km，分布有滑坡、危岩体共 8 个，总体积 160.2 万 m³。

两岸库坡总体稳定条件较好，库岸总体稳定，虽然有些滑坡稳定性较差或局部稳定性差，但滑坡、危岩体规模都不大或距坝址较远，滑坡、危岩体失稳对水库库容影响甚微，也不会对大坝工程构成危害，但对滑体上居民及航道可能会造成一定影响。

从两岸库坡现状看，以三墩岩蠕滑体最为危险，在水库运行期，有发生整体滑动的可能，其余滑坡产生整体性破坏的可能性较小，但将可能产生局部的变形。

2. *水库影响区*

水库影响区是指受库水作用而导致库水位（80 m 高程）以上的岸坡地段的库岸变形。高坝洲水库影响区主要为滑坡变形和坍岸两种类型。影响区居民已于水库蓄水前完成全部搬迁工作。

(1) 滑坡影响区。通过对滑坡的综合分析与判断，圈定了姜家河（前缘局部）、三墩岩、鸡公岩（临库局部）等 3 处影响区。

(2) 坍岸影响区。这种类型的影响区是根据地方提供的疑点地段并经调查同意确立的。坍岸影响区大都分布在三级阶地范围内。由于三级阶地在高程 78~93 m 临库分布，阶地物质为棕红色壤土夹砾石，加之三级阶地前缘呈陡坎。在水库运行期，库水浸泡与冲刷会影响三级阶地壤土夹砾石的稳定性，导致坍岸的发生，对其上居民与设施有不同程度影响。具体圈定 5 处坍岸区都在南岸坪。

六、水库渗漏

清渔分水岭、清长分水岭和土地岭河间地块是水库可能外渗的三个途径。

1. 清渔分水岭

经脊线钻孔地下水位长期观测资料综合分析，清渔分水岭不存在渗漏问题。

又据泉水调查和动态观测，三游洞灰岩在红层交界一线出露的泉水如 W_{109}(关门石泉水)高程为 82.2 m，W_{189}(黄家湾泉水)高程为 104 m，动态流量为 0.6~8.3 L/s(最大超过 76 L/s)，也说明沿清渔分水岭一线存在高于水库正常蓄水位的地下水位。

2. 清长分水岭

清长分水岭外围有红层超覆封闭，泉水丰富，地下水位高程也远高于库水位，所以不会有沿清长分水岭发生水库渗漏的可能性。

3. 土地岭河间地块

钻孔长期观测所采集的地下水位资料表明，土地岭河间地块存在高于库水位的地下水分水岭，不会发生危害性的库水渗漏。

附 录

工程建设大事记

1958年

●从1958年起，长江流域规划办公室开始对高坝洲水利枢纽进行勘测、规划、设计及科研工作。1964年提出《清江流域规划报告》，1986年提出《清江流域补充规划报告》，选定高坝洲坝址。

1986年

●1986年12月，清江开发公司筹建处与长江流域规划办公室签订了《高坝洲水利枢纽可行性研究设计合同》。

1988年

●1988年3月18日，高坝洲水利枢纽可行性研究汇报会在武汉召开，湖北省副省长王利滨主持会议。会议听取了长江流域规划办公室关于清江高坝洲水利枢纽可行性研究情况的汇报。

●1988年3月22日，清江开发公司向湖北省计委报送了《关于高坝洲水利枢纽工程立项的报告》，并同时呈报了《清江高坝洲水利枢纽项目建议书》。

●1988年5月25日，湖北省政府以鄂政函[1988]55号文，向国家计委报送了高坝洲水利枢纽工程项目建议书，认为高坝洲工程效益是好的，技术论证是可行的，请国家批准建设。

●1988年5月，长江流域规划办公室正式提交了《高坝洲水利枢纽可行性研究报告》。

1989年

●1989年2月20~26日，水利水电规划设计总院、湖北省计委在宜昌市共同主持召开了清江高坝洲水利枢纽可行性研究报告审查会议。

1991年

●1991年10月17日，全国政协副主席钱正英在湖北省人大副主任、隔河岩工程建设领导小组组长王利滨的陪同下，察看了高坝洲坝址。

1992年

●1992年4月15日，《合资建设湖北清江高坝洲水电站协议》签字仪式在湖北长阳县举行，湖北省人大副主任王利滨、能源部副部长陆佑楣、国家能源投资公司总经济师张全分别代表湖北省政府、能源部和国家能源投资公司在协议上签字。

●1992年6月27日，国家能源部以能源计[1992]619号文，向国家计委呈送了《关于清江高坝洲水电站项目建议书的请求》，原则同意湖北省计委报送的高坝洲水利枢纽工程项目建议书的内容，请求尽早批复项目建议书。

●1992年7月20日，国家能源投资公司以能投计[1992]388号文，向国家计委呈送了《关于湖北省高坝洲电站项目建议书意见的报告》，建议批准该项目建议书。

●1992 年 10 月 4 日，国家计委以计能源[1992]1689 号文，向国家能源部批复了清江高坝洲水电站项目建议书，原则同意建设高坝洲水电站。电站建设规模为装机 24 万 kW，航运过坝设施按 300 t 级考虑；由国家能源投资公司与湖北省合资建设，双方各承担总投资的 50%，并按最终投资比例拥有产权、分电分利。

●1992 年 11 月 13 日，湖北省机构编制委员会以鄂机编[1992]089 号文，批准成立湖北省清江高坝洲工程建设公司(副厅级)。

1993 年

●1993 年 1 月 8 日，清江公司以鄂清办字[1993]4 号文，通知成立湖北省清江高坝洲工程建设公司，确定公司为隶属于清江公司领导管理的负责高坝洲工程建设管理的副厅级单位，编制 80 人。

●1993 年 6 月 25 ~ 30 日，水利水电规划设计总院与湖北省计委在枝城市共同主持召开了清江高坝洲水利枢纽初步设计报告审查会议。

●1993 年 11 月 17 ~ 24 日，中国国际工程咨询公司组织专家组在宜昌市对高坝洲水电站工程进行可行性咨询。

1994 年

●1994 年 1 月 6 日，国家电力工业部以电计[1994]11 号文请示国家计委，认为高坝洲水电站初步设计报告已经审批，前期工作全部完成，投资也已落实，具备开工条件，请尽快批复可行性研究报告。

●1994 年 2 月 2 日，国家能源投资公司以能投电计[1994]62 号文，建议国家计委批准清江高坝洲水电站可行性研究报告。

●1994 年 5 月 5 日，湖北省计委以鄂计能源字[1994]第 343 号文，请求国家计委尽快批复高坝洲水电站可行性研究报告，并将其列入 1994 年新开工项目计划。

1995 年

●1995 年 10 月 5 ~ 6 日，湖北清江水电开发有限责任公司董事会召开第一次会议。会议认为，高坝洲水电站施工准备较充分，基本具备主体工程开工条件，同意高坝洲工程 1996 年实现一期工程截流的计划安排。

1996 年

●1996 年 6 月 12 日，高坝洲水电站水轮发电机组及其辅助设备完成招标发包。经过评标议标，最终确定东方电机股份有限公司为中标单位。

●1996 年 6 月 30 日，高坝洲水电站主体建筑安装工程完成招标发包。经过评标议标，最终确定葛洲坝集团公司为中标单位。

●1996 年 7 月 4 日，清江遭遇特大洪水，隔河岩入库流量为 10 700 m^3/s，泄洪流量为 7 000 m^3/s，加上区间和发电流量，5 日凌晨 2：00 到达高坝洲的洪峰流量为 10 503 m^3/s，坝址水位达 53.25 m。

●1996 年 8 月 15 日，国务院常务会议通过了高坝洲水电站可行性研究报告。

●1996 年 10 月 26 日，高坝洲水电站一期工程截流。

●1996 年 11 月 4 日，全国政协副主席钱正英一行在王利滨同志、汪定国董事长、柳太康总经理的陪同下视察了高坝洲工程。

●1996 年 11 月 5 ~ 7 日，清江遭遇超 100 年一遇洪水，隔河岩水库最高水位达 201.99 m，超过正常蓄水位 1.99 m，5 日 22 时 32 分开始泄洪，最大下泄流量达 4 520 m^3/s。在清江防汛指挥部的统一指挥下，公司奋力拼搏，果断决策，组织施工单位连夜将上、下游低土石围堰突击加高 2 m，分别达到 50 m 和 48 m，6 日晚 9 时组织施工单位将围堰上的 24 台钻机和其他施工机械撤退到安全区，7 日 5 时 45 分隔河岩电站下泄流量达 3 610 m^3/s，高坝洲上游围堰堰前水位达 49.84 m，致使洪水漫过堰顶，围堰过水。在各方的共同努力下，抗洪抢险中没有发生人员伤亡事故，并于洪水过后 10 天内就组织恢复了施工，将洪水损失降到了最低。

1997 年

●1997 年 5 月 19 日，国家计委印发了《关于下达 1997 年第一批新开工大中型基本建设项目计划的通知》，高坝洲水电站被国家列为 1997 年新开工项目。此次批准开工的三个电力基本建设项目中高坝洲水电站是惟一的水电项目。

●1997 年 6 月 26 日，两院院士张光斗教授察看了高坝洲工程施工现场。

●1997 年 7 月 16 日晚 23 时，清江遭遇 100 年一遇洪水，高坝洲工程一期围堰建成后首次经受了 12 000 m^3/s 洪峰流量的考验。

1998 年

●1998 年 10 月 17～20 日，清江公司在高坝洲工地组织召开了高坝洲水电站二期截流前验收会。

●1998 年 10 月 26 日，高坝洲水电站二期工程截流。

1999 年

●1999 年 3 月 12 日，国家计委以计经调[1998]2648 号文，批准湖北清江水电开发有限责任公司发行企业债券 2 亿元，专项用于高坝洲工程建设。

●1999 年 6 月 26～27 日，高坝洲工程初期蓄水验收会议在高坝洲工地召开。会议通过了工程初期蓄水验收。

●1999 年 9 月 1～2 日，湖北省委书记贾志杰、省长蒋祝平、副省长张洪祥率部分省直机关领导在高坝洲工地召开加快清江流域开发现场办公会。会议要求省直各部门、地方政府及有关单位一如既往、全力支持，加快水布垭工程上马，加快清江流域开发步伐。

●1999 年 11 月 16 日，越南国家计委主席邓友率领的越南水电考察团一行 12 人考察了高坝洲水电站。

●1999 年 12 月 16 日晚 8 时 8 分 18 秒，高坝洲水电站 1#机一次并网成功。17 日凌晨 4 时 7 分 47 秒，机组进入 72 小时试运行，标志着高坝洲水电站首台机组正式投产发电。

2000 年

●2000 年 2 月 1 日，高坝洲水电站第一台机组正式并网发电，投入商业运行。清江流域开发取得又一重大成果，它标志着八百里清江干流上的第二座水利枢纽工程开始发挥经济效益。

●2000 年 2 月 15 日，高坝洲水电站 2#机组于凌晨 1 时 1 分首次并网成功，17 时 46 分开始 72 小时试运行。

●2000 年 4 月 28～30 日，高坝洲水电站工程蓄水验收会议在高坝洲工地召开。会议同意高坝洲工程下闸蓄水，标志着高坝洲水电站工程基本建成。

●2000 年 4 月 30 日，高坝洲水电站工程下闸蓄水。

●2000 年 6 月 29 日，高坝洲水电站 3#机组于 16 时 21 分并网，在完成预定的试验后于 6 月 30 日 1 时 2 分开始 72 小时试运行。

●2000 年 8 月 11 日 12 时 20 分，高坝洲水电站外送工程高楼线、高郭线正式合环运行；12 日 8 时 29 分，高坝洲水电站 3 台机组全部上网运行。

2001 年

●2001 年 3 月 15～16 日，国家电力公司和国电华中公司在高坝洲工地组织召开高坝洲水电厂 1#、2#机组达标投产复检验收会议。一致认为，机组具备达标投产条件，同意验收。

●2001 年 4 月 3 日，宜昌市公安消防支队主持召开了高坝洲水电站消防工程专项竣工验收会。消防工程顺利通过专项竣工验收。

●2001 年 6 月 19 日，高坝洲水电站升船机主提升系统及控制设备、承船厢、机房桥机、工作大门等设备的合同签字仪式在宜昌举行。承包厂商为夹江水工机械厂和西安航天自动化股份有限公司联合体。

●2001 年 6 月 20 日，高坝洲水电站升船机钢渡槽合同签字仪式在宜昌举行。承包厂商为葛洲坝机电安装公司。

●2001 年 7 月 12 日，湖北省经贸委主持召开了高坝洲水电站工业卫生及劳动保护专项竣工验收会。工业卫生及劳动保护通过专项竣工验收。

●2001 年 7 月 25 日，湖北省物价局对高坝洲水电站上网电价正式予以批复，电价为 0.418 元/(kW·h)。

●2001 年 8 月 2 日，国家发展计划委员会办公厅以计办基础[2001]895 号文，复函湖北省发展计划委员会，委托湖北省发展计划委员会对湖北清江高坝洲水电站进行竣工验收。

●2001 年 9 月 22 日，国家环保总局监督司主持召开了高坝洲水电站环境保护工程专项竣工验收会。环境保护工程通过竣工验收。

●2001 年 11 月，由高坝洲工程建设公司、长江水利委员会设计院、葛洲坝集团清江施工局共同承担的《预应力钢筋混凝土蜗壳结构研究与应用》项目，获 2001 年度湖北省科学技术进步二等奖。

●2001 年 12 月 10 日，湖北省档案局主持召开高坝洲水电站工程档案专项竣工验收会议。专家组认定，工程档案运行符合验收标准，同意验收。

●2001 年 12 月 31 日，湖北省发展计划委员会以鄂计基础[2001]1457 号文，发出《关于组织湖北清江高坝洲水电站工程竣工验收委员会的通知》。通知决定成立湖北清江高坝洲水电站工程竣工验收委员会。

2002 年

●2002 年 1 月 25～27 日，高坝洲水电站枢纽工程专项竣工验收会在高坝洲工地召开，枢纽工程顺利通过竣工验收。

●2002 年 9 月 13 日，清江高坝洲水电站升船机金属结构及机电设备安装工程合同签字仪式在宜昌举行。中标单位为葛洲坝集团公司。

2003 年

●2003 年 1 月 14 日，国电华中公司双达标验收组对高坝洲电厂安全文明生产双达标工作进行了检查验收。检查验收组认为：高坝洲电厂安全文明生产工作扎实，成绩显著，考核指标均达到了标准，通过双达标验收。

参考资料

[1] 中国水电顾问有限公司. 高坝洲水电站枢纽工程竣工安全鉴定报告. 2001.8
[2] 水利部长江水利委员会. 湖北清江高坝洲水利枢纽初步设计报告. 1992.11
[3] 湖北清江高坝洲水电站竣工验收准备工作领导小组办公室.《湖北清江高坝洲水电站竣工验收文件汇编》第二册枢纽工程专项竣工验收(安全鉴定报告、质量监督报告、设计报告、工程地质报告、施工报告、质量监理报告). 2002.4
[4] 《湖北清江高坝洲水电站机组启动验收文件汇编》第一册至第五册. 2000.4
[5] 长江水利委员会长江勘测规划设计研究院. 清江高坝洲水利枢纽水库移民安置规划修编及概算调整报告(送审稿). 2003.9
[6] 长江水利委员会高坝洲工程设计代表处. 高坝洲水利枢纽土建工程技术要求汇编. 2002.7
[7] 湖北清江工程监理有限公司高坝洲工程质量监理站. 湖北清江高坝洲水电站质量监理文件汇编. 1999.3
[8] 清江施工局机电安装公司. 高坝洲水电站工程金属结构、机电设备安装施工组织设计及进度计划. 1997.7
[9] 湖北清江水电开发有限责任公司. 清江高坝洲水力发电厂(3×8.4 万千瓦发电机组)竣工决算报告(送审稿). 2003.6
[10] 郭寒. 再镶明珠. 2003.3
[11] 湖北清江水电开发有限责任公司发电公司. 湖北清江高坝洲水电站大坝运行报告. 2004.3
[12] 高坝洲水电站大坝安全检查组. 清江高坝洲水电站竣工验收大坝安全检查报告. 2004.4
[13] 汪金元，吴启煌. 高坝洲水电站工程建设管理. 2002.3
[14] 刘荣华，袁鹰，吴俊东. 高坝洲水电站通航建筑物设计. 2002.3
[15] 张桂初. 高坝洲水电站工程的投资控制. 2002.3
[16] 张桂初. 关于高坝洲工程水库移民投资有关问题的汇报. 2002.3
[17] 张桂初，吴良洲. 高坝洲水电站大坝横缝漏水的处理. 2002.3
[18] 裴大雄，赵正洪. 高坝洲水电站 3 号机组振动分析及处理. 2002.3
[19] 吴启煌. 高坝洲工程建设若干技术问题的处理与思考. 2004.5
[20] 闵铁. 高坝洲尾工有关情况的报告. 2004.3
[21] 闵铁. 高坝洲计划合同执行情况. 2004.3
[22] 马锡渝. 清江高坝洲水利枢纽垂直升船机浅析. 2001.9
[23] 湖北清江高坝洲工程建设公司. 清江高坝洲水电站工程科技文稿选编. 2004.5

后 记

高坝洲工程建设期间，先后编印、出版各类读物十余种，有正式出版的专著、文集，有内部印刷品，也有专辑。尽管如此，工程建设数百篇技术论文，仍然散落在各类书刊上，找起来不易，参考、借鉴、利用也不便。随着工程建设进入竣工验收阶段，我们萌动着一个想法：尽量将各种工程技术论文收集起来，删繁就简，编辑出版一部具有一定水准的高坝洲水电站工程建设技术论文集。在有关领导的支持下，经过半年的努力，这一心愿得以实现。

这些论文篇幅上有长有短，总量有一两百万字；作者分布在建设、设计、施工、监理等各单位，年龄有长幼，职级有高低；不仅论述对象涉及一项水电工程建设的方方面面，而且文风也不尽相同，或宏观或微观，或理论或实践……把它们浓缩进一本书，我们坚持了以下原则：一是均衡性与代表性相结合，所谓均衡性就是工程各个重要阶段不能遗漏，各主要参建单位要有入选论文；代表性就是入选论文能代表同类文章的水准，论文作者在本单位也有其代表性。二是学术性与实用性相结合。由于作者自身情况各不相同，有的文章理论色彩多一些，有的则实践过程多一些。在选编过程中根据具体情况，客观地判别每篇文章的价值，不搞一刀切。

本书的第二部分是精心浓缩的按块划分的工作分部技术概况，有一定的基础性、数据性、系统性的功能。可作为研阅第一部分内容的查证资料。

因篇幅所限，许多论文尚未收入，工程技术以外的众多文章也一概未入，遗憾之余企望理解。

感谢各位作者对本书编辑工作的大力支持，感谢清江公司领导对本书出版的关心，特别感谢曾是高坝洲工程建设者一员、现任水利部总工程师的刘宁同志为本书拨冗作序。

由于编者水平有限，差错在所难免，如能得到业内同仁的批评、指教，则不胜感激。

《清江高坝洲水电站工程建设技术文集》编委会

2004 年 11 月于高坝洲